司法試験 予備試験

2025年版

完全整理

択一六法

行政法

司法試験&予備試験対策シリーズ

Administrative Law

はしがき

★令和6年の短答式試験＜行政法＞の分析

今年の行政法も、例年どおり、全12問出題され、行政作用法から6問、行政救済法から5問、行政組織法その他の分野から1問出題されました。昨年は行政組織法その他の分野から1問も出題されなかったのですが、今年は従来の傾向どおり、1問出題される結果となりました。来年も行政組織法その他の分野から1問出題される可能性が高いものと考えられますが、出題されない可能性もないとはいいきれないため、最低限、過去問マーク（司共予）が付されている箇所だけでも押さえておくと、より万全を期すことができるでしょう。

また、全体の平均点については、令和元年から順に、「12.1点」（令和元年）→「14.4点」（令和2年）→「10.7点」（令和3年）→「12.8点」（令和4年）→「10.0点」（令和5年）→「11.2点」（令和6年）と推移しています。これらのデータから、行政法科目の平均点は、他の科目と比べるとかなり低く（半分である15.0点を超えたことがない唯一の科目）、全受験生が苦手としている科目なのではないかと推察されます。今年の行政法科目の難易度は、令和元年からの直近6年間の中で、中間に位置する程度のものと思われます。

まず、行政作用法・行政救済法の分野を学習するに当たっては、漫然と基本書・判例集を読むのではなく、繰り返し過去問を解いて出題の傾向に慣れておき、アウトプットを意識してインプットを心掛けると効率的です。また、行政組織法その他分野については、最低限、過去問で問われた知識を押さえておき、時間的に余裕があれば手を広げるといったスタンスで学習を行うとよいでしょう。

★令和6年の短答式試験の結果を踏まえて

今年の予備試験短答式試験では、採点対象者12,469人中、合格者（270点満点で各科目の合計得点が165点以上）は2,747人となっており、昨年の短答式試験合格者数2,685人を62人上回りました。

まず、「合格点」についてですが、過去の直近5年間（令和元年～令和5年）の合格点は「156点～168点以上」という幅のある推移となっており、特に昨年（令和5年）の合格点は、令和元年以降最も高い「168点以上」となっていました。このような近年の状況において、今年の合格点は「165点以上」と高い水準を維持する形となりましたが、来年の合格点については、引き続き「156点～168点以上」の間で推移するものと予測されます。

また、「合格率」（採点対象者に占める合格者数の割合）についてですが、昨年（令和5年）の合格率は、予備試験が実施されるようになった平成23年から見て最も低い約20.26%でしたが、今年は約22.03%となり、約1.8%上昇しました。このように、予備試験短答式試験の合格率は、おおよそ20%台にあるといえますが、司法試験短答式試験の今年の合格率が約78.96%（採点対象者数：合格者数＝3,746：2,958）であることと比べると、予備試験短答式試験は明らかに「落とすための試験」という意味合いが強い試験だといえます。

そして、受験者数・採点対象者数は、令和2年を除き、平成27年から微増傾向にあり、昨年（令和5年）の受験者数は、予備試験史上最も多い13,372人を記録していましたが、今年の受験者数は12,569人となり、一転して減少することとなりました。採点対象者数についても、昨年（令和5年）は13,255人と予備試験史上最も多い数字でしたが、今年は12,469人となり、増加傾向に歯止めがかかった形です。

受験率については、直近2年連続で80%台を維持していましたが、今年は「79.7%」となり、わずかに80%を割り込みました。もっとも、来年以降も同様の「受験率」が維持されるものと考えられ、合格者数も2,500～2,800人前後となることが予想されます。

予備試験短答式試験では、法律基本科目だけでなく、一般教養科目も出題されます。点数が安定し難い一般教養科目での落ち込みをカバーするため、法律基本科目については苦手科目を作らないよう、安定的な点数を確保する対策が必要となります。

このような現状の中、短答式試験を乗り切り、総合評価において高得点をマークするためには、いかに短答式試験対策を効率よく行うかが鍵となります。そのため、要領よく知識を整理し、記憶の定着を図ることが至上命題となります。

★必要十分な知識・判例を掲載

行政法の短答式試験は、条文及び判例に関する知識からの出題が圧倒的多数を占めています。そこで、本書では、行政手続法、行政不服審査法、行政事件訴訟法など主要な法律についてはもちろんのこと、手薄になりがちな情報公開法・個人情報保護法や行政組織法関係についても必要十分な記述を盛り込んでいます。また、基本的かつ重要な判例について、事案と判旨を簡潔にまとめています。さらに、図表を盛り込むことで、時間に余裕がない試験直前期の復習に役立てていただけるよう工夫しました。

★司法試験短答式試験、予備試験短答式試験の過去問情報を網羅

本書では、司法試験・予備試験の短答式試験において、共通問題で問われた知識に〈共マーク、予備試験単独で問われた知識に〈予マーク、司法試験単独で問われた知識に〈司マークを付しています。複数のマークが付されている箇所は、各短答式試験で繰り返し問われている知識であるため、より重要性が高いといえます。

★最新法改正対応

本書では、常に法改正の動向に注目しています。最新の情報をいち早く皆様に提供するために、令和６年８月末日までに公布された法改正を盛り込みました。

令和３年５月19日、「デジタル社会の形成を図るための関係法律の整備に関する法律」（デジタル社会形成基本法）が公布されました。この法律によって、行政機関個人情報保護法が廃止されるとともに、個人情報保護法に一本化されるなど、多くの法分野が改正されましたが、本書は、司法試験及び予備試験の出題範囲に含まれる行政法分野に関する改正部分について、本文に盛り込んでいます。

また、令和５年５月８日に令和５年改正地方自治法（令和５年法律第19号）が、また令和６年６月26日に令和６年改正地方自治法（令和６年法律第65号）が、それぞれ公布されました。本書は、これらの改正のうち、司法試験及び予備試験の出題範囲に含まれる部分について、本文・付録に盛り込んでいます。

★最新判例インターネットフォロー

短答式試験合格のためには、最新判例を常に意識しておくことが必要です。そこで、ＬＥＣでは、最新判例の情報を確実に収集できるように、本書をご購入の皆様に、インターネットで随時、最新判例情報をご提供させていただきます。

アクセス方法の詳細につきましては、「最新判例インターネットフォロー」の頁をご覧ください。

2024年９月吉日

株式会社東京リーガルマインド
ＬＥＣ総合研究所　司法試験部

司法試験・予備試験受験生の皆様へ

ＬＥＣ司法試験対策　総合統括プロデューサー
反町　雄彦　ＬＥＣ専任講師・弁護士

◆競争激化の短答式試験

短答式試験は、予備試験においては論文式試験を受験するための第一関門として、また、司法試験においては論文式試験を採点してもらう前提条件として、重要な意味を有しています。いずれの試験においても、合格を確実に勝ち取るためには、短答式試験で高得点をマークすることが重要です。

◆短答式試験対策のポイント

司法試験における短答式試験は、試験最終日に実施されます。論文式試験により心身ともに疲労している中、短答式試験で高得点をマークするには、出題可能性の高い分野、自身が弱点としている分野の知識を、短時間で総復習できる教材の利用が不可欠です。

また、予備試験における短答式試験は、一般教養科目と法律基本科目（憲法・民法・刑法・商法・民事訴訟法・刑事訴訟法・行政法）から出題されます。広範囲にわたって正確な知識が要求されるため、効率的な学習が不可欠となります。

本書は、短時間で効率的に知識を整理・確認することができる最良の教材として、多くの受験生から好評を得ています。

◆短答式試験の知識は論文式試験の前提

司法試験・予備試験の短答式試験では、判例・条文の知識を問う問題を中心に、幅広い論点から出題がされています。論文式試験においても問われうる重要論点も多数含まれています。そのため、短答式試験の対策が論文式試験の対策にもなるといえます。

また、司法試験の憲法・民法・刑法以外の科目においても、論文式試験において正確な条文・判例知識が問われます。短答式試験過去問を踏まえて解説した本書を活用し、重要論点をしっかり学んでおけば、正確な知識を効率良く答案に表現することができるようになるため、解答時間の短縮につながることは間違いありません。

司法試験合格が最終目標である以上、予備試験受験生も、司法試験の短答式試験・論文式試験の対策をしていくことが重要です。短答式試験対策と同時に、重要論点を学習し、司法試験を見据えた学習をしていくことが肝要でしょう。

◆苦手科目の克服が肝

司法試験短答式試験では、短答式試験合格点（令和６年においては憲法・民法・刑法の合計得点が93点以上）を確保していても、１科目でも基準点（各科目の満点の40%点）を下回る科目があれば不合格となります。本年では、憲法で317人、民法で192人、刑法で122人もの受験生が基準点に達しませんでした。本年の結果を踏まえると、基準点未満で不合格となるリスクは到底見過ごすことができません。

試験本番が近づくにつれ、特定科目に集中して勉強時間を確保することが難しくなります。苦手科目は年内に学習し、苦手意識を克服、あわよくば得意科目にしておくことが必要です。

◆本書の特長と活用方法

完全整理択一六法は、一通り法律を勉強し終わった方を対象とした教材です。本書は、司法試験・予備試験の短答式試験における出題可能性の高い知識を、逐条形式で網羅的に整理しています。最新判例を紹介する際にも、できる限りコンパクトにして掲載しています。知識整理のためには、核心部分を押さえることが重要だからです。

本書の活用方法としては、短答式試験の過去問を解いた上で、間違えてしまった問題について確認し、解答に必要な知識及び関連知識を押さえていくという方法が効果的です。また、弱点となっている箇所に印をつけておき、繰り返し見直すようにすると、復習が効率よく進み、知識の定着を図ることができます。

このように、受験生の皆様が手を加えて、自分なりの「完択」を作り上げていくことで、更なるメリハリ付けが可能となります。ぜひ、有効に活用してください。

司法試験・予備試験は困難な試験です。しかし、継続を旨とし、粘り強く学習を続ければ、必ず突破することができる試験です。

皆様が本書を100%活用して、試験合格を勝ち取られますよう、心よりお祈り申し上げます。

CONTENTS

◆図表一覧

CONTENTS

◆**論点一覧表**

【司法試験】

年度	論点名	備考	該当頁
H18	原告適格（無効等確認訴訟）		397
	実質的当事者訴訟（公法上の確認訴訟）		331
	裁量権の逸脱・濫用		51
	建築基準法の法令解釈	現場思考 なお、司法試験H21・H28も参照	——
	国賠法１条の要件該当性（特に「公権力の行使」、違法性、故意・過失）		423
H19	訴訟類型の選択	現場思考 取消訴訟・執行停止の組合せ、又は差止訴訟・仮の差止めの組合せの選択	——
	強制退去令書の発付の処分性		307
	執行停止の要件	訴訟類型の選択で差止訴訟を選択した場合は、仮の差止めの要件	386
	原処分主義と裁決主義		369
	入管法の法令解釈	現場思考	——
H20	訴訟類型の選択及び比較・検討	現場思考 ・勧告の処分性を肯定した場合 →取消訴訟・執行停止の組合せ ・勧告の処分性を否定した場合 →実質的当事者訴訟（公法上の確認訴訟）・民事保全法上の仮処分の組合せ ・公表の処分性を肯定した場合 →差止訴訟・仮の差止めの組合せ ・公表の処分性を否定した場合 →民事の差止訴訟又は実質的当事者訴訟（公法上の確認訴訟）・民事保全法上の仮処分の組合せ	——
	勧告と公表の処分性		97 307 319

度	論点名	備考	該当頁
	不作為の違法確認訴訟		305 401
	農振法13条２項５号所定の要件充足性	現場思考	——
	処分性（法効果性・紛争の成熟性）	・本件不選定決定の申請拒否処分該当性の検討 ・本件市道占用許可との関係（本件不選定決定は中間段階の行為にすぎないことから、処分の法効果の直接性が問題となる）	307 315 319
	訴えの利益	最判昭43.12.24・百選166事件	347
	要件・効果裁量の有無		42
	裁量権の逸脱・濫用		51
	判断過程審査		55
	行政庁の処分と諮問機関の決定との関係	最判昭50.5.29・百選115事件	142
	原告適格（取消訴訟）	最判平13.3.13・百選157事件	341 354
	狭義の訴えの利益	最判平7.11.9 建築確認と訴えの利益（最判昭59.10.26・百選170事件）	357 359
	量権の逸脱・濫用		51
	量基準に従わない処分	紀伊長島町水道水源保護条例事件（最判平16.12.24・百選24事件）	7 60
	分性（法効果性）	病院開設中止勧告（最判平17.7.15・百選154事件）	319 323
	適格（取消訴訟）	行訴法９条２項による検討を経ることなく、行訴法９条１項の枠組み（処分の名宛人以外の者であっても、当該処分の法的効果により権利を制限される場合には、名宛人に準じて原告適格が認められるという判断枠組み）での検討が求められていた（出題趣旨・採点実感参照）。 最判平18.1.19・百選129事件 最判平25.7.12・平25重判３事件	342

年度	論点名	備考	該当頁
H23	原告適格（取消訴訟）	場外車券発売施設の周辺一般住民及び医療施設開設者の原告適格（最判平21.10.15・百選161事件）	341 355
	差止訴訟		407
	実質的当事者訴訟		331
	要件裁量の有無		42
	地元同意を求める行政手法の意義・問題点	現場思考	——
	通達の法的性質		28
	職権取消しの可否（効果の制限）		71
	架空条例の実効性確保措置及びその適法性	現場思考	——
H24	都市計画決定の処分性	土地区画整理事業計画の取消訴訟（最大判平20.9.10・百選147事件）	315 317
	都市計画変更決定に関する行政裁量	小田急高架訴訟本案判決（最判平18.11.2・百選72事件）	83
	都市計画法の法令解釈	現場思考	——
	憲法29条３項に基づく損失補償請求の可否		451
	損失補償の要否	最判昭48.10.18・百選245事件	451
H25	土地区画整理組合の行政主体該当性		459
	処分性（外部性・法効果性・紛争の成熟性）		307 318
	認可の適法性	現場思考	——
	土地区画整理法の法令解釈	現場思考	——
H26	「裁量基準」（行手法上の審査基準）の該当性・合理性		29 59 107
	裁量基準に従った処分		59

年度	論点名	備考	該当頁
R5	重大な損害（行訴25Ⅱ）	最決平19.12.18・百選192事件	386
	効果裁量の有無		42
	裁量権の逸脱・濫用		51

【予備試験】

年度	論点名	備考	該当頁
H23	処分性（法効果性）		319
	訴訟類型の選択	現場思考	――
	申請型義務付け訴訟（行訴37の3Ⅰ）		406
H24	本問条例・規則の解釈	現場思考	――
	裁量権の逸脱・濫用		51
	聴聞手続（行手13Ⅰ①）		63 120
	不利益処分の理由の提示（行手14Ⅰ）		120
H25	訴訟類型の選択	現場思考	――
	仮の義務付け（行訴37の5Ⅰ）		411
	非申請型義務付け訴訟（行訴37の2Ⅰ）		403
	原告適格（行訴37の2Ⅲ）		341 404
H26	申請拒否処分と不利益処分について行政手続法が定める規律の相違		120
	抗告訴訟で争う場合の行訴法上の規定の相違	現場思考 ・本件不許可処分を申請拒否処分とした場合 →申請型義務付け訴訟・仮の義務付けの組合せ ・本件不許可処分を不利益処分とした場合 →取消訴訟・執行停止の組合せ	――
	撤回の制限		74

年度	論点名	備考	該当頁
R3	行政処分の附款	・行政処分の取消訴訟において附款の違法性を争うことの可否 ・附款のみの取消訴訟の可否 →本件許可と本件条件が不可分一体の関係にあるか否かの検討が求められる（出題趣旨参照）	78
	取消判決の効力（形成力、拘束力）		392 393
	比例原則違反		8
	信義則違反	最判昭62.10.30・百選20事件	6
R4	原告適格（無効等確認訴訟）	最判平4.9.22・百選156事件	397 399
	無効等確認訴訟の本案勝訴要件	・本件処分の内容が不明確であることの瑕疵が無効事由に当たるか ・条例に定める諮問手続を欠くことの瑕疵が無効事由に当たるか	63 64
R5	原告適格（取消訴訟）	一般廃棄物処理業の許可処分と競業者の原告適格（最判平26.1.28・百選165事件）	356
	狭義の訴えの利益	廃棄物処理法上の参照条文から、本件許可については更新制が採られており、本件許可の期間経過後も訴えの利益が維持されることを主張する必要がある（出題趣旨参照）。 なお、東京12チャンネル事件（最判昭43.12.24・百選166事件）参照	347 357
	計画裁量の有無	小田急高架訴訟本案判決（最判平18.11.2・百選72事件）	83 84
	裁量権の逸脱・濫用		51
	判断過程審査		55
	廃棄物処理法７条５項３号所定の要件不充足性	現場思考	——

《略記表》

憲⇒憲法
民⇒民法
刑⇒刑法
民訴⇒民事訴訟法
民保⇒民事保全法
刑訴⇒刑事訴訟法
裁⇒裁判所法
内⇒内閣法
内閣府⇒内閣府設置法
民訴費⇒民事訴訟費用等に関する法律
特許⇒特許法
警職⇒警察官職務執行法
地公⇒地方公務員法
国公⇒国家公務員法
国税通則⇒国税通則法
労組⇒労働組合法
道交⇒道路交通法
道⇒道路法
地自⇒地方自治法
地財⇒地方財政法
独禁⇒私的独占の禁止及び公正取引の確保に関する法律
行手⇒行政手続法
行訴⇒行政事件訴訟法
行審⇒行政不服審査法
行組⇒国家行政組織法
代執行⇒行政代執行法
情報公開⇒行政機関の保有する情報の公開に関する法律
個人情報⇒個人情報の保護に関する法律
国賠⇒国家賠償法
国有財産⇒国有財産法
入管⇒出入国管理及び難民認定法
精神⇒精神保健及び精神障害者福祉に関する法律
生活保護⇒生活保護法
計量⇒計量法
会検⇒会計検査院法
会計⇒会計法
公選⇒公職選挙法
土地収用⇒土地収用法

【予備試験】

年度	論点名	備考	該当頁
R3	行政処分の附款	・行政処分の取消訴訟において附款の違法性を争うことの可否 ・附款のみの取消訴訟の可否 →本件許可と本件条件が不可分一体の関係にあるか否かの検討が求められる（出題趣旨参照）	78
	取消判決の効力（形成力、拘束力）		392 393
	比例原則違反		8
	信義則違反	最判昭62.10.30・百選20事件	6
R4	原告適格（無効等確認訴訟）	最判平4.9.22・百選156事件	397 399
	無効等確認訴訟の本案勝訴要件	・本件処分の内容が不明確であることの瑕疵が無効事由に当たるか ・条例に定める諮問手続を欠くことの瑕疵が無効事由に当たるか	63 64
R5	原告適格（取消訴訟）	一般廃棄物処理業の許可処分と競業者の原告適格（最判平26.1.28・百選165事件）	356
	狭義の訴えの利益	廃棄物処理法上の参照条文から、本件許可については更新制が採られており、本件許可の期間経過後も訴えの利益が維持されることを主張する必要がある（出題趣旨参照）。 なお、東京12チャンネル事件（最判昭43.12.24・百選166事件）参照	347 357
	計画裁量の有無	小田急高架訴訟本案判決（最判平18.11.2・百選72事件）	83 84
	裁量権の逸脱・濫用		51
	判断過程審査		55
	廃棄物処理法７条５項３号所定の要件不充足性	現場思考	——

《略記表》

憲⇒憲法
民⇒民法
刑⇒刑法
民訴⇒民事訴訟法
民保⇒民事保全法
刑訴⇒刑事訴訟法
裁⇒裁判所法
内⇒内閣法
内閣府⇒内閣府設置法
民訴費⇒民事訴訟費用等に関する法律
特許⇒特許法
警職⇒警察官職務執行法
地公⇒地方公務員法
国公⇒国家公務員法
国税通則⇒国税通則法
労組⇒労働組合法
道交⇒道路交通法
道⇒道路法
地自⇒地方自治法
地財⇒地方財政法
独禁⇒私的独占の禁止及び公正取引の確保に関する法律
行手⇒行政手続法
行訴⇒行政事件訴訟法
行審⇒行政不服審査法
行組⇒国家行政組織法
代執行⇒行政代執行法
情報公開⇒行政機関の保有する情報の公開に関する法律
個人情報⇒個人情報の保護に関する法律
国賠⇒国家賠償法
国有財産⇒国有財産法
入管⇒出入国管理及び難民認定法
精神⇒精神保健及び精神障害者福祉に関する法律
生活保護⇒生活保護法
計量⇒計量法
会検⇒会計検査院法
会計⇒会計法
公選⇒公職選挙法
土地収用⇒土地収用法

土地改良⇒土地改良法
建築基準⇒建築基準法
自然公園⇒自然公園法
都市公園⇒都市公園法
環境基⇒環境基本法
風営⇒風俗営業等の規制及び業務の適正化等に関する法律
消防⇒消防法
国土利用⇒国土利用計画法
市町村合併特⇒市町村の合併の特例等に関する法律
水道⇒水道法
都市計画⇒都市計画法
環境基本⇒環境基本法
砂防⇒砂防法
道路運送⇒道路運送法
住民基本台帳⇒住民基本台帳法
地方税⇒地方税法
国税犯則取締⇒国税犯則取締法
情報公開・個人情報保護審査会設置⇒情報公開・個人情報保護審査会設置法
弁護士⇒弁護士法
電波⇒電波法

本書の効果的利用法

●行政手段論　　行政主体と行政機関

第４編　行政手段論

・第１章・【行政組織法】

■第１節　行政主体と行政機関

《概　説》

一　行政主体
　行政上の法律関係から生じる権利義務の帰属主体となるもの。
　ex. 国・地方公共団体、公共組合（健康保険組合など）、営造物法人（国民金融公庫など）

二　行政機関
　1　意義
　　行政主体のために意思決定、意思表示、執行等を行う機関。
　2　行政機関の分類
　(1) 行政庁
　　(a) 意義
　　　国又は地方公共団体のためにその意思を決定し、これを外部に表示する権限を有する機関。
　　(b) 独任制の行政庁（各省大臣、地方公共団体の長、警察署長、税務署長など）と、合議制の行政庁（内閣、公正取引委員会など）がある
　(2) 諮問機関
　　行政庁の諮問に応じ又は自ら進んでこれに意見を陳述することを主な任務とする機関。
　　→諮問機関の意見・勧告は、法律上は、行政庁を拘束するものではない
　　ex. 中央教育審議会、法制審議会、地方制度調査会
　(3) 参与機関
　　諮問機関の中でも、行政庁が意思決定をするための前提要件として議決をし、これに基づいて国の意思が決定表示される意味において、国の意思決定に参与する機関。
　　→参与機関の議決は行政庁を拘束する
　　ex. 総務大臣の電波の配分に関する処分に
　(4) 監査機関
　　行政機関の事務処理について監査を行う機関
　　ex. 国の会計検査を行う会計検査院

行政組織法

判例には判マーク、通説には通マークを明示し、短答式試験の過去問で問われた項目に下記のマークを明示
司法試験　⇒司
予備試験　⇒予
司法試験・予備試験共通問題　⇒共

検索しやすい大きな条文表示

取消訴訟［第28条～第29条］　●行政救済法

<執行停止の類型>

	意義	対象処分の具体例
処分の効力の停止	処分の効力を暫定的に停止し、将来に向かって処分がなかった状態を復元する	営業停止命令 免職処分
処分の執行の停止	処分により課された義務の履行を確保するために強制処分をとることの停止	退去強制令書の発付 代執行への戒告
処分の手続の続行の停止	処分の存在を前提としてなされる後続処分が行われることを防止する	事業認定（その後の収用裁決のため）

2　執行停止の要件（25Ⅱ Ⅲ Ⅳ）
(1) 本案の取消訴訟が係属していること（25Ⅱ本文）
　本案の取消訴訟が適法であることが必要と解されている。
(2) 原告、利害関係を有する第三者からの申立てがあること（25Ⅱ本文）
　裁判所の職権による執行停止は規定されていない。この点で、行政不服審査法25条2項の執行停止と異なる。
(3) 重大な損害を避けるため緊急の必要があること（25Ⅱ本文）
　(a) 平成16年改正法は、従来の「回復困難な損害」の部分を「重大な損害」に変更した。
　　さらに16年改正法では、「重大な損害」を生ずるか否かを判断する場合の解釈の指針を明文化し、裁判所は、損害の回復の困難の程度を考慮し、損害の性質・程度、処分の内容・性質をも勘案することとされた（25Ⅲ）。
　　また「重大な損害」が生ずるか否かの判断に当たっては、処分を受けた者の社会的信用の低下等を考慮することも否定されない。

▼　弁護士に対する懲戒処分の執行停止（最決平19.12.18・百選192事件）

事案：　弁護士Ｘは、Ｘが所属する弁護士会から業務停止３か月の懲戒処分を受けた。Ｘは、Ｙ（日本弁護士連合会）に審査請求をしたが、Ｙはこれを棄却する裁決をした。そこで、Ｘは、本件裁決の取消訴訟を提起するとともに、本件懲戒処分の執行停止（効力停止）の申立てをした。

判旨：　「Ｘは、その所属する弁護士会から業務停止３月の懲戒処分を受けたが、当該業務停止期間中に期日が指定されているものだけで31件の訴訟案件を受任していたなど本件事実関係の下においては、行政事件訴訟法25条３項所定の事由を考慮し勘案して、上記懲戒処分によってＸに生ずる社会的信用の低下、業務上の信頼関係の毀損等の損害が同条２項に規定する『重大な損害』に当たるものと認めた原審の判断は、正当として是認することができる」。

行政事件訴訟法

386

随所に図表を設け、ビジュアル的にわかりやすく情報を整理

論文式試験の過去問で問われた項目に下記のマークを明示
司法試験　⇒司R５
予備試験　⇒予R５
（数字は出題された年度を表しています。）

出題可能性が高い重要判例を長文で掲載するとともに、一目でわかる青トーンの枠で表示

判例の規範やキーワード等を青字で表示

2025年予備試験での出題が予想される項目を マークで明示

当該項目と関連する部分や詳細な記述がなされている部分を ⇒p.で表示し、直ちに当該部分を参照することが可能

重要条文については端的に趣旨を明示

取消訴訟［第9条］ ●行政救済法

行政事件訴訟法

▼ **定期航空運送事業免許取消訴訟の原告適格・新潟空港事件（最判平元.2.17・百選183事件）**

事案：日本航空が、新潟・ソウル間の定期航空運送事業免許を申請し、運輸大臣（当時）はこれを許可した。そこで、空港周辺の住民であるXは、騒音により健康ないし生活上の利益が害されると主張し、許可処分の取消しを求めた。

判旨：取消訴訟の原告適格について規定する行政事件訴訟法9条にいう当該処分の取消しを求めるにつき「法律上の利益を有する者」とは、当該処分により自己の権利若しくは法律上保護された利益を侵害されまたは必然的に侵害されるおそれのある者をいうのであ[illegible]当該処分を定めた行政法規が、不特定多数者の具体的利益をもっぱら一般的公益の中に吸収解消させるにとどめず、それが帰属する個々人の個別的利益としてもこれを保護すべきものとする趣旨を含むと解される場合には、かかる利益も右にいう法律上保護された利益に当たる。右の判断は、当該行政法規及びそれと目的を共通する関連法規の関係規定によって形成される法体系の中において、当該処分の根拠規定が、当該処分を通して右のような個々人の個別的利益をも保護すべきものとして位置付けられているとみることができるかどうかによって決すべきである（この基準に照らすと、本件では周辺住民に原告適格が認められる。）。

▼ **もんじゅ訴訟①周辺住民の原告適格（最判平4.9.22・百選156事件）**

事案：旧動力炉・核燃料開発事業団は、高速増殖炉「もんじゅ」の建設、運転を計画し、内閣総理大臣から、規制法に基づく原子炉設置許可を受けた。これに対して、周辺住民が、「もんじゅ」の設置・稼働により生命・身体を損傷される等重大な被害を受けるとして、内閣総理大臣を被告とする右設置許可の無効確認訴訟を提起した。

判旨：規制法（＊核原料物質、核燃料物質及び原子炉の規制に関する法律）24条1項各号は、公衆の生命、身体の安全、環境上の利益を一般的公益として保護するだけでなく、右事故等により直接的[illegible]重大な被害を受けることが想定される範囲の住民の生命、身体の安全等を個々人の個別的利益としても保護する趣旨を含むと解する。

▼ **高層ビル近隣住民の原告適格（最判平14.1.22・百選158事件）**

事案：建築基準59条の2に基づく高層ビルの総合設計許可処分及び建築確認処分に関し、近隣住民Xが都知事Yにこれらの処

判旨：建築基準法は日照・通風・採光等にあわせて、的とする。よって、建物の倒壊・延焼の被害がれる周辺の居住者の生命・身体・財産も個々人する趣旨を含む。

348

●行政作用法 行政上の強制執行

行政上の義務履行確保

《注 釈》

一 手続

履行期限を定め、履行を促す文書による戒告（通知）をし、その期限までに履行しないときは、代執行令書をもって代執行をする旨を改めて通知し、代執行する。ただし、緊急の場合は戒告・代執行令書を省略することができる（Ⅲ）。

二 救済

この戒告と代執行令書の通知はいずれも新たな権利義務を課すものではないが、代執行を受ける者にとっては事前にこれを止める手段がないため救済の観点から処分性を認めるのが判例である。もっとも、執行後は取り消しても無意味なので訴えの利益も喪失し、国賠訴訟によることに ⇒p.359

第4条〔証票の携帯・提示〕

代執行のために現場に派遣される執行責任者は、その者が執行責任者たる本人であることを示すべき証票を携帯し、要求があるときは、何時でもこれを呈示しなければならない。

［趣旨］代執行の手続的適正を担保するため、身分証明書の所持と要求があれば呈示することを必要とする。

《注 釈》

執行そのものに関する条文は、証票の提示を求める本条だけであり、実力行使を認めた条文はない。妨害に対する実力行使の可否については争いがあるが、実務上は警職法上の危害防止・犯罪予防・制止措置（警職4、5）として認められるとする。

第5条〔費用の徴収〕

代執行に要した費用の徴収については、実際に要した費用の額及びその納期日を定め、義務者に対し、文書をもつてその納付を命じなければならない。

第6条〔費用の徴収の方法〕

Ⅰ 代執行に要した費用は、国税滞納処分の例により、これを徴収することができる。

Ⅱ 代執行に要した費用については、行政庁は、国税及び地方税に次ぐ順位の先取特権を有する。

Ⅲ 代執行に要した費用を徴収したときは、その徴収金は、事務費の所属に従い、国庫又は地方公共団体の経済の収入となる。

93

● 最新判例インターネットフォロー●

本書の発刊後にも、短答式試験で出題されるような重要な判例が出されることがあります。

そこで、完全整理択一六法を購入し、アンケートにお答えいただいた方に、ウェブ上で最新判例情報を随時提供させていただきます。

・ユーザー名は〈WINSHIHOU〉、
　パスワードは〈kantaku〉となります。

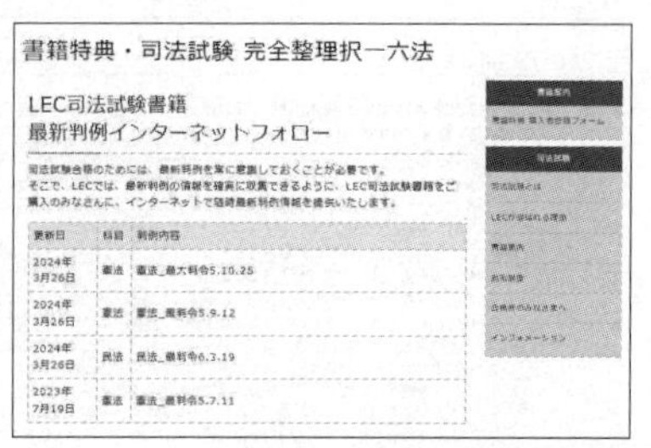

※画面イメージ

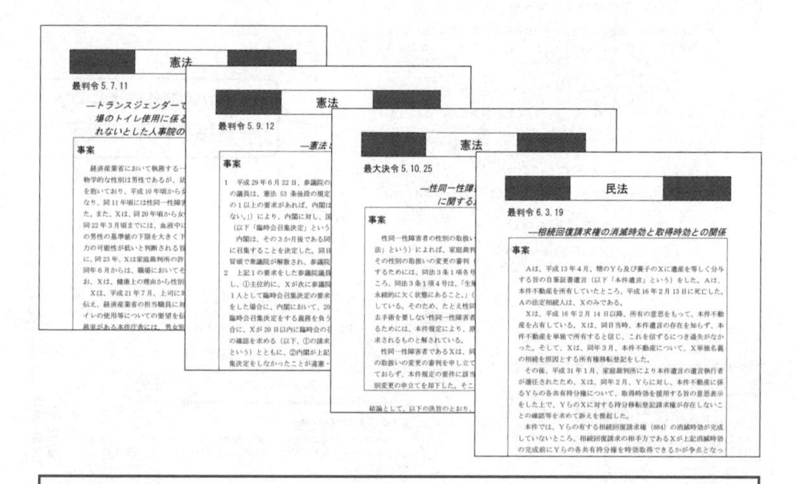

アクセス方法

ＬＥＣ司法試験サイトにアクセス
（https://www.lec-jp.com/shihou/）

↓

ページ最下部の「書籍特典 購入者登録フォーム」へアクセス
（https://www.lec-jp.com/shihou/book/member/）

↓

「完全整理択一六法 書籍特典応募フォーム」にアクセスし、
上記ユーザー名・パスワードを入力

↓

アンケートページにてアンケートに回答

↓

登録いただいたメールアドレスに最新判例情報ページへの
案内メールを送付いたします

行政法

第1編　行政法総論

・第1章・【行政の意義・分類】

■第1節　行政の意義

《概　説》

◆　行政の意義

行政の活動範囲は広範にわたるため、その意義が問題となる。ただ、現在では控除説を前提に、行政活動を具体的観点から分類・整理することに関心が移っている。

1　控除説（消極説、通説）

国家作用の中から、法規の定立行為としての立法作用、国家の刑罰権の判断作用及び一定の裁判手続によって人と人の権利義務を判断する民事司法の司法作用を除くもの。

∵　行政の活動は様々・雑多・多様なものであり、積極的に定義することは困難

2　積極説

法の下に法の規制を受けながら、現実具体的に国家目的の積極的実現を目指して行われる全体として統一性をもった継続的形成的国家活動であり、その裁量性に特徴付けられるもの。

∵　行政という法部門の統一的一体性を生み出すためには積極的定義が不可欠

■第2節　行政活動の分類

《概　説》

行政活動の分類として、以下の分類の仕方が考えられる。

一　規制行政（侵害行政）と給付行政（授益行政）

1　規制行政とは、国民の権利・利益を制限したり、剥奪したりする行政活動をいう。

ex.　租税の賦課・徴収や建築規制

2　給付行政とは、国民に一定の権利・利益を与える行政活動をいう。消極国家観から積極国家観への転換に伴い、その重要性を増している。

ex.　各種補助金や生活保護費の支給、公共施設の提供、道路や公園の設置・管理

二　調達行政・調整行政

1　調達行政とは、行政機関が事務を処理するのに必要な各種の手段を調達する行政活動をいう。

ex.　税務行政、公用収用、人事行政

2　調整行政とは、私人間の紛争に対して、司法的解決方式に先立って、行政機関が、私人間の利害調整を担当する行政活動をいう。特に規制緩和政策の実施に伴い、私人間の紛争が増大する可能性が出てきた現代においては調整行政の重要性が高まっている。

三　私経済的行政

私経済的行政とは、全く私企業と同じ立場に立って行う行政活動をいう。したがって、一般的に民法が直接適用される分野であるということができるが、特別な規律を置く必要がないのかが近年問題にされつつある分野である。

四　権力行政と非権力行政

権力的手法を用いる行政（権力行政）と非権力的な手法を用いる行政（非権力行政）の区別がある。概ね規制行政と給付行政の区分に対応するが、行政指導のように規制行政であっても非権力的な手法を用いる場合がある。また、都市公園などに売店を出すときの許可（都市公園５Ⅰ）のように給付行政であっても権力的な手法を用いる場合がある。

・第２章・【行政法の基本原理】

■第１節　総説

《概　説》

一　総説

行政法の基本原理には、行政活動は国会の制定する法律の定めるところにより、法律に従って行わなければならないという原理（法律による行政の原理）がある。

二　法律による行政の原理の趣旨、根拠

1　自由主義

行政活動を国民の代表者により制定された法律に従わせることにより、公権力の恣意的な介入を防ぎ、国民の自由・権利の保護を図る。

2　民主主義

行政活動を法律によって統制することにより、民主的コントロールの下に置くこと（民主主義的要請）を図る。

■第２節　法律による行政の原理の内容

《概　説》

一　法律の優位〈共

法律の規定と行政の活動が抵触する場合、前者が優位に立ち、違法な行政活動は取り消されたり無効になるという原則である。

∵　国会を「国権の最高機関」とする憲法41条

二　法律の留保

1　意義

行政活動を行う場合に、事前に法律（条例を含む）でその根拠が規定されていなければならないとする原則である〈司。

2　法律の留保の及ぶ範囲

⑴　侵害留保説（行政実務）〈共予

国民に義務を課し、権利を制限する侵害的な行政作用については法律の根拠を要するが、そうでないものは法律の根拠を要しない。

∵①　侵害行政については自由主義的見地から法律の根拠が必要である

②　給付行政については行政の自由度を高めておく方が国民の利益になる

⑵　全部留保説

行政活動にはすべて法律の根拠が必要である。

∵　民主主義原理の徹底を図るべきである

⑶　権力留保説

侵害的なものであると授益的なものであるとを問わず、行政活動が権力的な行為形式によって行われる場合には、法律の根拠が必要である。

⑷　社会留保説

侵害行政に加え給付行政にも法律の根拠を必要とする。

⑸　本質性留保説

国民の権利・自由について、本質的な事項については法律の根拠を必要とする。

3　法律の範囲

法律の留保の内容となる法律は、組織規範・規制規範（手続規範や目的規範）ではなく根拠規範であることが必要とされる〈司予。

▼　違法係留ヨットの強制撤去・浦安ヨット事件（最判平3.3.8・百選98事件）〈司

事案：　Ａ町内の河川に占有許可なくヨットの係留施設を設置した者がいたため、Ａ町は法律の根拠なく公金を支出してこれを業者に撤去させた。Ａ町民であるＸは、Ａ町の措置が法律の根拠に基づかない違法なものであ

権利濫用禁止の原則

私人の側の権利濫用

行政機関に対して私人が有する権利を濫用することは認められない（憲12）。

ex.　申請権の濫用、情報公開請求権の濫用

行政の側の権利濫用

▼　行政権の濫用・余目町個室付浴場事件（最判昭 53.5.26・百選 25 事件）〈司

事案：　Ｘの個室付浴場業の開業について地元民から反対運動が起こったため、県当局はその開業前に右開業予定地近くの町有地に児童福祉施設たる児童遊園を設置すれば右開業を阻止できるとして、児童遊園の設置を同町に対して積極的に指導し、同町はその設置認可の申請を行い、知事がこれを認可した。その後、Ｘは個室付浴場業の営業を開始したため、県公安委員会はＸに対し 60 日間の営業停止処分をした。そこでＸが県を被告として国家賠償請求の訴えを提起した。

判旨：　原審の認定した右事実関係のもとにおいては、本件児童遊園設置認可処分は行政権の著しい濫用によるものとして違法であり、かつ、右認可処分とこれを前提としてされた本件営業停止処分によってＸが被った損害との間には相当因果関係があると解するのが相当であるから、Ｘの本訴損害賠償請求はこれを認容すべきである。

三　比例原則〈予R3

比例原則は、①手段は目的に適合したものでなければならない（目的適合性の原則）、②手段は目的達成に必要不可欠なものでなければならない（必要性の原則）、③目的達成によって得られる利益と犠牲とを比較して、犠牲が利益を上回る場合には、目的達成を断念しなければならない（均衡の原則）、という３つの要請を含む一般原則であり、行政活動一般に妥当する。

ex.　即時強制も、典型的な公権力の発動である以上、当然に比例原則の適用を受ける〈予

▼　現行犯逮捕時の発砲行為（最決平 11.2.17・百選 97 事件）

事案：　警察官Ｘが不審者Ａを追跡していたところ、Ａがナイフを振り回す等、反撃してきたため、ＸはＡに発砲してＡを死亡させた。このためＸは特別公務員暴行陵虐致死の疑いで起訴されたが、その中で発砲行為が武器使用要件（警職７）に定める「必要であると認める相当な理由のある場合」と「その事態に応じ合理的に必要と判断される限度」という比例原則の要件を充足するかが争われた。

決旨：　罪質や、抵抗の態様等に照らすと、Ｘは逮捕行為を一時中断し他の警

るとして、Ａ町長Ｙに対し、撤去のために支出した費用の賠償を求める住民訴訟を提起した。

判旨：　法令上、町長には撤去権限がないことから、「本件Ｙの撤去行為は漁港法および行政代執行法上適法と認めることのできないものである」。

＊　ただし、本判決は民法 720 条の法意に照らし、公金支出についてはその違法性を是認することはできないとして、請求を棄却しており、本件の撤去行為の適法性について判断したものではないとする見解もある。

三　法律の法規創造力

新たに法規（人の権利義務に関する一般的・抽象的な定め）を創造するのは、立法権（法律）の専権に属することであって、行政権は法律による授権がない限り法規を創造することはできないことをいう。

第３節　法の一般原則

《概　説》

一　信義則〈司

信義則（民１Ⅱ等）が行政上の法律関係にも適用される場合がある。信義則は、これを行政関係にも適用することが私人の利益保護に奉仕することがあるからである。ただ、信義則の適用は行政の違法な活動を信頼して行動した私人を保護するものであるから、法律による行政の原理との調整が必要となる。特に、租税関係では、信義則を適用することで特定人を法と異なる取扱いをすることになるので、平等原則との抵触を考えなくてはならない。

▼　被爆者の健康管理手当と消滅時効（最判平 19.2.6・百選 23 事件）〈司予

⇒類似判例として最判平 19.11.1・百選 214 事件参照（p.430）

事案：　原爆被害者であり、被爆者援護法等に基づき健康管理手当を受けていたＸらが、外国に移住した際、Ｙは、原爆被害者が健康管理手当の受給権取得後に外国に移住した場合にはその受給権を失うとの厚生労働省の通達（402 号通達）を根拠として健康管理手当の支給を打ち切った。そこでＸらは未支給分の支払を求めて訴訟を提起した。その後、厚生労働省が 402 号通達を廃止したためＹは本件健康管理手当の一部を支払ったが、残りは時効消滅（地自 236）を主張してその支給をしなかった。そこで、本件において消滅時効の主張が信義則に照らし許されるかが争点となった。

判旨：　402 号通達は違法であり、法令遵守義務のある地方自治体が重要な権利の行使を妨げた結果、消滅時効にかかった場合において、地方自治体が自ら時効主張することは信義則に反し許されない。

▼ 租税と信義則・酒屋青色申告承認申請事件（最判昭 62.10.30・百選 20 事件） 司予 予H27 予R3

事案：　X は酒屋を経営しており、昭和 46 年分の事業所得について、青色申告の承認を受けずに青色申告をした。税務署長 Y はこれを受理し、翌年以降も X に青色申告用紙を送付し、X からの青色申告書を受理するとともに、青色申告にかかわる所得税額を収納してきた。しかし Y は、昭和 51 年に、X の昭和 48・49 年分の所得税について、青色申告としての効力を否認して白色申告とみなして更正処分を行った。X は、同処分は信義則に違反し違法であるとしてその取消訴訟を提起した。

判旨：　租税法規に適合する課税処分について、法の一般原理である信義則の法理の適用により右課税処分を違法なものとして取り消すことができる場合があるとしても、法律による行政の原理なかんずく租税法律主義の原則が貫かれるべき租税法律関係においては、右法理の適用については慎重でなければならず、租税法規の適用における納税者間の平等、公平という要請を犠牲にしてもなお当該課税処分に係る課税を免れしめて納税者の信頼を保護しなければ正義に反するといえるような特別の事情が存する場合に、初めて右法理の適用の是非を考えるべきものである。この場合の適用要件としては、少なくとも税務官庁が納税者に対し信頼の対象となる公的見解を表示したこと、納税者がその表示を信頼し、かつ、このように信頼したことについて納税者の責めに帰すべき事由がなかったこと、納税者がその信頼に基づいて行動し、かつ、このように行動したことについて納税者の責めに帰すべき事由がなかったこと、後に右表示に反する課税処分が行われ、そのために納税者が経済的不利益を受けることになったことが不可欠である。本件では、これらの要件は満たさないため、信義則違反であるとの主張は認められない。

▼ ストックオプションの課税上の取扱い（最判平 18.10.24・平 19 重判 3 ②事件）

最判平 19.7.6・平 19 重判 3 ①事件、最判平 18.11.16・平 19 重判 3 ③事件も同様の事案

事案：　外国法人からその代表取締役 X が受けたストックオプション行使による利益について、X が一時所得として確定申告をしたところ、Y は給与所得に当たるとして増額更正処分及び過少申告加算税賦課決定を行ったため、X はこれらの処分の取消訴訟を提起した。最高裁では、本件に国税通則法 65 条 4 項にいう「正当な理由」があるかが争われた。

判旨：　過少申告加算税は、当初から適正に申告し納税した納税者との間の客観的不公正の実質的な是正を図るとともに、過少申告による納税義務違反の発生を防止し、適正な申告納税の実現を図り、もって納税の実を挙げようとする行政上の措置である。この趣旨に照らせば、過少申告があ

ったとしても例外的に過少申告加算税が課されない場合
法 65 条 4 項が定めた「正当な理由があると認められる
に納税者の責に帰することのできない客観的な事情があ
な過少申告加算税の趣旨に照らしてもなお納税者に過少
課することが不当又は酷になる場合をいうものと解する。
成 10 年分の確定申告の時期以降、実務上、ストックオプ
使益の所得税法上の所得区分を一時所得から給与所得へと
ものの、これを通達により明示することなく、平成 14 年
基本通達の改正によって初めて変更後の取扱いを通達に明
あり、以上のような事情の下においては、X に、国税通則
にいう「正当な理由」があるものというべきである。

▼ 配慮義務・紀伊長島町水道水源保護条例事件（最判平 16.12 24 事件） 司R4

事案：　X は産業廃棄物中間処理施設の建設を計画し、三重県に計
した。県との協議会でこの計画を知った紀伊長島町は紀伊長
源保護条例を制定した。その内容は水質汚濁等のおそれがあ
認定した事業場の設置を禁止するというものであった。そし
本件施設を規制対象事業場であると認定した。X は産業廃棄
基づいて県知事の許可を受けたものの、町長の認定のために
できなかった。X は町長の認定処分の取消しを求めて訴訟を提起

判旨：　本件条例は、水源保護地域内において対象事業を行おうとす
に、町長と協議を行うことを定めているが、この協議は当該条
重要な地位を占める手続である。そして、本件条例は、X が本
定前に産業廃棄物処理施設設置許可の申請に係る手続を県に対
たことを知って町が制定したものである。町長も、X が申請に
を進めていたことを了知しており、本件施設の設置の必要性と
の必要性を調和させるために町としてどのような措置を執るべき
討する機会を与えられていた。そうだとすれば、町長は、X に対
対象事業場認定処分を行うに当たっては、X の立場を踏まえ、X
な協議を尽くすべきである。そのうえで水源保護の目的にかなう
水量を適正なものに改めるよう適切な指導をし、X の地位を不当
ることのないよう配慮すべき義務があった。仮に規制対象事業場
分がその義務に反してなされたものである場合には、当該処分は
なる。

官の協力を得る等、他の手段を採る事も十分可能であったとして、「必要であると認める相当な理由のある場合」に当たらず、かつ「その事態に応じ合理的に必要と判断される限度」を逸脱したものであるとした。

四　平等原則〈回

行政機関は合理的な理由なく国民を不平等に取り扱ってはならない（憲14）。もっとも、法律による行政の原理と抵触する場合、どちらを優先させるべきかが問題となる。

▼　課税平等原則と租税法律主義（大阪高判昭44.9.30）

事案：　全国の税務官庁の大多数が法律の解釈を誤り、20パーセントの税率でスコッチライトに課税していたが、神戸税関長は30パーセントの税率で関税を賦課徴収していたため、神戸税関長に賦課徴収処分を受けたXが本件賦課徴収処分の無効確認及び差額の不当利得返還訴訟を提起した。

判旨：　課税物件に対する課・徴税処分に関与する全国の税務官庁の大多数が法律の誤解その他の理由によつて、事実上、特定の期間特定の課税物件について、法定の課税標準ないし税率より軽減された課税標準ないし税率で課・徴税処分をして、しかも、その後、法定の税率による税金と右のように軽減された税率による税金の差額を、実際に追徴したことがなく且つ追徴する見込みもない情況にあるときには、租税法律主義ないし課・徴税平等の原則により、右状態の継続した期間中は、法律の規定に反して多数の税務官庁が採用した軽減された課税標準ないし税率の方が、実定法上正当なものとされ、却つて法定の課税標準、税率に従つた課・徴税処分は、実定法に反する処分として、右軽減された課税標準ないし税率を超過する部分については違法処分と解するのが相当である。

五　行政上の不当利得

▼　行政上の不当利得（最判昭49.3.8・百選29事件）

事案：　A税務署長は、Xの所得税につき増額更正処分をし、増差税額等を滞納処分により徴収した。しかし、当該更正処分において算入すべきものとされた雑所得には、貸し倒れにより放棄され、回収不能となった債権が含まれていた。そのため、Xが、国を被告として貸し倒れ額に対応する税額につき不当利得返還請求訴訟を提起した。

判旨：　後発的な貸し倒れにより不良債権となった債権に、額面通りの課税をしても当然に違法、無効となるものではない。しかし、貸し倒れの発生・数額が客観的に明白なときは、課税庁が是正措置をとることが法律上期待されているのにこれをしないことは正義公平の原則に反するので、課税庁の不当利得になる。

六　行政の公正・透明性の原則、説明責任の原則

自由主義の観点から、処分の名宛人の権利利益を守るために透明性が求められるとともに、民主主義の観点からも、主権者に対する行政の説明責任（アカウンタビリティ）を負うという原則が導かれる。行政手続法、情報公開法の目的規定、処分理由通知などに現れている。

七　公益適合原則〈司

行政は公益に適合するように行われるべきという原則である。具体的現れとして、処分の効力を失わせることによる公益への著しい支障を回避すべきという要請が挙げられる。

・第3章・【公法と私法】

《概　説》

一　公法・私法二元論

1　意義

実体法を公法体系と私法体系に二分し、ある法律規定が公法規定か私法規定かによって結論を演繹する解釈手法をいう。たとえば、公権については一身専属的なもので、譲渡、放棄、差押え、相殺の対象とならないと考える（公権の不融通性)。行政事件訴訟法４条後段の「公法上の法律関係」、会計法30条の公法債権の特別の短期消滅時効などに現れる。

2　公権の不融通性

(1)　相続

▼　**生活保護受給権の性質・朝日訴訟（最大判昭42.5.24・百選〔第７版〕16事件）〈予**

事案：　生活保護受給者Ｘが、生活扶助の廃止、医療費自己負担額増とする保護変更決定を争っている最中に死亡した。Ｘの養子が訴訟承継を主張した。

判旨：　生活保護受給権は当該個人に与えられた一身専属の権利であって、相続の対象とならない。また、被保護者の生存中の扶助ですでに遅滞にあるものの給付を求める権利についても、当該被保護者の死亡によって当然消滅し、相続の対象とならない。

▼　**年金請求権の性質（最判平7.11.7・百選64事件）**

事案：　国民年金法に基づく年金の受給資格を有するＸが国に対して未支給年金の支払いを請求した。訴訟係属中にＸが死亡したため、Ｘの養女が相続による当然承継、参加承継を申し立てた。

判旨：　年金受給権者死亡時、遺族が自己名で未支給の年金の支給を請求できるとする国民年金法19条１項は、独立した請求権を子が相続するもの

ではなく、相続とは別の立場から一定の遺族に未支給年金の支給を認めるものである。子が同条の規定により未支給年金の支払請求権を確定的に取得したといえるには社会保険庁長官に請求し、支給決定を受ける必要があり、これをせずに訴訟上未支給年金を請求することはできない。

(2) 公法上の債権の譲渡

判例は債権の性質によって区別する。たとえば、生活保護受給権の相続性については、一身専属性を理由に否定する（上述朝日訴訟、最大判昭42.5.24・百選〔第7版〕16事件）。一方、地方議会議員の議員報酬請求権について、単なる経済的価値のみに着目した債権であり、移転性が予定されているとして、条例に特段の定めがない限り譲渡が認められるとした（最判昭53.2.23）。

(3) 消滅時効（会計30、地自236）の適用の有無

国・地方公共団体に対する債権は、会計法30条、地自法236条からすると、一律5年の短期消滅時効にかかるように思われる。しかし、最高裁は会計法30条の趣旨から適用されるものと適用されないものが区別されるとする。

▼ 安全配慮義務違反に基づく損害賠償と消滅時効（最判昭50.2.25・百選22事件） 共予

事案： 自衛隊員Aは駐屯地内でBの運転する大型自動車に轢かれて死亡した。Aの両親Xは国Yに対して安全配慮義務違反に基づく損害賠償請求したが、国は会計法の消滅時効を主張した。安全配慮義務の存否と、会計法上の消滅時効の適否が争われた。

判旨： 「国は、公務員に対し、国が公務遂行のために設置すべき場所、施設もしくは器具等の設置管理又は公務員が国もしくは上司の指示のもとに遂行する公務の管理にあたって、公務員の生命及び健康等を危険から保護するよう配慮すべき義務（以下「安全配慮義務」という。）を負っているものと解すべき」であり、国が安全配慮義務を懈怠し違法に公務員の生命、健康等を侵害した場合には、「損害を受けた公務員に対し損害賠償の義務を負う事態」も生じうる。

そして、「会計法30条が金銭の給付を目的とする国の権利及び国に対する権利につき5年の消滅時効期間を定めたのは、国の権利義務を早期に決済する必要があるなど主として行政上の便宜を考慮したことに基づくものである」が、国が安全配慮義務を懈怠し損害賠償義務を負う事態は「偶発的であって多発するものとはいえない」から、安全配慮義務につき「前記のような行政上の便宜を考慮する必要はなく、また、国が義務者であっても、被害者に損害を賠償すべき関係は、公平の理念に基づき被害者に生じた損害の公正な填補を目的とする点において、私人相互間における損害賠償の関係とその目的性質を異にするものではない」として、会計法30条の適用を否定した。

3　公法私法二元論の是非

判例・学説とも厳格な公法・私法二元論は採らず、相殺等の適用の可否について実定法の定め、その趣旨・目的から個別に判断する手法に固まっている。また、公法違反の私法行為の効果についても、その趣旨・制度から考える手法が採られている。

(1)　公法規定と民法177条

民法177条の適用については、これを肯定する判例と否定する判例があるが、私法関係との類似性がある公法関係については民法177条が類推適用されると考えられている。

▼　農地買収処分（最大判昭28.2.18・百選〔第6版〕9事件）

事案：　Aから土地を買い受けたX（登記未了）が、当該土地を登記簿上の名義人Aの所有地として買収処分を定めた農地委員会Yに対し、農地買収裁決取消を求めて訴訟を提起した。

判旨：　農地委員会は民法177条を主張したが、裁判所は、私経済上の取引の安全を保障するために設けられた民法177条の規定は、自作農特別措置法による農地買収処分にはその適用はないとして、Yの上告を棄却した。

▼　租税滞納処分（最判昭31.4.24、最判昭35.3.31・百選9事件）
司予

事案：　XはAから土地を買い受けた（登記未了）が、税務署長Yが当該土地をA所有地として滞納処分・差押えのうえ、公売処分にかけたので、Xが公売処分の無効確認等を求めた。

判旨：「国税滞納処分においては、国は、その有する租税債権につき、自ら執行機関として、強制執行の方法により、その満足を得ようとするものであって、滞納者の財産を差し押えた国の地位は、あたかも、民事訴訟法上の強制執行における差押債権者の地位に類するものであり、租税債権がたまたま公法上のものであることは、この関係において、国が一般私法上の債権者より不利益の取扱を受ける理由となるものではない。それ故、滞納処分による差押の関係においても、民法177条の適用がある」。

(2)　公法規定と代理

▼　自治体の契約と双方代理（最判平16.7.13・百選4事件） 司予

事案：　名古屋市が博覧会を開催することになり、そのために設立された財団法人たる博覧会協会会長には市長Yが就任した。しかし、赤字が予想されたことから、博覧会協会が、博覧会の諸施設・物件を市に合計約10億円で売却する契約を市と締結したところ、市の住民が地自242条の2第1項第4号（平成14年改正前）に基づいてYらに住民訴訟を提起した。

判旨：　普通地方公共団体の長が当該普通地方公共団体を代表して行う契約の

締結には、民法108条（自己契約及び双方代理の禁止）が類推適用される。また、議会が長による双方代理を追認した場合には、民法116条の類推適用により、議会の意思に沿って普通地方公共団体に法律効果が帰属する。

▼ 自治体の行為と表見代理（最判昭34.7.14・百選〔第7版〕12事件）

事案：　Y村村長が、町議会の承諾なく、別の借入に関する村議会決議書抄本を提示し、村名義でXから金員の貸付を受けた。そこで、XがY村に借入金の返済を求めた。

判旨：　普通地方公共団体の長自身が他よりの借入金を現実に受領した場合は、民法110条所定の「代理人がその権限を超えて権限外の行為をなした場合」に該当するものとして、同条の類推適用を認めるのが相当であると判示した上で、民法110条類推適用の余地を認めたものの、本件においては、現金出納について収入役（現在は廃止）の専権であると法定されていたことから、単に決議書の提示などをもってXがYの権限を誤信したことにつき正当な理由があるとはいえない。

⑶　公法規定とその他の民法規定

その他、民法規定の行政への適用について、以下のような判例がある。

▼ 農地売買における知事の許可の性質（最判昭36.5.26・百選11事件）（民法130条・適用否定）

事案：　Y1は、知事の許可なく農地をXに売り渡した後、知事の許可を得てY2にも同地を売り渡した。Xは、農地売買は知事の許可を停止条件とした条件付法律行為であり、Y1が知事の許可を得ず、むしろ条件成就を妨げられたとして、民法130条に基づき完全な権利を主張し、農地所有権移転行為の無効確認を主張した。

判旨：　農地売買に知事の許可を要することは、法律上当然必要なことを約定したにとどまり、条件とはいえない。また条件成就を妨げる行為があったとしても、民法130条によって売買契約を有効とすることはできない。

▼ 公職選挙法上の住所（最判昭35.3.22・百選26事件）（民法22条・適用肯定）

事案：　ある町における町議会議員選挙で当選したAにつき、Aは住民票や組織への所属等は当該町にあるが、現住地、営業活動場所は別の地方公共団体に属する地にあるため、町内に住所はなく町議会議員の被選挙権を有さないとして、住民Xが選挙管理委員会Yを訴えた。

判旨：　被選挙権の要件としての住所は、その人の生活に最も関係の深い一般的生活、全生活の中心をもってその者の住所と解すべく、私生活面の住所・事業活動面の住所・政治活動面の住所などと分離して判断すべきものではないとして民法22条の適用を肯定し、町における被選挙権を肯定した。

▼ 公共用財産の取得時効（最判昭51.12.24・百選28事件）（民法162条・適用肯定） 同

事案：　国有地を水田として10年以上使い続けたXが、国Yに対し時効取得を主張し、所有権確認を求めた。

判旨：　公共用財産が、長年の間事実上公の目的に供用されることなく放置されて、公共用財産としての形態、機能を全く喪失し、この物の上に他人の平穏かつ公然の占有が継続したが、そのため実際上公の目的が害されるようなこともなく、もはやその物を公共用財産として維持すべき理由がなくなった場合には、黙示的に公用が廃止されたものとして、これについて取得時効の成立を妨げない。

▼ 税申告と錯誤（最判昭39.10.22・百選122事件）（民法95条・適用肯定）

事案：　Xの確定申告に基づきY税務署長は所得税を賦課し、滞納処分としてX所有不動産を差し押えた。これに対し、Xは確定申告の際の金額について錯誤があったとして錯誤無効を主張した。

判旨：　申告納税制度は、過誤の是正は法律上認められた場合に限ることで租税債務を可及的速やかに確定しようとする国家財政上の要請に応えるものである。確定申告書の記載内容過誤の是正は、その錯誤が客観的に明白且つ重大であって、法律上認められた過誤是正の方法以外にその是正を許さなければ納税義務者の利益を著しく害すると認められる特段の事情がなければ錯誤の主張は認められない。

▼ 建築基準法65条と民法234条との関係（最判平元.9.19・百選8事件）（民法234条1項・適用否定） 予

事案：　隣接地の所有者Xの了解を得ることなく境界線に近接して建物の建築がなされたため、Xが本件建築は民法234条1項に違反するとして訴訟を提起したところ、本件建物は建築基準法65条により隣地境界線に接して建築することができるとの抗弁を受けた。

判旨：　建築基準法65条は、同条所定の建築物に限り、その建築については民法234条1項の規定の適用が排除される旨を定めたものと解するのが相当である。

るとして、A町長Yに対し、撤去のために支出した費用の賠償を求める住民訴訟を提起した。

判旨：　法令上、町長には撤去権限がないことから、「本件Yの撤去行為は漁港法および行政代執行法上適法と認めることのできないものである」。

＊　ただし、本判決は民法720条の法意に照らし、公金支出についてはその違法性を是認することはできないとして、請求を棄却しており、本件の撤去行為の適法性について判断したものではないとする見解もある。

三　法律の法規創造力

新たに法規（人の権利義務に関する一般的・抽象的な定め）を創造するのは、立法権（法律）の専権に属することであって、行政権は法律による授権がない限り法規を創造することはできないことをいう。

■第3節　法の一般原則

《概　説》

一　信義則〈司

信義則（民1Ⅱ等）が行政上の法律関係にも適用される場合がある。信義則は、これを行政関係にも適用することが私人の利益保護に奉仕することがあるからである。ただ、信義則の適用は行政の違法な活動を信頼して行動した私人を保護するものであるから、法律による行政の原理との調整が必要となる。特に、租税関係では、信義則を適用することで特定人を法と異なる取扱いをすることになるので、平等原則との抵触を考えなくてはならない。

▼　被爆者の健康管理手当と消滅時効（最判平19.2.6・百選23事件）〈司予

⇒類似判例として最判平19.11.1・百選214事件参照（p.430）

事案：　原爆被害者であり、被爆者援護法等に基づき健康管理手当を受けていたXらが、外国に移住した際、Yは、原爆被害者が健康管理手当の受給権取得後に外国に移住した場合にはその受給権を失うとの厚生労働省の通達（402号通達）を根拠として健康管理手当の支給を打ち切った。そこでXらは未支給分の支払を求めて訴訟を提起した。その後、厚生労働省が402号通達を廃止したためYは本件健康管理手当の一部を支払ったが、残りは時効消滅（地自236）を主張してその支給をしなかった。そこで、本件において消滅時効の主張が信義則に照らし許されるかが争点となった。

判旨：　402号通達は違法であり、法令遵守義務のある地方自治体が重要な権利の行使を妨げた結果、消滅時効にかかった場合において、地方自治体が自ら時効主張することは信義則に反し許されない。

▼ 租税と信義則・酒屋青色申告承認申請事件（最判昭 62.10.30・百選 20 事件）司予 予H27 予R3

事案：　X は酒屋を経営しており、昭和 46 年分の事業所得について、青色申告の承認を受けずに青色申告をした。税務署長 Y はこれを受理し、翌年以降も X に青色申告用紙を送付し、X からの青色申告書を受理するとともに、青色申告にかかわる所得税額を収納してきた。しかし Y は、昭和 51 年に、X の昭和 48・49 年分の所得税について、青色申告としての効力を否認して白色申告とみなして更正処分を行った。X は、同処分は信義則に違反し違法であるとしてその取消訴訟を提起した。

判旨：　租税法規に適合する課税処分について、法の一般原理である信義則の法理の適用により右課税処分を違法なものとして取り消すことができる場合があるとしても、法律による行政の原理なかんずく租税法律主義の原則が貫かれるべき租税法律関係においては、右法理の適用については慎重でなければならず、租税法規の適用における納税者間の平等、公平という要請を犠牲にしてもなお当該課税処分に係る課税を免れしめて納税者の信頼を保護しなければ正義に反するといえるような特別の事情が存する場合に、初めて右法理の適用の是非を考えるべきものである。この場合の適用要件としては、少なくとも税務官庁が納税者に対し信頼の対象となる公的見解を表示したこと、納税者がその表示を信頼し、かつ、このように信頼したことについて納税者の責めに帰すべき事由がなかったこと、納税者がその信頼に基づいて行動し、かつ、このように行動したことについて納税者の責めに帰すべき事由がなかったこと、後に右表示に反する課税処分が行われ、そのために納税者が経済的不利益を受けることになったことが不可欠である。本件では、これらの要件は満たさないため、信義則違反であるとの主張は認められない。

▼ ストックオプションの課税上の取扱い（最判平 18.10.24・平 19 重判 3 ②事件）

最判平 19.7.6・平 19 重判 3 ①事件、最判平 18.11.16・平 19 重判 3 ③事件も同様の事案

事案：　外国法人からその代表取締役 X が受けたストックオプション行使による利益について、X が一時所得として確定申告をしたところ、Y は給与所得に当たるとして増額更正処分及び過少申告加算税賦課決定を行ったため、X はこれらの処分の取消訴訟を提起した。最高裁では、本件に国税通則法 65 条 4 項にいう「正当な理由」があるかが争われた。

判旨：　過少申告加算税は、当初から適正に申告し納税した納税者との間の客観的不公正の実質的な是正を図るとともに、過少申告による納税義務違反の発生を防止し、適正な申告納税の実現を図り、もって納税の実を挙げようとする行政上の措置である。この趣旨に照らせば、過少申告があ

ったとしても例外的に過少申告加算税が課されない場合として国税通則法65条4項が定めた「正当な理由があると認められる」場合とは、真に納税者の責に帰することのできない客観的な事情があり、上記のような過少申告加算税の趣旨に照らしてもなお納税者に過少申告加算税を賦課することが不当又は酷になる場合をいうものと解する。課税庁は、平成10年分の確定申告の時期以降、実務上、ストックオプションの権利行使益の所得税法上の所得区分を一時所得から給与所得へと変更してきたものの、これを通達により明示することなく、平成14年6月の所得税基本通達の改正によって初めて変更後の取扱いを通達に明記したものであり、以上のような事情の下においては、Xに、国税通則法65条4項にいう「正当な理由」があるものというべきである。

▼ 配慮義務・紀伊長島町水道水源保護条例事件（最判平16.12.24・百選24事件）司R4

事案：　Xは産業廃棄物中間処理施設の建設を計画し、三重県に計画書を提出した。県との協議会でこの計画を知った紀伊長島町は紀伊長島町水道水源保護条例を制定した。その内容は水質汚濁等のおそれがあると町長が認定した事業場の設置を禁止するというものであった。そして、町長は本件施設を規制対象事業場であると認定した。Xは産業廃棄物処理法に基づいて県知事の許可を受けたものの、町長の認定のために施設を設置できなかった。Xは町長の認定処分の取消しを求めて訴訟を提起した。

判旨：　本件条例は、水源保護地域内において対象事業を行おうとする事業者に、町長と協議を行うことを定めているが、この協議は当該条例の中で重要な地位を占める手続である。そして、本件条例は、Xが本件条例制定前に産業廃棄物処理施設設置許可の申請に係る手続を県に対して進めたことを知って町が制定したものである。町長も、Xが申請に係る手続を進めていたことを了知しており、本件施設の設置の必要性と水源保護の必要性を調和させるために町としてどのような措置を執るべきかを検討する機会を与えられていた。そうだとすれば、町長は、Xに対し規制対象事業場認定処分を行うに当たっては、Xの立場を踏まえ、Xと十分な協議を尽くすべきである。そのうえで水源保護の目的にかなうよう取水量を適正なものに改めるよう適切な指導をし、Xの地位を不当に害することのないよう配慮すべき義務があった。仮に規制対象事業場認定処分がその義務に反してなされたものである場合には、当該処分は違法となる。

二　権利濫用禁止の原則

1　私人の側の権利濫用

行政機関に対して私人が有する権利を濫用することは認められない（憲12）。

ex.　申請権の濫用、情報公開請求権の濫用

2　行政の側の権利濫用

▼　行政権の濫用・余目町個室付浴場事件（最判昭53.5.26・百選25事件） 同

事案：　Xの個室付浴場業の開業について地元民から反対運動が起こったため、県当局はその開業前に右開業予定地近くの町有地に児童福祉施設たる児童遊園を設置すれば右開業を阻止できるとして、児童遊園の設置を同町に対して積極的に指導し、同町はその設置認可の申請を行い、知事がこれを認可した。その後、Xは個室付浴場業の営業を開始したため、県公安委員会はXに対し60日間の営業停止処分をした。そこでXが県を被告として国家賠償請求の訴えを提起した。

判旨：　原審の認定した右事実関係のもとにおいては、本件児童遊園設置認可処分は行政権の著しい濫用によるものとして違法であり、かつ、右認可処分とこれを前提としてされた本件営業停止処分によってXが被った損害との間には相当因果関係があると解するのが相当であるから、Xの本訴損害賠償請求はこれを認容すべきである。

三　比例原則 予R3

比例原則は、①手段は目的に適合したものでなければならない（目的適合性の原則）、②手段は目的達成に必要不可欠なものでなければならない（必要性の原則）、③目的達成によって得られる利益と犠牲とを比較して、犠牲が利益を上回る場合には、目的達成を断念しなければならない（均衡の原則）、という3つの要請を含む一般原則であり、行政活動一般に妥当する。

ex.　即時強制も、典型的な公権力の発動である以上、当然に比例原則の適用を受ける 予

▼　現行犯逮捕時の発砲行為（最決平11.2.17・百選97事件）

事案：　警察官XがA不審者Aを追跡していたところ、Aがナイフを振り回す等、反撃してきたため、XはAに発砲してAを死亡させた。このためXは特別公務員暴行陵虐致死の疑いで起訴されたが、その中で発砲行為が武器使用要件（警職7）に定める「必要であると認める相当な理由のある場合」と「その事態に応じ合理的に必要と判断される限度」という比例原則の要件を充足するかが争われた。

決旨：　罪質や、抵抗の態様等に照らすと、Xは逮捕行為を一時中断し他の警

官の協力を得る等、他の手段を採る事も十分可能であったとして、「必要であると認める相当な理由のある場合」に当たらず、かつ「その事態に応じ合理的に必要と判断される限度」を逸脱したものであるとした。

四　平等原則〈回

行政機関は合理的な理由なく国民を不平等に取り扱ってはならない（憲14）。もっとも、法律による行政の原理と抵触する場合、どちらを優先させるべきかが問題となる。

▼　課税平等原則と租税法律主義（大阪高判昭44.9.30）

事案：　全国の税務官庁の大多数が法律の解釈を誤り、20パーセントの税率でスコッチライトに課税していたが、神戸税関長は30パーセントの税率で関税を賦課徴収していたため、神戸税関長に賦課徴収処分を受けたXが本件賦課徴収処分の無効確認及び差額の不当利得返還訴訟を提起した。

判旨：　課税物件に対する課・徴税処分に関与する全国の税務官庁の大多数が法律の誤解その他の理由によつて、事実上、特定の期間特定の課税物件について、法定の課税標準ないし税率より軽減された課税標準ないし税率で課・徴税処分をして、しかも、その後、法定の税率による税金と右のように軽減された税率による税金の差額を、実際に追徴したことがなく且つ追徴する見込みもない情況にあるときには、租税法律主義ないし課・徴税平等の原則により、右状態の継続した期間中は、法律の規定に反して多数の税務官庁が採用した軽減された課税標準ないし税率の方が、実定法上正当なものとされ、却つて法定の課税標準、税率に従つた課・徴税処分は、実定法に反する処分として、右軽減された課税標準ないし税率を超過する部分については違法処分と解するのが相当である。

五　行政上の不当利得

▼　行政上の不当利得（最判昭49.3.8・百選29事件）

事案：　A税務署長は、Xの所得税につき増額更正処分をし、増差税額等を滞納処分により徴収した。しかし、当該更正処分において算入すべきものとされた雑所得には、貸し倒れにより放棄され、回収不能となった債権が含まれていた。そのため、Xが、国を被告として貸し倒れ額に対応する税額につき不当利得返還請求訴訟を提起した。

判旨：　後発的な貸し倒れにより不良債権となった債権に、額面通りの課税をしても当然に違法、無効となるものではない。しかし、貸し倒れの発生・数額が客観的に明白なときは、課税庁が是正措置をとることが法律上期待されているのにこれをしないことは正義公平の原則に反するので、課税庁の不当利得になる。

六　行政の公正・透明性の原則、説明責任の原則

自由主義の観点から、処分の名宛人の権利利益を守るために透明性が求められるとともに、民主主義の観点からも、主権者に対する行政の説明責任（アカウンタビリティ）を負うという原則が導かれる。行政手続法、情報公開法の目的規定、処分理由通知などに現れている。

七　公益適合原則〈司

行政は公益に適合するように行われるべきという原則である。具体的現れとして、処分の効力を失わせることによる公益への著しい支障を回避すべきという要請が挙げられる。

・第3章・【公法と私法】

《概　説》

一　公法・私法二元論

1　意義

実体法を公法体系と私法体系に二分し、ある法律規定が公法規定か私法規定かによって結論を演繹する解釈手法をいう。たとえば、公権については一身専属的なもので、譲渡、放棄、差押え、相殺の対象とならないと考える（公権の不融通性）。行政事件訴訟法４条後段の「公法上の法律関係」、会計法30条の公法債権の特別の短期消滅時効などに現れる。

2　公権の不融通性

(1)　相続

▼　生活保護受給権の性質・朝日訴訟（最大判昭42.5.24・百選〔第７版〕16事件）〈予

事案：　生活保護受給者Ｘが、生活扶助の廃止、医療費自己負担額増とする保護変更決定を争っている最中に死亡した。Ｘの養子が訴訟承継を主張した。

判旨：　生活保護受給権は当該個人に与えられた一身専属の権利であって、相続の対象とならない。また、被保護者の生存中の扶助ですでに遅滞にあるものの給付を求める権利についても、当該被保護者の死亡によって当然消滅し、相続の対象とならない。

▼　年金請求権の性質（最判平7.11.7・百選64事件）

事案：　国民年金法に基づく年金の受給資格を有するＸが国に対して未支給年金の支払いを請求した。訴訟係属中にＸが死亡したため、Ｘの養女が相続による当然承継、参加承継を申し立てた。

判旨：　年金受給権者死亡時、遺族が自己名で未支給の年金の支給を請求できるとする国民年金法19条１項は、独立した請求権を子が相続するもの

ではなく、相続とは別の立場から一定の遺族に未支給年金の支給を認めるものである。子が同条の規定により未支給年金の支払請求権を確定的に取得したといえるには社会保険庁長官に請求し、支給決定を受ける必要があり、これをせずに訴訟上未支給年金を請求することはできない。

(2) 公法上の債権の譲渡

判例は債権の性質によって区別する。たとえば、生活保護受給権の相続性については、一身専属性を理由に否定する（上述朝日訴訟、最大判昭42.5.24・百選〔第7版〕16事件）。一方、地方議会議員の議員報酬請求権について、単なる経済的価値のみに着目した債権であり、移転性が予定されているとして、条例に特段の定めがない限り譲渡が認められるとした（最判昭53.2.23）。

(3) 消滅時効（会計30、地自236）の適用の有無

国・地方公共団体に対する債権は、会計法30条、地自法236条からすると、一律5年の短期消滅時効にかかるように思われる。しかし、最高裁は会計法30条の趣旨から適用されるものと適用されないものが区別されるとする。

▼ 安全配慮義務違反に基づく損害賠償と消滅時効（最判昭50.2.25・百選22事件） 共予

事案： 自衛隊員Aは駐屯地内でBの運転する大型自動車に轢かれて死亡した。Aの両親Xは国Yに対して安全配慮義務違反に基づく損害賠償請求したが、国は会計法の消滅時効を主張した。安全配慮義務の存否と、会計法上の消滅時効の適否が争われた。

判旨：「国は、公務員に対し、国が公務遂行のために設置すべき場所、施設もしくは器具等の設置管理又は公務員が国もしくは上司の指示のもとに遂行する公務の管理にあたって、公務員の生命及び健康等を危険から保護するよう配慮すべき義務（以下「安全配慮義務」という。）を負っているものと解すべき」であり、国が安全配慮義務を懈怠し違法に公務員の生命、健康等を侵害した場合には、「損害を受けた公務員に対し損害賠償の義務を負う事態」も生じうる。

そして、「会計法30条が金銭の給付を目的とする国の権利及び国に対する権利につき5年の消滅時効期間を定めたのは、国の権利義務を早期に決済する必要があるなど主として行政上の便宜を考慮したことに基づくものである」が、国が安全配慮義務を懈怠し損害賠償義務を負う事態は「偶発的であって多発するものとはいえない」から、安全配慮義務につき「前記のような行政上の便宜を考慮する必要はなく、また、国が義務者であっても、被害者に損害を賠償すべき関係は、公平の理念に基づき被害者に生じた損害の公正な填補を目的とする点において、私人相互間における損害賠償の関係とその目的性質を異にするものではない」として、会計法30条の適用を否定した。

3　公法私法二元論の是非

判例・学説とも厳格な公法・私法二元論は採らず、相殺等の適用の可否について実定法の定め、その趣旨・目的から個別に判断する手法に固まっている。また、公法違反の私法行為の効果についても、その趣旨・制度から考える手法が採られている。

(1)　公法規定と民法177条

民法177条の適用については、これを肯定する判例と否定する判例があるが、私法関係との類似性がある公法関係については民法177条が類推適用されると考えられている。

▼　農地買収処分（最大判昭28.2.18・百選〔第6版〕9事件）

事案：　Aから土地を買い受けたX（登記未了）が、当該土地を登記簿上の名義人Aの所有地として買収処分を定めた農地委員会Yに対し、農地買収裁決取消を求めて訴訟を提起した。

判旨：　農地委員会は民法177条を主張したが、裁判所は、私経済上の取引の安全を保障するために設けられた民法177条の規定は、自作農特別措置法による農地買収処分にはその適用はないとして、Yの上告を棄却した。

▼　租税滞納処分（最判昭31.4.24、最判昭35.3.31・百選9事件）
司予

事案：　XはAから土地を買い受けた（登記未了）が、税務署長Yが当該土地をA所有地として滞納処分・差押えのうえ、公売処分にかけたので、Xが公売処分の無効確認等を求めた。

判旨：「国税滞納処分においては、国は、その有する租税債権につき、自ら執行機関として、強制執行の方法により、その満足を得ようとするものであって、滞納者の財産を差し押えた国の地位は、あたかも、民事訴訟法上の強制執行における差押債権者の地位に類するものであり、租税債権がたまたま公法上のものであることは、この関係において、国が一般私法上の債権者より不利益の取扱を受ける理由となるものではない。それ故、滞納処分による差押の関係においても、民法177条の適用がある」。

(2)　公法規定と代理

▼　自治体の契約と双方代理（最判平16.7.13・百選4事件） 司予

事案：　名古屋市が博覧会を開催することになり、そのために設立された財団法人たる博覧会協会会長には市長Yが就任した。しかし、赤字が予想されたことから、博覧会協会が、博覧会の諸施設・物件を市に合計約10億円で売却する契約を市と締結したところ、市の住民が地自242条の2第1項第4号（平成14年改正前）に基づいてYらに住民訴訟を提起した。

判旨：　普通地方公共団体の長が当該普通地方公共団体を代表して行う契約の

締結には、民法108条（自己契約及び双方代理の禁止）が類推適用される。また、議会が長による双方代理を追認した場合には、民法116条の類推適用により、議会の意思に沿って普通地方公共団体に法律効果が帰属する。

▼　自治体の行為と表見代理（最判昭34.7.14・百選〔第7版〕12事件）

事案：　Y村村長が、町議会の承諾なく、別の借入に関する村議会決議書抄本を提示し、村名義でXから金員の貸付を受けた。そこで、XがY村に借入金の返済を求めた。

判旨：　普通地方公共団体の長自身が他よりの借入金を現実に受領した場合は、民法110条所定の「代理人がその権限を超えて権限外の行為をなした場合」に該当するものとして、同条の類推適用を認めるのが相当であると判示した上で、民法110条類推適用の余地を認めたものの、本件においては、現金出納について収入役（現在は廃止）の専権であると法定されていたことから、単に決議書の提示などをもってXがYの権限を誤信したことにつき正当な理由があるとはいえない。

⑶　公法規定とその他の民法規定

その他、民法規定の行政への適用について、以下のような判例がある。

▼　農地売買における知事の許可の性質（最判昭36.5.26・百選11事件）（民法130条・適用否定）

事案：　Y1は、知事の許可なく農地をXに売り渡した後、知事の許可を得てY2にも同地を売り渡した。Xは、農地売買は知事の許可を停止条件とした条件付法律行為であり、Y1が知事の許可を得ず、むしろ条件成就を妨げられたとして、民法130条に基づき完全な権利を主張し、農地所有権移転行為の無効確認を主張した。

判旨：　農地売買に知事の許可を要することは、法律上当然必要なことを約定したにとどまり、条件とはいえない。また条件成就を妨げる行為があったとしても、民法130条によって売買契約を有効とすることはできない。

▼　公職選挙法上の住所（最判昭35.3.22・百選26事件）（民法22条・適用肯定）

事案：　ある町における町議会議員選挙で当選したAにつき、Aは住民票や組織への所属等は当該町にあるが、現住地、営業活動場所は別の地方公共団体に属する地にあるため、町内に住所はなく町議会議員の被選挙権を有さないとして、住民Xが選挙管理委員会Yを訴えた。

判旨：　被選挙権の要件としての住所は、その人の生活に最も関係の深い一般的生活、全生活の中心をもってその者の住所と解すべく、私生活面の住所・事業活動面の住所・政治活動面の住所などと分離して判断すべきものではないとして民法22条の適用を肯定し、町における被選挙権を肯定した。

▼ 公共用財産の取得時効（最判昭51.12.24・百選28事件）（民法162条・適用肯定）〈同

事案：　国有地を水田として10年以上使い続けたXが、国Yに対し時効取得を主張し、所有権確認を求めた。

判旨：　公共用財産が、長年の間事実上公の目的に供用されることなく放置されて、公共用財産としての形態、機能を全く喪失し、この物の上に他人の平穏かつ公然の占有が継続したが、そのため実際上公の目的が害されるようなこともなく、もはやその物を公共用財産として維持すべき理由がなくなった場合には、黙示的に公用が廃止されたものとして、これについて取得時効の成立を妨げない。

▼ 税申告と錯誤（最判昭39.10.22・百選122事件）（民法95条・適用肯定）

事案：　Xの確定申告に基づきY税務署長は所得税を賦課し、滞納処分としてX所有不動産を差し押えた。これに対し、Xは確定申告の際の金額について錯誤があったとして錯誤無効を主張した。

判旨：　申告納税制度は、過誤の是正は法律上認められた場合に限ることで租税債務を可及的速やかに確定しようとする国家財政上の要請に応えるものである。確定申告書の記載内容過誤の是正は、その錯誤が客観的に明白且つ重大であって、法律上認められた過誤是正の方法以外にその是正を許さなければ納税義務者の利益を著しく害すると認められる特段の事情がなければ錯誤の主張は認められない。

▼ 建築基準法65条と民法234条との関係（最判平元.9.19・百選8事件）（民法234条1項・適用否定）〈予

事案：　隣接地の所有者Xの了解を得ることなく境界線に近接して建物の建築がなされたため、Xが本件建築は民法234条1項に違反するとして訴訟を提起したところ、本件建物は建築基準法65条により隣地境界線に接して建築することができるとの抗弁を受けた。

判旨：　建築基準法65条は、同条所定の建築物に限り、その建築については民法234条1項の規定の適用が排除される旨を定めたものと解するのが相当である。

▼　地方公務員の過払い給与の調整的相殺（最判昭 45.10.30・百選〔第6版〕36 事件）（民法 505 条 1 項・適用肯定）

事案：　公立学校の教員として勤務する地方公務員であるXらに対する給与支払時に、欠勤分につき過払いがあったとして、同月分の給与からそれまでの過払分を減額して給与支給がなされた。そこでXらが上記減額を労働基準法24条1項に反し違法であるとして減額分の支払いを請求した。

判旨：　給与の過払いを解消するための相殺は、過払いのあった時期からみて、これと賃金の清算調整の実を失わない程度に合理的に接着した時期においてなされる場合であり、その金額、方法等においても、労働者の経済生活の安定をおびやかすおそれのない場合に限って例外的に許されるとしつつ、本件においては例外的に許される場合に当たらないとした。

▼　公営住宅への信頼関係破壊理論の適用（最判昭 59.12.13・百選7事件）（民法 601 条・適用肯定） 同予

事案：　公営住宅の使用関係について、民法及び借家法（当時）の適用があるか否かが争われた。

判旨：　「公営住宅の使用関係には、公の営造物の利用関係として公法的な一面があることは否定しえない」が、「事業主体と入居者との間に公営住宅の使用関係が設定されたのちにおいては、……事業主体と入居者との間の法律関係は、基本的には私人間の家屋賃貸借関係と異なるところはな」いとした上で、「公営住宅の使用関係については、公営住宅法及びこれに基づく条例が特別法として民法及び借家法［注：現・借地借家法］に優先して適用されるが、法及び条例に特別の定めがない限り、原則として一般法である民法及び借家法［注：現・借地借家法］の適用があ」るとしている。

▼　選挙法上の期間（最判昭 34.6.26・百選〔第6版〕35 事件）（民法 140 条・適用肯定）

事案：　公選法は選挙の際、「少なくとも7日前に」選挙期日の告示することを求めている（当時）。A村村長選挙にXと訴外Bが立候補し、Bが多数票を得た。しかし、この選挙において、A村選挙管理委員会がした選挙期日の告示は選挙日から7日前（中6日）であった。Xは、告示期間は本来選挙日から8日前（中7日）とすべきであり、違法があるとして、県選挙管理委員会に選挙全部無効を申し立てる異議申立てをし、その棄却決定の取消しを求めた。訴訟では、「少なくとも7日前」の起算点が、選挙当日か、その前日からか、争われた。

判旨：　旧公職選挙法34条6号の「少なくとも7日前」の意味は、選挙期日の前日を第1日として逆算して7日目に当たる日以前を指すものと解するべきであるとして、民法の原則（民140）に従い初日不算入の原則を適用した。

4　行政法規違反の私法上の効力

判例は、行政法規を強行法規と取締法規に分け、強行法規違反は私法上の効果も否定される（無効になる）のに対し、取締法規は必ずしも無効となるわけではないという立場に立つ。すなわち、強行法規は法律行為としての効力を規制する目的を有するが、取締法規は事実としての行為を禁止・命令する規定にすぎないから、これに違反しても原則として契約の効力を否定しない。

もっとも、取締法規違反の法律行為でも非難の程度等を考慮し、私法上の効力も決すると考える立場が多い。

▼　取締法規違反の法律行為の効力（最判昭 35.3.18・百選〔第7版〕13事件）〈同

事案：　XはYに対して精肉を販売したが、Yが代金の一部を支払わないので、XがYに残代金の支払いを求めた。Yは、自己が食品衛生法上の食品販売業許可を得ておらず、Xもそのことを承知していたのであるから、本件取引は公序良俗違反であり、無効であると主張した。

判旨：　食品衛生法は単なる取締法規に過ぎないものと解されるから、Yが食品販売業許可を受けてないとしても、本件取引の効力が否定される理由はない。

▼　独禁法違反の法律行為の効力（最判昭 52.6.20・百選〔第7版〕14事件）

事案：　信用組合と金銭消費貸借契約を締結し、貸付けを受けたXが、当該契約は独禁法19条に違反するから当然無効であるとして債務不存在確認を求めた。

判旨：　独禁法19条違反の契約の効力については、その契約が公序良俗に反するとされるような場合は格別として、同条が強行法規であるからとの理由で直ちに無効であると解すべきではない。けだし、独禁法20条の趣旨にかんがみると、同法19条に違反する不公正な取引方法による行為の私法上の効力についてこれを直ちに無効とすることは同法の目的に合致するとはいい難いからである。

▼　行政法規違反の法律行為の効力（最判平 23.12.16・百選 10事件）

事案：　Yは、Aとの間で、違法建物であるマンションを建築することを計画し、その建築を目的とする請負契約を締結した。また、この計画に基づき、Xとの間で、Xを請負人とする建物建築請負契約（本件契約）を締結した。その後、建築確認申請時の図面と異なる内容の工事が施工されていることが発覚した結果、Xは、既に生じていた違法建築部分の是正等のため追加変更工事を余儀なくされた。追加工事完了後、Xは、Yが工事代金の一部を支払わないことから、その一部の支払を求めて訴えを提起した。

判旨：「本件各契約は、違法建物となる本件各建物を建築する目的の下、建築基準法所定の確認及び検査を潜脱するため、確認図面のほかに実施図面を用意し、確認図面を用いて建築確認申請をして確認済証の交付を受け、一旦は建築基準法等の法令の規定に適合した建物を建築して検査済証の交付も受けた後に、実施図面に基づき違法建物の建築工事を施工することを計画して締結されたものであるところ、上記の計画は、確認済証や検査済証を詐取して違法建物の建築を実現するという、大胆で、極めて悪質なものといわざるを得ない。加えて、本件各建物……の違法の中には、一たび本件各建物が完成してしまえば、事後的にこれを是正することが相当困難なものも含まれていることがうかがわれることからすると、その違法の程度は決して軽微なものとはいえない。……以上の事情に照らすと、本件各建物の建築は著しく反社会性の強い行為であるといわなければならず、これを目的とする本件各契約は、公序良俗に反し、無効である」。

「これに対し、本件追加変更工事は、……基本的には本件本工事の一環とみることはできない。そうすると、本件追加変更工事は、その中に本件本工事で計画されていた違法建築部分につきその違法を是正することなくこれを一部変更する部分があるのであれば、その部分は別の評価を受けることになるが、そうでなければ、これを反社会性の強い行為という理由はないから、その施工の合意が公序良俗に反するものということはできない」。

二　特別権力関係

公務員、受刑者、公益事業者に対する監督関係などには、行政内部における特別の権力関係に服するので法治主義の射程外であるとする理論をいう。現在は公法・私法二元論への批判に併せ、特別権力理論も批判され、部分社会の法理での処理も可能であることから、今は支持する者は少ない。

▼ 現業国家公務員の勤務関係（最判昭 49.7.19・百選 6 事件）

事案：国公法 82 条 1 号ないし 3 号（当時）に該当するとして懲戒処分に処された現業一般職国家公務員たる郵政職員である X らが、人事院に対する審査請求を経ないで処分の取消しを求めた。

判旨：現業公務員は、一般職の国家公務員として、国の行政機関に勤務するものであり、しかも、その勤務関係の根幹をなす任用等については、国公法及びそれに基づく人事院規則の詳細な規定がほぼ全面的に適用され、その勤務関係は、基本的には公法上の関係である。

・第4章・【行政法の法源】

■第1節　成文法源

《概　説》

一　意義

行政の組織及び作用に関する法の存在形式（法源）のうち、成文化されたものをいう。

二　具体例

1　憲法

直接・間接に行政法の法源として機能する。

ex.　憲31・35・38（行政手続）、憲29Ⅲ（損失補償）

2　法律

3　命令

行政機関が定立する法をいう。内閣が制定する政令、内閣総理大臣が制定する内閣府令、各省大臣が制定する省令、規則（委員会・庁の長官によるもの、会計検査院・人事院が定めるもの）、告示（学習指導要綱等）がある。

4　条約

5　条例　⇒ p.477

■第2節　不文法源

《概　説》

一　意義

成文化されていない法源をいう。

二　具体例

1　慣習法〈同

不文法源として慣習法を考慮している判例として、最大判昭32.12.28・百選42事件がある。

▼　政令の公布と発効（最大判昭32.12.28・百選42事件）

事案：　政令（政令201号）を公布・即日施行したが、未だ官報が発送されていないその日に当該政令に違反したXが起訴された。

判旨：　法令の施行には公布を要するが、法令の公布は官報によるとの不文律は存在しないものの、慣例化していることは事実であり、たとえ事実上法令の内容が一般国民の知りうる状況に置かれたとしても未だ法令の公布があったとはいえないとして、Xを無罪にした。

2　判例法

3　法の一般原則（条理）

信義則、権利濫用禁止の原則、比例原則、平等原則等　⇒ p.5 以下

第2編　行政作用法

・第1章・【行政立法】

■第１節　法規命令

《概　説》

一　意義

法規命令とは、行政機関が定める国民一般の権利義務に関係する規範をいう。

行政機関に対する行為規範として機能するとともに、国民も拘束し、裁判規範としても機能する。そして、法律による行政の原理から、法規命令を策定するには原則として法律による授権を要し、また、裁判規範となる以上、国民に対する公表を要することになる（例外：執行命令）。

ex.　政令、府令、省令、人事院規則、会計検査院規則等

▼　学習指導要領は法規命令か・伝習館高校事件（最判平2.1.18・百選49事件）〈予

事案：　県立高校教師Xが学習指導要領の目標・内容を逸脱した指導等をしたことを理由に、懲戒免職処分を受けたことから、その処分の取消しを求めた。

判旨：　学習指導要領は国が教育水準を維持し、高等学校教育の目的達成に資するために、必要な遵守すべき基準を定立するものである。特に法規によって基準が定立されている事柄については、教育の内容・方法についても教師の裁量には制約が存在するとして、学習指導要綱の法規性を肯定した。

二　委任命令と執行命令

1　意義

(1)　委任命令

法律の委任により国民の権利義務の内容を定める法規をいう。憲法73条6号で予定されていることから許される。ただし、自由主義的観点から法律の根拠が必要である。

▼　委任立法の可否（最大判昭33.7.9・百選〔第6版〕50事件）

事案：　酒税法違反で起訴されたXは、酒税法上の処罰法規の実質的内容が税務署長の決定に委任されていることが罪刑法定主義に反し、違憲無効であると主張した。

判旨： 酒税法54条（当時）は、その帳簿の記載などの義務の主体及び記帳内容等を規定し、ただその義務の内容の一部である記載事項の詳細を命令の定めるところに一任しているに過ぎないのであって、立法権がこのような権限を行政機関に与えることは憲法上差支ない。そしてその委任を受けた規則61条も酒税法の委任の趣旨に反しないものであり、違憲であるということはできない。

(2) 執行命令〈予

内容を実現する手続を定めるものである。執行命令は国民の権利義務を創設せず、手続的なものにとどまるため、法律による授権を要しない。

2 委任の方法の限界（委任する側の限界）

(1) 委任命令も憲法41条に抵触するような委任は違憲となるので、一般的・概括的委任は許されず、委任の目的、行政への授権事項を個別具体的に明示し、行政機関に許された命令制定の範囲・程度を明確に限定することが必要である（白紙委任の禁止）。

▼ 委任規定の明確性（最判平27.12.14・百選43事件）

事案： Yは日本電信電話公社の退職時に、旧共済組合から退職一時金を受給した。その後、退職一時金制度が廃止され、退職共済年金を受給できるようになり、重複支給を避けるため、退職一時金の支給を受けた者は、支給された金額に利子に相当する額を加えた金額（以下「退職一時金利子加算額」という。）を返還するものとされた。国家公務員共済組合法（以下「国公共済法」という。）附則12条の12及びその経過措置を定める「厚生年金保険法等の一部を改正する法律」（以下「厚年法改正法」という。）附則30条は、退職一時金利子加算額に係る利子の利率は、政令で定めることとしていた。旧共済組合の権利義務を承継したXは、年金受給権を有することとなったYに対し、退職一時金利子加算額及びこれに対する遅延損害金の支払を求めて出訴した。

本件では利率を政令で定めるとした国公共済法附則12条の12及び厚年法改正法附則30条1項が、政令に白地で包括的な委任をするもので無効ではないかが争点となった。

判旨：「国公共済法附則12条の12は、同一の組合員期間に対する退職一時金と退職共済年金等との重複支給を避けるための調整措置として、従来の年金額からの控除という方法を改め、財政の均衡を保つ見地から、脱退一時金の金額の算定方法に準じ、退職一時金にその予定運用収入に相当する額を付加して返還させる方法を採用したものと解される。このような同条の趣旨等に照らすと、同条4項は、退職一時金に付加して返還すべき利子の利率について、予定運用収入に係る利率との均衡を考慮して定められる利率とする趣旨でこれを政令に委任したものと理解することができる。

そして、国公共済法附則12条の12の経過措置を定める厚年法改正法附則30条1項についても、これと同様の趣旨で退職一時金利子加算額の返還方法についての定めを政令に委任したものと理解することができる。
したがって、国公共済法附則12条の12第4項及び厚年法改正法附則30条1項は、退職一時金に付加して返還すべき利子の利率の定めを白地で包括的に政令に委任するものということはできず、憲法41条及び73条6号に違反するものではないと解するのが相当である。」

⑵　特に罰則の制定の委任は罪刑法定主義（憲31）との関係で、特にやむを得ない場合に限り、委任命令で定めることのできる罰則の内容・程度を厳格に限定したうえで例外的に許される（最判昭33.5.1）。
⑶　再委任の可否について、基本的委任事項については政令で定めるべきだが、軽微な事項等については絶対的に禁止されるわけではない。

3　委任の内容の限界（委任される側の限界）予R元

法律の委任を受けて制定された命令が委任をした法律に抵触していないかが問題になる。この点、法の委任の趣旨を逸脱した命令の規定は、違法・無効となる。

▼　農地法施行令（最大判昭46.1.20・百選44事件）

事案：　農地法80条（当時）は、国が一旦農地を強制買収しても、農地法所定の目的に利用するのに適さない場合、農林大臣（当時）が政令に基づいて認定した上で旧所有者に返還（売渡し）しなければならない旨を定めていた。これを受けた政令は、返還する場合を、買収後に別の公用目的に供する緊急の必要が確実に生じる場合（つまり別の公用目的がある場合）に限定していた。買収処分を受けたXは、公用目的がなくとも農地に適さなくなれば売渡しする必要があるとして争った。

判旨：　政令の定める場合以外にも、買収農地自体、社会的・経済的にみて、すでに農地としての意義を失い、近く農地以外のものとするのを相当とするものがあり、法はそのような場合にも旧所有者への売渡しを義務付けているといえるのに、このような場合に返還を認めていない政令は違法であるとした。

▼　毒物・劇物の輸入業の登録・ストロングライフ事件（最判昭 56.2.26・百選 57 事件）〈予

事案：　毒物及び劇物取締法所定の劇物が含まれ、相手を開眼不能にさせる護身用具を輸入しようとしたＸが、厚生大臣に輸入業の登録を拒否する処分をされたため、当該拒否処分の取消しを求めた。

判旨：　劇物を含む護身用具がその用途に従って使用されることにより人体に対する危害が生ずるおそれがあることをもって輸入業の登録の拒否事由とすることは、毒物及び劇物の輸入業等の登録の拒否を専ら設備に関する基準に適合するか否かにかからしめている毒物及び劇物取締法の趣旨に反し、許されない。

▼　旧銃砲刀剣類登録規則（最判平 2.2.1）

事案：　Ｘは、自己所有のサーベルを美術品として、その登録を東京都教育委員会Ｙに申請した。しかし、Ｙは銃砲刀剣類登録規則が鑑定対象を日本刀に限っていることを理由に申請を拒否した。そこでＸは、同規則は銃刀法の委任の趣旨を逸脱し無効であるとして、登録申請拒否処分の取消訴訟を提起した。

判旨：　銃砲刀剣類取締法 14 条 1 項の趣旨は、刀剣類のうち、美術品として文化財的価値を有するものを登録の対象として保存活用することにあり、その基準にわが国における文化財的価値をも考慮すべきだから、銃砲刀剣類登録規則が銃砲刀剣類所持等取締法 14 条 1 項の登録の対象となる刀剣類を日本刀に限定したことをもって、法の委任の趣旨を逸脱するものではないとした。

▼　旧監獄法施行規則（最判平 3.7.9・百選 45 事件）〈予

事案：　勾留中のＸが、10 歳の義理の姪Ａとの面会を申請したが、拘置所長から監獄法施行規則（旧）120 条に基づき不許可処分にされたため、Ｘが同規則が監獄法（当時）の委任を超えたものであることなどを主張した。

判旨：　被勾留者も原則として一般市民としての自由を保障されるし、幼年者の心情などは親権者などが配慮すべき事柄であることからすれば、法が一律に幼年者と被勾留者との接見を禁止することを予定し、容認しているものと解することは困難であって、監獄法施行規則 120 条は法の委任の範囲を超えた無効のものというほかはない。

　とはいえ、規則 120 条等が法の委任の範囲を超えることが当該法令の執行者にとって容易に理解可能であったということはできないのであって、このことは国家公務員として法令に従ってその職務を遂行すべき義務を負う拘置所長にとっても同様であり、拘置所長が本件処分当時右のようなことを予見し、又は予見すべきであったということはできない。したがって、接見を許可しなかったことにつき国家賠償法 1 条 1 項にいう「過失」があったということはできない。

▼ 児童扶養手当法施行令（最判平 14.1.31・憲法百選 206 事件）〈司予

事案： Xは、児童扶養手当について、婚姻外懐胎児童のうち父から認知された児童を支給対象から除くと規定する児童扶養手当法施行令1条の2第3号括弧書部分は、憲法14条に反し無効であるとして、児童扶養手当受給資格喪失処分の取消しを求めた。

判旨： 児童扶養手当法4条1項各号は、世帯の生計維持者としての父による現実の扶養を期待することができないと考えられる児童を類型化しているものと解することができる。父から認知された婚姻外懐胎児童は、依然として法4条1項各号に準ずる状態が続いているものというべきであり、施行令1条の2第3号括弧書によりこれを支給対象から除外することは法の趣旨、目的に照らし均衡を欠き、法の委任の趣旨に反し無効なものといわざるを得ない。したがって、本号括弧書を根拠としてなされた本件処分は違法である。

▼ 地方議会議員解職請求代表者の資格制限を定めた委任命令の違法性（最大判平 21.11.18・百選〔第7版〕49 事件）

事案： 農業委員会委員であるX1が町議会議員Aに係る解職請求につき、解職請求代表者として1124名分の署名簿を提出した。本件署名簿は受理されたが、処分行政庁は、地方自治法施行令（以下「地自令」という。）の規定により、農業委員会委員は議員の解職請求代表者となることができないことを前提に、本件署名簿の署名をすべて無効とする決定をした。これに対し、X1らは、異議申立てをしたが棄却されたため、異議決定の取消しを求めた。

判旨： 地方自治法（以下「地自法」という。）85条1項は解職の投票に関する規定であり、解職の請求についてまで政令で規定することを許容するものではない。したがって、地自法85条1項に基づき公職選挙法89条1項本文を議員の解職請求代表者の資格について準用し、公務員について解職請求代表者となることを禁止する地自令の規定は、法に基づく委任の範囲を超える。

▼ 世田谷事件（最判平 24.12.7）予

事案：　厚生労働省大臣官房の統括課長補佐である管理職的地位にある事務官は、衆議院議員総選挙の際、日本共産党を支持する目的で、同党の機関紙等を配布したため、国家公務員法102条1項、人事院規則14－7第6項7号、13号（5項3号）等に当たるとして起訴された。本件では、国家公務員法と国家公務員に禁止される「政治的行為」の具体的内容を定めた人事院規則の規定との関係が問題とされた。

判旨：　国家公務員法「102条1項の文言、趣旨、目的や規制される政治活動の自由の重要性に加え、同項の規定が刑罰法規の構成要件となることを考慮すると、同項にいう『政治的行為』とは、公務員の職務の遂行の政治的中立性を損なうおそれが、観念的なものにとどまらず、現実的に起こり得るものとして実質的に認められるものを指し、同項はそのような行為の類型の具体的な定めを人事院規則に委任したものと解するのが相当である。そして、その委任に基づいて定められた本規則も、このような同項の委任の範囲内において、公務員の職務の遂行の政治的中立性を損なうおそれが実質的に認められる行為の類型を規定したものと解すべきである。」

▼ 医薬品インターネット販売規制と薬事法の委任の範囲（最判平 25.1.11・百選 46 事件）予

事案：　新薬事法の制定に伴って制定された新薬事法施行規則（以下「新施行規則」という。）では、店舗以外の場所にいる者に対するインターネット販売は第3類医薬品に限って行うことができ、第1類・第2類医薬品の販売および情報提供はいずれも店舗において専門家との対面により行わなければならない旨の規定が設けられた。この医薬品インターネット販売規制を定める規定が新薬事法の委任の範囲を逸脱する違法・無効なものであるとして第1類・第2類医薬品について郵便等販売をすることができる権利ないし地位の確認を求める公法上の当事者訴訟が提起された。

判旨：　「旧薬事法の下では違法とされていなかった郵便等販売に対する新たな規制は、郵便等販売をその事業の柱としてきた者の職業活動の自由を相当程度制約する」。したがって、「新施行規則の規定が、これを定める根拠となる新薬事法の趣旨に適合するものであり……その委任の範囲を逸脱したものではないというためには、立法過程における議論をもしんしゃくした上で……新薬事法中の諸規定を見て、そこから、郵便等販売を規制する内容の省令の制定を委任する授権の趣旨が、上記規制の範囲や程度等に応じて明確に読み取れることを要するものというべきである。」

新薬事法の諸規定には郵便等販売を規制すべき趣旨を明確に示す規定がないこと、国会が「新薬事法を可決するに際して第1類・第2類医薬品にかかる郵便等販売を禁止すべきであるとの意思を有していたとはいい難い」ことから、「新薬事法の授権の趣旨が、第1類医薬品及び第2類医薬品に係る郵便等販売を一律に禁止する旨の省令の制定までをも委任するものとして、上記規制の範囲や程度等に応じて明確であると解するのは困難である」。したがって、上記新施行規則は、新薬事法の委任の範囲を逸脱し、違法・無効である。

▼　ふるさと納税に係る総務省告示と委任の範囲（最判令2.6.30・百選48事件）

事案：　地方団体に対する寄付金により、税制上の優遇措置及び返礼品を受けることができる「ふるさと納税制度」において、寄付金を集めるための返礼品競争を治めるため、地方税法37条の2等により、募集適正基準及び法定返礼品基準に適合する地方団体のみを上記優遇措置の対象とする「ふるさと納税指定制度」が導入された。これに伴い、総務省告示において、上記募集適正基準として、改正法施行前の寄付金募集実績を理由として不指定とすることができる旨が定められた（告示2条3号）。

本件では、上記告示2条3号が、改正地方税法の委任の趣旨に反して違法でないかが問題となった。

判旨：1　「地方税法37条の2第2項は、指定の基準……の策定を総務大臣に委ねており、同大臣は、この委任に基づいて、募集適正基準の一つとして本件告示2条3号を定めたものである。また、地方自治法245条の2」の定める「関与の法定主義に鑑みても、その策定には法律上の根拠を要するというべきである。そうすると、本件告示2条3号の規定が地方税法37条の2第2項の委任の範囲を逸脱するものである場合には、その逸脱する部分は違法なものとして効力を有しない」。

2　本件告示2条3号は、「本件指定制度の導入に当たり、その導入前にふるさと納税制度の趣旨に反する方法により寄附金の募集を行い、著しく多額の寄附金を受領していた地方団体について、他の地方団体との公平性を確保しその納得を得るという観点から、特例控除の対象となる寄附金の寄附先としての適格性を欠くものとして、指定を受けられないこととする趣旨に出たものと解される。言い換えれば、そのような地方団体については、本件改正規定の施行前における募集実績自体を理由に、指定対象期間において寄附金の募集を適正に行う見込みがあるか否かにかかわらず、指定を受けられないこととするものといえる」。

3　「本件告示2条3号が地方税法37条の2第2項の委任の範囲を逸脱したものではないというためには、前記……のような趣旨の基準の策定を委任する授権の趣旨が、同法の規定等から明確に読み取れることを要する」。

4(1)「募集適正基準について、同項の文理上、他の地方団体との公平性を確保しその納得を得るという観点から、本件改正規定の施行前における募集実績自体をもって指定を受ける適格性を欠くものとすることを予定していると解するのは困難であり、同法の他の規定中にも、そのように解する根拠となるべきものは存在しない」。

(2)「次に、委任の趣旨についてみると、……具体的な基準の策定については、……大臣の専門技術的な裁量に委ねるのが適当であること……によるものと解される」。

他方、前記2のような趣旨の「基準を設けるか否かは、立法者において主として政治的、政策的観点から判断すべき性質の事柄である。また、そのような基準は、……指定を受けようとする地方団体の地位に継続的に重大な不利益を生じさせるものである。そのような基準は、総務大臣の専門技術的な裁量に委ねるのが適当な事柄とはいい難いし、状況の変化に対応した柔軟性の確保が問題となる事柄でもないから、その策定についてまで上記の委任の趣旨が妥当するとはいえ」ない。

(3)「本件法律案の作成の経緯……をみると、……過去に制度の趣旨をゆがめるような返礼品の提供を行った地方団体を新制度の下で特例控除の対象外とするという方針を採るものとして作られ、国会に提出されたことはうかがわれない。そして、国会における本件法律案の審議の過程……をみても、……指定に当たり地方団体の過去の募集実績を考慮するか否かが明確にされたとはいい難く、……本件改正規定の施行前における募集実績自体をもって指定を受ける適格性を欠くものとすることを予定していることが明示的に説明されたとはいえない」。

5「以上によれば、地方税法37条の2第2項につき、……前記……のような趣旨の基準の策定を委任する授権の趣旨が明確に読み取れるということはできない。そうすると、本件告示2条3号の規定のうち、本件改正規定の施行前における寄附金の募集及び受領について定める部分は、地方税法37条の2第2項……の委任の範囲を逸脱した違法なものとして無効というべきである」。

■第2節　行政規則

《概　説》

一　意義

行政規則とは、行政機関が策定する一般的な法規範であって、国民の権利義務に関係する法規の性質を有しないものをいう。法規の性質を有しないため、法律による授権を要しない予。その反面、強制力を伴わない。また、特段に様式を定める法律がない限り、命令の形による必要もなく、訓令・通達・要綱・告示といった形式をとることが多い。

なお、訓令・通達の根拠については、行組法14条2項が「各省庁大臣……は、その機関の所掌事務について、命令又は示達をするため、所管の諸機関及び職員に対し、訓令又は通達を発することができる」と定めているが、これは通達発令権限を有する行政機関を制限する趣旨ではなく、局長や部長といった内部部局の長も通達を発することができる〈同〉。

<行政規則の形式>

訓令	解釈の一般的・大綱的基準を定めたもの。通達との区別が困難だが、この区別は重要ではない。
通達	上級行政機関が下級行政機関の権限行使を指揮するために発する命令（行組14Ⅱ）。 もっぱら解釈基準のときに、その性質が問題となる。
要綱	行政組織内部において定められる行政指導に関する基準。
告示	行政機関の意思又は事実を国民に表示すること。

二　性質

1　組織規範

行政組織の細部にわたる事項についてまで法律の定めを要するとすると柔軟性を欠くため、このような事項については行政規則によっても定めることができる。

組織規範に反して職掌事務外の者が行った行政作用は、違法の瑕疵を帯びる。

2　解釈基準

(1)　意義〈同〉

解釈基準とは、ある処分をする場合に取扱いが処分庁によって異なる事態を防ぎ、行政の統一性を確保するために、上級行政機関が下級行政機関に対して発する法令解釈の基準である。

cf.　中央行政庁と地方公共団体は併存的協力関係に立つことから、大臣が各都道府県知事の上級行政機関であり、各都道府県知事が大臣の下級行政機関であるという関係にはない。そのため、大臣が発した通達に各都道府県知事は拘束されない〈同〉

下級行政機関の法令の解釈を統一するために出される解釈基準としての行政規則（訓令・通達が多い）は、内部関係における規範を定めるための形式である。全国で統一的な行政を果たすために通達により基準が示されることも多い。通達により示された課税基準に基づく課税処分がなされ、それに対して取消訴訟が提起されても、通達の内容が法の正しい解釈に合致するものである以上、通達による課税ではなく法律に基づく課税をしているにすぎない（最判昭33.3.28・百選51事件）予。

▼ 通達によるパチンコ球遊器に対する課税の開始（最判昭33.3.28・百選51事件）司

事案：（旧）物品税法は課税対象物品に「遊戯具」を挙げていたが、パチンコ球遊器については明記されていなかった。約10年間、原則としてパチンコ球遊器には物品税が課せられなかったが、その後、パチンコ球遊器が「遊戯具」に当たる旨の国税局長の通達が出され、Xらに物品税賦課処分がなされた。Xらは、この処分が法律に基づかない課税であるとして、処分無効確認などを求めて訴訟を提起した。

判旨：本件の課税がたまたま所論通達を機縁として行われたものであっても、通達の内容が法の正しい解釈に合致するものである以上、本件課税処分は法の根拠に基づく処分と解する。

(2) 性質 司 司H23

(a) 国民を拘束する外部的効力はないため司、上級行政庁は法律の授権なく制定・改廃できるし、公表も必要不可欠ではない（秘密通達も認められる）。

(b) 国民の権利義務を創設改廃する効果を伴わないので、原則として取消訴訟を起こすことはできない（最判昭43.12.24・百選52事件）。また、下級行政機関が通達違反の処分をした場合、平等原則違反はともかく通達違反が当然に違法になるわけではなく、下級行政機関の職員が職務命令違反として懲戒の対象となりうるにとどまる。

▼ 墓地・埋葬等に関する通達の取消訴訟の可否（最判昭43.12.24・百選52事件）司予

事案：墓地管理者は正当な理由がなく埋葬の求めを拒んではならないとする墓地、埋葬等に関する法律13条について、厚生省（当時）が、依頼者が他宗派であることを正当な理由と認めていた旧来の通達を改め、正当な理由とはいえないとする通達を発したため、寺院Xがその通達の取消しを求めた。

判旨：元来、通達は、原則として、法規の性質をもつものではなく、上級行政機関が関係下級行政機関・職員に対してその職務権限の行使を指揮する等のために発するものであり、右機関・職員に対する行政組織内部における命令にすぎないし、下級行政機関・裁判所を法的に拘束するものではないから、国民の権利義務、法律上の地位に直接具体的に法律上の影響を及ぼさず、取消訴訟の対象とならない。

(c) 解釈基準に反した処分が平等原則違反、信義則違反の違法の瑕疵を帯びることはありうる。また、通達自体により甚大な被害が生じ、後続する処分を争う機会がない場合には、通達自体に対する取消訴訟が認められた裁判例も存在する。

ex.　インチによる目盛りをつけた函数尺を販売することを計量法違反とする旨の通達により、予約取消などの甚大な損害を受けた函数尺販売業者の取消訴訟を認めた事案（東京地判昭46.11.8）

(d) 国賠請求の対象になりうる。

▼ 被爆者の健康管理手当と国賠請求（最判平19.11.1・百選214事件）
⇒ p.430

3　裁量基準〈司〈司H26 司H27 司H28 司R4 予H28

行政庁が処分等を行う際の裁量判断の基準について、恣意的判断を予防し、統一的判断をさせることで平等原則を守るとともに、国民の予測可能性のために、裁量基準が定められている場合がある。

ex.　指導要綱

この場合、裁量基準も行政庁の作成する内部基準であり、裁判所や国民が拘束されるわけではないので〈共、裁量基準違反が当然に違法になるわけではない（最大判昭53.10.4・百選73事件）。しかし、恣意的判断の予防及び予測可能性維持のために、個別の法律の根拠がなくとも裁量基準の設定やその公表が求められる場合がある。すなわち、行政手続法上の「申請」（行手2③）に対する処分については、審査基準の設定・公開義務（行手5ⅠⅢ）が課され（⇒ p.113）、「不利益処分」（行手2④）については、処分基準の設定・公開の努力義務（行手12）が課されている（⇒ p.119）。

<通達のまとめ> 回

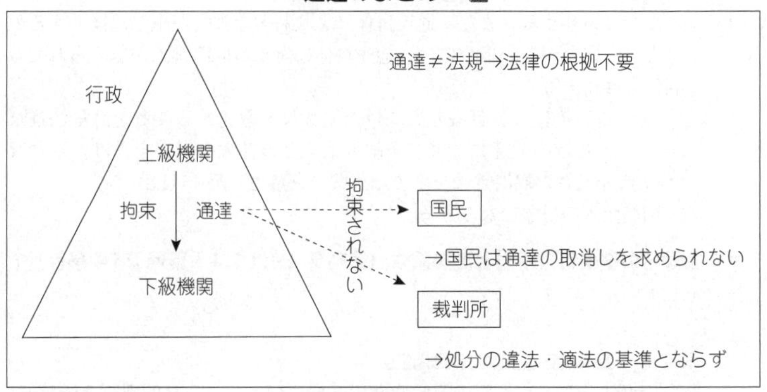

<行政立法のまとめ>

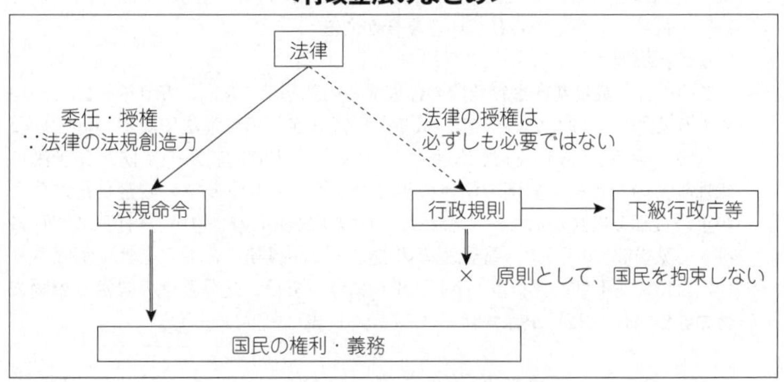

・第2章・【行政行為】

■第1節　総説

《概　説》

一　意義

行政行為とは、行政と国民との間又は国民相互の間での法効果の発生・変更・消滅の段階で行われる行政の行為であって、公権力の行使として行われるものをいう。取消訴訟の対象となる「処分」（行訴3Ⅱ）と概ね同じだと考えてよい。

二　行政行為の種類

1　定義と具体例

<行政行為の種類>

	定　義	例
下命	国民に作為義務を課す行為	租税納付命令 違法建築除却命令
禁止	国民に不作為義務を課す行為	営業停止 違法建築使用禁止命令
許可	法令等で課されている一般的禁止を特定の場合に解除する行為	風俗営業許可 建築確認
免除	法令等で課されている作為義務を特定の場合に解除する行為	納税猶予 児童就学義務免除
特許	生まれながらに有していない権利・地位を特定人に付与する行為	鉱業権設定許可 河川占用許可
認可	私人間の法律行為を補充して法律上の効果を完成させる行為	農地移転許可 土地改良区の設立認可
代理	第三者のなすべき行為を国、地方公共団体などの行政主体が代わって行い、当該第三者が行ったのと同じ効果を発生させる行為	主務大臣による特殊法人の役員の選任
確認	特定の事実、法律関係の存在について公の権威をもって判断する行為で、法律上、法律関係を確定する効力が認められるもの	当選人の決定 恩給の裁定
公証	特定の事実又は法律関係について公の権威をもって証明する行為	選挙人名簿への登録 戸籍への記載 犬の鑑札の交付
通知	特定人又は不特定多数へ一定の事実を知らせる行為で、法律上一定の法的効果を付与されているもの	納税督促 代執行の戒告
受理	他人の行為を有効な行為として受付け、これにより法律上一定の効果が発生するもの	不服申立ての受理 届出書の受理

<行政行為の伝統的な分類法>

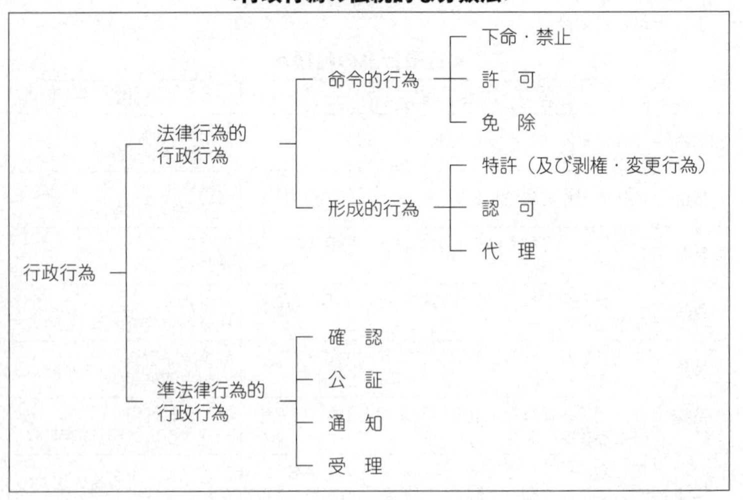

2　区別

(1)　特許、許可、認可の区別

<特許・許可・認可の区別>

	対象	裁量の幅	違反時の私法上の効果
許可	事実行為・法律行為	狭	有効
特許	事実行為・法律行為	広	無効
認可	法律行為	広	無効

※　講学上用いられる許可・特許・認可などの語は、必ずしも法令上用いられている「許可」・「特許」・「認可」と同義ではない。そのため、ある行政行為がどの性質のものに当たるかは、個別法の仕組みから解釈して読み取る必要がある。

ex.　農地売買に対する農業委員会の「許可」が許可なのか認可なのかが争われた事案（最判昭36.5.26・百選11事件）

▼　農地売買における知事の許可の性質（最判昭36.5.26・百選11事件）

事案：　XはYから農地の所有権及び耕作権を農地法3条による県知事の許可を条件として買い受ける契約を結んだが、Yは県知事の許可を得てその農地を第三者に売り渡した。そこでXはYらに対して所有権移転行為の無効確認及び当該所有権移転登記手続を請求した。

判旨：　農地の所有権移転を目的とする法律行為は都道府県知事の許可を受けない以上、法律上の効力を生じないものであり（旧農地３Ⅶ）、この場合、知事の許可は右法律行為の効力発生要件であるから、農地の売買契約を締結した当事者が知事の許可を得ることを条件としたとしても、それは法律上当然必要なことを約定したに止まる。

⑵　競願関係における許可と特許の取扱上の違い

許可するかどうかについての行政庁の裁量権は認められていないか、あるいは認められるとしても狭いものであるため、最先出願者を優先的に取り扱うものとされる（先願主義）。一方、特許については、これを行うか否かにつき行政庁に広い裁量権が与えられているため、先願主義は採られていない。

▼　先願主義（最判昭 47.5.19・百選 58 事件）

事案：　公衆浴場法２条３項の委任に基づき制定された広島県公衆浴場法施行条例１条１項は、公衆浴場営業許可の際の適正配置基準に関して、距離制限を定めていた。Ａが公衆浴場営業許可を申請した２日後、Ｘが同許可申請を提出したが、Ａの申請は補正を要するとして受理されなかった。ところがその後補正は不要であることが判明して、Ａの申請が受理された。その結果、両者の申請した公衆浴場の設置場所が距離制限に相互に抵触したため、競願関係となった。広島県知事ＹがＡの申請を許可し、Ｘの申請を不許可としたため、ＸはＡに対する公衆浴場営業許可処分の無効確認又は取消し、並びにＸに対する同不許可処分の取消しを請求した。

判旨：　公衆浴場法による許可制の採用および同法２条２項本文の規定内容は、主として国民保健および環境衛生という公共の福祉の見地から営業の自由を制限するものである。そして右規定の趣旨およびその文言からすれば、右許可の申請が所定の許可基準に適合するかぎり、行政庁は、これに対して許可を与えなければならないものと解されるから、本件のように、右許可をめぐって競願関係が生じた場合に、各競願者の申請が、いずれも許可基準をみたすものであって、そのかぎりでは条件が同一であるときは、行政庁は、その申請の前後により、先願者に許可を与えなければならないものと解するのが相当である。

3　成立・発効〈同

⑴　行政行為の成立にも、私法上の意思表示論と同様に、行政庁の内部における意思決定の事実やそれを記載した書面の作成では足りず、その表示が必要であり、個別法に定めがない限り意思表示が相手方に到達した時に発効する。

⑵　法律がある行政行為の効果発生のための要件、手続及び形式を具体的に定

めている場合には、その手続、形式以外によることを原則として認めない趣旨であり、当該手続、形式を用いなかった場合には法律上の効果は発生しない。

▼ 未墾地入植名義変更許可願事件（最判昭 59.11.29・百選〔第6版〕22事件）

事案：　Aが開拓後土地を譲り受ける約束でY県に入植した。その後、Aとその息子Xとの連名でAからXに入植名義を変更する許可を求める入植名義変更許可願が提出された。入植名義変更許可願に法律上の根拠はない。一方で、当該地区農業委員会から被売渡人をAとする売渡進達書が提出されたため、開拓が完了した後、Y県知事はAに土地の売渡処分をした。Xがその売渡処分の無効を争った。

判旨：　行政行為につき法律が要件、手続、形式を具体的に定めている場合には、その手続、形式以外の手続によることは原則として認めない趣旨である。入植名義の変更の許可は、法律に根拠を持たず、もっぱら実際上の便宜のために打ち出された事実上の措置に過ぎないものであって、これについて売買予約上の権利を有する地位の移転ないし付与という効果を認めることはできない。

(3)　行政行為の意味・効果は、法の趣旨・目的から個別的に考える。

▼ 行政行為の成立（最判昭 57.7.15・百選 54 事件）

事案：　ガソリンスタンドの設置許可を得ていたXが変更の許可の申請を市長Yにしたが、Yは周辺住民の同意書を提出することを求めた。しかし国への手続上、年度末までに許可を欲していたXは、Yに懇願し、後に近隣住民の同意書を提出する旨のXの念書と交換を条件に、とりあえず許可書の原本の写しの交付を受けた。XがYに許可処分の確認などを求めた。

判旨：　許可書の写しをXに交付したのはあたかも許可処分があったかのような外観を作出するためのものにすぎず、YとしてはXに許可処分する意図はなく、近隣住民の同意書の提出をまって許可処分をするものとしており、Xもそれを了承していたのだから、この交付をもって行政行為が成立していたとみることはできない。

▼ 所在不明者への送達（最判平 11.7.15・百選 55 事件）

事案：　Xが所在不明であったため、Y県知事はXを懲戒処分として免職することを決定し、Xの最後の住所において処分理由を記載した処分説明書をXの妻に対し読み上げて交付した。Xは、本件処分の辞令書は被処分者に直接交付されておらず、適式な方法によって送達されていないから本件処分の効力は生じていないと主張した。

判旨：　所在が不明な公務員に対する懲戒処分につき、地方公務員についてはこの点について定めた法律はなく、条例にも規定がないから、Y県公報に掲載されたことをもって直ちに本件処分の効力が生ずると解することはできない。しかし、Yは従前から行われてきた方法で本件処分の手続を行ったものであり、Xは自らの意思で出奔しており、懲戒免職処分に関する従来からの方法も十分に了知していたから、本件処分は効力を生じる。

▼　承認の効力発生時期（最判平11.10.22・百選〔第7版〕59事件） 予

事案：　Xは特許庁長官Yに対して特許発明の実施延長を求めた。延長を求める期間の計算につき、Xは終期を「承認書を受領した日の前日」とする見解を採っていたが、特許庁は「承認の日の前日」とする見解を採っていた。後者の見解によれば、Xの主張する実施延長は認められないケースであった。

判旨：　承認の効力は、特別の定めがない限り、当該承認が申請者に到達した時、すなわち申請者が現実にこれを了知し又は了知し得べき状態におかれた時に発生する。

■第２節　行政行為の分類

《概　説》

一　侵害的行政行為と授益的行政行為

1　侵害的行政行為

相手方に対して不利益を与えるもの。

ex.　禁止・下命

2　授益的行政行為

相手方に対して利益を与えるもの。

ex.　許可・特許・認可

3　二重効果的行政行為（複効的行政行為）

ある者には不利益を及ぼす一方で、他の者には利益を与えるもの。

ex.　建築確認や土地収用裁決など

二　法律行為的行政行為と準法律行為的行政行為

1　法律行為的行政行為

法律行為的行政行為とは、意思表示をその要素とし、行為者が一定の効果を欲するがゆえにその効果を生じる行為をいう。命令的行為と形成的行為とに分かれる。

ex.　下命・禁止、許可、免除、特許（及び剥権・変更行為）、認可、代理

(1)　命令的行為

命令的行為とは、国民に特定の義務を命じ又はこれを免ずる行為をいう。いずれも国民が生まれながらに有している活動の自由の制限又はその解除に関する行為が対象である。

ex.　下命・禁止、許可、免除

(2)　形成的行為

形成的行為とは、権利能力・行為能力・特定の権利の付与又は包括的な法律関係の設定など、法律上の効力を発生・変更・消滅させる行為をいう。①直接の相手方のために権利を設定し又は剥奪する行為（特許又は剥奪行為）と、②第三者の行為を補充してその効力を完成させ、又は第三者に代わってする行為（認可又は代理）に分かれる。

<命令的行為と形成的行為>

	命令的行為	形成的行為
意義の違い	本来自由な行為の制限・その解除	本来自由でない行為の許容・その撤回
種　類	①下命・禁止、②許可、③免除	①特許（及び剥権・変更行為）、②認可、③代理
裁量の性質	羈束裁量の傾向	自由裁量の傾向
行為違反の法律行為の効果	有効とされる傾向	無効とされる傾向

2　準法律行為的行政行為

準法律行為的行政行為とは、判断・認識・観念など、意思表示以外の精神作用の発現を要素とし、行為者がその効果を欲するゆえにではなく、一定の精神作用の発現について、もっぱら法規の定めるところにより法的効果が付せられる行為をいう。

ex.　確認、公証、通知、受理

<法律行為的行政行為と準法律行為的行政行為>

	法律行為的行政行為	準法律行為的行政行為
効果の発生原因	意思表示に基づく	判断・認識・観念の表示に基づく
種　類	①下命・禁止、②許可、③免除、④特許（及び剥権・変更行為）、⑤認可、⑥代理	①確認、②公証、③通知、④受理
裁量権の有無	あ　り	な　し

■第３節　行政行為の効力

《概　説》

一　公定力

1　意義

公定力とは、行政行為はたとえ違法であっても、取消権限のある機関によって取り消されるまでは、何人（私人、裁判所、行政庁）もその効果を否定することはできないという法現象をいう。

▼　公定力（最判昭 30.12.26・百選 65 事件） 予

事案：　Ｘの申立てに基づいて村の農地委員会がした、Ｙ所有農地への賃借権設定の裁決に対し、Ｙが県農地委員会に不服申立てをした。県農地委員会は一旦訴願棄却裁決をしたが、後に自らその裁決を取り消し、改めて訴願認容裁決をした。ＸはＹへ耕作権の確認と引渡しを求めて訴訟を提起した。

判旨：　裁決庁が一旦なした訴願裁決を自ら取り消すことは原則として許されないものであるから、訴願棄却裁決を取り消す旨の裁決は違法であるが、行政処分はたとえ違法でもその違法が重大かつ明白で当該処分を当然無効ならしめると認めるべき場合を除いては、適法に取り消されない限り完全にその効力を有する。

2　根拠

かつては、権限ある行政庁の処分には適法性が推定されることが公定力の根拠といわれていた。しかし、現在では、行訴法３条２項がわざわざ取消訴訟を用意している以上、訴訟の段階で処分を攻撃できるのは取消訴訟だけであり（取消訴訟の排他的管轄）、裁判所は取消訴訟以外でその行政行為の効果を否定できないことが公定力の根拠とされる（反射的効果説）。

3　目的

①　紛争解決手段の合理化・単純化

②　解決結果の合理性担保

　∵　処分の効力を争う争訟には行政庁が必ず参加することになる

③　他制度との整合を図る

4　公定力の及ぶ客観的範囲と限界

⑴　原則

まず、行政行為が無効の場合には公定力は生じない。また、公定力はもともと、行政行為にその効用を発揮させ、行政行為の目的とする公益の実現を一応可能にするために認められるものであるから、公定力の及ぶ範囲は、それぞれの行政処分の目的、性質に応じこれを認めるべき合理的必要な限度に限られる。

(2) 国家賠償請求

国家賠償請求は、行政行為の違法を前提として賠償を請求するものであり、行政行為の法的効果を争うものではないので、公定力によって妨げられるものではない。よって、国家賠償請求する者はあらかじめ取消訴訟を提起しておく必要はない司。

▼ 国賠と無効請求（最判昭 36.4.21・百選〔第6版〕240 事件）

事案： Y農業委員会から所有地の買収計画設定を受けたXが、計画無効確認訴訟を提起したところ、訴訟係属中Yが、計画を取り消した。このため、国賠訴訟のために訴えの利益が存続するかが争点となった。

判旨： 国家賠償請求のために予め取消し又は無効確認の判決を得なければならないものではない（よって訴えの利益を欠く）。

▼ 固定資産の登録価格に関する審査申出等の制度の趣旨と国家賠償請求の可否（最判平 22.6.3・百選 227 事件） 司予

事案： 法人Xは、昭和55年度以降、その所有する倉庫が一般用の倉庫に該当するものと評価され、登録価格を決定され、これに基づき名古屋市長から権限の委任を受けた同市港区長は、本件倉庫に対する固定資産税等の賦課決定を行った。Xはいずれの決定に対しても不服申立て等することなく、賦課決定通りの税額を納付してきた。ところが、同区長は、平成18年に本件倉庫がより評価額の低い冷凍倉庫に該当すると評価を改め、同14年度から同18年度までの登録価格を修正した旨をXに通知し、これら各年度に係る固定資産税等の減額更正を行った。そこで、XはYに対し、未還付となっていた昭和62年度分から平成13年度分までの固定資産税等の過納金相当額等の支払を求めた。

判旨： 行政処分が違法であることを理由として国家賠償請求をするには、あらかじめ当該行政処分について取消し又は無効確認の判決を得なければならないものではない（最判昭 36.4.21・百選〔第6版〕240 事件参照）。このことは、当該行政処分が金銭を納付させることを直接の目的としており、その違法を理由とする国家賠償請求を認容したとすれば、結果的に当該行政処分を取り消した場合と同様の経済的効果が得られるという場合であっても異ならないというべきである。

(3) 刑事事件

違法な行政行為に違反して起訴された場合、取消訴訟の排他的管轄は当然には及ばず、被告人は刑事事件内で当該行政行為の適法性を争える。

∵① 違法な行政行為に違反したことは、実質的に考えると、刑罰を科すに値するような公益侵害とはいえない

② 行政行為違反で有罪とされた後、当該行政行為が取り消されたこと

が再審事由とされていない（刑訴435）

▼ 行政行為と刑事罰の関係（最判昭53.6.16・百選66事件）

事案：　個室付公衆浴場の営業を申請したXに対し、町・県は、営業許可を遅らせ、その間に近隣に児童遊園（児童福祉施設）を認可し、当該公衆浴場を風俗営業法上の設置許可区域内にすることで、Xの営業を阻止した。Xはそれに反発して営業を強行したため、風営法違反で起訴された。

判旨：　本件児童遊園認可処分は、Xの営業の規制を主たる動機、目的としており、行政権の濫用がある。それゆえ、Xに対する営業規制の効果を有せず、Xに風営法違反の事実はないとして、無罪判決を言い渡した（つまり、取消訴訟を経ることなく行政処分の違法を前提に判断した）。

⑷　審判制度

▼ 特許の無効審判の効力（最判平12.4.11・百選〔第6版〕69事件） 司

事案：　Xは「半導体装置」の特許権を有するYに対し、同特許権は無効であるから特許権侵害による損害賠償請求権が存在しないことの確認訴訟を提起した。特許権の無効は無効審決の確定（行政処分）によってなされる（特許125）とされており、特許侵害訴訟手続（民事訴訟）において特許無効にかかわる主張をすることは認められないのではないかが争われた（ただし現在は、本判決に基づき特許法104条の3が創設されたため、立法的に解決された）。

判旨：　特許の無効審判が確定する以前であっても、特許権侵害訴訟を審理する裁判所は、特許に無効理由が存在することが明らかであるか否かについて判断することができる。特許に無効理由が存在することが明らかで、無効審判請求がされた場合には無効審判の確定により当該特許が無効とされることが確実に予見された場合には、その特許権に基づく差止め、損害賠償請求は権利の濫用に当たり認められない。

⑸　民事訴訟

民事訴訟において、行政処分の効力を争うことは公定力に抵触するため認められないが、処分の効力を争うのではなく、民事上の差止め等を求める場合には、公定力に反しない。

ex.　原子炉設置の許可があった後で、許可の取消しではなく、被許可者に人格権に基づく民事上の差止めを求めるときは、行政訴訟とは要件・目的を異にするので、公定力に反しない 司

⑹　違法性の承継　⇒ p.65

二　不可争力（形式的確定力）

不可争力とは、行政行為の後、一定の期間が経過すると、行政行為の相手方からはその効力を争うことができなくなる効力をいう。その意義は、行政行為の効

力を争うことのできる期間を短期に限定することにより、行政上の法律関係を早期に確定させるところにある。

なお、不可争力は国民の側からの争訟を拒む力であって、行政庁が職権により行政行為を取消し・撤回することは妨げられない（最判昭43.11.7・百選〔第7版〕88事件参照　⇒p.71）。また、行政行為が違法であることを理由として国家賠償請求訴訟を提起することも妨げられない（最判昭36.4.21・百選〔第6版〕240事件）予。さらに、無効な行政行為に不可争力が生じないことはもちろんである。

<行政行為の取消し>

① 職権取消し
② 不服申立てによる取消し ┐
③ 取消訴訟による取消し ┘ 争える期間は限られている

↓ 処分を知った日から６か月以内
　 処分があった日から１年以内

この期間を過ぎると国民からは争えなくなる（不可争力）

三　不可変更力・実質的確定力

1　不可変更力

(1)　意義

不可変更力とは、一度行政行為をした行政庁は自らこれを取り消すことが許されないという効力をいう。不可争力や公定力と異なり、行政行為の中で、紛争を裁断する行政行為にのみ認められる。

(2)　趣旨

原則として、行政行為は公益に適合させるために、処分庁自ら取り消すことができる。すなわち不可変更力は認められない。しかし、事実関係や法律関係についての争いを公権的に裁断することを目的とした行政行為は、行政庁自らに自由な取消しを許したのでは、争いを一義的に裁断するという制度の目的自体を達しえないことになる。そこで、このような行政行為には、不可変更力が認められる（いわゆる判決の自縛性に対応するものである）。この趣旨は違法な行政行為でも妥当するから、違法な行政行為でも不可変更力をもつ。また、利害関係者の参与によってなされる確認的性質をもった行政行為についても不可変更力が認められる、とする見解もある。

▼　不可変更力の有無（最判昭29.1.21・百選67事件）〈同共予

事案：　農地委員会AがX所有農地の買収計画を立てたので、Xが県農地委員会Yに訴願したところ、Yは一旦Xの訴願を認容したものの、後にAの再審議の陳情を受け、先の裁決を取り消す裁決をしたので、Xが裁決取消しを求めて訴えた。

判旨：　裁決が行政処分であることは言うまでもないが、実質的に見ればその本質は法律上の争訟を裁判するものである。かかる性質を有する裁決は、他の一般行政処分とは異り、特別の規定がない限り、裁決庁自らにおいて取り消すことはできない。

2　実質的確定力

実質的確定力とは、紛争裁断行為で決められた実体的法律関係は不動のものとして確定し、処分庁のみならず上級行政庁・裁判所も含め争うことができなくなる効力をいう。民事訴訟における既判力に該当する。

この効力を認める判例もあるが、行政庁の判断に裁判所も拘束する効力を与えることになるので反対説も強い。

▼　実質的確定力（最判昭42.9.26・百選68事件）

事案：　自作農創設特別措置法に基づき、Y農地委員会が一旦X所有地の買収計画を立てたが、Xの異議を容れて取り消した。その後、Yは再び同一の買収計画を立てた。Xが異議・訴願を経て訴訟を提起した。

判旨：　異議の決定、訴願の裁決等は、一定の訴訟手続に従い、紛争の終局的解決を図ることを目的とするものであるから、それが確定すると、当事者のみならず行政庁も特別の規定がない限り、それを取り消し又は変更しえない拘束を受ける。したがって、再度の買収計画は違法である。

四　自力執行力

1　意義

自力執行力とは、行政行為によって命じられた義務を国民が任意に履行しない場合に、法律に基づき（裁判所の助力を得ることなく）行政庁自ら義務者に強制執行し、義務内容を実現することができる効力をいう。なお、自力執行力が問題とされるのは、その性質上、義務を課す行政行為（下命・禁止）に限られる。

2　機能、効果

自力執行力の機能は、行政目的の早期実現にある。自力執行力が認められることによって逐一裁判所の確定判決を得て執行するという手間が省けるし、裁判所の負担軽減にもつながる。

3　範囲

行政行為のすべてが当然にこの意味での自力執行力を有するのではなく、法律が特に明文で行政庁に自力執行権能を与えている場合に限り認められる（代執行2）。

∵　強制執行は国民の権利を侵害する行為であり、法律による行政の原理（法律の留保）の要請が妥当する

■第４節　行政裁量

《概　説》

一　古典的学説

＜行政裁量の古典的学説＞

羈束行為		司法審査の対象
裁量行為	羈束裁量（法規裁量）	司法審査の対象
	便宜裁量（自由裁量）	司法審査の対象外

・羈束行為：その要件及び内容につき法令が一義的に定める行政行為
・裁量行為：その要件又は内容につき法令が行政庁の判断に委ねる部分を認める行政行為
・羈束裁量（法規裁量）：何が法であるかの裁量
・便宜裁量（自由裁量）：何が行政の目的で公益に適合するかについての裁量

二　現在の裁量論

1　行政裁量の有無の判断基準〈司H23 司H29 司H30 司R元 司R３ 司R５ 予H30〉

行政裁量の有無については、法律の文言と処分の性質の両面から判断する。

すなわち、法律の文言については、不確定概念が用いられている場合や、「できる」との文言が用いられている場合には、行政庁の裁量権の存在が肯定されやすい。もっとも、不確定概念が用いられていても、その意味内容を一義的に確定すべきといえる場合もあり、また、「できる」との文言が用いられていても、要件を満たす場合、必ず処分をしなければならないとされることもあり、これだけで裁量権の有無を判断することはできない。

他方、処分の性質については、国民の権利・自由を制限するものである場合には、裁量権が否定されやすいが、国民に利益を与えるものについては、比較的広く裁量が認められる場合が多い。また、後述（⇒ p.43）のとおり、政治的・専門技術的判断が必要であるという処分の性質を理由に裁量が肯定されることもある。なお、処分の性質を検討する際には、侵害される権利利益の性質・重大性を踏まえる必要がある。

そのため、裁量権の有無の判断に当たっては、「抽象的な文言を用いているのは、専門技術的判断が不可欠であるという処分の性質により、行政庁に裁量権を認める趣旨に基づくものである」などとして、法律の文言と処分の性質を関連付けて論じる必要がある。

2　羈束裁量と自由裁量の区別の相対化

行訴法30条により、たとえ自由裁量であっても裁量権の逸脱・濫用の有無については司法審査の対象となるから、古典的な羈束裁量と自由裁量の区別は相対化しているといえ、およそ司法審査の対象とならない自由裁量というカテゴリーは認められない共。

現在、裁量をめぐる問題の中心は、裁判所の審査密度（裁判所が裁量審査を行うに当たりどの程度踏み込んだ審査をすべきか）の問題へと移行している。

三　行政庁の判断過程の段階に応じた裁量

1　事実認定の段階

2　法律要件の解釈と認定事実のあてはめ段階（要件裁量）

3　手続選択の段階

4　行為選択の段階（効果裁量）

(1)　処分内容の選択（選択裁量）

(2)　当該処分をするか否かの選択（行為裁量）

5　処分をする時の選択（時の裁量）

四　要件裁量と効果裁量司

1　要件裁量

(1)　意義

要件裁量とは、法律要件の解釈、認定事実のあてはめ段階における裁量をいう共。これには、政治的裁量、専門技術的裁量、専門技術的かつ政策的裁量がある。

(2)　政治的裁量

政治的裁量とは、政治的判断の必要性をもって認められる裁量をいう。下記のとおり、判例は政治的判断の必要性を理由に要件裁量を認めている。

▼　在留期間更新の許否の判断・マクリーン事件（最大判昭53.10.4・百選73事件）司共予

事案：　アメリカ人のマクリーン氏は、1年間の在留期間更新を申請したところ、法務大臣は、在留期間中の無届転職と政治活動を理由として、出国準備のための在留期間更新のみを許可した。マクリーン氏は、当該許可処分が違法であるとして、取消しを求めて訴訟を提起した。

判旨：　憲法上、外国人は、在留の権利ないし引き続き在留することを要求しうる権利を保障されているものではない。出入国管理令上も、在留外国人の在留期間の更新が権利として保障されているものではない。

在留期間の更新事由が概括的に規定されその判断基準が特に定められていないのは、更新事由の有無の判断を法務大臣の裁量に任せ、その裁量権の範囲を広汎なものとする趣旨からであると解される。

出入国管理令21条3項の「在留期間の更新を適当と認めるに足りる相当の理由」があるかどうかの判断は、その判断が全く事実の基礎を欠き又は社会通念上著しく妥当性を欠くことが明らかである場合に限り、裁量権の範囲を超え又はその濫用があったものとして違法となる。したがって、裁判所は、法務大臣の右判断についてそれが違法となるかどうかを審理、判断するに当たっては、右判断が法務大臣の裁量権の行使としてされたものであることを前提として、その判断の基礎とされた重要な事実に誤認があること等により右判断が全く事実の基礎を欠くかどうか、又は事実に対する評価が明白に合理性を欠くこと等により右判断が社会通念に照らし著しく妥当性を欠くことが明らかであるかどうかについて審理し、それが認められる場合に限り、右判断が裁量権の範囲を超え又はその濫用があったものとして違法であるとすることができる。

▼ 指紋押捺拒否を理由とする再入国不許可処分と裁量（最判平10.4.10・百選〔第7版〕179事件）回

事案：　わが国で出生した永住資格を有するXが再入国許可申請を行ったが法務大臣は申請拒否処分を行った。これに対して、Xは国賠法1条1項に基づき慰謝料を請求した。

判旨：　出入国管理及び難民認定法26条1項に基づく再入国許可の基準については特に規定されていないが、右は、再入国の許否の判断を法務大臣の裁量に任せ、その裁量権の範囲を広範なものとする趣旨からである。右のような再入国の許否の判断に関する法務大臣の裁量権の性質にかんがみると、再入国の許否に関する法務大臣の処分は、その判断が全く事実の基礎を欠き、又は社会通念上著しく妥当性を欠くことが明らかである場合に限り、裁量権の範囲を超え、又はその濫用があったものとして違法となるものというべきである。もっとも、協定永住資格を有する者による再入国の許可申請に対する法務大臣の許否の判断に当たっては、その者の本邦における生活の安定という観点をもしんしゃくすべきである。

本件不許可処分にかかる法務大臣の判断は、裁量権の範囲を超え又はその濫用があったものとして違法であるとまでいうことはできない。

(3)　専門技術的裁量

専門技術的裁量とは、専門技術的判断の必要性をもって認められる裁量をいう。判例（最判昭50.5.29・百選115事件）は、一般乗合旅客自動車運送事業免許における免許基準該当性の判断について、法定された免許基準の抽象性・概括性のために行政庁に専門技術的な知識経験と公益上の判断が必要であり、「ある程度の裁量的要素」の存在を認めている。

また、下記のとおり、判例は専門技術的判断の必要性を理由に要件裁量を認めている。

▼ 原子炉設置許可における許可要件適合性の判断・伊方原発訴訟（最判平4.10.29・百選 74 事件）〈司予

事案： 四国電力株式会社は、「核原料物質、核燃料物質及び原子炉の規制に関する法律」（以下「規制法」という。）に基づき伊方発電所原子炉の設置許可申請をし、内閣総理大臣は許可処分をした。原子炉の設置予定地付近の住民である原告らは、原子炉の設置により生命・身体などが侵害される危険があるとして、異議申立手続を経たうえ、本件許可処分の取消訴訟を提起した。

判旨： 原子炉施設の安全性に関する審査は、原子力工学はもとより、多方面にわたるきわめて高度な最新の科学的、専門的技術的知見に基づく総合的判断が必要とされるものであることが明らかである。そして、規制法24条2項が、内閣総理大臣は、あらかじめ原子力委員会の意見を聴き、これを尊重して（設置許可を）しなければならないと定めているのは、右のような原子炉施設の安全性に関する審査の特質を考慮し、右各号所定の基準の適合性については、各専門分野の学識経験者などを擁する原子力委員会の科学的、専門技術的知見に基づく意見を尊重して行う内閣総理大臣の合理的な判断に委ねる趣旨と解するのが相当である。原子炉施設の安全性に関する判断の適否が争われる原子炉設置許可処分の取消訴訟における裁判所の審理、判断は、原子力委員会もしくは原子炉安全専門審査会の専門技術的な調査審議および判断を基にしてされた被告行政庁の判断に不合理な点があるか否かという観点から行われるべきであって、現在の科学技術水準に照らし、右調査審議において用いられた具体的審査基準に不合理な点があり、あるいは当該原子炉安全専門審査会の調査審議および判断の過程に看過し難い過誤、欠落があり、被告行政庁の判断がこれに依拠してされたと認められる場合には、被告行政庁の右判断に不合理な点があるものとして、右判断に基づく原子炉設置許可処分は違法と解すべきである。

▼ 教科書検定・家永教科書裁判（最判平9.8.29・百選 76 ②事件、最判平5.3.16・百選 76 ①事件）〈予

事案： いわゆる家永教科書裁判のうち第一次訴訟と第三次訴訟の上告審判決である。第一次訴訟は、原告の教科書原稿に対する昭和 37 年の不合格、38 年の条件付合格の違法、第三次訴訟は、原告の教科書原稿に対する昭和 55 年、58 年の条件付合格などの違法を理由とする国家賠償請求訴訟である。

判旨： 文部大臣による本件検定の審査、判断は、様々な観点から多角的に行われるもので、学術的、教育的な専門技術的判断であるから、事柄の性質上、文部大臣の合理的な裁量に委ねられる。したがって、教科用図書

検定調査審議会の判断の過程（検定意見の付与を含む）に、検定当時の学説状況、教育状況についての認識や、旧検定基準に違反するとの評価等に看過し難い過誤があって、文部大臣の判断がこれに依拠してされたと認められる場合には右判断は、裁量権の範囲を逸脱したものとして、国家賠償法上違法となると解する。

▼ 適正原価適正利潤条項に係る運輸局長の裁量の範囲（最判平 11.7.19・百選 71 事件）〈司

事案：　Xらは、大阪市及びその周辺地域において一般乗用旅客自動車運送事業を営む者であるが、消費税転嫁分としての運賃賃上げ申請を近畿運輸局長が１か月間受理せず、その後４か月以上許否の決定をせず、その上で違法な却下決定をしたとして損害賠償を求めた。

判旨：　道路運送法９条２項１号は、運賃の設定及び変更の認可基準の１つとして、「能率的な経営の下における適正な原価を償い、かつ適正な利潤を含むものであること」との基準を定めているが、その趣旨は、一般旅客自動車運送事業の有する公共性ないし公益性にかんがみ、安定した事業経営の確立を図るとともに、利用者に対するサービスの低下を防止することを目的としたものである。同号の基準は抽象的、概括的なものであり、同基準に適合するか否かは、行政庁の専門技術的な知識経験と公益上の判断を必要とするから、ある程度の裁量的要素があることを否定することはできない。

⑷　専門技術的かつ政策的裁量

専門技術的かつ政策的裁量とは、専門技術的かつ政策的な判断の必要性をもって認められる裁量をいう。下記のとおり、判例は専門技術性と政策性という要素を理由に要件裁量を認めている。

▼ 生活保護基準の改定の判断（最判平 24.2.28・百選 47 ①事件、最判平 24.4.2・百選 47 ②事件）〈予

事案：　老齢加算制度（生活保護受給者のうち 70 歳以上の高齢者の特別の需要に対し一定額を加算して保護費を支給する制度）について、専門委員会が中間とりまとめにおいて同制度の廃止を提言したことを受け、厚生労働大臣は、平成 16 年度以降段階的に老齢加算を減額し、平成 18 年度において、保護基準の改定により老齢加算を完全に廃止した（以下「本件改定」という。）。東京都または北九州市内に居住し生活保護法に基づく生活扶助を受給していたＸ１ら（①事件）、Ｘ２ら（②事件）は、いずれも本件改定に基づき生活扶助の支給額を減額する保護変更決定を受けたため、保護変更決定の取消しを求める訴訟を提起した。

判旨：①事件について

「保護基準中の老齢加算に係る部分を改定するに際し、最低限度の生活を維持する上で老齢であることに起因する特別な需要が存在するといえるか否か……を判断するに当たっては、厚生労働大臣に……専門技術的かつ政策的な見地からの裁量権が認められる」。

「老齢加算の全部についてその支給の根拠となる……特別な需要が認められない場合であっても、老齢加算の廃止は、これが支給されることを前提として現に生活設計を立てていた被保護者に関しては、保護基準によって具体化されていたその期待的利益の喪失を来す側面があることも否定し得ないところである。そうすると、上記のような場合においても、厚生労働大臣は、老齢加算の支給を受けていない者との公平や国の財政事情といった見地に基づく加算の廃止の必要性を踏まえつつ、被保護者のこのような期待的利益についても可及的に配慮するため、その廃止の具体的な方法等について、激変緩和措置の要否などを含め、上記のような専門技術的かつ政策的な見地からの裁量権を有している」。

「老齢加算の廃止を内容とする保護基準の改定は、①当該改定の時点において70歳以上の高齢者には老齢加算に見合う特別な需要が認められず、高齢者に係る当該改定後の生活扶助基準の内容が高齢者の健康で文化的な生活水準を維持するに足りるものであるとした厚生労働大臣の判断に、最低限度の生活の具体化に係る判断の過程及び手続における過誤、欠落の有無等の観点からみて裁量権の範囲の逸脱又はその濫用があると認められる場合、あるいは、②老齢加算の廃止に際し激変緩和等の措置を採るか否かについての方針及びこれを採る場合において現に選択した措置が相当であるとした同大臣の判断に、被保護者の期待的利益や生活への影響等の観点からみて裁量権の範囲の逸脱又はその濫用があると認められる場合」に生活保護法3条、8条2項に違反し、違法となるとしたが、結論として、厚生労働大臣の裁量権の逸脱・濫用はないとした。

②事件について

専門委員会の意見は、厚生労働大臣の判断を法的に拘束するものではなく、その意見は保護基準の改定に当たっての考慮要素として位置づけられるべきものである。

▼　都市計画における都市施設の規模、配置等の判断・小田急高架訴訟本案判決（最判平18.11.2・百選72事件） 司予

事案：　鉄道の高架化事業実施のための都市計画事業認可及び関連付属街路事業認可の取消しを、事業区域内の土地に所有権等を有しない沿線住民が求めた。

判旨：　都市施設の規模、配置等に関する事項を定めるに当たっては、当該都市施設に関する諸般の事情を総合的に考慮した上で、政策的、技術的な見地から判断することが不可欠であるといわざるを得ない。そうすると、

このような判断は、これを決定する行政庁の広範な裁量にゆだねられているというべきであって、裁判所が都市施設に関する都市計画の決定又は変更の内容の適否を審査するに当たっては、当該決定又は変更が裁量権の行使としてされたことを前提として、その基礎とされた重要な事実に誤認があること等により重要な事実の基礎を欠くこととなる場合、又は、事実に対する評価が明らかに合理性を欠くこと、判断の過程において考慮すべき事情を考慮しないこと等によりその内容が社会通念に照らし著しく妥当性を欠くものと認められる場合に限り、裁量権の範囲を逸脱し又はこれを濫用したものとして違法となるとすべきものと解するのが相当である。

2　効果裁量

(1)　意義

効果裁量とは、法律要件が充足された場合に、どの程度の処分が相当かという処分内容の選択の段階と、相当とされた処分を前提として、それを実際にするかしないかという行為選択の段階における裁量をいう。前者については、比例原則の適用を前提に、処分選択の判断の適法性が問題となり、後者については、規制権限の適時適切な行使がなされないという行政庁の不作為が問題となっている。下記のとおり、判例も効果裁量を認めている。

▼　学生に対する懲戒処分における処分内容選択と行為選択の判断（最判昭29.7.30）

事案：　京都府立医科大学の学生Ｘが、自らに対する懲戒処分が事実誤認に基づくものであるとして、その取消しを求めた。

判旨：　学長が学生の行為に対し懲戒処分を発動するに当たり、その行為が懲戒に値するものであるか、懲戒処分のうちいずれの処分を選ぶべきかを決するについては、諸般の要素を考量する必要があり、これらの点の判断は、学内の事情に通暁し直接教育の衝に当たるもの（学長）の裁量に任されている。

▼　国家公務員に対する懲戒処分における処分内容選択と行為選択の判断・神戸税関事件（最判昭52.12.20・百選77事件） 同共予

事案：　Ｘらは神戸税関の職員であったが、国公82条により懲戒免職処分に付された。Ｘらは、この処分に対して、裁量権の逸脱などを主張し、処分の無効確認・取消しを求めた。

判旨：　公務員につき、国家公務員法に定められた懲戒事由がある場合に、懲戒処分を行うかどうか、懲戒処分を行うときにいかなる処分を選ぶかは、懲戒権者の裁量に任されているものと解すべきである。したがって、裁判所が右の処分の適否を判断するに当たっては、懲戒権者と同一の立場に立って懲戒処分をすべきであったかどうか又はいかなる処分を選択すべきであったかについて判断し、その結果と懲戒処分とを比較してその軽重を論ずべきものではなく、懲戒権者の裁量権の行使に基づく処分が社会通念上著しく妥当を欠き、裁量権を濫用したと認められる場合に限り違法であると判断すべきものである。

(2)　規制権限不行使と裁量（行為選択の段階における裁量）　⇒ p.431

規制権限を発動する要件が充足されても、実際に規制権限を発動するかについては、行政庁に効果裁量があると解されてきた（行政便宜主義）。

行政便宜主義は、規制を受ける者に対する侵害行為が抑制されるため、自由主義の観点から望ましいといえる。しかし、規制を受ける者以外の第三者が、行政庁による規制権限の不行使によって被害を受けた場合、その救済方法が問題となる。

判例（最判平16.4.27・百選〔第6版〕231事件）は、「権限を定めた法令の趣旨、目的や、権限の性質等に照らし、具体的事情の下で、その不行使が許容される限度を逸脱して著しく合理性を欠くと認められるとき」に、規制権限の不行使が国賠法上の違法と評価されるという判断基準を定式化している（裁量権消極的濫用論）。

他方、学説では、一定の場合には行政庁の効果裁量がなくなり、規制権限を行使する作為義務が生じるとし、作為義務違反の不作為が国賠法上の違法と評価されると構成する見解もある（裁量権収縮論）。

五　事実認定と行政裁量

事実認定は裁判所の専権であるから、一般的に、事実認定それ自体について行政裁量は認められないと解されている。すなわち、事実問題については、裁判所が行政と同一の立場で判断を加え、行政の判断と異なる結論に到達すれば裁判所の判断を優先して当該行政行為を違法と扱うという判断代置審査が認められている。

▼　水俣病り患の有無の認定（最判平25.4.16・百選75事件）予

事案：　Xは、Y県知事に対し、公害健康被害補償法（以下「公健法」という。）に基づく水俣病の認定申請をしたところ、Y県知事は、Y県公害健康被害認定審査会の調査審議及び判断を基に棄却処分をした。Y県審査会における調査審議では、一定の症候の組み合わせがある場合に「水俣病」と認定する基準を定めた「昭和52年判断条件」が用いられていた。

Xは、Y県を被告として、認定申請棄却処分の取消しを求めるとともに、Y県知事に対し、Xに対する水俣病の認定の義務付けを求める訴えを提起した。原審は、水俣病の認定につき、伊方原発訴訟（最判平4.10.29・百選74事件）に依拠した裁量論を述べた上で、Xの請求を棄却した。

判旨：　公健法等において指定されている疾病の認定自体は、「客観的事象としての水俣病のり患の有無という現在又は過去の確定した客観的事実を確認する行為であって、この点に関する処分行政庁の判断はその裁量に委ねられるべき性質のものではない」。そのため、「処分行政庁の判断の適否に関する裁判所の審理及び判断は、……処分行政庁の判断の基準とされた昭和52年判断条件に現在の最新の医学水準に照らして不合理な点があるか否か、公害健康被害認定審査会の調査審議及び判断の過程に看過し難い過誤、欠落があってこれに依拠してされた処分行政庁の判断に不合理な点があるか否かといった観点から行われるべきものではなく、裁判所において、経験則に照らして個々の事案における諸般の事情と関係証拠を総合的に検討し、個々の具体的な症候と原因物質との間の個別的な因果関係の有無等を審理の対象として、申請者につき水俣病のり患の有無を個別具体的に判断すべき」である旨判示し、原審に差し戻した。

評釈：　本判決は、原審と異なり、水俣病の認定を事実認定の問題として捉え、行政庁の裁量に委ねられるべき性質のものではないとした。これは、行政庁による要件裁量を否定したものであり、昭和52年判断条件は裁量基準ではなく解釈基準にすぎないと考えられたものと評されている。また、本判決は、水俣病り患の有無の認定について判断代置審査を行っている。

六　時の裁量

時の裁量とは、いつ行政行為を行うかという時期を判断する段階における裁量をいう。下記のとおり、判例は時の裁量を認めていると解されている。

▼ 道路管理者による車両制限令上の認定留保（最判昭57.4.23・百選120事件）予

事案：　Xは道路管理者であるYに対して、車両制限令12条による「特殊車両通行認定」を申請し受理された。しかし、Yはこの認定をすることによってXと住民の間で実力による衝突が起こりかねないと判断し、5か月余りにわたり、危険回避のために認定を留保した。そこで、Xは、5か月余りにわたり正当な理由もなく認定を留保したのは違法であり、損害を被ったとしてYに対して国家賠償請求訴訟を提起した。

判旨：　「道路法47条4項の規定に基づく車両制限令12条所定の道路管理者の認定は、……基本的には裁量の余地のない確認的行為の性格を有するものである」。しかし、当該「認定については条件を附することができること（同令12条但し書）、右認定の制度の具体的効用が許可の制度のそれと比較してほとんど変るところがないことなどを勘案すると、右認定に当たって、具体的事案に応じ道路行政上比較衡量的判断を含む合理的な行政裁量を行使することが全く許容されないものと解するのは相当でない」。

Ｙの道路管理者としての権限を行う区長が、当該「認定をすることによって本件建物の建築に反対する附近住民と上告人側との間で実力による衝突が起こる危険を招来するとの判断のもとにこの危険を回避する」という理由で、本件認定申請に対して約５か月間認定を留保したことは、「その理由及び留保期間から見て前記行政裁量の行使として許容される範囲内にとどまるものというべく、国家賠償法１条１項の定める違法性はない」。

▼ 建築主事による建築確認の留保・品川マンション事件（最判昭60.7.16・百選121事件）〈司共

判旨： 建築確認自体は「基本的に裁量の余地のない確認的行為の性格を有する」から、「処分要件を具備するに至った場合には、建築主事としては速やかに確認処分を行う義務があるといわなければならない。しかしながら、建築主事の右義務は、いかなる場合にも例外を許さない絶対的な義務であるとまでは解することができないというべきであって、建築主が確認処分の留保につき任意に同意をしているものと認められる場合のほか、必ずしも右の同意のあることが明確であるとはいえない場合であっても、諸般の事情から直ちに確認処分をしないで応答を留保することが法の趣旨目的に照らし社会通念上合理的と認められるときは、その間確認申請に対する応答を留保することをもって、確認処分を違法に遅滞するものということはできない」。

▼ 都道府県知事による宅地建物取引業者に対する監督処分行使の時期・誠和住研事件（最判平元.11.24・百選216事件）〈司共

事案： 宅地建物取引業者の不正行為により損害を受けた者が、知事が業務停止処分等の規制権限の行使を懈怠したことが違法である等と主張し、国家賠償請求訴訟を提起した。

判旨： 知事等に監督処分権限が付与された趣旨・目的に照らし、その不行使が著しく不合理と認められるときでない限り、右権限の不行使は、当該取引関係者に対する関係で国家賠償法１条１項の適用上違法の評価を受けるものではないといわなければならない。

七 裁量権の限界と司法審査

1 裁量権の逸脱・濫用〈司〈司H18 司H26 司H27 司H28 司H29 司H30 司R元 司R３ 司R４ 司R５ 予H24 予H28 予H30 予R５

行政庁の裁量処分については、裁量権の範囲を逸脱し又はその濫用があった場合に限り、裁判所は、その処分を取り消すことができる（行訴30）。裁量審査の方法としては、実体的審査、判断過程審査、及び手続的審査がある。

判例（小田急高架訴訟本案判決、最判平18.11.2・百選72事件）は、裁量権

の逸脱・濫用の判断基準について、「その基礎とされた重要な事実に誤認があること等により重要な事実の基礎を欠くこととなる場合、又は、事実に対する評価が明らかに合理性を欠くこと、判断の過程において考慮すべき事情を考慮しないこと等によりその内容が社会通念に照らし著しく妥当性を欠くものと認められる場合に限り、裁量権の範囲を逸脱し又はこれを濫用したものとして違法となる」旨判示している。

2　実体的審査

実体的審査とは、行政行為における裁量判断の結果に着目し、その実体的違法につき審査する方法をいう。この裁量審査の基準としては、事実誤認、目的・動機違反、信義則違反、平等原則違反、比例原則違反、及び基本的人権の侵害がある。

(1)　事実誤認

(a)　行政行為は、正しい事実認定に基づいて行われなければならないため、事実誤認があれば、その行政行為は実体法上違法となる。

(b)　判断基準

事実誤認に係る裁量権の逸脱・濫用の判断基準について、従来の判例は「全くの事実の基礎を欠く」（マクリーン事件、最大判昭53.10.4・百選73事件）という基準を用いていたが、近時の判例では「重要な事実の基礎を欠く」（小田急高架訴訟本案判決、最判平18.11.2・百選72事件）という基準に変化しており、この変化により事実認定に係る裁量審査の在り方が変化するのかが注目されている。

(2)　目的・動機違反

法の趣旨・目的とは異なる目的や動機に基づいて裁量処分がなされた場合には、その処分は違法となる。下記の判例も法の趣旨・目的を逸脱した目的や動機を理由として裁量審査がなされることを認めている。

▼　分限処分と裁量権の範囲（最判昭48.9.14）〈回〉

事案：　公立学校の校長の職にあったXが、学校統廃合反対運動に積極的に参加したり、日常行動に関して校長としての適格性を欠く言動があったりしたことなどを理由に公立学校教員教諭に降格する分限処分を受けた。これに対して、Xは本件分限処分の取消しを求めて訴訟を提起した。

判旨：　地方公務員法28条の分限処分においては、任命権者にある程度の裁量は認められるが、純然たる自由裁量に委ねられているものではなく分限処分事由の有無の判断についても恣意にわたることは許されず、考慮すべき事項を考慮せず、考慮すべきでない事項を考慮して判断している場合やその判断が合理性をもつものとして許容される限度を超える場合には、裁量権の逸脱として、違法となる。地方公務員法28条1項3号の「その職に必要な適格性を欠く場合」とは、当該職員の簡単に矯正することのできない持続性を有する素質、能力、性格などに基因してその職務の円滑な遂行に支障があり、または支障を生ずる高度の蓋然性が認められる場合をいう。この意味における適格性の有無は、当該職員の外部に表れた行動、態度に徴してこれを判断するほかはない。降任の場合には、厳密、慎重な判断が特に要求される免職の場合とは異なり、比較的重大な結果を生じさせないため、裁量的判断を加える余地を比較的広く認めても差し支えない。

▼ 行政権の濫用・余目町個室付浴場事件（最判昭 53.5.26・百選 25 事件）〈同

事案：　Xの個室付浴場業の開業について地元民から反対運動が起こったため、県当局はその開業前に右開業予定地近くの町有地に児童福祉施設たる児童遊園を設置すれば右開業を阻止できるとして、児童遊園の設置を同町に対して積極的に指導し、同町はその設置認可の申請を行い、知事がこれを認可した。その後、Xは個室付浴場業の営業を開始したため、県公安委員会はXに対し 60 日間の営業停止処分をした。そこでXが県を被告として国家賠償請求の訴えを提起した。

判旨：　原審の認定した右事実関係のもとにおいては、本件児童遊園設置認可処分は行政権の著しい濫用によるものとして違法であり、かつ、右認可処分とこれを前提としてされた本件営業停止処分によってXが被った損害との間には相当因果関係があると解するのが相当であるから、Xの本訴損害賠償請求はこれを認容すべきである。

▼ 行政行為と刑事罰の関係・余目町個室付浴場刑事事件（最判昭 53.6.16・百選 66 事件）〈同

判旨：　被告会社の「営業の規制を主たる動機、目的とするA町のB児童遊園設置の認可申請を容れた本件認可処分は、行政権の濫用に相当する違法性があり、被告会社の……営業に対しこれを規制しうる効力を有しない」。

(3)　信義則違反　⇒ p.5

当該処分がなされる事実関係の下で、信義則違反が認められる場合は、裁量処分であっても違法となる。判例も、信義則違反を理由として裁量審査がなされることを認めている（法務大臣による在留資格変更後の在留期間更新不許可処分、最判平 8.7.2）。

▼ 法務大臣による在留資格変更後の在留期間更新不許可処分（最判平 8.7.2）

事案：　Xは日本女性Aと結婚し、「日本人の配偶者又は子」の在留資格でわが国に在留していたが、XがAと別居したため、法務大臣YはXの在留資格をその意に反して「短期滞在」に変更した。その後、Xの在留期間更新申請が不許可とされたため、XはYに対してその取消しを求めた。

判旨：　Xは、「日本人の配偶者又は子」の在留資格をもって本邦における在留を継続してきていたが、もはや日本人（本件ではA）の配偶者の身分を有する者としての活動に該当しないとの判断の下に、Xの意に反して、その在留資格を「短期滞在」に変更する旨の申請ありとして取り扱った。本件処分時においては、XとAとの婚姻関係が有効であることが判決によって確定していた上、Xは、その後にAから提起された離婚請求訴訟についても応訴するなどしていたことからも、Xの活動は、日本人の配偶者の身分を有するものとしての活動に該当するとみることができる。そうであれば、Xの在留資格が「短期滞在」に変更されるに至った右経緯にかんがみれば、Yは、信義則上、「短期滞在」の在留資格によるXの在留期間の更新を許可した上で、Xに対し、「日本人の配偶者等」への在留資格の変更申請をしてXが「日本人の配偶者等」の在留資格に属する活動を引き続き行うのを適当と認めるに足りる相当の理由があるかどうかにつき公権的判断を受ける機会を与えることを要したものというべきである。

以上によれば、上記のような経緯を考慮していない点において、Yがその裁量権の範囲を逸脱し、又はこれを濫用したものであるとの評価を免れず、本件不許可処分は違法となる。

⑷　平等原則違反　⇒ p.9

当該処分がなされる事実関係の下で、平等原則違反が認められるときは、裁量処分であっても違法となる場合がある。判例も、平等原則違反を理由として裁量審査がなされることを認めている（最判昭 30.6.24）。

⑸　比例原則違反　⇒ p.8

⒜　当該処分がなされる事実関係の下で、比例原則違反が認められるときは、裁量処分であっても違法となる場合がある。

⒝　判断基準

比例原則違反に係る裁量権の逸脱・濫用の判断基準について、判例は「処分が社会通念上著しく妥当を欠」く（神戸税関事件、最判昭 52.12.20・百選 77 事件）という基準を用いている（社会観念審査）。

さらに、近時の判例には比例原則を相当程度具体化して適用するものもある。すなわち、起立斉唱命令違反を理由とする懲戒処分と基本的人権の間接的制約が問題となった事案において、社会観念審査を維持しつつ、一定の処分を選択する場合は、「事案の性質等を踏まえた慎重な考慮が必要とな」り、処分「の必要性と処分による不利益の内容との権衡の観点から当該処分を選択することの相当性を基礎付ける具体的な事情が認められる場合であることを要する」旨判示している（最判平24.1.16・平24重判〔憲法〕7①事件）予。

(6) 基本的人権の侵害

裁量処分であっても、国民の基本的人権を不当に侵害することは許されない。特に、国民の生命・健康や、重要な基本的人権が侵害されるような裁量処分については、密度の高い裁量審査が求められる。判例も基本的人権の侵害を理由として裁量審査がなされることを認めている（剣道受講拒否事件、最判平8.3.8・百選78事件）司。

▼ 剣道受講拒否事件（最判平8.3.8・百選78事件）司予

事案：　エホバの証人で高専学校の生徒Xが剣道の授業の受講を拒否したことによる原級留置（留年）処分の後、退学処分を受けたので、校長Yに留年・退学処分の取消しを求めた。

判旨：　留年・退学処分については校長の合理的な教育的裁量にゆだねられるべきものであり、裁判所がその処分の適否を審査するに当たっては、校長と同一の立場に立って当該処分をすべきかどうかを判断し、その適否、軽重等を論ずべきものではなく、校長の裁量権の行使としての処分が、全く事実の基礎を欠くか又は社会観念上著しく妥当を欠き、裁量権の範囲を超え又は裁量権を濫用してされたと認められる場合に限り、違法である。もっとも、退学処分は、当該学生を学外に排除することが教育上やむを得ないと認められる場合に限って選択すべきであり、その要件の認定につき他の処分の選択に比較して特に慎重な配慮を要するものである。また、その学生に与える不利益の大きさに照らして、原級留置処分の決定に当たっても、同様に慎重な配慮が要求される。そして、剣道は高専学校に必須とはいえず、一方信仰上の教義は重要であること、代替措置の是非・方法・態様の検討が不足していることから、裁量権の逸脱が認められる。

3　判断過程審査 司H30 司R3 予R5

判断過程審査とは、裁量処分に至る行政庁の判断形成過程について、その合理性の有無という観点から裁量審査を行う方法をいう。

(1) 考慮要素に着目した判断過程審査

(a) 行政庁がなすべき具体的な比較考量・価値考量において、考慮すべき要素・価値を正しく考量しているか、考慮すべきでない事項や過大に評価すべきでない事項を不適切に考量していないかなどの観点から、裁量審査の合理性を審査するものをいう。

(b)　具体例

判例は、次のとおり考慮要素に着目した判断過程審査を行っている。すなわち、裁量処分の判断に当たり、「判断要素の選択や判断過程に合理性を欠くところがないかを検討し、その判断が、……社会通念に照らし著しく妥当性を欠くものと認められる場合に限って、裁量権の逸脱又は濫用として違法となる」としたうえで（社会観念審査）、当該裁量処分は、「重視すべきでない考慮要素〔他事考慮〕を重視するなど、考慮した事項に対する評価が明らかに合理性を欠いており〔評価の明白な合理性の欠如〕、他方、当然考慮すべき事項を十分考慮しておらず〔考慮不尽〕、その結果、社会通念に照らし著しく妥当性を欠いたものということができ」、裁量権を逸脱したものであるとしている（呉市立中学校施設使用不許可事件、最判平18.2.7・百選70事件）。これは、他事考慮、評価の明白な合理性の欠如、及び要考慮事項の考慮不尽という具体的な下位基準を用いて社会観念審査を行っているものと解されている。

▼　公の施設の目的外使用拒否処分における裁量・呉市立中学校施設使用不許可事件（最判平18.2.7・百選70事件）〈司共予

事案：　広島県教職員組合Ｘが、市教育委員会に対し、県教育集会の会場として、市立中学校の体育館等の学校施設を使用したい旨を申請したところ、市教育委員会は、右翼による妨害が教育上の悪影響をもたらすとして、これを不許可処分とした。そこで、ＸはＹ市に対して、国賠請求をした。

判旨：　学校施設の目的外使用を許可するか否かは、原則として、管理者の裁量にゆだねられている。すなわち、学校教育上支障がないからといって当然に許可しなくてはならないものではなく、合理的な裁量判断により使用許可をしないこともできる。学校教育上の支障とは、物理的支障に限らず、教育的配慮の観点から、児童、生徒に対し精神的悪影響を与え、学校の教育方針にもとることとなる場合も含まれ、現在の具体的な支障だけでなく、将来における教育上の支障が生ずるおそれが明白に認められる場合も含まれる。管理者の裁量権の行使が逸脱濫用に当たるか否かの司法審査においては、その判断要素の選択や判断過程に合理性を欠くところがないかを検討し、その判断が、重要な事実の基礎を欠くか、又は社会通念に照らし著しく妥当性を欠くものと認められる場合に限って、裁量権の逸脱又は濫用として違法となる。従前の許可の運用は、使用目的の相当性やこれと異なる取扱いの動機の不当性を推認させることがあったり、比例原則ないし平等原則の観点から、裁量権濫用に当たるか否かの判断において考慮すべき要素となったりすることは否定できない。

本件中学校及びその周辺の学校や地域に混乱を招き、児童生徒に教育上悪影響を与え、学校教育に支障を来すことが予想されるとの理由で行われた本件不許可処分は、重視すべきでない考慮要素を重視するなど、考慮した事項に対する評価が明らかに合理性を欠いており、他方、当然考慮すべき事項を十分考慮しておらず、その結果、社会通念に照らし著しく妥当性を欠いたものということができるから、本件不許可処分は裁量権を逸脱したものである。

その他、考慮要素に着目した判断過程審査を示した判例として、下記のものが挙げられる。

▼ 職務命令違反を理由とする採用拒否（最判平 30.7.19・平 30 重判4事件）

事案： 都教育委員会は、Xらが都立高校の教職員在職中に国歌斉唱命令に従わず懲戒処分を受けたことを理由として、Xらの再任用等の採用選考においてXらを不合格にし、若しくはその合格を取り消した。Xらは、本件不合格等は違法なものであるとして、Y（東京都）に対し、国家賠償請求をした。

判旨：「採用候補者選考の合否の判断に際しての従前の勤務成績の評価については、基本的に任命権者の裁量に委ねられているものということができる。そして、少なくとも本件不合格等の当時、再任用職員等として採用されることを希望する者が原則として全員採用されるという運用が確立していたということはできない。このことに加え、再任用制度等は、定年退職者等の知識、経験等を活用することにより教育行政等の効率的な運営を図る目的をも有するものと解されることにも照らせば、再任用制度等において任命権者が有する上記の裁量権の範囲が、再任用制度等の目的や当時の運用状況等のゆえに大きく制約されるものであったと解することはできない。」

「任命権者である都教委が、再任用職員等の採用候補者選考に当たり、従前の勤務成績の内容として本件職務命令に違反したことをXらに不利益に考慮し、これを他の個別事情のいかんにかかわらず特に重視すべき要素であると評価し、そのような評価に基づいて本件不合格等の判断をすることが、その当時の再任用制度等の下において、著しく合理性を欠くものであったということはできない。」

▼ 都市施設の区域決定に係る計画裁量（最判平 18.9.4・平 18 重判７事件）

事案： 建設大臣Yは、東京都市計画公園事業（本件事業）である林試の森公園を設置する都市計画決定を行い、本件事業を認可し、告示した。本件認可により、Xら所有の土地（民有地）が収用されるおそれが生じたため、Xは民有地を収用しなくとも隣接する公有地を利用すれば足りるのであるから、Yが本件計画時において計画用地が私有地か公用地か考慮しなかったことは要考慮要素違反があるとして本件認可の取消しを求めた。

判旨：　都市施設の区域は、当該都市施設が適切な規模で必要な位置に配置されたものとなるような合理性をもって定められるべきものである。この場合、民有地に代えて公有地を利用することができるときには、そのことも上記の合理性を判断する１つの考慮要素となり得る。

▼　一般公共海岸区域の占有不許可処分と裁量（最判平 19.12.7・平 20 重判１事件）

事案：　Ｘは岩石搬出用の桟橋を設置するため、行政財産たる海岸（一般公共海岸区域）の占用許可申請（海岸 37 の 4）を土木事務所長Ｙに対して行った。Ｙは海岸の用途目的阻害、町長の不同意、地元漁協の同意書欠缺を理由に不許可処分をした。そこで、Ｘは、Ｙに対して、本件不許可処分に対して取消訴訟を提起した。

判旨：　一般公共海岸区域の占用の拒否の判断に当たっては、当該地域の自然的又は社会的な条件、海岸環境などの諸般の事情を十分に勘案し、海岸法の目的の下で地域の実情に即した判断をしなければならないのであって、このような判断は、その性質上、海岸管理者の裁量に委ねるのでなければ適切な結果を期待することはできない。そこで、海岸管理者は、申請に係る占用が当該一般公共海岸の用途又は目的を妨げないときであっても、必ず占用の許可をしなければならないものではなく、海岸法の目的等を勘案した裁量判断として占用の許可をしないことの裁量が認められる。もっとも、本件では、①Ｘが桟橋を設けて本件一般公共海岸区域を占用してもその用途又は目的を妨げないこと、②上記占用の許可がされなければ、Ｘは、上記採石場において採石業を行うことが相当に困難になることがうかがわれる。そこで、これらの事情も考慮すると、本件海岸の占用の許可をしないものとしたＹの判断は、考慮すべきでない事項を考慮し、他方、当然考慮すべき事項を十分考慮しておらず、その結果、社会通念に照らし著しく妥当性を欠いたものということができ、本件不許可処分は、Ｙの裁量権の範囲を超え又はその濫用があったものとして違法である。

▼　行政契約と指名競争入札における村外業者排除の適法性（最判平 18.10.26・百選 91 事件）〈同　⇒ p.81

▼　都市計画における都市施設の規模、配置等における裁量・小田急高架訴訟本案判決（最判平 18.11.2・百選 72 事件）　⇒ p.47、84

▼ 認定拒否処分と認定基準（最判平 10.7.16）

事案：　Xは、酒類販売業の免許の申請（酒税法9条1項）をしたが、Yは、「需給均衡維持の必要上免許を与えることが適当でない」（同10条11号）として、申請拒否処分をした。拒否処分当時の酒類販売業免許制の運用については、法10条11号の認定基準として、「酒類販売業免許等取扱要領」及び「一般酒類小売業免許の年度内一般免許枠の確定の基準について」が通達され、これに従った運用が行われていた。

判旨：「取扱要領における酒税法10条11号該当性の認定基準は、当該申請に係る参入によって当該小売販売地域における酒類の供給が過剰となる事態を生じさせるか否かを客観的かつ公正に認定するものであって、合理性を有しているということができるので、これに適合した処分は原則として適法というべきである。もっとも、酒税法10条11号の規定は、前記のとおり、立法目的を達成するための手段として合理性を認め得るとはいえ、申請者の人的、物的、資金的要素に欠陥があって経営の基礎が薄弱と認められる場合にその参入を排除しようとする同条10号の規定と比べれば、手段として間接的なものであることは否定し難いところであるから、酒類販売業の免許制が職業選択の自由に対する重大な制約であることにかんがみると、同条11号の規定を拡大的に運用することは許されるべきではない。したがって、……取扱要領についても、その原則的規定を機械的に適用さえすれば足りるものではなく、事案に応じて、各種例外的取扱いの採用をも積極的に考慮し、弾力的にこれを運用するよう努めるべきである。」

(2)　第三者的機関の関与に着目した判断過程審査

行政庁の判断過程への第三者的機関の関与について、その第三者的機関の判断過程の合理性を審査するものをいう。判例も、第三者的機関の関与に着目した判断過程審査を認めている。具体例として、伊方原発訴訟（最判平4.10.29・百選74事件）や家永教科書裁判（最判平9.8.29・百選76②事件、最判平5.3.16・百選76①事件）が挙げられる。　⇒ p.45

(3)　裁量処分と裁量基準

(a)　裁量基準の合理性 司H26 司H27 司H28 司H29

裁量基準に従ってなされた処分の適法性については、まず、当該裁量基準それ自体に不合理な点があるかを判断する必要があり（最判平4.10.29・百選74事件、最判平11.7.19・百選71事件参照）、不合理な点がある場合には、処分が違法となりうる。

(b)　裁量基準に従った処分 司H26 司H27

合理的な裁量基準がある場合、それに従ってなされた裁量処分は原則として適法である。もっとも、例外的に、個々の具体的事情を考慮せずに、基準に従って機械的に処分をすることが違法となる場合もある（個別事情考慮義務違反）。

(c) 裁量基準に従わない処分 司H28 司H29 司R４ 予H28

法令の趣旨に合致し合理的で有効な処分基準がある場合に、それと異なる取扱いをすることは、平等原則及び信義則の観点から、相当と認めるべき特段の事情のない限り、裁量権の逸脱・濫用に当たる（最判平27.3.3・百選167事件）。

▼ 行政手続法12条１項の処分基準の法的効果（最判平27.3.3・百選167事件） 予

事案：　Ｘは、パチンコ店を営む会社であるところ、Ａ公安委員会は、Ｘに対し、40日間の営業停止処分（以下「本件処分」という。）を行った。Ａ公安委員会は、行政手続法12条１項に基づく処分基準として、「営業停止命令等の量定等の基準に関する規程」（以下「本件規程」という。）を定めており、過去３年以内に営業停止命令を受けた風俗営業者に対して、更に営業停止処分を行う場合の量定の加重等について定めていた。

Ｘは、本件処分の取消訴訟を提起したが、原審は、「本件規程は法令の性質を有するものではなく、将来の処分の際に過去に本件処分を受けたことが本件規程により裁量権の行使における考慮要素とされるとしても、そのような取扱いは本件処分の法的効果によるものとはいえない」とした上で、営業停止期間の経過により、Ｘは「処分の取消しによって回復すべき法律上の利益を有する者」（９Ⅰかっこ書）には当たらないから、本件訴えは不適法であると判示した。そこで、Ｘは、上告受理を申し立てた。

判旨：　行政手続法12条１項に基づいて定められ公にされている処分基準は、「単に行政庁の行政運営上の便宜のためにとどまらず、不利益処分に係る判断過程の公正と透明性を確保し、その相手方の権利利益の保護に資するために定められ公にされるものというべきである。したがって、行政庁が同項の規定により定めて公にしている処分基準において、先行の処分を受けたことを理由として後行の処分に係る量定を加重する旨の不利益な取扱いの定めがある場合に、当該行政庁が後行の処分につき当該処分基準の定めと異なる取扱いをするならば、裁量権の行使における公正かつ平等な取扱いの要請や基準の内容に係る相手方の信頼の保護等の観点から、当該処分基準の定めと異なる取扱いをすることを相当と認めるべき特段の事情がない限り、そのような取扱いは裁量権の範囲の逸脱又はその濫用に当たることとなるものと解され、この意味において、当該行政庁の後行の処分における裁量権は当該処分基準に従って行使されるべきことがき束されており、先行の処分を受けた者が後行の処分の対象となるときは、上記特段の事情がない限り当該処分基準の定めにより所定の量定の加重がされることになる」。

4　手続的審査

手続的審査とは、実体的審査とは別に、処分庁が行うべき事前手続に着目して裁量審査を行う方法をいう。たとえば、実体判断が行政庁の裁量の範囲内でも、理由の提示が不十分である、処分決定機関と監査機関が同一であるなどの手続上の瑕疵がある場合、裁量権の逸脱・濫用が認められることがある。判例も、事前手続違反を理由として裁量審査がなされることを認めている（個人タクシー免許事件、最判昭46.10.28・百選114事件）。　⇒p.114

■第5節　行政行為の瑕疵

《概　説》

一　瑕疵ある行政行為

1　違法と不当

一般に、法の定める要件を欠く行政行為を違法な行政行為、要件は満たすが公益に反する行政行為を不当な行政行為と呼んで区別する。

2　違法な行政行為の効力

(1)　違法な行政行為と無効な行政行為

違法な行政行為は、①取り消しうべき行政行為と②無効な行政行為に分かれる。無効な行政行為とは、行政行為として存在するにもかかわらず、正当な権限のある行政庁又は裁判所の取り消すのを待たずに、初めから行政行為の内容に適合する法律的効果が全く生じない行為をいう（行訴3Ⅳ、36参照）。

(2)　無効な行政行為

(a)　意義

原則として、違法の瑕疵がある行政行為も公定力によってそれが権限ある国家機関によって取り消されるまでは一応有効である。しかし、甚だしい違法の瑕疵があり、当面であっても有効とすることがあまりに不合理な場合もある。そこでこのような場合には、当該行政行為は取り消すまでもなく当然に無効とされる〈司〉。

(b)　効果〈共〉

ア　公定力、不可争力、自力執行力などの一切の法的効力が認められない。行政行為の相手方たる私人としては、行政行為が無効な場合は、前もって取消訴訟を提起することなく、直接、行政行為の無効を前提とする民事訴訟などを起こせば足り、この民事訴訟などの受訴裁判所も、先決問題の審理に際して無効の行政行為に拘束されることはない。

イ　いつでも、直接に、裁判所に訴えてその効力を争える。つまり、取り消しうべき行為の場合、①不服申立て期間制限、②出訴期間制限、③審査請求前置などの手続制限にかかるが、無効な行政行為はこの制限にかからない。

→ただし、行政事件訴訟法36条が原告適格を制限している

(3) 取消事由である瑕疵と無効事由である瑕疵の区別

(a) 重大明白説（通説）〈同

処分成立の当初から、行為に内在する瑕疵が重要な法規違反であること（瑕疵の重大性）、瑕疵の存在が外観上明白であること（瑕疵の明白性）の２つの要件を備えている場合にはじめて、当該行政行為は無効となるとする説である。

そして、その明白性の内容について、①処分の外形上、客観的に誤認が一見看取しうるかどうか、すなわち公定力がないことが何人にとっても明白かどうかを基準とする説（外見上一見明白説）と、②行政庁にとって調査義務を果たせば瑕疵を見出せた場合は明白であったとする説（調査義務違反説）の対立がある。

(b) 明白性補充要件説

瑕疵の重大性と明白性を並列した要件とせず、重大性を要件としつつ、明白性はそれに加える補充的要件と考える説である。求められる明白性の程度は、第三者の関与の有無などから利益衡量して判断される。

▼ 無効となる瑕疵（最判昭34.9.22・百選79事件）

事案：自作農創設特別措置法により買収除外すべき土地を誤って除外せずに買収した事案で、この処分の違法性が、本件買収処分を無効ならしめるほどに重大明白な瑕疵といえるかが争われた。

判旨：無効原因となる重大・明白な違法とは、処分要件の存在を肯定する処分庁の認定に重大・明白な誤認があると認められる場合を指す。

▼ 課税処分と当然無効（最判昭48.4.26・百選80事件）〈同

事案：Aは債権者からの強制執行を免れるために、自己所有の土地の所有権登記を妻の妹であるX夫婦らに無断で移転した。その後、Aは事業経営の不振から借金がかさんだためその返済に充てる意図で本件土地を売却することを思い立ち、X作成の名義の売買契約書を偽造し、第三者に売り渡した。そこでY税務署長は、この土地売却につきXらに対し所得税の課税処分、滞納処分を行ったが、Xらは課税処分の無効を主張して訴訟を提起した。

判旨：一般に、課税処分が課税庁と被課税者との間にのみ存するもので、処分の存在を信頼する第三者の保護を考慮する必要のないこと等を勘案すれば、当該処分における内容上の過誤が課税要件の根幹についての過誤であって、徴税行政の安定とその円滑な運営の要請を斟酌してもなお、不服申立期間の徒過による不可争的効果の発生を理由として被課税者に右処分による不利益を甘受させることが、著しく不当と認められるような例外的な事情のある場合には、前記の過誤による瑕疵は、当該処分を当然無効ならしめるものと解するのが相当である。

＊　本判決は明白性要件に言及していないが、本判決以降も重大明白説を採る判決が出ていることから、本件事案においては第三者保護の必要性に欠けるため、本判決は明白性要件を不要としたものと考える立場が多い。

二　瑕疵の具体例

1　主体に関する瑕疵

(1)　原則

正当に権限を行使しえない者が行政機関として行った行為や権限外の行為、正当に組織されていない合議機関の行為（適法な招集を欠く場合、定足数を欠く場合）等の無権限の行為は、原則として無効と解するのが学説の多数である。もっとも、利害関係を有する者が関与した合議体の決議を瑕疵の重大性がないとして無効としなかった判例がある。

▼　合議体の構成（最判昭 38.12.12・百選 111 事件）

事案：　農地委員会の買収計画樹立の決議に買受人が関与していた。そこで、本件買収計画に基づく買収処分を受けたAの相続人Xが買収処分の無効確認を求めた。

判旨：　行政処分はそれが違法であっても常に無効となるわけではなく、その瑕疵が重大かつ明白な場合に限り無効と解すべきであるとして、本件での買受人関与は違法ではあるが本件決議を無効ならしめるほどの重大な違法とはいえないとした。

(2)　事実上の公務員の理論

公務員でない者がした行政行為も、相手方が真実の公務員がした行政行為であると信ずるだけの十分な理由があるときには、その信頼を保護するために、有効な行政行為があったものとする理論をいう。

2　手続に関する瑕疵〈司H21 司H28 予H24 予H28 予R4

行政手続法制定前の判例は、聴聞の瑕疵については、実体判断に影響を与える場合に処分の取消事由とする一方、理由付記の瑕疵については、その瑕疵が独立して取消事由となるとしている。すなわち、下記のとおり、判例は、当該行政手続の趣旨を考慮して、その重大性によって取消事由となるか否かを判断しているものと解されている。

①　個人タクシー免許事件（最判昭 46.10.28・百選 114 事件）　⇒ p.114

②　審議会と行政手続（群馬中央バス事件、最判昭 50.5.29・百選 115 事件）　⇒ p.142

③　更正処分の理由付記の不備（最判昭 47.12.5・百選 82 事件）　⇒ p.68

④　理由付記（最判昭 60.1.22・百選 118 事件）　⇒ p.116

なお、行政手続法制定後においては、行政庁の行為義務として法定された手続に瑕疵があれば、原則として処分の違法事由となると解されている〈予。

3　形式に関する瑕疵

法律上、書面によるべきことを要求しているにもかかわらず、口頭で行った場合や、理由付記を要求されているにもかかわらず理由を付記しなかった場合、行政庁の署名・押印を欠く場合等は無効になる。

4　内容に関する瑕疵〈予R4

内容が不能の行為（ex. 死人に医師免許を与える行為）は無効である。

また、内容が不明確な場合も無効になりうる。この点、書面上不明確であっても、事実上明確であれば無効とならないか、という問題がある。最高裁は、当初否定説を採っていたが（最判昭26.3.8）、後に事実上この解釈を広汎に緩和する判断をしている（最判昭32.11.1）。さらに、行政機関の表示に過誤がある場合（行政機関の意思と表示にそごがある場合）にも、過誤が重大かつ明白ならば無効となりうる。

▼ 事実上特定された買収令書の効力（最判昭26.3.8）

事案：　県知事Ｙは、公簿上１反７畝９歩あるＸ所有地について１反６畝４歩と記載された農地買収令書を発付した。Ｘは、１筆の土地のうち、どの部分が買収対象か特定されていないと主張したが、事実上、本件Ｘ所有地中、駐在所のある部分を取り除いた部分が買収対象であることは明らかであった。

判旨：　自作農特別措置法上、買収令書はその対象地の私人の所有権を消滅させるものであるから、買収令書においてその対象を特定することを要する。

▼ 表示の誤記（最判昭40.8.17）

事案：　自作農創設特別措置法による農地買収処分の際、その買収令書に代わる公告に被買収地および被買収者について誤記があったため、被買収者が買収処分の無効を主張した。

判旨：　本件買収処分の過誤は、これを単なる地番の表示の誤記にすぎないと容易に認識し得る程度のものとは言い難く、むしろ買収の対象を誤った重大かつ明白な瑕疵と解すべきである。

<取消原因と無効原因の具体例>

	無効原因	取消原因
主体に関する瑕疵	無権限の行政庁による行為 （ただし、事実上の公務員の理論） 強度の強迫	詐欺・賄賂・（軽度の）強迫
手続に関する瑕疵	利害関係人の保護のための手続を欠く	公益上の理由に基づく手続を欠く

	無効原因	取消原因
形式に関する瑕疵	要書面行為を口頭で行う 要理由付記行為に理由を欠く 行政庁の署名・捺印を欠く	理由付記の内容不備 日付の記載を欠く
内容に関する瑕疵	実現可能性のない場合 不明確な場合 重大な事実誤認に基づく場合	その他の場合の多く

三　違法性の承継 司H28 司R元

先行する行政行為に対する取消訴訟を提起せず出訴期間が徒過した場合、後続する行政行為に対する取消訴訟において先行する行政行為の瑕疵を主張して、先行する行政行為を前提とする後続の行政行為も違法であると主張することができるか。先行処分については出訴期間の徒過により、その違法の瑕疵を争えなくなっているのではないかが問題となる。

通説によると、先行処分と後行処分が一連の手続を構成し一定の法律効果の発生を目指しているような場合、すなわち先行処分が後行処分の準備行為にすぎないような場合には認められるが、先行処分と後行処分が相互に関連しても別の目的を志向するような場合には認められないとされる。

ex.　①　肯定例　農地買収計画と買収処分、事業認定と収用裁決 予

②　否定例　租税賦課処分とそれに続く滞納処分 予

∵　前者が租税の納付義務を課す処分、後者はすでに課せられた義務の履行を強制するための処分であり、別個の効果を目指すものである

▼　違法性の承継（最判昭 25.9.15）

事案：　農地委員会は、買収除外（自作農創設特別措置法５⑥）に当たるにもかかわらず、X所有の農地に対する買収計画を樹立し、県知事Yはそれに基づきX所有地を買収した。Xは計画の違法を理由に買収処分の取消しを求めた。

判旨：　まず、本件買収計画が同法５条に反することを認定し、その上で、都道府県農地委員会や知事が右権限の適正な行使を誤った結果、内容の違法な買収計画に基づいて買収処分が行われたならば、かかる買収処分が違法であることは言うまでもなく、当事者は買収計画に対する不服を申立てる権利を失ったとしても更に買収処分取消の訴においてその違法を攻撃し得るものといわなければならないと判示した。

▼　建築確認取消訴訟における先行する「安全認定」の違法性主張の可否（最判平 21.12.17・百選 81 事件） 共 司H28

事案：　建築基準法 43 条１項に定める接道義務について、同条２項は条例による制限の付加を認めている。同項に基づき、東京都建築安全条例４条

1項は接道義務を厳格化しているが、同条例4条3項は知事が安全上支障がないと認定する場合には建築基準法43条1項の規定を適用しない旨定めている（以下この認定を「安全認定」という。）。

本件建築物につき、訴外AおよびBは、Yの区長から安全認定を受けた。そして、Aから本件建築物の敷地を譲り受けたZおよびBはYの建築主事から建築確認を受けた。隣接マンションの管理組合および本件建築物の敷地周辺の建物を所有又は居住するXらは、本件安全認定は違法であるから、安全認定を前提とする本件建築確認も違法であるとして、本件建築確認の取消しを求めた。

判旨：「建築確認における接道要件充足の有無の判断と安全認定における安全上の支障の有無の判断は、異なる機関がそれぞれの権限に基づき行うものとされているが、もともとは一体的に行われていたものであり、避難又は通行の安全の確保という同一の目的を達成するために行われるものである。そして、前記の通り、安全認定は、建築主に対し建築確認申請手続における一定の地位を与えるものであり、建築確認と結合して初めてその効果を発揮する」。

「他方、安全認定があっても、これを申請者以外の者に通知することは予定されておらず、建築確認があるまでは工事が行われることもないから、周辺住民等これを争おうとする者がその存在を速やかに知ることができるとは限らない。そうすると、安全認定について、その適否を争うための手続的保障がこれを争おうとする者に十分に与えられているというのは困難である。」

以上の事情を考慮すれば、建築確認の取消訴訟において、安全認定に違法があるために本件条例4条1項所定の接道義務の違反があるとの主張は許される。

＊　なお、裁判例（東京地判平29.1.31・平29重判3事件）は、本判例を参照し、「先行の処分と後行の処分とが実体的に相互に不可分の関係にあるものとして本来的な法律効果が後行の処分に留保されているといえる場合であって、公定力ないし不可争力により担保されている先行の処分に係る法律効果の早期安定の要請を犠牲にしてもなお先行の処分の効力を争おうとする者の手続的保障を図るべき特段の事情があるとき」は、違法性の承継が肯定されるとし、実体法的観点のみならず、手続的保障の観点をも考慮して、違法性の承継の有無を判断した。

四　瑕疵の治癒

1　意義

瑕疵の治癒の理論とは、瑕疵ある行政行為がなされたあと、欠けている要件（通常は手続的及び形式的要件）の追完がなされたことにより、瑕疵が治癒されたとして行政行為の効力を維持する理論をいう。

∵① 再度の行政処分が予想される
② 行政効率と裁判効率
③ 善意の第三者の信頼を保護する
ex.1 農地買収計画の縦覧期間が所定のそれより1日短かったが、その期間内に関係者が全員縦覧を済ませていた場合
ex.2 瑕疵ある招集手続によって会議が開かれたが、たまたま所定の参加者が全員出席して異議なく議決に参加した場合

▼ 訴願裁決を経ない農地買収計画の承認の効果（最判昭36.7.14・百選〔第7版〕85事件）

事案： Xが自己所有地に対する地区農地委員会の買収計画を不服とする訴願を県農地委員会に申し立てた。自作農創設特別措置法15条2項が準用する同法8条、9条は、訴願を受けるとその訴願について裁決されるまで県農地委員会は買収計画を承認できないと規定している。にもかかわらず、県農地委員会が訴願棄却裁決を停止条件として本件買収計画を承認したことから、Xは国Yに対して所有権確認訴訟を提起した。

判旨： 農地買収計画につき異議・訴願の提起があるにもかかわらず、これに対する決定・裁決を経ないで爾後の手続を進行させたという違法は、買収処分の無効原因となるものではなく、事後において決定・裁決があったときは、これにより買収処分の瑕疵は治癒される。

▼ 瑕疵の補正（最判昭43.6.13）

事案： 自作農創設特別措置法に基づき、X所有地の買収処分がなされたが、買収令書交付の有無を争って訴訟になった。訴訟中（買収後、十余年後）、Yは改めてXに買収令書を交付し、買収処分の効力に影響がないと主張した。

判旨： 自作農創設特別措置法は、被買収者にとって農地法より不利益な法律であり、農地法でさえ遅滞なき買収令書の交付・公告を求めているため、自作農創設特別措置法上の買収も遅滞なき買収令書の交付が必要であるとして、買収後十余年経過後に買収令書を交付したからといって瑕疵が治癒されるものではないとした。

2 理由の追完

理由の不提示・不十分に対し、事後的に理由を補充することで瑕疵を治癒することである。行政効率をあげるという利点があるが、安易に認めると行政過程の適正さを軽視することになる。そこで、判例は手続上の要件については厳格な態度をとる傾向にある。

▼ 更正処分の理由付記の不備（最判昭 47.12.5・百選 82 事件） 共予

事案：　X は法人税につき Y 税務署長から増額更正処分を受けたが、更正通知書にはきわめて漠然抽象的な理由が付記されていた。後に審査請求において裁決謄本送付通知書には詳細に理由が付記された場合に、理由の追完が認められるかが争われた。

判旨：　処分庁の判断の慎重・合理性を担保し、その恣意を抑制するとともに、処分理由を相手方に知らせ、不服申立ての便宜を与えることを目的とした理由付記の趣旨にかんがみ、瑕疵の治癒を否定した。

五　違法行為の転換

違法行為の転換とは、ある行政行為に瑕疵があるために本来は違法であるが、それを別の行政行為としてみた場合には瑕疵がない場合に、当該行為をその有効な別の行政行為として扱うことをいう。

ex.　死者に対してなされた許可処分の通知を、その相続人が受け取った場合に、相続人に対する許可処分として扱う場合

違法行為の転換は、これを認めることで行政側の便宜に資することになる一方、処分名宛人に対して不意打ちとなるおそれもある。そこで、法律による行政の原理の空洞化を避けるために、違法行為の転換が認められる場合は厳格に限定する必要がある。

具体的には、①転換前の行政行為と転換後の行政行為の目的が共通すること、②転換後の行政行為の法効果が転換前の行政行為の法効果より、関係人に不利益にはたらくことになっていないこと、③行政庁が仮に転換前の行政行為の瑕疵を知ったとしても、その代わりに転換後の行政行為を行わなかったであろうと考えられる場合ではないことという要件が全て満たされる場合には、例外的に違法行為の転換が認められる（最判令 3.3.2・百選 83 事件参照）。

▼ 違法行為の転換（最大判昭 29.7.19・百選〔第 7 版〕87 事件）

事案：　村農地委員会が自作農創設特別措置法施行令 43 条に基づいて X 所有地に対して樹立した買収計画について、X が施行令 43 条の要件を満たさないとして買収処分を県農地委員会 Y に訴願したところ、Y は施行令 43 条違反を認めながら施行令 45 条による買収として相当であるとした。

判旨：　施行令 43 条と 45 条とによって、市町村農地委員会が買収計画を相当と認める理由を異にするものとは認められない。したがって原判決が施行令 43 条により定めたと認定した村農地委員会の本件買収計画を委員会 Y が施行令 45 条を適用して相当と認め X の訴願を容れない旨の裁決をしたことは違法であるとはいえない。

■第６節　行政行為の取消し（職権取消し）

《概　説》

一　意義

1　意義

行政行為の職権取消しとは、権限ある行政庁が職権で、成立時から瑕疵のある行政行為の効力を遡及的に失わせることをいう。争訟取消し（行審法、行訴法に基づく取消し）と異なり、国民の申立てを必要としない。

2　法律上の根拠の要否〈予

瑕疵ある行政行為を遡及的に消滅させる職権取消しは、法律による行政の原理に適合するものであるから、法律の根拠を不要とする点でほぼ一致している。ただ、不要と解する理由について、①当然の事理のごとくに解する見解、②取消権の根拠はもとの行政行為の根拠法に含まれているとする見解、③不文の法理に求める見解、④法治国原理の要請とする見解など、多岐にわたる。

3　効果

原則として遡及的に行政行為時から行政処分がなかったものとして扱われる。

二　取消権者

処分庁がなすことが認められることに争いはない。これに対して、当該行政行為を行った行政庁の上級行政庁が、監督権の行使として下級庁の行政行為を当然に職権で取り消すことができるかどうかについては学説上争いがあり、①法律の明文（内８参照）がなくても当然に取り消せるという説、②取り消せないという説、③個人の権利を侵害するような行政行為に限って取り消せるとする説などが対立している。

三　取消し・効果の制限

1　取消しの制限

不可変更力の及ぶ行政行為は職権取消しをすることができない。

また、職権取消しの対象となった原処分に違法又は不当がないにもかかわらず、行政庁が原処分に違法又は不当があることを理由として、原処分を職権により取り消すことは許されず、その職権取消しは違法となる（最判平28.12.20・百選84事件）。

▼　公有水面埋立承認取消処分（職権取消し）の違法性（最判平28.12.20・百選84事件）〈予

事案：　普天間飛行場の代替施設を、沖縄県名護市辺野古沿岸域に建設するための公有水面の埋立事業につき、前知事が埋立承認をしたところ、Y（現知事）が、本件埋立承認を違法としてこれを取り消した（①処分）。そこで、X（国土交通大臣）が、沖縄県に対し、地方自治法245条の７

第１項に基づき、①処分の取消し（②処分）を求める是正を指示した。Ｙは、②処分を行わず、是正指示の取消しを求める訴えの提起（地自251の５Ⅰ）もしないことから、Ｘは、Ｙが②処分を行わないことが違法であることの確認（地自251の７Ⅰ）を求めた。

判旨：「一般に、その取消しにより名宛人の権利又は法律上の利益が害される行政庁の処分につき、当該処分がされた時点において瑕疵があることを理由に当該行政庁が職権でこれを取り消した場合において、当該処分を職権で取り消すに足りる瑕疵があるか否かが争われたとき」は、その「裁判所の審理判断は、当該処分がされた時点における事情に照らし、当該処分に違法又は不当（以下「違法等」という。）があると認められるか否かとの観点から行われるべきものであり、そのような違法等があると認められないときには、行政庁が当該処分に違法等があることを理由としてこれを職権により取り消すことは許されず、その取消しは違法となる」。

したがって、本件埋立承認取消し（①処分）の適否を判断するに当たっては、①処分に係るＹの判断に裁量権の範囲の逸脱又はその濫用が認められるか否かではなく、本件埋立承認がされた時点における事情に照らし、前知事がした本件埋立承認に違法等が認められるか否かを審理判断すべきであり、本件埋立承認に違法等が認められない場合には、Ｙによる①処分は違法となる。

そして、本件埋立承認に違法等がないにもかかわらず、これが違法であるとして取り消したＹの①処分は違法であるといわざるを得ず、②処分の不作為も違法である。

「公有水面埋立法４条１項１号の『国土利用上適正且合理的ナルコト』という要件（第１号要件）は、承認等の対象とされた公有水面の埋立てや埋立地の用途が国土利用上の観点から適正かつ合理的なものであることを承認等の要件とするものと解されるところ、その審査に当たっては、埋立ての目的及び埋立地の用途に係る必要性及び公共性の有無や程度に加え、埋立てを実施することにより得られる国土利用上の効用、埋立てを実施することにより失われる国土利用上の効用等の諸般の事情を総合的に考慮することが不可欠であり、……そうすると、上記のような総合的な考慮をした上での判断が事実の基礎を欠いたり社会通念に照らし明らかに妥当性を欠いたりするものでない限り、公有水面の埋立てが第１号要件に適合するとの判断に瑕疵があるとはいい難いというべきである」。

「公有水面埋立法４条１項２号の『其ノ埋立ガ環境保全及災害防止ニ付十分配慮セラレタルモノナルコト』という要件（第２号要件）は、公有水面の埋立て自体により生じ得る環境保全及び災害防止上の問題を的確に把握するとともに、これに対する措置が適正に講じられていることを承認等の要件とするものと解されるところ、その審査に当たっては、埋立ての実施が環境に及ぼす影響について適切に情報が収集され、これに基づいて適切な予測がされているか否かや、事業の実施により生じ得る環境への影響を回避又は軽減するために採り得る措置の有無や内容が的確に検討され、かつ、そのような措置を講じた場合の効果が適切に評価されているか否か等について、専門技術的な知見に基づいて検討することが求められるということができる。そうすると、裁判所が、公有水面の埋立てが第２号要件に適合するとした都道府県知事の判断に違法等があるか否かを審査するに当たっては、専門技術的な知見に基づいてされた上記都道府県知事の判断に不合理な点があるか否かという観点から行われるべきである」。

評釈：　職権取消し自体を定める法的根拠は一般に不要と解されているが、特別の規定があれば、それに従って職権取消しが行われる。そのため、職権取消しに関する特別の規定が存在する場合には、その特別の規定に照らして職権取消しの違法性の有無が審査されるが、特別の規定が存在しない場合には、原処分を授権した法律に照らして職権取消しの違法性の有無が審査されることになる。本件では、職権取消し自体を定める特別の規定がないところ、本判決は、職権取消しが違法かどうかの審査基準として、いわゆる社会観念審査（⇒p.54）と専門技術的裁量（⇒p.44）を用いている。

2　効果の制限〈司H23

金銭の給付決定のような授益的行政行為を遡及的に失効させると、受けた給付が不当利得となり不利益が大きい。そこで、取消しの遡及効が制限される場合がありうる。また、二重効果的行政行為については第三者の保護も検討が必要となる。

▼　農地賃貸借の職権取消し（最判昭 28.9.4・百選〔第６版〕91 事件）

事案：　農地賃貸借契約の更新拒絶には農地委員会の許可が必要である。X がA に対する農地賃貸借について、農地委員会 Y に更新拒絶の許可を受け、A に更新拒絶に基づく土地明渡しを求めているところに、Y は先の申立てにおいて添付された陳述書の内容が虚偽であったとして先の許可を取り消した。X が取消処分取消しを求めた。

判旨：　農地賃貸借契約の更新拒絶の許可は賃貸人・賃借人の両当事者を拘束する法律状態を形成するから、申請者の詐欺などの不正行為が顕著でない限り、行政庁も処分後にこれを取り消すことはできない。

▼　農地買収・売渡の職権取消し（最判昭 43.11.7・百選〔第７版〕88 事件）〈予

事案：　自作農創設特別措置法に基づく農地買収計画および農地売渡計画を農業委員会が職権で取り消した。そのため、当該計画に基づいて農地の売渡しを受けたXが、当該農地の所有権確認等を求めた。

判旨：「行政処分が違法または不当であれば、それが、たとえ、当然無効と認められず、また、すでに法定の不服申立期間の徒過により争訟手続によってその効力を争い得なくなったものであっても、処分をした行政庁その他正当な権限を有する行政庁においては、自らその違法または不当を認めて、処分の取消によって生ずる不利益と、取消をしないことによってかかる処分に基づきすでに生じた効果をそのまま維持することの不利益とを比較考量し、しかも該処分を放置することが公共の福祉の要請に照らし著しく不当であると認められるときに限り、これを取り消すことができる」。

▼ 採用処分の職権取消しの可否（福岡高判平 29.6.5・平 30 重判5事件）

事案：　Xは、Y県教育委員会（Y教委）からZ市公立小学校教員として採用されたが、その後、Y教委からXの成績に不正な加点操作があったとして、採用処分の取消しを受けた。そこで、Xは、本件取消処分の取消しと違法な採用処分ないし取消処分による損害賠償を求めて出訴した。

最高裁は、本件採用処分は授益的行政処分であるとした上で、比較衡量論を用いつつ、公共の福祉の観点から職権取消しの適法性の検討を行った。

判旨：「比較考量にあたっては、当該行政処分の性質及び内容、当該行政処分の瑕疵の有無及び程度、当該行政処分の相手方側の関与の有無及び程度、当該行政処分が行われてから取り消されるまでの期間及び経過、当該行政処分を取消した場合の効果及び取消しを受けた相手方が置かれる状況、当該行政処分を取り消さずに維持することによって生じる具体的不利益等の事情を総合考慮した上で、判断するのが相当である。」

「本件取消処分によりXが被る不利益、特に、正規教員として採用されたことについての信頼と期待を侵害されたXの精神的苦痛は軽視し難いものであるが、本件採用処分から本件取消処分に至るまでの期間、本件取消処分後にXが置かれた状況等を考慮すると、本件採用処分を維持することによる公益上の不利益は、本件取消処分によりXが被る不利益と比較しても重大であり、本件採用処分を維持することは公共の福祉の観点に照らし、著しく相当性を欠くものといわざるを得ない。」

「そうすると、県教委は本件採用処分を取り消すことができるのであって、本件取消処分は適法というべきである」。

▼ 被災者生活再建支援金の支給決定の職権取消し（最判令 3.6.4・百選85事件）

事案：　被災者生活再建支援法（以下「支援法」という）に基づく被災者生活再建支援金の支給に関する事務の委託を受けた法人Yは、Xら（本件マンションに居住する各世帯主）に対し、震災による大規模半壊世帯に該当するとした認定に誤りがあることを理由に、被災者生活再建支援金の支給決定（以下「本件各支給決定」という）の取消決定（以下「本件各取消決定」という）をした。そこで、Xらは、本件各取消決定の取消しを求めた。

判旨：「支援法の目的、内容等に照らすと、支援法は、その目的を達成するため、……被災世帯に該当するか否かについての認定を迅速に行うこと」、及び「公平性を担保するため、その認定を的確に行うことも求めているものと解される。」

「本件各支給決定の効果を維持することによる不利益」としては、①「支援金の支給に関し、東日本大震災により被害を受けた極めて多数の世帯の間において、公平性が確保されないこと」、及び「支援金に係る制度の適正な運用ひいては当該制度それ自体に対する国民の信頼を害すること」が挙げられる。また、②支援金は、「究極的には国民から徴収された税金その他の貴重な財源」であり、本件各支給決定の効果を維持することによりその財源を害することにもなる。さらに、③「誤った支給決定の効果を維持するとした場合には、今後、市町村において、……罹災証明書を交付するに当たり、その認定を誤らないようにするため、過度に慎重かつ詳細な調査、認定を行うことを促すことにもなりかねず、かえって支援金の支給の迅速性が害されるおそれがある」。いずれの不利益も、「住民の生活の安定と被災地の速やかな復興という支援法の目的の実現を困難にする性質のものである」。

一方、「本件各支給決定を取り消すことによって生ずる不利益を検討すると、その取消しがされた場合には、本件世帯主らにとっては、その有効性を信頼し、あるいは既に全額を費消していたにもかかわらず、本件各支援金相当額を返還させられる結果」となり、この返還による「負担感は、本件世帯主らが既に東日本大震災による被害を受けていることも勘案すると、小さくない」。しかし、「本件世帯主らは、支援法上、本件各支援金に係る利益を享受することのできる法的地位をおよそ有」さず、「既に利益を得たことに対応して金員の返還を求められているにとどまり、新たな金員の拠出等を求められているわけではない」。以上に加えて、「本件各支給決定を取り消すまでの期間が不当に長期に及んでいるともいい難いことをも併せ考慮すると、前記瑕疵を有する本件各支給決定については、その効果を維持することによって生ずる不利益がこれを取り消すことによって生ずる不利益と比較して重大であり、その取消しを正当化するに足りる公益上の必要があると認められる」。

■第７節　行政行為の撤回

《概　説》

一　行政庁側からの撤回

1　意義〈司

⑴　意義

行政行為の撤回とは、成立時には瑕疵のない行政行為について、公益上その効力を存続させることができない新たな事由が発生した場合に、将来に向かってその効力を失わせることをいう。行政行為成立時の違法がない点で、取消しと区別される。法令上、「取消」と規定されていることが多い。

<職権取消しと撤回の比較>

	理　由	効　果	権限を有する行政庁
職権取消し	成立当初の瑕疵	遡及効	処分庁及び監督庁（通説）
撤　回	後発的事情	将来効	原則として処分庁のみ

⑵　法律の根拠の要否〈司〈司H26

不要（通説、判例）。

∵　行政行為の合目的性の回復

⑶　効果

将来に向かって効力を失わせる。

2　撤回権者〈司

処分庁のみである。指揮監督権ある上級行政庁は撤回することができない。

∵　撤回は新たな行政行為を行うのと同じであり、処分庁の専権である

3　撤回の制限〈司H26 予H26

⑴　撤回権行使

侵害的行政行為においては、相手方に不利益はなく原則として自由になしうる。

しかし、授益的行政行為、二重効果的行政行為の撤回は、当該処分の撤回によって相手方・利害関係人の受ける不利益を上回るだけの撤回の必要性がある場合に認められる。ただ、相手方の帰責性に基づく撤回の場合には、その撤回は制限されない。

∵　相手にいったん与えた権利利益を剥奪する

▼　行政行為の撤回の可否・赤ちゃん斡旋事件（最判昭63.6.17・百選86事件）〈司予

事案：　優生保護法（現在の母体保護法）14条に基づく人工妊娠中絶の施術を行いうる医師の指定を受けているXは、中絶希望の女性を説得して出産させ、嬰児を別の女性が出産したように装う虚偽の出生証明書を作成し

たこと（実子のあっせん）により、医師法違反などに問われ、指定医師の指定の取消し（講学上の「撤回」に当たる）を受けた。Xは、医師会Yに対し指定取消処分の取消しなどを求めて訴訟を提起した。

判旨：　Xが虚偽の出生証明書を作成して罰金刑を受けた場合、Xは「法秩序遵守等の面において指定医師としての適格性を欠くことが明らかとなり、Xに対する指定を存続させることが公益に適合しない状態が生じたというべきところ、実子あっせん行為のもつ……法的問題点、指定医師の指定の性質等に照らすと、指定医師の指定の撤回によってXの被る不利益を考慮しても、なおそれを撤回すべき公益上の必要性が高いと認められるから、法令上その撤回について直接明文の規定がなくとも、指定医師の指定の権限を付与されているYは、その権限においてXに対する右指定を撤回することができる」。

(2)　補償の要否

学説は、撤回される事案に即し、相手方の不利益によっては補償が必要な場合があるとするが、判例は国有財産の使用許可の撤回につき、内在的制約として消極的な判断を示した。

▼　公有地の目的外使用許可の撤回と補償・東京中央卸売市場事件（最判昭49.2.5・百選87事件） 〈同共予

事案：　Xは中央卸売市場内にある土地を東京都から期間の定めなく借り受けていたが、都がその土地の大部分の使用許可を取り消した（撤回した）ため、補償金の支払いを求めた。

判旨：　当該行政財産に本来の用途又は目的上の必要を生じたときに使用許可によって与えられた使用権が消滅することを余儀なくされるのは、ひっきょう使用権自体に内在する制約に由来するものということができるから、右使用権者は行政財産に右の必要を生じたときは、原則として、地方公共団体に対し、もはや当該使用権を保有する実質的理由を失うに至るのであって、その例外は、使用権者が使用許可を受けるに当たりその対価の支払をしているが当該行政財産の使用収益により右対価を償却するに足りないと認められる期間内に当該行政財産に右の必要を生じたとか、使用許可に際し別段の定めがされている等により、行政財産についての右の必要にかかわらず使用権者がなお当該使用権を保有する実質的理由を有すると認めるに足りる特別の事情が存する場合に限られる。

二　私人からの撤回

私人の行政に対する行為の撤回についても、行政秩序の維持の観点から制限される場合がありうる。

▼ **公務員の退職願の撤回（最判昭 34.6.26・百選 124 事件）** 〈司

事案： 村立小学校講師Xは、村の55歳定年制の方針に従い、一度は退職願を提出したが、55歳以上でも退職しない者がいるのを知り、退職願撤回を申し出、引き続き勤務していた。村教育委員会YがXを解職する旨の辞令を交付したため、Xは、審査請求棄却の裁決を経て、本件免職処分の取消しを求めて訴訟を提起した。

判旨： 退職願の提出者に対し、免職辞令の交付があり、免職処分が提出者に対する関係で有効に成立した後においては、もはや、これを撤回する余地がないが、その前においては、退職願は、それ自体で独立に法的意義を有する行為ではないから、これを撤回することは原則として自由である。ただ、免職辞令の交付前において、無制限に撤回の自由が認められるとすれば、場合により、信義に反する退職願の撤回によって、退職願の提出を前提として進められた爾後の手続がすべて徒労に帰し、個人の恣意により行政秩序が犠牲に供される結果となるので、免職辞令の交付前においても、退職願を撤回することが信義に反すると認められるような特段の事情がある場合には、その撤回は許されない。

■第8節 行政行為の附款

《概 説》

一 意義

1 意義〈司予

附款とは、許認可等の法効果について、法律で規定された事項以外の内容を付加したものをいう。法の趣旨・目的の範囲内で付される。

2 法律上の根拠の要否〈司共

附款は行政庁の裁量権の行使として付されるものであるから、原則として行政庁は、法律の明文がなくても、法の趣旨・目的に反する場合や法の一般原則に反する場合を除き、附款を付すことができる。ただし、「負担」に関しては許認可の効力と別に義務を課すものであるため、法律上の根拠を要する。また、附款に対する補償も必要不可欠ではなく、内在的制約の場合は補償は原則として不要である。

▼ **建築許可へ無補償撤去条項を付すことの可否（最大判昭 33.4.9・百選〔第6版〕96 事件）**

事案： 東京都の都市計画の指定を受けた地域に建築許可申請をしたXに対し、都知事Yは必要があれば無補償で物件を撤去することなどの条件付きで建築許可をした。Xらは、この条件は憲法29条3項に違反することなどを理由として、条件の無効確認を求めた。

判旨： 建築物に対する制限は、他面において財産権に対する制限となることは否定しえないところであるが、それが都市計画上必要なものである限りは、公共の福祉のための制限と解すべくこれを違憲といえないことは、憲法29条により明らかである。

▼ 小学校教員の期限付任用（最判昭38.4.2・百選88事件）

事案：　小学校教諭退職後1年の期限付きで助教諭として採用されたXは、村教育委員会Yから更新拒絶を言い渡され、退職を命じられた。そこで、Xは退職処分の取消しを求めた。本件では地方公務員法適用以前になされた期限付採用とする附款（または期限を理由とする退職処分）が違法となるかが問題となった。

判旨：　地方公務員法が、一定期間の試用期間をおくいわゆる条件付採用制度をとり、また分限免職および懲戒免職の事由を明定して職員の身分を保障していることや、特に臨時的任用に関する規定を設け、その要件、期間等を限定していることに徴すれば、職員の任用を無期限のものとするのが法の建前であると解すべきである。しかし、右法の建前は、職員の身分を保障し、職員をして安んじて自己の職務に専念させる趣旨に出たものであるから、職員の期限付任用も、それを必要とする特段の事由が存し、且つ、それが右の趣旨に反しない場合においては、特に法律にこれを認める旨の明文がなくても、許されるものと解するのが相当である。

本件期限付任用が①勧奨退職を円滑に運用していくためにとられたものであること、②Xも期限につき同意し、年度末には退職する旨の誓約書を提出していたこと、③地公法の任用規定の適用のあったのが更新期間中であったこと等の事情の下では、期限付任用は違法のものとは認められない。

二　種類

1　条件

条件とは、行政行為の効果の発生・消滅を発生不確実な将来の事実にかからしめる意思表示をいい、①停止条件と②解除条件の２種類がある。①停止条件とは、条件の成就により行政行為の効果が発生するものをいい、②解除条件とは、条件の成就により行政行為の効力が消滅するものをいう。

ex.1　路線バス事業免許が道路工事完成を条件に発効するとされること

ex.2　指定期間内に運輸を開始しないと失効するとされること

2　期限

期限とは、行政行為の効果の発生・消滅を、将来発生することが確実な事実（一定の日時の到来である場合が多い）にかからしめる意思表示をいい、始期と終期の２種類がある。

ex.　道路の占用を○月○日から許可する、道路の占用を○月○日まで許可する

3　負担〈同

負担とは、許認可を行うに際して、法令によって課される義務とは別に作為又は不作為の義務を課すことをいう。条件と異なり、行政行為の効力の発生を不確定の状態に置くものではなく、行政行為の効力は完全に発生し、ただ、これに附随して一定の義務を命じるにとどまる。負担によって課された義務の不履行の場合にも行政行為の効力そのものの効果は消滅しない（改めて別の行政行為により、当該行政行為を撤回する等その他相手方に不利益を課すことはできる）。

ex.　自動車運転免許に付加される「免許の条件」、河川の占用許可に当たっての占用料の納付命令

4　撤回権の留保

撤回権の留保とは、主たる意思表示に付加して、特定の場合に行政行為を撤回する権利を留保する意思表示をいう。取消権の留保ともいう。

ただし、この場合でも、撤回が無制限に認められるわけではなく、具体的な撤回事由が必要であるし、撤回権の制限に関する理論が適用される。

三　瑕疵ある附款〈予〈予R3

附款に無効に至らない瑕疵がある場合、附款も行政行為の一部であるから排他的管轄が及び、附款だけの取消訴訟ないしは附款の無効確認訴訟を提起することとなる。しかし、その附款がなければ行政行為がなされなかったことが客観的にいえる場合には、附款だけでなく行政行為全体が瑕疵を帯び、附款だけの取消訴訟は許されなくなる。

・第3章・【行政上の契約】

《概　説》

一　総説〈同

行政契約とは、行政主体が他の行政主体や私人と対等な立場で行政目的を達成するために締結する契約をいう。行政契約は当事者である私人の合意を得てなされるものなので、法律上の根拠なく、行政機関は自由に締結できるし、行政手続法上も適用対象外となっている（行手1参照）〈予。

公法私法二元論の下では、およそ公法関係において契約形式を用いることができるかが問題とされたが、公法私法二元論からの脱却がなされた（⇒ p.12）現在では、むしろ給付行政などでは特別な規定がない限り、契約方式であるとの推定が働くものと考えられている。

二　行政契約の例

1　公害防止協定〈同〈予R2

公害防止協定とは、公害の発生原因となり得る事業を営む事業者と地方公共

団体との間において、地域の生活環境悪化を防止するために交わされる取決めのことをいう。

この点、法律による行政の原理に鑑み、法律の根拠に基づいてのみ制限できるはずの国民の権利・自由を、その法律に基づかずに当事者の合意のみに基づいて制約することになることを理由に、公害防止協定などの法的拘束力を否定する見解もある（紳士協定説）。

これに対し、判例（最判平21.7.10・百選90事件）・通説は、処分業者自身が自由な判断で合意した以上、契約として法的拘束力を認める一方、①その合意内容が関連法規に抵触しないこと（法令の趣旨に反しないこと）、及び②公序良俗違反などの一般原則に反しないことが必要であると解している（なお、合意が任意であることや、合意内容が具体的に特定されていることは当然の前提である）。

もっとも、契約によって公権力を創出することは許されないから、公害防止協定の実効性は、民事的方法のみによって担保される 司

▼ 産業廃棄物最終処分場につき使用期限を定めた公害防止協定条項の適法性（最判平21.7.10・百選90事件） 司予 予R2

事案：　A町と産業廃棄物処分業者であるYとが締結した公害防止協定における、Yの産業廃棄物処理施設の使用期限を定めた条項に基づき、A町の地位を合併により承継したX市が、Yに対し、Yの処理施設の使用の差止めを求めた。上記条項が、締結当時の廃棄物処理法（改正前）の趣旨に反し、法的拘束力が認められないのではないかが問題となった。

判旨：　本件協定の締結当時の産業廃棄物処理法の諸規定は、知事が、処分業者としての適格性や処理施設の要件適合性を判断し、産業廃棄物の処理事業が産業廃棄物法の目的に沿うものとなるように適切に規制できるようにするために設けられたものであり、同法の規定された知事の許可が、処分業者に対し、許可が効力を有する限り事業や処理施設の使用を継続すべき義務を課すものではないことは明らかである。そして、同法には、処分業者にそのような義務を課す条文は存せず、かえって、処分業者により事業の……廃止、処理施設の廃止については、知事に対する届出で足りる旨規定されているのであるから……処分業者が、公害防止協定において、協定の相手方に対し、その事業や処理施設を将来廃止する旨約束することは、処分業者自身の自由な判断で行えるのであり、その結果、許可が効力を有する期間内に事業や処理施設が廃止されることがあったとしても、同法に何ら抵触するものでない。

したがって、期限条項が同法の趣旨に反するということはできず、当該条項の法的拘束力を否定することはできない。

＊　なお、公害防止協定に基づく義務の履行を求める訴訟は、地方公共団体が、事業者との間で対等な立場に立って締結した契約上の義務の

履行を求めるものであるため、法律上の争訟に当たり、宝塚市パチンコ店規制条例事件の判例（最判平 14.7.9・百選 106 事件）の射程は及ばないと解されている〈予〉。

2　診療報酬請求事務の委託

▼　診療報酬請求事務の委託における契約主体（最判昭 48.12.20・百選〔第７版〕４事件）

事案：　医師Ａが、国民健康保険の保険者から診療報酬の支払を委託された社会保険診療報酬支払基金Ｙ１、東京都国民健康保険連合会Ｙ２に対して有する診療報酬債権を、Ａの債権者Ｘが差し押さえた。Ｙらが民事執行法の第三債務者（民事執行 159 以下）に当たるか（保険者同様にＹらもＡに直接支払義務を負うか）が争われた。

判旨：　本件のＹ１・Ｙ２が保険者等から診療報酬の支払委託を受ける関係は公法上の契約関係であり、Ｙ１はＡに対し、その請求にかかる診療報酬につき、自ら審査したところに従い、自己の名において支払をする法律上の義務を負う。よって、Ｙらは、第三債務者に当たる。

3　事務の委託・民間委託

委託という契約方式を用いて行政事務を第三者に委ねる場合があり、行政主体間で行われる事務の委託と、行政事務の民間委託とに区別することができる。事務の委託は、行政契約によるものとされているが、民法上の委託と異なり、受託者に権限が移ってしまうという点で、法律の定めた権限分配を変更することになることから、法律の根拠が必要である。他方、行政事務の民間委託は、民法上の委託によるものであり、受託者に権限が移転することはない〈司〉。

三　効果・制約

1　原則

私法規定が適用又は類推適用される（最判平 16.7.13・百選４事件参照（⇒ p.12））。もっとも、行政契約も行政作用の一形態なので、法の一般原則（平等原則や比例原則等）は適用される。特に、公共性から行政主体の利益が最大となる選択をすべきとする効率性の原則が重要である。

2　制約

(1)　一般競争入札中心主義〈司H22〉

物品納入契約、土木建築契約については入札による競争契約が原則となる（一般競争入札中心主義、地自 234 Ⅱ〈予〉）。随意契約は法制度上、契約の性質上又は目的に照らし入札に適さない場合や緊急の必要がある場合といった例外的な場合にのみ許される（会計 29 の３、地自 234 Ⅱ等）。もっとも、実際には指名入札、随意契約が多用されているし、これに反したからといって当然に私法上の契約も無効になるわけではない。

なお、行政契約は行政手続法の対象外である。指名競争入札における指名も行政行為ではないと解されているので、行手法２章、３章の規制にかからないし、指名停止・指名排除行為も処分性が認められず、抗告訴訟の対象とはならない（宮崎地都城支判平 10.1.28）〈司。

▼ 随意契約制限に違反した契約の効力（最判昭 62.5.19）〈司共予

事案： 町が一般競争入札によらず、随意契約により土地の売却を行った点が、地方自治法 234 条 2 項及び同法施行令 167 条の 2 第 1 項違反であるとして、住民訴訟（1 号請求）を提起した。

判旨： 地自法 234 条 2 項等違反の契約であっても私法上当然に無効になるものではなく、契約の効力を無効としなければ随意契約の締結に制限を加える法令の趣旨を没却する結果となる特段の事情が認められる場合に限り、私法上無効になる。

▼ 指名競争入札における村外業者排除の適法性（最判平 18.10.26・百選 91 事件）〈司予

事案： 土木建築業者であるＸ（村外業者）はＹが発注する公共工事の指名競争入札において、13 年間継続的に参加してきた。しかし、その後 6 年間にわたってＹ村長から違法に指名を回避されたと主張して、国家賠償法 1 条 1 項に基づいて損害賠償を求めた。

判旨： 地方公共団体が指名競争入札に参加させようとする者を指名するに当たって、工事現場の知識の優位性、地元経済の活性化に関しては村内業者のみを指名する合理性が認められるが、価格の有利性確保（競争性の低下防止）の観点を考慮すれば、およそ村内業者では対応できない工事以外の工事は村内業者のみを指名するという運用について、常に合理性があり裁量権の範囲内であるということはできない。1 つの考慮要素である村外業者であることのみを重視して、指名競争入札に参加させないことは、考慮すべき事項を十分考慮していない点で、極めて不合理であり、社会通念上著しく妥当性を欠く。

(2) 行政サービスの提供の場合

水道契約のように、生存権（憲 25）の観点から、正当な理由がない限り、行政主体が契約の締結を強制される場合がある（水道 15）。

▼ 宅地開発指導要綱に基づく給水拒否（最決平元.11.8・百選 89 事件）

事案： Ｙ建設が行政指導に従わなかったため、市はＹ建設が建設したマンションについてＹがなした給水契約の申し込みについて、これを拒否した。この行為が水道法 15 条 1 項に違反するとして、市長が起訴された。同項は、「水道事業者は、事業計画に定める給水区域内の需要者から給水契約の申込みを受けたときは、正当の理由がなければ、これを拒んではならない」と規定しているため、本件でこの「正当の理由」が認められるかが争われた。

決旨：　Y建設が指導要綱に基づく行政指導には従わない意思を明確に表明し、マンションの購入者も、入居に当たり給水を現実に必要としていた時期に至ったときは、水道法上給水契約の締結を義務付けられている水道事業者としては、たとえ右の指導要綱を事業主に順守させるため行政指導を継続する必要があったとしても、これを理由として事業主らとの給水契約の締結を留保することは許されないというべきである。

▼ マンション給水拒否事件（最判平 11.1.21）司共予

事案：　Xがマンション建設を計画したところ、Y町は水源不足、急激な水需要の増加の抑止を理由に給水契約締結を拒否した。Xが給水申込みの承認を求めて訴訟を提起した。

判旨：　「水道が国民にとって欠くことのできないものであることからすると、市町村は、水道事業を経営するに当たり、当該地域の自然的社会的諸条件に応じて、可能な限り水道水の需要を賄うことができるように、中長期的視点に立って適正かつ合理的な水の供給に関する計画を立て、これを実施しなければならず、当該供給計画によって対応することができる限り、給水契約の申込みに対して応ずべき義務があり、みだりにこれを拒否することは許されないものというべきである。しかしながら、他方、水が限られた資源であることを考慮すれば、市町村が正常な企業努力を尽くしてもなお水の供給に一定の限界があり得ることも否定することはできないのであって、給水義務は絶対的なものということはできず、給水契約の申込みが右のような適正かつ合理的な供給計画によっては対応することができないものである場合には、［注：水道］法15条1項にいう『正当の理由』があるものとして、これを拒むことが許される」。

▼ 別荘所有者の水道料を高値にする条例改正の無効確認（最判平 18.7.14・百選 150 事件）司

事案：　Y町に別荘を所有するXは、町営水道を営むY町との間で給水契約を締結して給水を受けていたが、条例が改正され、Xらのような住民基本台帳に登録されていない別荘所有者の水道料金は大幅に値上げされ、別荘所有者以外との給水契約者との間に基本料金に大きな差が生じた。また、Yは内規により別荘給水契約者には水道利用の一時的休止を認めないこととした。そこでXらは、本件条例別表及び内規の無効確認訴訟、支払い済水道料金の返還請求訴訟等を提起した。

判旨：　本件条例改正は、抗告訴訟の対象となる行政処分に当たらないので抗告訴訟の対象とならない。水道料金は原則として個別原価に基づいて設定されるべきものであって、本件改正条例における水道料金の設定方法は、正当化するに足りる合理性を有するものではない。本件改正条例のうち別荘給水契約者の基本料金を改定した部分は、公の施設の利用関係の不当な差別的取扱いを禁じた地方自治法244条3項に違反するものとして無効であり、支払済み水道料金の返還請求は認められる。

(3) 地方公共団体の契約

財政民主主義（憲83）の要請から、一定の額以上の地方公共団体の契約締結について、議会の議決が必要となる（地自96Ⅰ⑤）〈予。

・第4章・【行政計画】

■第1節　総説

《概　説》

一　意義

行政計画とは、明確な定義はないものの、概ね、行政機関の定立する計画であって一定の行政目標を設定するとともに、その目標に到達するための処々の手続・方策の間の総合的調整を図ることを目的とするものをいう。

二　法律の根拠の要否

行政計画にも様々な性質のものがあり、一般に法律の根拠は不要であるが、私人に対して法的拘束力を有する拘束的計画（私人の土地への建築制限等）の策定には法律の根拠が必要とするのが通説である〈予。

ex.　都市計画（都市計画6の2Ⅰ）、土地区画整理事業計画（都市計画12Ⅰ①）

■第2節　行政計画と救済制度

《概　説》

一　行政計画と裁量〈司H24 予R5

1　総論

行政計画にはその性質上、行政庁に広範な裁量が与えられる。このため、行政計画に対する司法審査は原則としてその逸脱・濫用に限られる。

▼　都市施設の区域決定に係わる計画裁量（最判平18.9.4・平18重判7事件）

事案：　建設大臣（当時）Yは、東京都市計画公園事業（本件事業）である「林試の森公園」を設置する都市計画決定を行い、本件事業を認可し、告示した。本件認可により、Xら所有の土地（民有地）が収用されるおそれが生じたため、Xは民有地を収用しなくとも隣接する公有地を利用すれば足りるのであるから、Yが本件計画時において計画用地が私有地か公用地か考慮しなかったことは要考慮要素違反があるとして本件認可の取消しを求めた。

判旨： 都市施設の区域は、当該都市施設が適切な規模で必要な位置に配置されたものとなるような合理性をもって定められるべきものである。この場合、民有地に代えて公有地を利用することができるときには、そのことも上記の合理性を判断する１つの考慮要素となり得ると解すべきであるとした。その上で、原審の確定した事実のみから合理性を判断することはできないとして原判決を破棄し、差戻しをした。

▼ **小田急高架訴訟本案判決（最判平 18.11.2・百選 72 事件）** 〈司予 〈予R5

事案： 鉄道の高架化事業実施のための都市計画事業認可及び関連付属街路事業認可の取消しを、事業区域内の土地に所有権等を有しない沿線住民が求めた。

判旨： 都市計画法……は、都市計画事業認可の基準の一つとして、事業の内容が都市計画に適合することを掲げているから（61 条)、都市計画事業認可が適法であるためには、その前提となる都市計画が適法であることが必要である。都市施設の規模、配置等に関する事項を定めるに当たっては、当該都市施設に関する諸般の事情を総合的に考慮した上で、政策的、技術的な見地から判断することが不可欠であるといわざるを得ない。そうすると、このような判断は、これを決定する行政庁の広範な裁量に委ねられているというべきであって、裁判所が都市施設に関する都市計画の決定又は変更の内容の適否を審査するに当たっては、当該決定又は変更が裁量権の行使としてされたことを前提として、その基礎とされた重要な事実に誤認があること等により重要な事実の基礎を欠くこととなる場合、又は、事実に対する評価が明らかに合理性を欠くこと、判断の過程において考慮すべき事情を考慮しないこと等によりその内容が社会通念に照らし著しく妥当性を欠くものと認められる場合に限り、裁量権の範囲を逸脱し又はこれを濫用したものとして違法となるとすべきものと解するのが相当である。本件決定には、裁量権の逸脱・濫用はない。

2 公害防止計画

公害防止計画とは、公害が懸念される地域等で、都道府県知事が策定することを求められるものである（環境基本 17)。都市計画も公害防止計画と整合することを求められる（都市計画 13 I）。

▼ **小田急高架訴訟大法廷判決（最大判平 17.12.7・百選 159 事件）** 〈予

事案： 事業区域内の土地に所有権等を有しない沿線住民が、鉄道の高架化事業実施のための都市計画事業認可及び関連付属街路事業認可の取消しを求めた。

判旨： 都市計画法 13 条 1 項柱書きが、都市計画は公害防止計画に適合しなけれぱならない旨を規定していることからすれば、都市計画の決定又は変更に当たっては、上記のような公害防止計画に関する公害対策基本法［注：現在は環境基本法］の規定の趣旨及び目的を踏まえて行われることが求められるものというべきである。

なお、公害防止計画適合性が求められていなかった時代にこれを考えずに作られた都市計画の適法性が争われたが、判例はこれを有効とした。

▼　公害防止計画と都市計画（最判平 11.11.25・百選 53 事件）

事案：　知事Aは環状6号線を拡幅する都市計画を有しており、建設大臣（当時）Yは都市計画法59条2項（平成3年改正前のもの）に基づいてAに対して同事業の認可処分、首都高速道路公団Bに対して同事業の承認処分を行った。Xら（同事業地の事業地内の不動産につき権利を有する者、事業地の周辺地域に居住し又は通勤、通学する者）が環状6号道路は違法であるとして処分の取消しを求めた。

判旨：　旧法の下で適法、有効に決定された都市計画において定められた都市計画を整備する事業を行う場合には、事業の内容が旧法下で決定された都市計画に適合していれば足りる。旧法下においては、都市計画の基準として公害防止計画に適合することを要するとはされていなかったのであるから、旧法下において決定された環状6号線整備計画は、その後に定められた公害防止計画に適合するか否かにかかわらず、有効な都市計画である。

二　効果

法律上求められた手続が、私人に何らかの義務を課すものなのかが争われる。

▼　換地計画への関係権利者の同意（最判昭 59.1.31・百選 125 事件）

事案：　土地改良法に基づき事業施行の認可を得て改良工事が施行されたが、工事完成後に事業参加者の1人が換地計画に同意しなかったため、事業の施行者が換地計画への同意に代わる裁判等を求めて訴訟を提起した。

判旨：　共同施行の土地改良事業においては、換地計画を定めるにつき所有権等の権利を有するすべての者の同意を得なければならないとされているが、それは、所有権等の権利を有するすべての者の保護を第一義とする趣旨であるから、各権利者は、換地計画に同意すべき法律上の義務を負わない。

三　取消訴訟の可否

行政計画の違法性を争うために、取消訴訟を提起するためには、行政計画に処分性（行訴3Ⅱ）が認められる必要がある。そこで、行政計画の策定が「処分」といえるかが問題となる。　⇒ p.315

行政計画

四　計画担保責任

行政計画は、一度作成されたとしても、その改廃が許されないわけではなく、むしろ、社会経済的諸条件の変化に伴い、柔軟に見直すことが求められる。このように計画は当然に変更の可能性を伴うものであるから、国民も、そのことを計算して事業活動等の意思決定を行うべきであり、計画変更によって生じた損害をすべて計画主体が賠償しなければならないわけではない。しかし、計画主体が特定の者に個別具体的な勧奨を行い、勧奨を受けた者が当該計画の相当長期にわたる存続を信頼した結果、積極的損害を被った場合には、信義則上、当該積極的損害について、計画主体は賠償責任を負う。

▼　工場誘致施策と信義衡平の原則（最判昭56.1.27・百選21事件）

司共予

事案：　Y村村長AはXの工場誘致に積極的で、村有地を工場用地として整備するなどしたが、村長選挙で誘致反対派のBが選出され、Xは工場の建設、操業を断念せざるをえなくなった。Xが国家賠償法1条1項及び民法709条に基づく損害賠償請求をした。

判旨：　地方公共団体の施策が変更され得ることは、地方自治の原則から当然であるとしながら、その変更が、「特定の者に対して右施策に適合する特定内容の活動をすることを促す個別的、具体的な勧告ないし勧誘を伴うものであり、かつ、その活動が相当長期にわたる当該施策の継続を前提としてはじめてこれに投入する資金又は労力に相応する効果を生じうる性質のものである場合には、右特定の者は、右施策が右活動の基盤として維持されるものと信頼し、これを前提として右の活動ないしその準備活動に入るのが通常である」とし、このような状況のもとでは、「密接な交渉を持つに至った当事者間の関係を規律すべき信義衡平の原則に照らし、その施策の変更にあたってはかかる信頼に対して法的保護が与えられなければならない……。すなわち、右施策が変更されることにより、前記の勧告等に動機づけられて前記のような活動に入った者がその信頼に反して所期の活動を妨げられ、社会観念上看過することのできない程度の積極的損害を被る場合に、地方公共団体において右損害を補償するなどの代償的措置を講ずることなく施策を変更することは、それがやむをえない客観的事情によるのでない限り、当事者間に形成された信頼関係を不当に破壊するものとして違法性を帯び、地方公共団体の不法行為責任を生ぜしめるものといわなければならない」と判示した。

・第5章・【行政上の義務履行確保】

■第1節　総説

《概　説》

一　行政上の義務履行強制手段

1　行政強制と行政罰

行政上の義務履行確保手段とは、行政機関が行政目的を実現するために国民に対して行う強制手段の総称をいう。裁判所の介入が不要な点で、司法的執行手段とは区別される。行政機関は、行政目的を実現するために、私人の身体や財産に実力を加え、自ら必要な状態を実現することができる（行政強制）。また、私人の行政上の義務違反に対し、制裁を科すこともできる（行政罰等その他の制裁手段）。

2　現行の強制手段

戦前は、行政行為に執行力があることを前提に、その行政的執行の一般法として、国税徴収法・行政執行法があった。しかし、戦後、当然に執行力が認められるという考えは否定され、行政執行法は国民の権利・自由への制約の手段として使われうることを理由に廃止された。現在に至るまで行政執行法は復活しておらず、代替的作為義務に関して行政代執行法があるだけであり、その他の強制手段をとるには個別の法律上の根拠を必要とする（代執行１）。

だからといって行政権が主体となって国民に義務の履行を求め、裁判所への救済を求めることは認められない。

▼　行政上の執行と民事執行（最大判昭 41.2.23・百選 105 事件） 予

事案：　農業共済組合Aの有する、組合員Yに対する行政上の強制徴収可能な債権を、Aの債権者Xが自己の債権を保全すべく、債権者代位に基づき、Yを被告として共済掛金等の支払を求めた。

判旨：　法が農業共済組合の債権に行政上の強制徴収を認めているのは、農業災害の共済事業の公共性に鑑み、簡易・迅速・大量な処理をさせるためであるから、民事訴訟によることはこの趣旨に反し認められない。

評釈：　本判決は、行政上の義務の実現について、行政上の強制執行制度があれば、司法的執行（民事上の強制執行）は許されないというバイパス理論（行政上の強制執行制度という迅速なバイパスを通るべきという意味）の考えを示したものである。

▼　宝塚市パチンコ店規制条例事件（最判平 14.7.9・百選 106 事件） 司共予

事案：　X市長の建設工事中止命令に反してパチンコ店を建設しようとしたYに対し、X市が工事の続行禁止を求める民事訴訟を提起した。

判旨：　国又は地方公共団体が専ら行政権の主体として国民に対し行政上の義務の履行を求める訴訟は、法規の適用の適正ないし一般公益の保護を目的とするものであって、自己の権利利益の保護救済を目的とするものということはできないから、法律上の争訟として当然に裁判所の審判の対象となるものではない。

二　行政強制〈司

1　総論

行政強制は、①行政上の強制執行と②即時強制に分類される。

2　行政上の強制執行

行政上の強制執行とは、行政上の義務の不履行に対し、行政権の主体が将来に向かい実力をもってその義務を履行させ、又はその履行があったのと同一の状態を実現する作用をいう。行政上の強制執行には、代執行、執行罰、直接強制、行政上の強制徴収の４つがある。

(1)　代執行〈司予

他人が代わってすることができる作為義務（代替的作為義務）が履行されない場合に、当該行政庁が自ら義務者のすべき行為をし、又は第三者にこれをさせ、その費用を義務者から徴収することをいう（代執行２）。

ex.　違法建築物除去義務、ばい煙発生施設の改善

(2)　執行罰〈司

不作為義務又は他人が代わってすることができない作為義務（非代替的作為義務）の履行のない場合に、行政庁の定めた一定の期限内に義務を履行しないときには一定額の過料に処すると予告することで心理上の圧迫を加えることにより、間接的に履行を強制する方法をいう。

ex.　砂防 36

(3)　直接強制

直接強制とは、義務者が義務を履行しない場合に、直接に、義務者の身体又は財産に実力を加え、義務の履行があったのと同一の状態を実現する作用をいう。即時強制とは事前の義務賦課がある点で異なる〈予。

ex.　不法入国外国人の退去強制

(4)　行政上の強制徴収

行政上の強制徴収とは、国又は地方公共団体に対して負う公法上の金銭給付義務を履行しない私人に、行政庁が強制手段によって、その義務が履行されたのと同様の結果を実現するためにする作用をいう。

ex.　国税徴収法に基づく国税滞納処分

3　即時強制〈司　⇒ p.98

即時強制とは、義務の履行を強制するためではなく〈予、目前急迫の障害を

除く必要上義務を命ずる暇のない場合又はその性質上義務を命ずることによってはその目的を達しがたい場合に、直接に国民の身体又は財産に実力を加え、もって行政上必要な状態を実現する作用をいう。

ex. 感染症患者の強制入院

三 行政罰

1 総論

行政上の義務違反に対して、一般統治権に基づいて科される制裁をいう。過去の義務違反に対する制裁である点で執行罰と区別される。

このうち行政刑罰は、その制裁が刑法典上の刑名によるもの（死刑、懲役、禁錮、罰金、拘留、科料、没収：刑９参照）であり、秩序罰は、違法行為に対して過料という制裁を科すものである。

2 行政刑罰〈予

行政上の義務違反に対する制裁として刑罰が用いられる場合をいう。行政刑罰には刑法総則の適用があり（刑８)、また、その執行は刑事訴訟法所定の手続によるのが原則である。

ex.1 無免許でタクシー事業を経営した者に対する懲役・罰金（道路運送97④)

ex.2 建築確認を受けずに建築を行った者に対する懲役・罰金（建築基準99Ⅰ①）〈共

3 秩序罰

違反者に制裁として金銭的負担を科す場合をいう。

ex. 住民登録届出義務違反に対しての過料（住民基本台帳57Ⅱ）

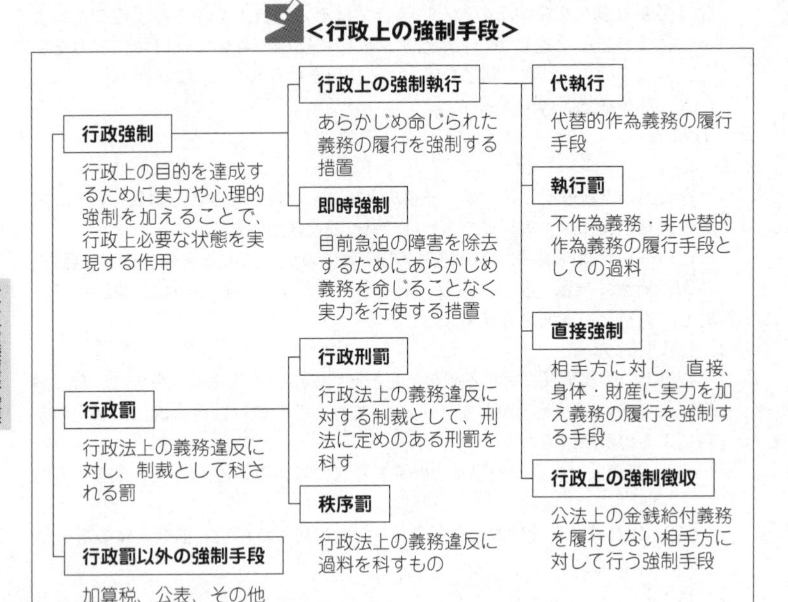

■第２節　行政上の強制執行

第１款　総論（法律上の根拠の要否）

行政上の強制執行は、義務の履行を強制するために、普通、国民の身体又は財産に対し新たな侵害を加えることを内容とするものであるから、法律の根拠に基づいてのみこれをすることができる。そして、行政上の強制執行に関する一般法は存在せず、代執行に関する一般法として行政代執行法が存在するのみである。よって、執行罰を課したり、直接強制をするには個別法の規定を要する（土地収用102の2、建築基準9 XII等）。

第２款　行政代執行

【行政代執行法】

第１条〔適用範囲〕

行政上の義務の履行確保に関しては、別に法律で定めるものを除いては、この法律の定めるところによる。

[趣旨] 代執行についてのみ、一般法として本法を定める旨を明らかにした。代執行以外の義務履行確保については他に個別法を要することもここから導かれる。

《注　釈》

一　「法律」に条例を含むか 司共予

1条にいう「法律」には条例を含まず、条例で代執行を定めることは許されない。よって、条例で代執行を定めることは、（2条による場合を除き）許されない。

∵　2条が「法律（……条例を含む）」としていることとの対比 司

二　行政代執行の手続によらない代執行

道路上の段ボール小屋の撤去について、行政代執行手続によらずに小屋を撤去したことが適法かが争われた事案がある。

▼　東京都段ボール小屋撤去事件（最決平 14.9.30・百選 99 事件）

事案：　道路管理者である都が、環境整備工事を実施するため、地下道上の路上生活者によって設置された段ボール小屋を撤去した際、これに抵抗したXらが威力業務妨害罪で起訴された。訴訟では、本件工事が威力業務妨害罪における「業務」に当たるか否か、また、業務としての要保護性が認められるか否かが問題となった。

決旨：　本件工事は刑法234条にいう「業務」に当たる。また、本件工事は公共目的に基づくものであるのに対し、路上生活者は不法占拠者であり、段ボール小屋撤去によって被る財産的不利益はごくわずかである上、事前の周知活動によって予告もされていたし、行政代執行手続は相手方や目的物の特定が困難で実効性に乏しかったといえるので、段ボール小屋撤去はやむを得ない事情に基づくものであり、業務妨害罪としての要保護性を失わせるものではない。

第2条〔代執行〕 司共予

法律（法律の委任に基く命令、規則及び条例を含む。以下同じ。）により直接に命ぜられ、又は法律に基き行政庁により命ぜられた行為（他人が代つてなすことのできる行為に限る。）について義務者がこれを履行しない場合、他の手段によつてその履行を確保することが困難であり、且つその不履行を放置することが著しく公益に反すると認められるときは、当該行政庁は、自ら義務者のなすべき行為をなし、又は第三者をしてこれをなさしめ、その費用を義務者から徴収することができる。

《注　釈》

一　代執行の要件

1　法律又は行政庁の命を受けた行為の存在 司共

有効な義務の存在が必要である。瑕疵のある命令により課された義務の代執行はできない。

2 「他人が代つてなすことのできる行為」司共予

代替的作為義務である必要がある。非代替的作為義務（健康診断受診義務などのように他人が代わりにすることができない義務）や不作為義務（営業停止などのように不作為を命ずる義務）は含まれない。

庁舎の一部屋の明渡しないしは立退きについて、「これらの義務の強制的実現には実力による占有の解除を必要とするのであつて、法律が直接強制を許す場合においてのみこれが可能となる」と判示し、代執行を否定した裁判例（大阪高決昭40.10.5）がある司。

3 「他の手段によつてその履行を確保することが困難であり、且つその不履行を放置することが著しく公益に反すると認められるとき」司予

比例原則を求める内容であるが、実体的要件の意味が不明確であり、代執行の妨げとなっている。執行の機能を確保するために、あまり重視すべきではない要件とされる。

行政罰が適用できる場合であっても、行政罰は直接的に履行を確保する手段とはいえないので、代執行をすることはできる司。

二 主体

「行政庁」である。行政庁には相手方に作為義務があるとしても、代執行するか否かについての効果裁量が認められ、裁量の逸脱・濫用となる場合に限り、代執行は違法となる司。

第3条〔手続−戒告・通知〕司

Ⅰ 前条の規定による処分（代執行）をなすには、相当の履行期限を定め、その期限までに履行がなされないときは、代執行をなすべき旨を、予め文書で戒告しなければならない。

Ⅱ 義務者が、前項の戒告を受けて、指定の期限までにその義務を履行しないときは、当該行政庁は、代執行令書をもつて、代執行をなすべき時期、代執行のために派遣する執行責任者の氏名及び代執行に要する費用の概算による見積額を義務者に通知する。

Ⅲ 非常の場合又は危険切迫の場合において、当該行為の急速な実施について緊急の必要があり、前2項に規定する手続をとる暇がないときは、その手続を経ないで代執行をすることができる司。

《注　釈》

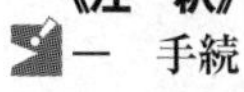一　手続

履行期限を定め、履行を促す文書による戒告（通知）をし、その期限までに履行しないときは、代執行令書をもって代執行をする旨を改めて通知し、代執行する。ただし、緊急の場合は戒告・代執行令書を省略することができる（Ⅲ）。

二　救済〈同

この戒告と代執行令書の通知はいずれも新たな権利義務を課すものではないが、代執行を受ける者にとっては事前にこれを止める手段がないため救済の観点から処分性を認めるのが判例である。もっとも、執行後は取り消しても無意味なので訴えの利益を喪失し、国賠訴訟によることになる。　⇒ p.359

第４条　〔証票の携帯・提示〕

代執行のために現場に派遣される執行責任者は、その者が執行責任者たる本人であることを示すべき証票を携帯し、要求があるときは、何時でもこれを呈示しなければならない。

[趣旨] 代執行の手続的適正を担保するため、身分証明書の所持と要求があれば呈示することを必要とする。

《注　釈》

▪ 執行そのものに関する条文は、証票の提示を求める本条だけであり、実力行使を認めた条文はない〈同。妨害に対する実力行使の可否については争いがあるが、実務上は警職法上の危害防止・犯罪予防・制止措置（警職４、５）として認められるとする。

第５条　〔費用の徴収〕〈共

代執行に要した費用の徴収については、実際に要した費用の額及びその納期日を定め、義務者に対し、文書をもつてその納付を命じなければならない。

第６条　〔費用の徴収の方法〕〈同

Ⅰ　代執行に要した費用は、国税滞納処分の例により、これを徴収することができる〈予。

Ⅱ　代執行に要した費用については、行政庁は、国税及び地方税に次ぐ順位の先取特権を有する。

Ⅲ　代執行に要した費用を徴収したときは、その徴収金は、事務費の所属に従い、国庫又は地方公共団体の経済の収入となる。

第３款　執行罰

《概　要》

一　意義

一定期間内に非代替的作為義務又は不作為義務を履行しない場合に、強制金としての性格をもつ過料を課すことを予告し、なお義務が履行されないときはこれを徴収する制度である。刑罰ではないので、義務の履行があるまで繰り返し課すことができる〈司予〉。現在、砂防法36条の例しかない〈予〉。

二　一般法がない理由

執行罰については額が低く抑止力に乏しいこと、行政罰で代替可能であったという理由から一般法が制定されなかったという事情がある。

第４款　直接強制

《概　要》

◆　意義

1　一般に非金銭執行を念頭に、義務の履行を強制するために直接に身体・財産に実力を行使し、義務の履行された状態にするものである。法律による根拠規定を要する〈司予〉。

ex.　成田国際空港の安全確保に関する緊急措置法（成田新法）３条６項以下

2　行政上の強制執行については、民法と異なり代執行（民法の代替執行に当たる）が基本とされており、直接強制はむしろ最終手段と考えられている。これは、民事執行の場合には金銭の支払を目的としない強制執行として考えられる直接強制が限られているのに対し、行政上の直接強制は人体に対する直接の実力行使や物の破壊等が考えられるためである。

第５款　行政上の強制徴収

《概　要》

一　意義

金銭執行の分野において、国税滞納処分の例により大量・迅速・効率的に行政上の強制徴収をする仕組みがとられている。

ex.　地方税48Ⅰ、72の68Ⅵなど

二　手続

納税通知、督促、滞納処分（滞納者の財産の差押え、公売による換価、換価代金の配当）という手続を経る（国税通則参照）。

■第３節　行政罰

《概　要》

一　意義

行政上の義務違反に対して一般統治権に基づいて科される制裁をいう。

二　行政刑罰

1　総論

行政上の義務違反に対する制裁として刑罰が利用される場合である。刑法９条にいう死刑、懲役、禁錮、罰金、拘留、科料、没収を科す制裁であり、刑法総論・刑事訴訟法の適用がある。刑法８条ただし書の「特別の規定」として、両罰規定も認められる。

2　非刑罰的処理

軽微かつあまりに大量ですべてを起訴するのが非現実的である事案について、制度的に行政犯の非刑罰的処理の仕組みを設け、これに応じない者のみに刑事訴訟法の適用があるとする制度がある。

ex.1　交通反則金制度（道交125以下）

ex.2　通告処分（国税犯則取締14以下）

3　判例

▼　不法投棄に対する排出事業者の責任（最決平19.11.14・平20重判３事件）

事案：　Ｘが硫酸ピッチ入りのドラム缶の処理を第三者に委託し、その第三者が不法投棄し、Ｘが廃棄物処理法上の不法投棄罪（共謀共同正犯）で起訴された。

決旨：　Ｘは第三者が不法投棄に及ぶ可能性を強く意識しながら、それでもやむを得ないと考えて処理を委託したとして、未必の故意を肯定し、産業廃棄物の不法投棄について排出事業者も刑事責任を問われうることを認めた。

4　両罰規定

刑法８条の「特別の規定」として、行為者だけでなくその事業主体についても処罰対象とする両罰規定のある法律がある。

▼ 両罰規定（最大判昭 32.11.27・百選〔第6版〕118 事件）

事案：　キャバレー経営者であるXは、使用人であるAが入湯税を逋脱したとしてAとともに起訴された。訴訟中、両罰規定の適否が争われた。

判旨：　事業主をも処罰する両罰規定は、事業主の行為者への選任監督その他違反行為防止の必要な注意を尽くさなかった過失の存在を推定した規定であり、事業主が注意を尽くしたことの証明がない限り、事業主も刑責を免れえない。

三　秩序罰

1　総論〈司予

行政上の秩序の維持を目的に、違反者に制裁として金銭の負担を科すものである。刑罰ではないから、刑法総論・刑事訴訟法の適用はなく、普通地方公共団体も5万円以下であれば条例、規則で過料を科すことができる（地自14Ⅲ、15Ⅱ）。条例・規則違反による過料は地方自治体の長が行政処分により科すものであるが、法律違反による過料については額も大きく、中立性が求められるので地方裁判所が非訟事件手続で科す。

2　刑罰との併科

行政上の秩序罰と行政刑罰とは、異なる制度によるものであるから、両者の併科は可能であるというのが判例の立場である（最判昭 39.6.5）が、学説には異論もある。

<行政刑罰と秩序罰の比較>

	罰の内容	刑法総則の適用	手　続
行政刑罰	刑罰（懲役、禁錮、罰金、拘留、科料）	適用あり	裁判所が刑事訴訟法に基づいて科す
秩序罰	過料 （刑罰ではない） →軽微な義務違反	適用なし	①　国の法令違反についての過料 裁判所が、非訟事件手続法の手続に基づいて科す ②　地方公共団体の条例・規則違反についての過料 長が行政処分の形で科す→地方税滞納処分の例により徴収 →不服があれば取消訴訟による

■第4節　その他の義務履行確保手段

《概　説》

一　加算税・過怠税・延滞税

加算税とは、申告納税方式又は源泉徴収等による国税について申告義務・徴収義務の懈怠・違反に対して課される付帯税をいう（国税通則65以下）。過怠税・延滞税は印紙税を課税文書の作成時までに納付しない場合等に課される。

いずれも、実質的に制裁的機能を有する。そこで刑罰との併科の可否が問題になるが、刑罰は脱税者の不正行為の反社会性ないし反道徳性に着目しこれに対する制裁として科されるものであるのに対し、加算税は制度の抑止効果に注目し納税の実を挙げようとする行政上の措置であるから、両者は目的が異なり、併科も許されると考えられる。

▼ 追徴税と罰金の併科（最大判昭33.4.30・百選108事件）

事案：法人税の追徴税（加算税の一種）を課されたXが、国税庁の告発により起訴された。

判旨：旧法人税法48条1項の逋脱犯に対する刑罰は脱税者の不正行為の反社会性ないし反道徳性に着目して制裁として科せられる。一方、同法43条の追徴税は、過少申告・不申告による納税義務違反の発生を防止し納税の実を挙げんとする趣旨の行政上の措置である。両者は趣旨が異なるので、憲法39条の規定は刑罰たる罰金と追徴税とを併科することを禁止する趣旨を含むものでないと解するのが相当である。

二　課徴金

課徴金の定義は明確ではないが、独占禁止法・金融商品取引法などで、概ね、違反行為によって得た利益相当額を徴収することをいい、法の予定する以上の経済的利得を違反者が保持した状態のまま放置しておくことが公平に反することをその根拠とする。また、刑罰との併科も認められる。

ex.　独禁7の2Ⅰ

▼ 課徴金命令と二重処罰（最判平10.10.13・百選109事件）

事案：Xらは、談合を行ったとして、公正取引委員会から課徴金納付命令を受けた。これと別にXらは刑事事件としての罰金も支払ったため、Xは課徴金納付命令を二重処罰の禁止違反と主張した。

判旨：「課徴金納付命令は、カルテル行為による不当な経済的利益を剥奪することにより社会的公正を確保し違法行為の抑止を図りカルテル禁止規定の実効性を確保するための行政上の措置であり、反社会性・反道徳性に着目し制裁として課される刑事罰とは趣旨・目的・性質を異にし、二重処罰に反さない」とした原審を支持した。

三　公表 司H20 予H30

1　ここでの公表は義務の不履行、行政指導等の不服従があった場合に、その事実を一般に公表することをいう。

2　一般に、情報提供を目的とした公表には、私人の権利利益を侵害するとはいえないから法律の留保は及ばないが、義務履行確保手段として行われる公表は間接強制の意味があるので、事前手続の要請が大きく、法律の留保の趣旨が及び、取消訴訟の対象となる処分性が認められるとする考え方もある〈司〉。

四　行政サービスの拒否

給水拒否、廃棄物処理契約締結拒否などの手段が考えられる。

・第6章・【即時強制】

《概　説》

一　意義〈司予〉

義務を命ずる暇のない緊急事態や、犯則調査・泥酔者保護のように義務を命ずることによっては目的を達しがたい場合に、相手方の義務の存在を前提とせずに行政機関が直接に身体・財産に実力を行使して行政上望ましい状態を実現する作用をいう。即時執行とも呼ばれる。

ex.　警職法上の保護・避難・制止・立入り・武器の使用等

▼　**鉄道公安職員による実力行使（最大判昭 48.4.25・百選 96 事件）〈予〉**

事案：　国鉄労働組合の年度末要求闘争に際して退去強制を行った鉄道公安職員に対し、バケツの水を浴びせかけるなどして抵抗した被告人が、公務執行妨害罪に該当するとして起訴された。その際、鉄道公安職員による鉄道敷地内の無関係者の強制退去を認めた鉄道営業法 42 条 1 項は即時強制を認めたものかが争われた。

判旨：　鉄道営業法 42 条 1 項により、鉄道係員が旅客等を車外又は鉄道地外に退去させるにあたっては、自発的な退去に応じない場合、または危険が切迫する等やむをえない事情がある場合には、警察官の出動を要請するまでもなく、鉄道係員において当該具体的事情に応じて必要最小限度の強制力を用いうる（即時強制が認められる）。

二　根拠の要否

1　身体・財産への実力行使なので、法律の根拠を要する〈予〉。

2　条例で即時強制を定めることができるかについて問題となるが、即時強制は、相手方に義務を課してその履行を確保するものではないから、「行政上の義務の履行確保」に当たらず、行政代執行法１条の規制を受けないので、条例で即時強制を定めることも認められる〈予〉。

三　手続

即時強制は事実上の行為なので、不利益処分に当たらず行政手続法の規制を受けない（行手２④イ）。もっとも、個別法で人権保障の観点から事前手続を定めている例はある。

ex. 感染症の予防及び感染症の患者に対する医療に関する法律における事前勧告、第三者の意見聴取義務

四　救済

事実行為であるので、当然には行政事件訴訟法、行政不服審査法による取消しは認められていない。しかし、事前に即時強制の差止訴訟又は即時強制を受ける義務不存在確認訴訟を提起することが考えられる予。また、実力行使が継続的なときは、その状態の除去を求める事実行為に対する取消訴訟を提起することが考えられる。

一方、強制健康診断・破壊消防などでは取消しは無意味であるから、損失補償、損害賠償の問題になる。

・第7章・【行政調査】

《概　説》

一　意義

行政調査とは、行政機関が事実活動その他私人の行為を規制したり課税したりその他行政作用を公正に行うためのいわば予備活動として、法律の定めに従い関係人に対し書類等の提出その他報告を求めたり、工場・事業場・家宅等に立ち入り、身体ないし財産を半ば強制的に調査して情報を収集する作用をいう。旧来、質問検査などについて、即時強制の一種とされてきたが、近時では、強制自体が目的ではないことを理由に、他の任意調査と合わせて行政調査として考える立場が多数である。

二　任意調査と強制調査

1　区分予

行政調査は、①法的拘束力を欠き、相手方が調査に応ずるか否かを任意に決定できる任意調査と、②相手方に調査に応ずる義務があり、実力により直接に又は罰則の威嚇により間接的に調査受諾をさせる強制調査に分かれる。この中間形態として調査に応ずる義務はあるが強制する制度がないため任意調査に近いもの、調査を拒否すると給付が受けられなくなるもの（生活保護等）などがある。

2　法律上の根拠の要否予

強制調査は相手方の権利・自由の制約なので当然法律上の根拠を要するが、任意調査については必ずしも法律の根拠は必要ではない。

3　調査の限界予

(1)　実体法上の制約司

(a)　比例原則が妥当する。たとえ任意調査であっても無制限に許されるわけではないし、調査権限はそれを必要とする行政決定のために用いられねば

ならない。

→公衆浴場法などに認められた、行政調査目的での立入検査では、立入検査が法律上認められているからといって、実力による抵抗排除は許されない〈司

▼ 米子銀行事件（最判昭 53.6.20・百選 103 事件）

事案：　警察官が、強盗事件の犯人と目される者の承諾を得ることなく、施錠されていなかったボーリングバッグのチャックを開け、その中身を一瞥した。さらにその者の承諾を得ずに、施錠されたアタッシュケースをドライバーでこじ開けた。

判旨：「所持品検査は、任意手段である職務質問の附随行為として許容されるのであるから、所持人の承諾を得て、その限度においてこれを行うのが原則である……。しかしながら、……所持人の承諾のない限り所持品検査は一切許容されないと解するのは相当でなく、捜索に至らない程度の行為は、強制にわたらない限り、所持品検査においても許容される場合がある」。もっとも、「所持品検査には種々の態様のものがあるので、その許容限度を一般的に定めることは困難であるが、所持品について捜索及び押収を受けることのない権利は憲法 35 条の保障するところであり、捜索に至らない程度の行為であってもこれを受ける者の権利を害するものであるから、状況のいかんを問わず常にかかる行為が許容されるものと解すべきでないことはもちろんであって、かかる行為は、限定的な場合において、所持品検査の必要性、緊急性、これによって害される個人の法益と保護されるべき公共の利益との権衡などを考慮し、具体的状況のもとで相当と認められる限度においてのみ、許容される」。

▼ 一斉検問（最決昭 55.9.22・百選 104 事件）〈司予

事案：　酒気帯び運転の一斉検問で検挙された X が起訴され、その際、検問で収集された証拠の証拠能力が争われた。

決旨：　警察法上、交通安全に必要な警察の活動は任意手段による限り一般的に許容される。自動車の運転者は当然の負担として交通の取締に協力すべきものであること、警察官が交通違反の予防、検挙のための自動車検問を実施し、短時分の停止を求めて、運転者などに対し必要な事項についての質問などをすることはそれが相手方の任意の協力を求める形で行われ、自動車の利用者の自由を不当に制約することにならない方法、態様で行われる限り、適法なものと解すべきである。

(b)　犯罪捜査のために行政調査をすることは許されない。もっとも、取得された証拠資料が後に犯則事件の証拠として利用されることが予想されても、それのみによって違法な調査とはならない〈司。　⇒ p.103

(2) 手続法上の制約

行政調査は行政手続法の対象外ではあるが、個別法により事前の通告（消防4Ⅲ）や居住者の承諾（建築基準12Ⅵ）、裁判官の令状（国税犯則取締2Ⅳ、入管31Ⅳ）等を必要とするものがある。

▼ 国税犯則取締法上の捜索・差押えの合憲性（最大判昭30.4.27・百選〔第6版〕108事件）〈同

事案：　酒税法違反で起訴されたＹは、収税官が令状なく臨検、捜索、差押えすることを認める国税犯則取締法は憲法35条に違反し無効である旨、主張した。

判旨：　憲法35条は憲法33条を除外しており、憲法33条は現行犯における無令状逮捕を認めているから、憲法35条の保障は現行犯の場合には及ばない。よって、少なくとも現行犯の場合は国税犯則取締法でも憲法35条違反の問題は生じない。

▼ 税務調査の方法・荒川民商事件（最決昭48.7.10・百選101事件）〈予

事案：　所得税法上の質問調査権の行使を一切拒んだＸが不答弁・検査拒否罪で起訴された。その最高裁決定の中で質問検査の手続について以下のような判断がされた。

決旨：　質問検査は、諸般の具体的事情にかんがみ、客観的な必要性があると判断される場合に認められるものであって、この場合の質問検査の範囲等、実施の細目については、質問検査の必要があり、かつ、相手方の不利益が社会通念上相当な限度にとどまるかぎり、権限ある税務職員の合理的な選択に委ねられている。また、暦年終了前または確定申告期間経過前といえども質問検査が法律上許されないものではなく、実施の日時場所の事前通知、調査の理由および必要性の個別的、具体的な告知のごときも、質問検査を行ううえの法律上一律の要件とされているものではない。

(3) 憲法との関係

(a) 刑事手続と行政調査の関係について、判例は、刑事手続に関する憲法上の規定が行政手続にも適用があるかについて一般論として憲法35条の規定の保障が行政手続にも及ぶ場合がありうることを認めつつ、具体的には所得税法の質問検査については徴税目的と刑罰目的の差異を重視して令状を必要としない所得税法を適法とし、また憲法38条1項（黙秘権）にも反しないとした。

(b) 具体的な手続の在り方については、行政庁に広い裁量を認め、調査日時・場所・調査目的の告知といった手続は、調査の必要があり、かつ相手方の私的利益との衡量において社会通念上相当とされる限り、権限ある職員の合理的な選択に委ねられていると考えられている。

なお、行政調査ではないが、告知・聴聞の機会について成田新法事件が参考になる。

▼ **川崎民商事件（最大判昭 47.11.22・百選 100 事件）** 司予

事案：　所得税法上の質問調査権の行使を拒んだXが不答弁・検査拒否罪で起訴された。その際、所得税法上の質問検査が憲法31条、35条、38条に違反しないかが争われた。

判旨：1　憲法31条違反について

旧所得税法63条は、その内容に不明確な点はないため、憲法31条に関するXの主張は認められない。

2　憲法35条違反について

憲法35条1項の規定は、本来、主として刑事責任追及の手続における強制について、それが司法権による事前の抑制の下におかれるべきことを保障した趣旨であるが、当該手続が刑事責任追及を目的とするものでないとの理由のみで、その手続における一切の強制が当然に右規定による保障の枠外にあると判断することは相当ではない。旧所得税法63条の収税官吏の検査は、所得税の公平確実な賦課徴収のために必要な資料を収集することを目的とする手続であって、その性質上、刑事責任の追及を目的とする手続ではないし、刑事責任追及のための資料の取得収集に直接結びつく作用を一般的に有するものと認めるべきことにはならないので、右検査につき裁判官の発する令状を要件としないことが憲法35条違反になるものではない。

3　憲法38条違反について

憲法38条1項の、「自己に不利益な供述」強要禁止規定の保障は、純然たる刑事手続においてばかりではなく、それ以外の手続においても、実質上、刑事責任追及のための資料の取得収集に直接結びつく作用を一般的に有する手続には、ひとしく及ぶものと解するが、本件の検査、質問の性質は右憲法規定に違反するものではない。

▼ **最判昭 59.3.27** 予

判旨：　犯則調査手続は、国税の公平確実な賦課徴収という行政目的を実現するためのものであり、その性質は一種の行政手続であって、刑事手続ではないが、実質的には租税犯の捜査としての機能を営むものであって、特別の捜査手続としての性質を帯有するものである。

▼ **成田新法事件（最大判平 4.7.1・百選 113 事件）**

事案：　運輸大臣（当時）は、「新東京国際空港の安全確保に関する緊急措置法」（成田新法）に基づき、X所有の小屋を、同法3条1項1号の用または2号の用に供することを禁止する旨の処分を行った。Xは、かかる処分に対し、国家賠償請求などを求めて訴訟を提起した。

判旨：　行政手続については、それが刑事手続ではないとの理由のみで、そのすべてが当然に憲法31条の法定手続の保障の枠外にあると判断することは相当ではない。行政処分の相手方に事前の告知、弁解、防御の機会を与えるかどうかは、行政処分により制限を受ける権利利益の内容、性質、制限の程度、行政処分により達成しようとする公益の内容、程度、緊急性などを総合較量して決定されるべきである。

▼　伊方原発訴訟（最判平4.10.29・百選74事件）予

事案：　⇒p.45参照

判旨：「行政手続は、憲法31条による保障が及ぶと解すべき場合であっても、刑事手続とその性質においておのずから差異があり、また、行政目的に応じて多種多様であるから、常に必ず行政処分の相手方等に事前の告知、弁解、防御の機会を与えるなどの一定の手続を設けることを必要とするものではない……そして、原子炉設置許可の申請が規制法24条1項各号所定の基準に適合するかどうかの審査は、原子力の開発及び利用の計画との適合性や原子炉施設の安全性に関する極めて高度な専門技術的判断を伴うものであり、同条2項は、右許可をする場合に、各専門分野の学識経験者等を擁する原子力委員会の意見を聴き、これを尊重してしなければならないと定めている。このことにかんがみると、……基本法及び規制法が、原子炉設置予定地の周辺住民を原子炉設置許可手続に参加させる手続及び設置の申請書等の公開に関する定めを置いていないからといって、その一事をもって、右各法が憲法31条の法意に反するものとはいえ」ない。

4　行政調査の資料の流用司

行政調査で得られた資料を捜査機関に流用することは許されるかについて、憲法35条、38条の潜脱にもなりかねないので一定の制約を必要とする。しかし、判例（最決平16.1.20・百選102事件）は流用資料の証拠能力を肯定した。また、国税犯則調査の資料を当該者に対する課税処分・青色申告承認処分の取消理由にすることを肯定したものもある（最判昭63.3.31）司。

▼　質問検査と国税犯則調査（最決平16.1.20・百選102事件）司予

事案：　Xは架空経費を計上するなどの方法によって所得を秘匿し、法人税を免れたものとして起訴された。裁判では法人税法上の税務調査が犯則調査の手段として行使され、犯則調査を有利に進めるために利用されているので、本件犯則調査は違法ではないかが問題とされた。法人税法には同法に基づく質問検査権は「犯罪捜査のために認められたものと解してはならない」という規定が存在する。

決旨：　法人税法に規定する質問検査の権限は、犯罪の証拠資料を取得収集し、保全するためなど、犯則事件の調査あるいは捜査のための手段として行使することは許されないと解するのが相当である。しかし、質問検査の権限の行使に当たって、取得収集される証拠資料が後に犯則事件の証拠として利用されることが想定できたとしても、そのことによって直ちに、質問検査の権限が犯則事件の調査あるいは捜査のための手段として行使されたことにならないというべきである。そして、本件における証拠資料は後に犯則事件の証拠として利用されることが想定できたにとどまり、上記質問検査の権限が犯則事件の調査あるいは捜査のための手段として行使されたものとみるべき根拠はないから、その権限の行使に違法はなかったといえる。

5　違法な調査と後続する行政処分〈司H20

行政調査が違法であったときに、その調査を基礎としてなされた行政行為にどのような影響を及ぼすかという問題がある。

この点、行政調査は一般的には行政側の情報収集として行われるものであり、その結果行政行為が行われる場合もあるし、また行われずに済む場合もある。その限りにおいて、行政調査は行政行為とは独立した制度であるので、行政調査の違法は当然には行政行為の違法を構成しない（大阪地判昭 59.11.30 参照）。

もっとも、行政調査と行政行為が一つの過程を構成しているといえる場合もあり、適正手続の観点から行政調査に重大な瑕疵が存在するときは、当該行政調査を経てなされた行政行為も瑕疵を帯びるとする見解もある（東京地判昭 48.8.8 参照）。

・第8章・【行政手続法】

■第１節　行政手続法総説

《概　説》

◆　処分手続の基本原則

1　職権進行主義・職権探知主義

処分手続における手続の進行は行政庁に委ねられ（職権進行主義）、行政庁は決定のために必要な事実を自ら収集し、また調査義務も負っている（職権探知主義）。もっとも、申請に基づく処分の手続においては、手続の開始は申請人の発意によるし、処分内容も申請の範囲に限定されることから、当事者の手続的権利が重視されている。

2　書面審理主義

口頭審理主義と反対に書面を中心に訴訟を進めていく立場である。簡易迅速であること、資料が確実であることといったメリットがあるが、証拠が間接的となるというデメリットもあり、例外的に、不利益処分に関する聴聞手続においてのみ、口頭審理主義を採っている。

3　文書主義

行手法では処分を文書をもってするように求めていないが、申請拒否、不利益処分の理由付記を要求している趣旨、行政決定の明確化の要請から、文書主義を採っていると考えられる。

■第２節　総則（行手１章）

第１条　（目的等）

Ⅰ　この法律は、処分、行政指導及び届出に関する手続並びに命令等を定める手続に関し、共通する事項を定めることによって、行政運営における公正の確保と透明性（行政上の意思決定について、その内容及び過程が国民にとって明らかであることをいう。第46条において同じ。）の向上を図り、もって国民の権利利益の保護に資することを目的とする。

Ⅱ　処分、行政指導及び届出に関する手続並びに命令等を定める手続に関しこの法律に規定する事項について、他の法律に特別の定めがある場合は、その定めるところによる。

[趣旨]行手法は、行政手続の公正の確保と手続関係者への透明性の向上を目的とする。透明性を明文化したことに特徴がある（Ⅰ）同。また、行政手続の一般法である旨を定め、処分・行政指導・届出について、３条以下の適用除外に当たらなくとも個別法があれば個別法の手続を優先する旨を定める（Ⅱ）。

《注　釈》

一 **「処分、行政指導及び届出……命令等を定める手続」**

処分に関しては処分の事前手続のみを定める（例外につき27）。また、行政調査、行政契約、通達、行政計画については対象外としている。

二 **「公正の確保と透明性」**

1　「透明性」

「行政上の意思決定について、その内容及び過程が国民にとって明らかであること」をいうが、①「国民」とは不利益処分の相手方など一定の利害関係人を指し、②「内容及び過程」は被処分者・利害関係人に関係する処分の内容・過程を指す。国民一般に行政運営の全体を公開することを指すわけではない。

2　適正手続

適正手続の内容として、以下の４つの原則が有力に主張されている。

(1)　告知、聴聞　∵行政決定の公正の確保

(2)　文書閲覧　∵公正の確保、透明性の向上
(3)　理由付記　∵行政庁の慎重担保（公正の確保）、不服申立ての便宜（透明性の向上）
(4)　処分理由の設定・公表　∵透明性の向上・公正の確保

第２条　（定義）

この法律において、次の各号に掲げる用語の意義は、当該各号に定めるところによる。

①　法令　法律、法律に基づく命令（告示を含む。）、条例及び地方公共団体の執行機関の規則（規程を含む。以下「規則」という。）をいう。

②　処分　行政庁の処分その他公権力の行使に当たる行為をいう。

③　申請　法令に基づき、行政庁の許可、認可、免許その他の自己に対し何らかの利益を付与する処分（以下「許認可等」という。）を求める行為であって、当該行為に対して行政庁が諾否の応答をすべきこととされているものをいう。

④　不利益処分　行政庁が、法令に基づき、特定の者を名あて人として、直接に、これに義務を課し、又はその権利を制限する処分をいう。ただし、次のいずれかに該当するものを除く。

イ　事実上の行為及び事実上の行為をするに当たりその範囲、時期等を明らかにするために法令上必要とされている手続としての処分

ロ　申請により求められた許認可等を拒否する処分その他申請に基づき当該申請をした者を名あて人としてされる処分〈司

ハ　名あて人となるべき者の同意の下にすることとされている処分

ニ　許認可等の効力を失わせる処分であって、当該許認可等の基礎となった事実が消滅した旨の届出があったことを理由としてされるもの

⑤　行政機関　次に掲げる機関をいう。

イ　法律の規定に基づき内閣に置かれる機関若しくは内閣の所轄の下に置かれる機関、宮内庁、内閣府設置法（平成11年法律第89号）第49条第１項若しくは第２項に規定する機関、国家行政組織法（昭和23年法律第120号）第３条第２項に規定する機関、会計検査院若しくはこれらに置かれる機関又はこれらの機関の職員であって法律上独立に権限を行使することを認められた職員

ロ　地方公共団体の機関（議会を除く。）

⑥　行政指導　行政機関がその任務又は所掌事務の範囲内において一定の行政目的を実現するため特定の者に一定の作為又は不作為を求める指導、勧告、助言その他の行為であって処分に該当しないものをいう。

⑦　届出　行政庁に対し一定の事項の通知をする行為（申請に該当するものを除く。）であって、法令により直接に当該通知が義務付けられているもの（自己の期待する一定の法律上の効果を発生させるためには当該通知をすべきこととされているものを含む。）をいう。

⑧　命令等　内閣又は行政機関が定める次に掲げるものをいう〈司共。

イ　法律に基づく命令（処分の要件を定める告示を含む。次条第２項において単に「命令」という。）又は規則〈司

ロ　審査基準（申請により求められた許認可等をするかどうかをその法令の定めに従って判断するために必要とされる基準をいう。以下同じ。）〈共予〈司H26 司H28
ハ　処分基準（不利益処分をするかどうか又はどのような不利益処分とするかについてその法令の定めに従って判断するために必要とされる基準をいう。以下同じ。）〈共予〈司H27
ニ　行政指導指針（同一の行政目的を実現するため一定の条件に該当する複数の者に対し行政指導をしようとするときにこれらの行政指導に共通してその内容となるべき事項をいう。以下同じ。）〈司

《注　釈》

一　法令（①）

法律のみならず、法律に基づく命令・告示（行組14Ⅰ）、条例、地方自治体の執行機関の規則、規程を含む。一方、法律に基づかない命令（行政規則）、法的拘束力のない（法律の委任のない）告示は含まない。

二　処分（②）

1　「行政庁の処分その他の公権力」には国会・裁判所・弁護士会の行為なども含む。

ex.　衆議院の除名処分、最高裁判所の司法修習生の任免

もっとも、各議院の議員除名処分や司法修習生の任免は行手法上の適用除外に当たる（３Ⅰ①⑦）。

2　税理士・行政書士の登録、母体保護法に基づき医師会が行う人工妊娠中絶できる医師の指定は、「処分」に当たる。

三　申請（③）

届出と異なり、応答義務が課される。

四　不利益処分（④）

1　原則

行政庁が法令に基づき特定人を名宛人にして直接に義務を課し権利を制限することである〈司。

「法令」なので法律に基づく処分である必要はない。

一方、不特定人に対する処分は、不利益処分にならない。

ex.　道路の通行禁止処分

2　適用除外

以下の行為は、「不利益処分」に当たらない。

(1)　事実上の行為（④イ）

ex.　代執行などの行政上の強制執行、即時強制、土地収用法に基づく立入り

(2)　事実上の行為をするに当たりその範囲、時期等を明らかにするために法令

行政手続法

上必要とされている手続としての処分（④イ）

ex.　代執行の戒告（代執行3Ⅰ）

(3)　申請拒否処分（④ロ）

∵　新たな地位を求める申請に対する拒否処分は、権利を剥奪する等の不利益処分と同視できない

→ただし、8条で理由提示は求められる

(4)　任意処分（④ハ）、事業廃止の届出に伴う撤回処分（④ニ）

五　行政指導（⑥） ⇒ p.128

六　審査基準（⑧ロ） 予

申請により求められた許認可等をするかどうかをその法令の定めに従って判断するために必要とされる基準をいい、法令そのものに定められている場合を含まない。附款をつけるかどうかは許認可等をするかどうかの基準ではないので、審査基準には含まない。

第3条（適用除外）

Ⅰ　次に掲げる処分及び行政指導については、次章から第4章の2までの規定は、適用しない。

①　国会の両院若しくは一院又は議会の議決によってされる処分

②　裁判所若しくは裁判官の裁判により、又は裁判の執行としてされる処分

③　国会の両院若しくは一院若しくは議会の議決を経て、又はこれらの同意若しくは承認を得た上でされるべきものとされている処分

④　検査官会議で決すべきものとされている処分及び会計検査の際にされる行政指導

⑤　刑事事件に関する法令に基づいて検察官、検察事務官又は司法警察職員がする処分及び行政指導

⑥　国税又は地方税の犯則事件に関する法令（他の法令において準用する場合を含む。）に基づいて国税庁長官、国税局長、税務署長、国税庁、国税局若しくは税務署の当該職員、税関長、税関職員又は徴税吏員（他の法令の規定に基づいてこれらの職員の職務を行う者を含む。）がする処分及び行政指導並びに金融商品取引の犯則事件に関する法令（他の法令において準用する場合を含む。）に基づいて証券取引等監視委員会、その職員（当該法令においてその職員とみなされる者を含む。）、財務局長又は財務支局長がする処分及び行政指導

⑦　学校、講習所、訓練所又は研修所において、教育、講習、訓練又は研修の目的を達成するために、学生、生徒、児童若しくは幼児若しくはこれらの保護者、講習生、訓練生又は研修生に対してされる処分及び行政指導

⑧　刑務所、少年刑務所、拘置所、留置施設、海上保安留置施設、少年院又は少年鑑別所において、収容の目的を達成するためにされる処分及び行政指導

⑨　公務員（国家公務員法（昭和22年法律第120号）第2条第1項に規定する国家公務員及び地方公務員法（昭和25年法律第261号）第3条第1項に規定

する地方公務員をいう。以下同じ。）又は公務員であった者に対してその職務又は身分に関してされる処分及び行政指導

⑩　外国人の出入国、難民の認定又は帰化に関する処分及び行政指導

⑪　専ら人の学識技能に関する試験又は検定の結果についての処分

⑫　相反する利害を有する者の間の利害の調整を目的として法令の規定に基づいてされる裁定その他の処分（その双方を名宛人とするものに限る。）及び行政指導

⑬　公衆衛生、環境保全、防疫、保安その他の公益に関わる事象が発生し又は発生する可能性のある現場において警察官若しくは海上保安官又はこれらの公益を確保するために行使すべき権限を法律上直接に与えられたその他の職員によってされる処分及び行政指導

⑭　報告又は物件の提出を命ずる処分その他その職務の遂行上必要な情報の収集を直接の目的としてされる処分及び行政指導〈予

⑮　審査請求、再調査の請求その他の不服申立てに対する行政庁の裁決、決定その他の処分

⑯　前号に規定する処分の手続又は第３章に規定する聴聞若しくは弁明の機会の付与の手続その他の意見陳述のための手続において法令に基づいてされる処分及び行政指導

Ⅱ　次に掲げる命令等を定める行為については、第６章の規定は、適用しない〈予。

①　法律の施行期日について定める政令

②　恩赦に関する命令

③　命令又は規則を定める行為が処分に該当する場合における当該命令又は規則

④　法律の規定に基づき施設、区間、地域その他これらに類するものを指定する命令又は規則

⑤　公務員の給与、勤務時間その他の勤務条件について定める命令等

⑥　審査基準、処分基準又は行政指導指針であって、法令の規定により若しくは慣行として、又は命令等を定める機関の判断により公にされるもの以外のもの〈予

Ⅲ　第１項各号及び前項各号に掲げるもののほか、地方公共団体の機関がする処分（その根拠となる規定が条例又は規則に置かれているものに限る。）及び行政指導、地方公共団体の機関に対する届出（前条第７号の通知の根拠となる規定が条例又は規則に置かれているものに限る。）並びに地方公共団体の機関が命令等を定める行為については、次章から第６章までの規定は、適用しない〈司予。

第４条　（国の機関等に対する処分等の適用除外）

Ⅰ　国の機関又は地方公共団体若しくはその機関に対する処分（これらの機関又は団体がその固有の資格において当該処分の名あて人となるものに限る。）及び行政指導並びにこれらの機関又は団体がする届出（これらの機関又は団体がその固有の資格においてすべきこととされているものに限る。）については、この法律の規定は、適用しない〈予。

Ⅱ　次の各号のいずれかに該当する法人に対する処分であって、当該法人の監督に関する法律の特別の規定に基づいてされるもの（当該法人の解散を命じ、若しくは設立に関する認可を取り消す処分又は当該法人の役員若しくは当該法人の業務に従事する者の解任を命ずる処分を除く。）については、次章及び第３章の規定は、適用しない。

①　法律により直接に設立された法人又は特別の法律により特別の設立行為をもって設立された法人

②　特別の法律により設立され、かつ、その設立に関し行政庁の認可を要する法人のうち、その行う業務が国又は地方公共団体の行政運営と密接な関連を有するものとして政令で定める法人

Ⅲ　行政庁が法律の規定に基づく試験、検査、検定、登録その他の行政上の事務について当該法律に基づきその全部又は一部を行わせる者を指定した場合において、その指定を受けた者（その者が法人である場合にあっては、その役員）又は職員その他の者が当該事務に従事することに関し公務に従事する職員とみなされるときは、その指定を受けた者に対し当該法律に基づいて当該事務に関し監督上される処分（当該指定を取り消す処分、その指定を受けた者が法人である場合におけるその役員の解任を命ずる処分又はその指定を受けた者の当該事務に従事する者の解任を命ずる処分を除く。）については、次章及び第３章の規定は、適用しない。

Ⅳ　次に掲げる命令等を定める行為については、第６章の規定は、適用しない。

①　国又は地方公共団体の機関の設置、所掌事務の範囲その他の組織について定める命令等

②　皇室典範（昭和22年法律第３号）第26条の皇統譜について定める命令等

③　公務員の礼式、服制、研修、教育訓練、表彰及び報償並びに公務員の間における競争試験について定める命令等

④　国又は地方公共団体の予算、決算及び会計について定める命令等（入札の参加者の資格、入札保証金その他の国又は地方公共団体の契約の相手方又は相手方になろうとする者に係る事項を定める命令等を除く。）並びに国又は地方公共団体の財産及び物品の管理について定める命令等（国又は地方公共団体が財産及び物品を貸し付け、交換し、売り払い、譲与し、信託し、若しくは出資の目的とし、又はこれらに私権を設定することについて定める命令等であって、これらの行為の相手方又は相手方になろうとする者に係る事項を定めるものを除く。）

⑤　会計検査について定める命令等

⑥　国の機関相互間の関係について定める命令等並びに地方自治法（昭和22年法律第67号）第２篇第12章に規定する国と普通地方公共団体との関係及び普通地方公共団体相互間の関係その他の国と地方公共団体との関係及び地方公共団体相互間の関係について定める命令等（第１項の規定によりこの法律の規定を適用しないこととされる処分に係る命令等を含む。）

⑦　第２項各号に規定する法人の役員及び職員、業務の範囲、財務及び会計その他の組織、運営及び管理について定める命令等（これらの法人に対する処分であって、これらの法人の解散を命じ、若しくは設立に関する認可を取り消す処分又はこれらの法人の役員若しくはこれらの法人の業務に従事する者の解任を命ずる処分に係る命令等を除く。）

《注　釈》

一　行手法の適用除外（３Ⅰ）〈同〉

処分又は行政指導のうち、以下の性質のものを除外した。なお、意見公募手続（行手６章）は除外されていない。

また、届出は本項の適用除外ではない。

1　本来の行政権とはやや異質であるもの（①～④）
2　刑事手続の一環として処理されるもの（⑤⑥）
3　相手方の権利利益の性質上、特別の規律に従うべき手続（⑦～⑩）
4　事案の性質上、行手法を一律に適用するのに適さないと考えられるもの（⑪～⑯）

二　意見公募手続の適用除外の対象（３Ⅱ）　⇒ p.140

三　地方自治体の行為（３Ⅲ）

法律に基づかない地方公共団体の機関の処分、行政指導、地方公共団体に対する届出は適用除外である〈共〉。もっとも、行政手続法が求める手続的保護は当然地方自治体の行為にも妥当するから、必要な措置を講ずるよう努力義務を課している(46)。

四　国又は地方公共団体がその固有の資格において当該処分の名宛人となる処分（４Ⅰ）

1　意義

行政機関相互間（行政機関に準ずる特殊法人などを含む）で行われる処分、行政指導、届出は一般国民と同様の規制をかけるのは妥当ではないとして、適用除外になっている。

2　固有の資格

行政不服審査法７条２項にいう「固有の資格」と同じ。

→行政機関が一般私人と同様の立場で処分の名宛人になる場合には行政手続法の対象となる

(1)　国・地方公共団体への行政指導　→行手法適用除外

(2)　国・地方公共団体への処分

(a)　固有の資格に基づく場合＝行手法適用除外

(b)　私人と同様の立場で名宛人となるもの＝行手法適用あり

五　行政組織内部又は行政主体相互間の関係であるため、意見公募手続等の適用除外となる場合（４Ⅳ）

行政組織について定める命令等（①）などが、第６章の適用除外とされている。

■第３節　申請に対する処分（行手２章）

第５条（審査基準）

Ⅰ　行政庁は、審査基準を定めるものとする司。

Ⅱ　行政庁は、審査基準を定めるに当たっては、許認可等の性質に照らしてできる限り具体的なものとしなければならない予。

Ⅲ　行政庁は、行政上特別の支障があるときを除き、法令により申請の提出先とされている機関の事務所における備付けその他の適当な方法により審査基準を公にしておかなければならない司予。

第６条（標準処理期間）司予

行政庁は、申請がその事務所に到達してから当該申請に対する処分をするまでに通常要すべき標準的な期間（法令により当該行政庁と異なる機関が当該申請の提出先とされている場合は、併せて、当該申請が当該提出先とされている機関の事務所に到達してから当該行政庁の事務所に到達するまでに通常要すべき標準的な期間）を定めるよう努めるとともに、これを定めたときは、これらの当該申請の提出先とされている機関の事務所における備付けその他の適当な方法により公にしておかなければならない。

第７条（申請に対する審査、応答）司予司R2

行政庁は、申請がその事務所に到達したときは遅滞なく当該申請の審査を開始しなければならず、かつ、申請書の記載事項に不備がないこと、申請書に必要な書類が添付されていること、申請をすることができる期間内にされたものであることその他の法令に定められた申請の形式上の要件に適合しない申請については、速やかに、申請をした者（以下「申請者」という。）に対し相当の期間を定めて当該申請の補正を求め、又は当該申請により求められた許認可等を拒否しなければならない。

第８条（理由の提示）司

Ⅰ　行政庁は、申請により求められた許認可等を拒否する処分をする場合は、申請者に対し、同時に、当該処分の理由を示さなければならない。ただし、法令に定められた許認可等の要件又は公にされた審査基準が数量的指標その他の客観的指標により明確に定められている場合であって、当該申請がこれらに適合しないことが申請書の記載又は添付書類その他の申請の内容から明らかであるときは、申請者の求めがあったときにこれを示せば足りる司。

Ⅱ　前項本文に規定する処分を書面でするときは、同項の理由は、書面により示さなければならない。

第９条　（情報の提供）

Ⅰ　行政庁は、申請者の求めに応じ、当該申請に係る審査の進行状況及び当該申請に対する処分の時期の見通しを示すよう努めなければならない。

Ⅱ　行政庁は、申請をしようとする者又は申請者の求めに応じ、申請書の記載及び添付書類に関する事項その他の申請に必要な情報の提供に努めなければならない。

第１０条　（公聴会の開催等）〈同

行政庁は、申請に対する処分であって、申請者以外の者の利害を考慮すべきことが当該法令において許認可等の要件とされているものを行う場合には、必要に応じ、公聴会の開催その他の適当な方法により当該申請者以外の者の意見を聴く機会を設けるよう努めなければならない。

第１１条　（複数の行政庁が関与する処分）

Ⅰ　行政庁は、申請の処理をするに当たり、他の行政庁において同一の申請者からされた関連する申請が審査中であることをもって自らすべき許認可等をするかどうかについての審査又は判断を殊更に遅延させるようなことをしてはならない。

Ⅱ　一の申請又は同一の申請者からされた相互に関連する複数の申請に対する処分について複数の行政庁が関与する場合においては、当該複数の行政庁は、必要に応じ、相互に連絡をとり、当該申請者からの説明の聴取を共同して行う等により審査の促進に努めるものとする。

［趣旨］申請に対する審査、処分決定という過程を通じ、手続の公正・透明性を確保するために審査基準の制定、標準処理期間、応答義務、理由付記、情報提供、公聴会などを定めている。

《注　釈》

一　審査基準の制定（５）

１　概要

行政庁は〈同、審査基準（２⑧ロ）の作成、具体化、公にすることが義務付けられる。

∵　①行政庁の判断の公正、合理性担保、②理由の提示（８）と併せて、申請者に不服申立てできるか否かの情報提供

２　性質〈共

「ものとする」と規定しており、審査基準の作成も法的義務である（12条との差異）。もっとも、「定めなければならない」と規定しなかったのは、法令の定めが十分に具体的な場合には審査基準が不要となる場合もありうることを想定したからであり、そのような場合には、例外的に審査基準を定めないことも許されると解されている〈予。

３　３項

⑴　審査基準を「公にしておく」とは秘密扱いしないという意味であり、積極

的に官報などによる周知を図ることまでは求められておらず、申請者が要求してはじめて示すという運用でもよい。反面、一度公開しただけでは足らず、常時閲覧可能にする必要がある。この点で「公表」（36参照）とは異なる。

⑵「行政上特別の支障があるとき」としては、外交・国防関係等が想定されている。

▼ 個人タクシー免許事件（最判昭46.10.28・百選114事件）〈予

事案：　Ｘは、陸運局長に対して個人タクシー営業の免許申請をしたが、陸運局長は、聴聞手続なども不十分なまま、内部的な具体的審査基準に適合しないものとして申請を却下した。そこでＸが申請却下処分の取消しを求めて訴訟を提起した。

判旨：　少数特定の者を具体的個別的事実関係に基づき選択して免許の許否を決しようとする行政庁は事実の認定につき不公正な手続をとってはならない。すなわち、内部的にせよ、具体化した審査基準を設定し、これを公正かつ合理的に適用すべく、とくに、右基準の内容が微妙、高度の認定を要するようなものである等の場合には、右基準を適用するうえで必要とされる事項について、申請人に対し、その主張と証拠の提出の機会を与えなければならない。免許の申請人はこのような公正な手続により判断を受ける法的利益を有する。

二　標準処理期間（６）

１　①標準処理期間を作成する努力義務と、②作成したら公にする法的義務を定めている。

∵　恣意的な申請放置の防止、迅速な対応へのインセンティブ

２　処理にこの期間を超過した期間を要しても当然に違法となるものではない。

→「相当の期間」（行訴３Ｖ）と標準処理期間は当然に一致するものではない

３　標準処理期間には、適法な申請の処理に要する期間のみが含まれ、要件不備の補正や申請内容の変更に要する期間は、必要な時間が主に申請者側の事情に左右されることから、含まれない〈司。

三　審査・応答義務（７）

１　受理概念の否定〈司R２

申請を受理しないという運用で標準処理期間を潜脱することのないように、７条は、申請が行政庁事務所へ到達したら、遅滞なく処理を開始することを求めている。行政庁事務所は地方支分局でもよく、到達は物理的に到着すればよい。権限者の受領印の押印の有無等が基準とはならない〈司。

２　形式要件欠缺の申請

補正を求めず、拒否処分をしてもよい（行審23と異なる）。

∵　大量迅速な処理を求められる案件ですべて補正を求めるのは困難である

＜申請に対する審査・応答のまとめ＞

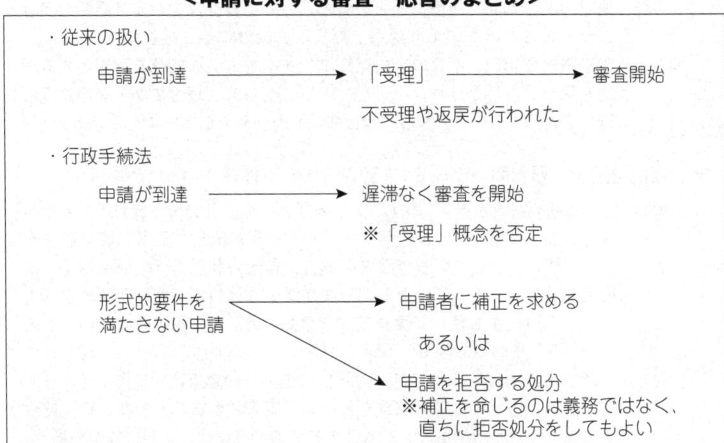

・従来の扱い
申請が到達
「受理」
審査開始
不受理や返戻が行われた
・行政手続法
申請が到達
遅滞なく審査を開始
※「受理」概念を否定
形式的要件を
満たさない申請
申請者に補正を求める
あるいは
申請を拒否する処分
※補正を命じるのは義務ではなく、
直ちに拒否処分をしてもよい

四　理由の提示（理由付記、８）

1　概要

行政庁が申請拒否処分をするときには、原則として申請者の請求がなくても理由の提示が必要である（法的義務）。客観的指標があり不適合が明らかである申請に対しても、理由を示さねばならない。様式は、書面でする拒否処分へは書面でする必要があるが、口頭でする拒否処分へは口頭での理由付記でよい（行手35参照）。

2　趣旨

行政庁の慎重判断担保、被処分者の不服申立ての便宜

3　理由付記の程度

求められる理由付記の程度は、処分の性質と理由付記を命じた各法律の規定の趣旨・目的に照らして決する。たとえば、一般旅券発給拒否処分の事案では、事実関係・適用法規を申請者がその記載自体から了知しうるものである必要があるとして、単に根拠規定を示すだけでは足りないとした。

▼　審査決定と理由付記（最判昭37.12.26・百選135事件）

事案：　税務署長Ｙ１は、Ｘに対する青色申告の承認を取消す処分をした。これに対しＸは、国税局長Ｙ２に審査請求をなしたが、「貴社の審査請求の趣旨、経営の状況、その他を勘案して審査」した結果、Ｙ１の処分に誤りはないとだけ理由を付して棄却されたため、青色申告承認取消処分と審査請求棄却決定の両方の取消しを求めて訴訟を提起した。

判旨：　法人税法が、審査決定の書面に理由を付記すべきものとしているのは、決定機関の判断を慎重ならしめるとともに、審査決定が審査機関の恣意に流れることのないように、その公正を保障するためと解されるから、審査請求書記載の不服の事由が簡単であっても、原処分を正当とする理由を明らかにしなければならない。したがって、理由にならないような理由を付記するにとどまる決定は取消しを免れないと解すべきである。

▼ 理由付記①（最判昭 38.5.31・百選 116 事件）

事案：　Ｘは所得税青色申告に際し、Ａ税務署長から更正処分を受けた。Ｘは再調査の請求をしたが、Ａに却下されたため東京国税局長Ｙに審査請求をした。Ｙは「あなたの審査請求の趣旨、経営の状況、その他を勘案して審査しますと、Ａの行った再調査決定処分には誤りがないと認められます」とだけ理由を付して審査請求を棄却した。Ｘは各処分の取消しを求め出訴し、その中で理由の不備を主張した。

判旨：　所得税法45条（昭和37年改正前のもの）の趣旨は、申告にかかる所得の計算が法定の帳簿の記載を無視して更正されることのない旨を納税者に保障したものであるが、本件の処分通知書には、金額の算定根拠や、算定方法の正当性につき記載自体から納税者がこれを認識できる程度に理由が付されていないことから、理由附記の要件を満たしているものとは認められず、本件処分は違法である。

▼ 理由付記②（最判昭 60.1.22・百選 118 事件）〈共予

事案：　Ｘは、外務大臣Ｙに対し一般旅券発給を申請したところ、Ｙは「旅券法13条１項５号に該当する」との理由を付してＸの申請を拒否する処分をした。Ｘは、理由付記の不備などを理由として、処分の取消しを求めた。

判旨：　法が一般旅券発給拒否通知書に拒否の理由の付記を求める趣旨は、外務大臣の判断の慎重と公正妥当を担保してその恣意を抑制するとともに申請者に不服申立てに便宜を与えることである。この趣旨からすると、発給拒否の根拠規定を示すことによって当該規定の適用の基礎となった事実関係をも当然知りうるような場合を除き、いかなる事実関係を認定して申請者が同号に該当すると判断したかを具体的に記載することを要する。

▼ 情報公開請求への不開示決定における理由付記に求められる程度（最判平 4.12.10）〈司

事案：　Ｘは、警察庁から都が入手した書面に関するＸの情報公開請求に対し、都知事Ｙが情報公開「条例９条８号に該当」との理由のみを付してした不開示決定の取消しを求めた。

判旨：　不開示決定通知に理由を付す趣旨は、実施機関の判断の慎重と公正妥当を担保して、その恣意を抑制するとともに不服申立ての便宜を図ることにある。とすると、不開示決定に付する理由は開示請求者に不開示理由を根拠とともに了知しうるものでなければならず、単に根拠規定を示すだけでは原則として足りない。

▼　強制退去に関する異議に対する裁決書作成の要否（最判平 18.10.5・平 18 重判８事件）

事案：　Ｘは不法残留の容疑により逮捕・起訴され、異議申出（出入国管理及び難民認定法（以下「法」という。）49条１項）を行ったが、理由がない旨の裁決がなされた。その際、裁決書が作成されなかったことから、Ｘはその瑕疵が本件裁決及びその後の処分の取消事由に当たると主張した。

判旨：　法 49 条３項所定の裁決については書面で行うべきものとはされておらず、さらに、容疑者に対し裁決書を交付することなどを予定した規則もない。規則 43 条が法務大臣の裁決につき裁決書によって行うものとする趣旨は、後続する手続を行う機関に対し事前手続が終了したことを明らかにするため、行政庁の内部において文書を作成すべきこととしたものにすぎず、取消訴訟等を提起する便宜を与えるなどの手続的利益を保障したものではない。

五　情報の提供（９）

申請者の求めに応じて、申請に関する審査の進行状況、処分時期の見通しを示す努力義務である。被処分者の利益のために示される情報提供であり、行政指導と区別される。

六　公聴会（10）〈司H21

利害関係者（17 参照）の利害考慮が法令上の許可要件であるときには、公聴会の開催を求める努力規定である〈司。

ex.　近隣住民の利益をも保護する建築基準法の建築確認（建築基準６Ⅰ）

七　複数の行政庁が関与する処分（11）

あるプロジェクトで、複数の行政庁の許可が必要であるとき、反対運動等の矢面に立つのを防ぐためにその行政庁らが互いに相手に先に処分させようとして処分を遅らせる運用を防止すべく設けられた規定である。

＜申請に対する処分＞

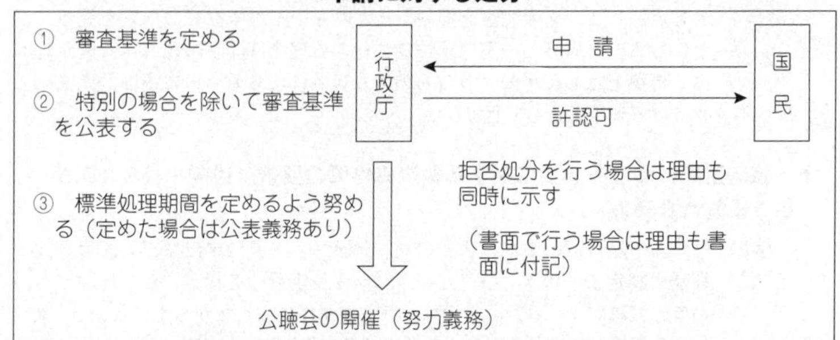
① 審査基準を定める
② 特別の場合を除いて審査基準を公表する
③ 標準処理期間を定めるよう努める（定めた場合は公表義務あり）
行政庁
国民
申　請
許認可
拒否処分を行う場合は理由も同時に示す
（書面で行う場合は理由も書面に付記）
公聴会の開催（努力義務）

■第４節　不利益処分（行手３章）

第１２条　（処分の基準）

Ⅰ　行政庁は、処分基準を定め、かつ、これを公にしておくよう努めなければならない〈司予〉。

Ⅱ　行政庁は、処分基準を定めるに当たっては、不利益処分の性質に照らしてできる限り具体的なものとしなければならない。

第１３条　（不利益処分をしようとする場合の手続）〈共〉

Ⅰ　行政庁は、不利益処分をしようとする場合には、次の各号の区分に従い、この章の定めるところにより、当該不利益処分の名あて人となるべき者について、当該各号に定める意見陳述のための手続を執らなければならない〈予〉。

①　次のいずれかに該当するとき　聴聞〈予〉

イ　許認可等を取り消す不利益処分をしようとするとき〈予〉。

ロ　イに規定するもののほか、名あて人の資格又は地位を直接にはく奪する不利益処分をしようとするとき。

ハ　名あて人が法人である場合におけるその役員の解任を命ずる不利益処分、名あて人の業務に従事する者の解任を命ずる不利益処分又は名あて人の会員である者の除名を命ずる不利益処分をしようとするとき。

ニ　イからハまでに掲げる場合以外の場合であって行政庁が相当と認めるとき。

②　前号イからニまでのいずれにも該当しないとき　弁明の機会の付与

Ⅱ　次の各号のいずれかに該当するときは、前項の規定は、適用しない〈予〉。

①　公益上、緊急に不利益処分をする必要があるため、前項に規定する意見陳述のための手続を執ることができないとき。

②　法令上必要とされる資格がなかったこと又は失われるに至ったことが判明した場合に必ずすることとされている不利益処分であって、その資格の不存在又は喪失の事実が裁判所の判決書又は決定書、一定の職に就いたことを証する当該任命

権者の書類その他の客観的な資料により直接証明されたものをしようとするとき予。

③　施設若しくは設備の設置、維持若しくは管理又は物の製造、販売その他の取扱いについて遵守すべき事項が法令において技術的な基準をもって明確にされている場合において、専ら当該基準が充足されていないことを理由として当該基準に従うべきことを命ずる不利益処分であってその不充足の事実が計測、実験その他客観的な認定方法によって確認されたものをしようとするとき。

④　納付すべき金銭の額を確定し、一定の額の金銭の納付を命じ、又は金銭の給付決定の取消しその他の金銭の給付を制限する不利益処分をしようとするとき予。

⑤　当該不利益処分の性質上、それによって課される義務の内容が著しく軽微なものであるため名あて人となるべき者の意見をあらかじめ聴くことを要しないものとして政令で定める処分をしようとするとき。

第１４条　（不利益処分の理由の提示）

Ⅰ　行政庁は、不利益処分をする場合には、その名あて人に対し、同時に、当該不利益処分の理由を示さなければならない。ただし、当該理由を示さないで処分をすべき差し迫った必要がある場合は、この限りでない予。

Ⅱ　行政庁は、前項ただし書の場合においては、当該名あて人の所在が判明しなくなったときその他処分後において理由を示すことが困難な事情があるときを除き、処分後相当の期間内に、同項の理由を示さなければならない。

Ⅲ　不利益処分を書面でするときは、前２項の理由は、書面により示さなければならない。

《注　釈》

一　不利益処分とは　⇒p.107

二　基準の作成（12）司共

本条は、不利益処分の基準を作成し、公にすることを求めているが、これは審査基準（申請に対する処分）と異なり、ともに努力義務である司共予。

∵　不利益処分は発動実績に乏しいこともあり、事前に基準を作成することが困難であるし、基準も公にすると脱法行為を促すことになりかねない

<審査基準・標準処理期間・処分基準の比較>

	定める	公にしておく
審査基準（５）	法的義務（５Ⅰ）	法的義務（５Ⅲ）
標準処理期間（６）	努力義務（６前段）	（定めたときは） 法的義務（６後段）
処分基準（12）	努力義務（12Ⅰ）	努力義務（12Ⅰ）

行政手続法

三　不利益処分の手続（聴聞・弁明の機会の付与）（13）〈同〈司H20 予H24 予H26

1　聴聞と弁明の機会の付与

(1)　不利益処分には行政庁の恣意予防、相手方の権利保護のために、意見陳述手段として、①聴聞手続と②弁明の機会の付与手続がとられる（より慎重な手続として行政審判があるが、これは行政手続法に定められていない）。

(2)　①聴聞手続では、私人側・行政庁側両当事者がおり、行政庁の指名する主宰者が、聴聞を主宰し、裁判官の役割を果たしながら、両当事者の言い分を調整していく慎重な手続である。具体的には、聴聞通知、文書閲覧請求権、聴聞の主宰、説明要求、意見陳述など手続の詳細に関する規定、聴聞調書・報告調書作成を経る。

一方、②弁明の機会の付与手続は、聴聞手続を必要とする不利益処分以外の不利益処分を行う場合をいい、聴聞手続よりも簡易な手続になっている。具体的には、書面主義の下、弁明の機会の付与手続は原則として文書（弁明書）を提出して行う。

2　手続の区別

原則として、弁明の機会の付与（13Ⅰ②）であるが、許認可の取消し（撤回を含む）、資格・地位の剥奪、法人の役員解任等の剥権処分を行うときには不利益が重大なので、聴聞手続を必要とする（13Ⅰ①）。

行政庁は、聴聞手続の結果、許認可等の取消処分に代えて許認可等の停止処分とすることが妥当であると判断した場合には、許認可等の停止処分をすることができる。この場合、弁明の機会の付与手続は聴聞手続よりも簡易な手続となっているので、相手方の権利保護の観点から、聴聞手続は弁明の機会の付与手続を包含すると解されており、行政庁は改めて弁明の機会の付与手続をとる必要はない。これとは逆に、行政庁が弁明の機会の付与手続の結果、許認可等の停止処分よりも取消処分が妥当であると判断した場合において、弁明の機会の付与手続をもって聴聞手続に代えることは許されず、行政庁は、改めて聴聞手続をとらない限り、許認可等の取消処分をすることができない〈共。

もっとも、緊急の必要がある場合や客観的事情に基づく不利益処分で、行政庁の恣意介入の危険がない場合には、聴聞も弁明の機会の付与も不要である（13Ⅱ）。また、原則として、不利益処分をするときには処分と同時に理由の呈示が必要であり、不利益処分が書面でなされるときには理由も書面で示す必要がある（14、８対比）。

なお、単に資格の停止にとどまるときは、許認可の取消しに至っていないので、弁明の機会の付与で足りる。

四　理由の提示（14）〈司H20 予H24 予H28

本条の趣旨は、行政庁の判断の慎重・合理性を担保して恣意を抑制する点及び処分の相手方に対し不服申立ての便宜を与える点にある。かかる趣旨に照らすと、十分な理由が提示される必要があり、処分の相手方がなぜ不利益処分を受けるのかを具体的に理解できるだけの理由の提示が必要となる。

この点、判例（最判平23.6.7・百選117事件）は、理由の提示の程度について、当該処分の根拠法令の規定内容、処分基準の存否及び内容並びに公表の有無、処分の性質及び内容、処分の原因となる事実関係の内容等をも考慮して決定すべきである旨判示しており、処分基準が設定・公開されている場合には、処分基準の適用関係まで含めた理由の提示が行われることが望ましい。

そして、理由の提示がない場合は、その理由を示さないで処分をすべき差し迫った必要がある場合（14Ⅰただし書）を除き、処分の取消事由ないし無効事由となりうる。理由の提示が不十分であるときも同様である。

▼　行政手続法14条１項の理由の提示（最判平23.6.7・百選117事件）

司共予

事案：　一級建築士のＸ１は、国土交通大臣から、一級建築士免許取消処分（以下「本件免許取消処分」という。）を受け、これに伴い、同事務所の開設者であったＸ２が、北海道知事から、建築士事務所登録取消処分（以下「本件登録取消処分」という。）を受けた。そこで、Ｘらは、本件免許取消処分には公にされている処分基準の適用関係が理由として示されておらず、行政手続法14条１項本文の定める理由提示の要件を欠いた違法な処分であるとして、各処分の取消しを求めた。

判旨：「行政手続法14条１項本文が、不利益処分をする場合に同時にその理由を名宛人に示さなければならないとしているのは、……行政庁の判断の慎重と合理性を担保してその恣意を抑制するとともに、処分の理由を名宛人に知らせて不服の申立てに便宜を与える趣旨に出たものと解される。そして、……どの程度の理由を提示すべきかは、……当該処分の根拠法令の規定内容、当該処分に係る処分基準の存否及び内容並びに公表の有無、当該処分の性質及び内容、当該処分の原因となる事実関係の内容等を総合考慮してこれを決定すべきである」。

建築士に対する懲戒に係る処分基準は公表されているが、「その内容は……多様な事例に対応すべくかなり複雑なものとなっている。そうすると、建築士に対する上記懲戒処分に際して同時に示されるべき理由としては、処分の原因となる事実及び処分の根拠法条に加えて、本件処分基準の適用関係が示されなければ、処分の名宛人において、上記事実及び根拠法条の提示によって処分要件の該当性に係る理由は知り得るとしても、いかなる理由に基づいてどのような処分基準の適用によって当該処分が選択されたのかを知ることは困難であるのが通例であると考えられる」。本件では、一級建築士の免許取消処分の「原因となる事実と、……処分の根拠法条とが示されているのみで、本件処分基準の適用関係が全く示されておらず、その複雑な基準の下では、……いかなる理由に基づいてどのような処分基準の適用によって免許取消処分が選択されたのかを知ることはできないものといわざるを得ない。このような本件の事情の下においては、行政手続法14条1項本文の趣旨に照らし、同項本文の要求する理由提示としては十分でないといわなければならず、本件免許取消処分は、同項本文の定める理由提示の要件を欠いた違法な処分であるというべきであって、取消しを免れない」。

第15条（聴聞の通知の方式）

Ⅰ　行政庁は、聴聞を行うに当たっては、聴聞を行うべき期日までに相当な期間をおいて、不利益処分の名あて人となるべき者に対し、次に掲げる事項を書面により通知しなければならない。
①　予定される不利益処分の内容及び根拠となる法令の条項
②　不利益処分の原因となる事実
③　聴聞の期日及び場所
④　聴聞に関する事務を所掌する組織の名称及び所在地

Ⅱ　前項の書面においては、次に掲げる事項を教示しなければならない。
①　聴聞の期日に出頭して意見を述べ、及び証拠書類又は証拠物（以下「証拠書類等」という。）を提出し、又は聴聞の期日への出頭に代えて陳述書及び証拠書類等を提出することができること。
②　聴聞が終結する時までの間、当該不利益処分の原因となる事実を証する資料の閲覧を求めることができること。

Ⅲ　行政庁は、不利益処分の名あて人となるべき者の所在が判明しない場合においては、第1項の規定による通知を、その者の氏名、同項第3号及び第4号に掲げる事項並びに当該行政庁が同項各号に掲げる事項を記載した書面をいつでもその者に交付する旨を当該行政庁の事務所の掲示場に掲示することによって行うことができる。この場合においては、掲示を始めた日から2週間を経過したときに、当該通知がその者に到達したものとみなす。

第16条（代理人）

Ⅰ　前条第1項の通知を受けた者（同条第3項後段の規定により当該通知が到達したものとみなされる者を含む。以下「当事者」という。）は、代理人を選任することができる。

Ⅱ　代理人は、各自、当事者のために、聴聞に関する一切の行為をすることができる。

Ⅲ　代理人の資格は、書面で証明しなければならない。

Ⅳ　代理人がその資格を失ったときは、当該代理人を選任した当事者は、書面でその旨を行政庁に届け出なければならない。

第17条（参加人）予

Ⅰ　第19条の規定により聴聞を主宰する者（以下「主宰者」という。）は、必要があると認めるときは、当事者以外の者であって当該不利益処分の根拠となる法令に照らし当該不利益処分につき利害関係を有するものと認められる者（同条第２項第６号において「関係人」という。）に対し、当該聴聞に関する手続に参加することを求め、又は当該聴聞に関する手続に参加することを許可することができる〈司。
Ⅱ　前項の規定により当該聴聞に関する手続に参加する者（以下「参加人」という。）は、代理人を選任することができる。
Ⅲ　前条第２項から第４項までの規定は、前項の代理人について準用する。この場合において、同条第２項及び第４項中「当事者」とあるのは、「参加人」と読み替えるものとする。

第１８条　（文書等の閲覧）〈予

Ⅰ　当事者及び当該不利益処分がされた場合に自己の利益を害されることとなる参加人（以下この条及び第24条第３項において「当事者等」という。）は、聴聞の通知があった時から聴聞が終結する時までの間、行政庁に対し、当該事案についてした調査の結果に係る調書その他の当該不利益処分の原因となる事実を証する資料の閲覧を求めることができる。この場合において、行政庁は、第三者の利益を害するおそれがあるときその他正当な理由があるときでなければ、その閲覧を拒むことができない〈司予。
Ⅱ　前項の規定は、当事者等が聴聞の期日における審理の進行に応じて必要となった資料の閲覧を更に求めることを妨げない。
Ⅲ　行政庁は、前２項の閲覧について日時及び場所を指定することができる。

第１９条　（聴聞の主宰）〈司

Ⅰ　聴聞は、行政庁が指名する職員その他政令で定める者が主宰する。
Ⅱ　次の各号のいずれかに該当する者は、聴聞を主宰することができない。
①　当該聴聞の当事者又は参加人
②　前号に規定する者の配偶者、四親等内の親族又は同居の親族〈司
③　第１号に規定する者の代理人又は次条第３項に規定する補佐人
④　前３号に規定する者であった者
⑤　第１号に規定する者の後見人、後見監督人、保佐人、保佐監督人、補助人又は補助監督人
⑥　参加人以外の関係人

第２０条　（聴聞の期日における審理の方式）

Ⅰ　主宰者は、最初の聴聞の期日の冒頭において、行政庁の職員に、予定される不利益処分の内容及び根拠となる法令の条項並びにその原因となる事実を聴聞の期日に出頭した者に対し説明させなければならない。
Ⅱ　当事者又は参加人は、聴聞の期日に出頭して、意見を述べ、及び証拠書類等を提出し、並びに主宰者の許可を得て行政庁の職員に対し質問を発することができる。
Ⅲ　前項の場合において、当事者又は参加人は、主宰者の許可を得て、補佐人とともに出頭することができる。

Ⅳ　主宰者は、聴聞の期日において必要があると認めるときは、当事者若しくは参加人に対し質問を発し、意見の陳述若しくは証拠書類等の提出を促し、又は行政庁の職員に対し説明を求めることができる。
Ⅴ　主宰者は、当事者又は参加人の一部が出頭しないときであっても、聴聞の期日における審理を行うことができる。
Ⅵ　聴聞の期日における審理は、行政庁が公開することを相当と認めるときを除き、公開しない予。

第２１条　（陳述書等の提出）

Ⅰ　当事者又は参加人は、聴聞の期日への出頭に代えて、主宰者に対し、聴聞の期日までに陳述書及び証拠書類等を提出することができる予。
Ⅱ　主宰者は、聴聞の期日に出頭した者に対し、その求めに応じて、前項の陳述書及び証拠書類等を示すことができる。

第２２条　（続行期日の指定）

Ⅰ　主宰者は、聴聞の期日における審理の結果、なお聴聞を続行する必要があると認めるときは、さらに新たな期日を定めることができる。
Ⅱ　前項の場合においては、当事者及び参加人に対し、あらかじめ、次回の聴聞の期日及び場所を書面により通知しなければならない。ただし、聴聞の期日に出頭した当事者及び参加人に対しては、当該聴聞の期日においてこれを告知すれば足りる。
Ⅲ　第15条第３項の規定は、前項本文の場合において、当事者又は参加人の所在が判明しないときにおける通知の方法について準用する。この場合において、同条第３項中「不利益処分の名あて人となるべき者」とあるのは「当事者又は参加人」と、「掲示を始めた日から２週間を経過したとき」とあるのは「掲示を始めた日から２週間を経過したとき（同一の当事者又は参加人に対する２回目以降の通知にあっては、掲示を始めた日の翌日）」と読み替えるものとする。

第２３条　（当事者の不出頭等の場合における聴聞の終結）

Ⅰ　主宰者は、当事者の全部若しくは一部が正当な理由なく聴聞の期日に出頭せず、かつ、第21条第１項に規定する陳述書若しくは証拠書類等を提出しない場合、又は参加人の全部若しくは一部が聴聞の期日に出頭しない場合には、これらの者に対し改めて意見を述べ、及び証拠書類等を提出する機会を与えることなく、聴聞を終結することができる。
Ⅱ　主宰者は、前項に規定する場合のほか、当事者の全部又は一部が聴聞の期日に出頭せず、かつ、第21条第１項に規定する陳述書又は証拠書類等を提出しない場合において、これらの者の聴聞の期日への出頭が相当期間引き続き見込めないときは、これらの者に対し、期限を定めて陳述書及び証拠書類等の提出を求め、当該期限が到来したときに聴聞を終結することとすることができる。

第２４条　（聴聞調書及び報告書）

Ⅰ　主宰者は、聴聞の審理の経過を記載した調書を作成し、当該調書において、不利益処分の原因となる事実に対する当事者及び参加人の陳述の要旨を明らかにしておかなければならない。

Ⅱ　前項の調書は、聴聞の期日における審理が行われた場合には各期日ごとに、当該審理が行われなかった場合には聴聞の終結後速やかに作成しなければならない。

Ⅲ　主宰者は、聴聞の終結後速やかに、不利益処分の原因となる事実に対する当事者等の主張に理由があるかどうかについての意見を記載した報告書を作成し、第１項の調書とともに行政庁に提出しなければならない。

Ⅳ　当事者又は参加人は、第１項の調書及び前項の報告書の閲覧を求めることができる。

第２５条　（聴聞の再開）

行政庁は、聴聞の終結後に生じた事情にかんがみ必要があると認めるときは、主宰者に対し、前条第３項の規定により提出された報告書を返戻して聴聞の再開を命ずることができる。第22条第２項本文及び第３項の規定は、この場合について準用する。

第２６条　（聴聞を経てされる不利益処分の決定）◁同

行政庁は、不利益処分の決定をするときは、第24条第１項の調書の内容及び同条第３項の報告書に記載された主宰者の意見を十分に参酌してこれをしなければならない。

第２７条　（審査請求の制限）

この節の規定に基づく処分又はその不作為については、審査請求をすることができない。

第２８条　（役員等の解任等を命ずる不利益処分をしようとする場合の聴聞等の特例）

Ⅰ　第13条第１項第１号ハに該当する不利益処分に係る聴聞において第15条第１項の通知があった場合におけるこの節の規定の適用については、名あて人である法人の役員、名あて人の業務に従事する者又は名あて人の会員である者（当該処分において解任し又は除名すべきこととされている者に限る。）は、同項の通知を受けた者とみなす。

Ⅱ　前項の不利益処分のうち名あて人である法人の役員又は名あて人の業務に従事する者（以下この項において「役員等」という。）の解任を命ずるものに係る聴聞が行われた場合においては、当該処分にその名あて人が従わないことを理由として法令の規定によりされる当該役員等を解任する不利益処分については、第13条第１項の規定にかかわらず、行政庁は、当該役員等について聴聞を行うことを要しない。

《注　釈》

一　聴聞手続の概要

1　行政庁による不利益処分の名宛人に対する処分の通知（15）

(1)　通知を受けた当事者は代理人を選任することができる。弁護士である必要はない（16Ⅰ）。

(2)　聴聞を主宰する者（19）は利害関係者に参加を求め、又は許可することができる（17）。

2　聴聞手続

プライバシー保護のために、非公開（20Ⅵ）で、以下の手順で行う。

(1)　行政庁職員による不利益処分・根拠の説明

(2)　出席した当事者、参加人による意見陳述、証拠提出、主宰者の許可を得ての質問

事前に陳述書・証拠提出することも可能である（21）。

意見陳述と証拠提出に許可は不要である。

逆に主宰者から釈明し、促すこともできる（20Ⅳ）。

(3)　期日ごとに主宰者が聴聞調書を作成する（24）。

3　期日続行

主宰者は聴聞を続行し、新たな期日を指定できる（22）。

4　終結

聴聞後、主宰者は意見を記載した報告書を作成し、聴聞調書と併せて行政庁に提出することで聴聞を終結する（24Ⅲ）。もっとも、当事者が不出頭・意見陳述もしない場合などは主宰者は聴聞を終結できる（23）。また、行政庁は必要があれば報告書を返戻して聴聞の再開を命じる（25）。

5　処分決定

行政庁は聴聞調書・報告書を参酌のうえ、不利益処分を決定する。

二　不服申立て

1　聴聞手続そのもの（手続中になされた処分）

独立して不服申立てできない（27）。

∵　最終的な不利益処分に対する不服申立てで一括して審理すればよい

2　聴聞を経てなされた行政庁の不利益処分

行政不服審査法に基づく審査請求をすることができる（27参照）。

∵　聴聞手続を経たとしても、審査請求により結論が変わる可能性がある

第２９条　（弁明の機会の付与の方式） 共予

Ⅰ　弁明は、行政庁が口頭ですることを認めたときを除き、弁明を記載した書面（以下「弁明書」という。）を提出してするものとする。

Ⅱ　弁明をするときは、証拠書類等を提出することができる。

第３０条　（弁明の機会の付与の通知の方式）

行政庁は、弁明書の提出期限（口頭による弁明の機会の付与を行う場合には、その日時）までに相当な期間をおいて、不利益処分の名あて人となるべき者に対し、次に掲げる事項を書面により通知しなければならない。

① 予定される不利益処分の内容及び根拠となる法令の条項
② 不利益処分の原因となる事実
③ 弁明書の提出先及び提出期限（口頭による弁明の機会の付与を行う場合には、その旨並びに出頭すべき日時及び場所）

第３１条　（聴聞に関する手続の準用）

第15条第３項及び第16条の規定は、弁明の機会の付与について準用する。この場合において、第15条第３項中「第１項」とあるのは「第30条」と、「同項第３号及び第４号」とあるのは「同条第３号」と、第16条第１項中「前条第１項」とあるのは「第30条」と、「同条第３項後段」とあるのは「第31条において準用する第15条第３項後段」と読み替えるものとする。

《注　釈》

一　弁明の機会の付与

行政庁が口頭ですることを認めたときを除き、弁明を記載した書面を提出して行う（29Ⅰ、書面主義）。口頭による意見陳述権、参加人、文書閲覧権の制度もない予。

二　聴聞と弁明の機会の付与の差異

＜聴聞と弁明の機会の付与の差異＞

	聴聞	弁明の機会の付与
方針	重大な不利益、慎重な手続	軽微な不利益、簡易な手続
主宰者	あり（19）	なし
参加人の関与	あり（17）	なし予
文書閲覧権	あり（18Ⅰ）	なし予
口頭意見陳述権	保護されている（20Ⅱ）	行政庁が認めたとき（29Ⅰ）
審査請求	不可（27）	制限なし

第５節　行政指導（行手４章）

第３２条　（行政指導の一般原則）

Ⅰ　行政指導にあっては、行政指導に携わる者は、いやしくも当該行政機関の任務又は所掌事務の範囲を逸脱してはならないこと及び行政指導の内容があくまでも相手方の任意の協力によってのみ実現されるものであることに留意しなければならない〈共予〉。

Ⅱ　行政指導に携わる者は、その相手方が行政指導に従わなかったことを理由として、不利益な取扱いをしてはならない〈共予〉。

第３３条　（申請に関連する行政指導）

申請の取下げ又は内容の変更を求める行政指導にあっては、行政指導に携わる者は、申請者が当該行政指導に従う意思がない旨を表明したにもかかわらず当該行政指導を継続すること等により当該申請者の権利の行使を妨げるようなことをしてはならない。

第３４条　（許認可等の権限に関連する行政指導）〈予〉

許認可等をする権限又は許認可等に基づく処分をする権限を有する行政機関が、当該権限を行使することができない場合又は行使する意思がない場合においてする行政指導にあっては、行政指導に携わる者は、当該権限を行使し得る旨を殊更に示すことにより相手方に当該行政指導に従うことを余儀なくさせるようなことをしてはならない。

第３５条　（行政指導の方式）〈司共〉

Ⅰ　行政指導に携わる者は、その相手方に対して、当該行政指導の趣旨及び内容並びに責任者を明確に示さなければならない〈予〉。

Ⅱ　行政指導に携わる者は、当該行政指導をする際に、行政機関が許認可等をする権限又は許認可等に基づく処分をする権限を行使し得る旨を示すときは、その相手方に対して、次に掲げる事項を示さなければならない〈予〉。

①　当該権限を行使し得る根拠となる法令の条項

②　前号の条項に規定する要件

③　当該権限の行使が前号の要件に適合する理由

Ⅲ　行政指導が口頭でされた場合において、その相手方から前２項に規定する事項を記載した書面の交付を求められたときは、当該行政指導に携わる者は、行政上特別の支障がない限り、これを交付しなければならない〈共予〉。

Ⅳ　前項の規定は、次に掲げる行政指導については、適用しない〈予〉。

①　相手方に対しその場において完了する行為を求めるもの

②　既に文書（前項の書面を含む。）又は電磁的記録（電子的方式、磁気的方式その他人の知覚によっては認識することができない方式で作られる記録であって、電子計算機による情報処理の用に供されるものをいう。）によりその相手方に通知されている事項と同一の内容を求めるもの〈予〉

第３６条　（複数の者を対象とする行政指導）〈同共予

同一の行政目的を実現するため一定の条件に該当する複数の者に対し行政指導をしようとするときは、行政機関は、あらかじめ、事案に応じ、行政指導指針を定め、かつ、行政上特別の支障がない限り、これを公表しなければならない。

第３６条の２　（行政指導の中止等の求め）〈予

Ⅰ　法令に違反する行為の是正を求める行政指導（その根拠となる規定が法律に置かれているものに限る。）の相手方は、当該行政指導が当該法律に規定する要件に適合しないと思料するときは、当該行政指導をした行政機関に対し、その旨を申し出て、当該行政指導の中止その他必要な措置をとることを求めることができる。ただし、当該行政指導がその相手方について弁明その他意見陳述のための手続を経てされたものであるときは、この限りでない。

Ⅱ　前項の申出は、次に掲げる事項を記載した申出書を提出してしなければならない。

①　申出をする者の氏名又は名称及び住所又は居所
②　当該行政指導の内容
③　当該行政指導がその根拠とする法律の条項
④　前号の条項に規定する要件
⑤　当該行政指導が前号の要件に適合しないと思料する理由
⑥　その他参考となる事項

Ⅲ　当該行政機関は、第１項の規定による申出があったときは、必要な調査を行い、当該行政指導が当該法律に規定する要件に適合しないと認めるときは、当該行政指導の中止その他必要な措置をとらなければならない〈予。

《概　説》

一　行政指導総説

1　行政指導の意義〈同

(1)　定義〈同

行政指導とは、「行政機関がその任務又は所掌事務の範囲内において一定の行政目的を実現するため特定の者に一定の作為又は不作為を求める指導、勧告、助言その他の行為であって処分に該当しないもの」（2⑥）をいう。判例は、教科書検定における改善意見につき文部大臣の助言・指導の性質を有するものとして、行政指導に当たるとしている。

▼　教科書検定と改善意見（最判平 9.8.29・百選 94 事件）

＊　最判平 5.3.16・百選 76 ①事件も同様の事案、百選 76 ②事件も同一の事案

事案：　いわゆる家永教科書裁判第三次訴訟の上告審判決である。日本史研究者Xが三省堂を通じて日本史教科書を発行しようとしたところ、教科用図書検定調査審議会が多数の改善意見を付し、これを受けた文部大臣（当

行政手続法

時）が条件付合格の決定を示したため、Xはこれを拒否した。そこで、Xが国Yに対して、改善意見を強要することは違憲違法であると主張した。

判旨： 改善意見は検定の合否に直接の影響を及ぼすものではなく、文部大臣の助言・指導の性質を有するものと考えられるから、教科書の執筆者がその意に反してこれに服さざるを得なくなるなどの特段の事情がない限り、その意見の当不当にかかわらず、原則として違法の問題を生じるものではない。そして、本件改善意見はXに改善意見を直接・間接に強要した事実がないとして、文部大臣の行為に違法はないとした。

(2) 性質、根拠〈司共予

行政指導はその性質上、法的拘束力はなく、相手方の任意の協力によってその行政目的を実現するものである。このため、侵害留保の原則からは行政指導には法律の根拠は不要である。もっとも、行政指導は、当該行政機関の所掌事務の範囲内でなければならないから、当該行政機関の組織規範は必要であり、所掌事務の範囲外であれば行政指導はできない。

(3) 行政庁に作為義務が生じる場合〈司

原則として、行政指導を行わないからといって違法にはならない。しかし、従来の例によれば行政庁が行政指導として同種の措置を採ることが当然期待されるような場合には、条理上、行政指導の作為義務が生じる場合がある。

2 方式

(1) 原則〈司共

行政指導は文書で行うことは求められていない。しかし、行政指導を行う者は、相手方に行政指導の趣旨・内容・責任者を明確に示さなければならず(35Ⅰ)、また、当該行政指導をする際に、行政機関が許認可等をする権限又は許認可等に基づく処分をする権限を行使しうる旨を示すときは、相手方に当該権限を行使しうる根拠等を示さなければならない（35Ⅱ、平成26年改正により追加)。行政指導が口頭でされた場合において、書面でこれらを示すよう相手方から求められたときは、特別の支障がない限り、これに応じなければならない（35Ⅲ)。

∵ 行政指導の明確化原則の担保、恣意的行政指導の抑止

(2) 複数の者を対象とする行政指導

同一の行政目的を実現するため複数の者に対し行政指導をするときは、行政機関は、あらかじめ、事案に応じ、行政指導指針（2⑧ニ）を定め、かつ、行政上特別の支障がない限り、これを公表しなければならない（36)。

3 効果〈司

適法な行政指導に従った私人の行為は違法性が阻却される場合があるとする判例（最判昭59.2.24・百選93事件）がある。また、行政指導が法の趣旨・目的を逸脱していれば違法となり、国賠訴訟の対象にもなりうる（最判平5.2.18

・百選 95 事件参照）。

▼ **行政指導と石油価格カルテル（最判昭 59.2.24・百選 93 事件）**

事案：　石油製品の価格協定を行った石油元売会社らが、その行為が独禁法２条６項にいう「不当な取引制限」に該当して同法３条後段に違反するとして起訴された。

判旨：　石油業法に直接の根拠を持たない価格に関する行政指導であっても、これを必要とする事情がある場合に、これに対処するため社会通念上相当と認められる方法によって行われ、独占禁止法の究極の目的に実質的に抵触しないものである限り、これを違法とすべき理由はない。価格に関する事業者間の合意が形式的に独占禁止法に抵触するようにみえる場合であっても、それが適法な行政指導に従い、これに協力して行われたものであるときは、その違法性が阻却されるとしたうえで、本件事案ではこれを否定した。

▼ **指導要綱による開発負担金（最判平 5.2.18・百選 95 事件）** 同予

事案：　東京都武蔵野市Ｙは、マンション建設に当たり指導要綱を制定して、15 戸以上の建設計画事業に対し、教育施設負担金の寄付を求める行政指導を行ってきた（同要綱は指導に従わない者には上下水道の使用を拒否するという内容のものだった）。Ｘはいったんは渋々と寄付に応じたが、その後、教育施設負担金の納付を求める行政指導は違法であるとして国家賠償請求訴訟を提起した。

判旨：　行政指導として教育施設の充実に充てるために事業主に対して寄付金の納付を求めること自体は、強制にわたるなど事業主の任意性を損なうことがない限り、違法ということはできない。しかし、指導要綱に基づく行政指導が、Ｙ市民の生活環境をいわゆる乱開発から守ることを目的とするものであり、多くのＹ市民の支持を受けていたことなどを考慮しても、右行為は、本来任意に寄付金の納付を求めるべき行政指導の限度を超えるものであり、違法な公権力の行使であるといわざるを得ない。

二　行政指導と不利益取扱い

1　行政指導と不利益取扱い 同

行政指導に法的拘束力はないから、行政指導への不服従を理由に不利益取扱いをすることは許されない（32Ⅱ）。もっとも、勧告にとどまる場合や、最初から不利益処分をなしうるがその前提として行政指導をした場合、法律自体が不利益処分の前に行政指導すべきことを要求している場合、又は法律上改善命令等の下命行為や氏名の公表等を行うことができる旨の規定が存在する場合は、行政指導に続いて不利益処分をしても 32 条違反にはならない 予。

たとえば、違法建築業者に対し、水道局給水課長が違法建築の是正を勧告

行政手続法

し、給水施設新設工事申込みの受理を事実上拒否した行為について、当該行政指導は勧告にすぎず、原告も指導後1年半も放置していたことをとりあげて、不法行為責任の成立を否定した判例（最判昭56.7.16）がある。

▼ 宅地開発指導要綱に基づく給水拒否・武蔵野市給水拒否刑事事件（最決平元.11.8・百選89事件）回

事案：　指導要綱に従わないことを理由に、給水契約の申込書を受理せず、下水道の使用も拒否した市の対応が水道法15条1項の違反行為に当たるとして、市の対応を指揮した市長が起訴された。

決旨：　市長らが、マンション建設に関する指導要綱を遵守させるための圧力手段として、水道事業者が有している給水権限を用い、指導要綱に従わない者との給水契約の締結を拒むことは、たとえ行政指導を継続する必要があるとしても、水道法15条1項の「正当の理由」に当たらず、許されない。

2　申請、許認可権限と行政指導（33、34）

⑴　総説

行政指導に法的拘束力はない。このため、行政庁が申請に対する応答留保、許認可権限に併せて行政指導を行うことで実質的に行政指導に従うよう拘束することは、違法である。

⑵「従う意思がない旨を表明した」(33)

単に不服従の意思を示しただけでは足りず、この間、行政処分に併せて処分を留保することは適法である。

∵　説得を内容とする行政指導が一切許されないとするのは非現実的

→下記判例は、不服従の意思を真摯かつ明確に表明した場合は、受ける不利益と行政指導の目的とする公益上の必要性とを比較衡量して、不協力が社会通念上正義の観念に反するものといえるような特段の事情が存在しない限り、行政指導を継続することは国家賠償法上違法である、としている

▼ 道路管理者による車両制限令上の認定（最判昭57.4.23・百選120事件）

事案：　Xがマンション建設用資材を搬入するために、Yに対して車両制限令による特殊車両通行認定を申請したが、Yは本件建築に対して反対運動を進めていた付近住民との話し合いが円満に解決し、工事が円滑に進められるようになるまで認定を留保した。そこでこのYの取扱いが違法か否かが争われた。

判旨：　Yの道路管理者としての権限を行う中野区長が本件認定申請に対して約5か月間認定を留保した理由は、右認定をすることによって本件建物

の建築に反対する附近住民とＸ側との間で実力による衝突が起こる危険を招来するとの判断のもとにこの危険を回避するためということであり、右留保期間は約５か月間に及んではいるが、結局、中野区長は当初予想された実力による衝突の危険は回避されたと判断して本件認定に及んだというのである。右事実関係によれば、中野区長の本件認定留保は、違法性はない。

＊　本件を品川マンション事件（最判昭60.7.16・百選121事件）のいう「特段の事情」が存した事例の１つとする見方がある。

▼ **行政指導と建築確認の留保・品川マンション事件（最判昭60.7.16・百選121事件）** 司共予 予H29

事案：　Ｘのマンション建築確認申請に対し、建築主事が、建築に反対する近隣住民との話し合いによる解決を指導し、確認を留保したため、Ｘが、この留保は建築基準法６条の期限を超えた違法なものであるとして、東京都Ｙに対し国賠法に基づき損害賠償を求めた（行手法制定前の事案）。

判旨：　確認処分の留保は、建築主の任意の協力・服従のもとに行政指導が行われていることに基づく事実上の措置にとどまるものであるから、建築主において自己の申請に対する確認処分を留保されたままでの行政指導には応じられないとの意思を明確に表明している場合には、かかる建築主の明示の意思に反してその受忍を強いることは許されない筋合のものであるといわなければならず、建築主が行政指導に不協力・不服従の意思を表明している場合には、当該建築主が受ける不利益と右行政指導の目的とする公益上の必要性とを比較衡量して、右行政指導に対する建築主の不協力が社会通念上正義の観念に反するものといえるような特段の事情が存在しない限り、行政指導が行われているとの理由だけで確認処分を留保することは、違法である。したがって、いったん行政指導に応じて建築主と付近住民との間に話合いによる紛争解決をめざして協議が始められた場合でも、右協議の進行状況及び四囲の客観的状況により、建築主において建築主事に対し、確認処分を留保されたままでの行政指導にはもはや協力できないとの意思を真摯かつ明確に表明し、当該確認申請に対し直ちに応答すべきことを求めているものと認められるときには、他に前記特段の事情が存在するものと認められない限り、当該行政指導を理由に建築主に対し確認処分の留保の措置を受忍せしめることは許されないから、それ以後の右行政指導を理由とする確認処分の留保は、違法となる。

三　行政指導の中止等の求め

１　趣旨

平成26年改正により、行政指導の中止等を求める制度（36の２）が新設され、違法な行政指導を行った行政機関に対して、その中止等を求めることができるものとされた。これは、行政指導に関する手続について、国民の権利利益の保護の充実を図る趣旨である。

2　制度の概要

①法令に違反する行為の是正を求める行政指導（その根拠となる規定が法律に置かれているものに限る）の相手方は、②当該行政指導が当該法律に規定する要件に適合しないと思料するときは、③当該行政指導をした行政機関に対し、その旨を申し出て、④当該行政指導の中止その他必要な措置をとることを求めることができる。

→当該行政機関は、必要な調査を行い、当該行政指導が当該法律に規定する要件に適合しないと認めるときは、当該行政指導の中止その他必要な措置をとらなければならない（36の2Ⅲ）

<行政指導の中止等の求め>

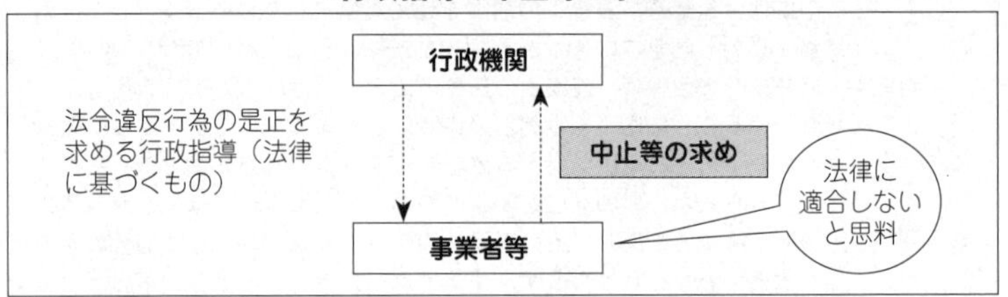

四　救済

1　原則〈司共

違法な行政指導は、原則として処分性がないので取消訴訟の対象とはならず、国家賠償請求の対象となるにすぎない。違法な行政指導に従ったことによって損害が生じた場合は当然のこと、行政指導に従わなかった場合であっても、心理的圧力を加えるような行政指導によって精神的苦痛を受けたときは、その損害賠償を請求することが可能である〈共。また、行政指導に伴う違法な応答留保は国家賠償請求の対象となる。

2　例外〈司

実質的に処分と同様の効果がある場合には、取消訴訟の対象となる。

⇒ p.319 以下

第6節　処分等の求め（行手4章の2）

第36条の3

Ⅰ　何人も、法令に違反する事実がある場合において、その是正のためにされるべき処分又は行政指導（その根拠となる規定が法律に置かれているものに限る。）がされていないと思料するときは、当該処分をする権限を有する行政庁又は当該行政指導をする権限を有する行政機関に対し、その旨を申し出て、当該処分又は行政指導をすることを求めることができる〈予。

Ⅱ　前項の申出は、次に掲げる事項を記載した申出書を提出してしなければならない。

① 申出をする者の氏名又は名称及び住所又は居所
② 法令に違反する事実の内容
③ 当該処分又は行政指導の内容
④ 当該処分又は行政指導の根拠となる法令の条項
⑤ 当該処分又は行政指導がされるべきであると思料する理由
⑥ その他参考となる事項

Ⅲ　当該行政庁又は行政機関は、第1項の規定による申出があったときは、必要な調査を行い、その結果に基づき必要があると認めるときは、当該処分又は行政指導をしなければならない。

[趣旨] 平成26年の改正により、国民の権利利益の保護の充実を図るべく、法令に違反する事実の是正のための処分又は行政指導を求める制度（36の3）が新設された。

《注　釈》

◆　**制度の概要**

①法令に違反する事実がある場合に、②その是正のためにされるべき処分又は行政指導（その根拠となる規定が法律に置かれているものに限る）がされていないと思料するときは、③当該処分をする権限を有する行政庁又は当該行政指導をする権限を有する行政機関に対し、その旨を申し出て、④当該処分又は行政指導をすることを求めることができる。

→当該行政庁又は行政機関は、必要な調査を行い、必要があると認めるときは、当該処分又は行政指導をしなければならない

<処分等の求め>

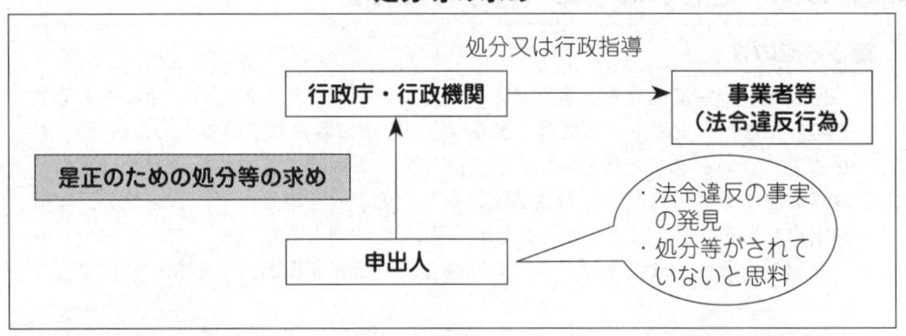

■第７節　届出（行手５章）

第３７条　（届出）

届出が届出書の記載事項に不備がないこと、届出書に必要な書類が添付されていることその他の法令に定められた届出の形式上の要件に適合している場合は、当該届出が法令により当該届出の提出先とされている機関の事務所に到達したときに、当該届出をすべき手続上の義務が履行されたものとする。

［趣旨］行政機関の事務所に書類が届いているにもかかわらず、受理しないとの扱い（不受理）をすることを防ぐ。

《注　釈》

◆　届出

届出とは、「行政庁に対し一定の事項の通知をする行為（申請に該当するものを除く。）であって、法令により直接に当該通知が義務付けられているもの（自己の期待する一定の法律上の効果を発生させるためには当該通知をすべきこととされているものを含む。）」（２⑦）をいう。申請とは、行政庁に応答義務がないという点で差異がある。

■第８節　意見公募手続等（行手６章）

第３８条　（命令等を定める場合の一般原則）

Ⅰ　命令等を定める機関（閣議の決定により命令等が定められる場合にあっては、当該命令等の立案をする各大臣。以下「命令等制定機関」という。）は、命令等を定めるに当たっては、当該命令等がこれを定める根拠となる法令の趣旨に適合するものとなるようにしなければならない。

Ⅱ　命令等制定機関は、命令等を定めた後においても、当該命令等の規定の実施状況、社会経済情勢の変化等を勘案し、必要に応じ、当該命令等の内容について検討を加え、その適正を確保するよう努めなければならない〈同〉。

第39条　（意見公募手続）

Ⅰ　命令等制定機関は、命令等を定めようとする場合には、当該命令等の案（命令等で定めようとする内容を示すものをいう。以下同じ。）及びこれに関連する資料をあらかじめ公示し、意見（情報を含む。以下同じ。）の提出先及び意見の提出のための期間（以下「意見提出期間」という。）を定めて広く一般の意見を求めなければならない〈共予〉。

Ⅱ　前項の規定により公示する命令等の案は、具体的かつ明確な内容のものであって、かつ、当該命令等の題名及び当該命令等を定める根拠となる法令の条項が明示されたものでなければならない。

Ⅲ　第1項の規定により定める意見提出期間は、同項の公示の日から起算して30日以上でなければならない。

Ⅳ　次の各号のいずれかに該当するときは、第1項の規定は、適用しない。

① 公益上、緊急に命令等を定める必要があるため、第1項の規定による手続（以下「意見公募手続」という。）を実施することが困難であるとき。

② 納付すべき金銭について定める法律の制定又は改正により必要となる当該金銭の額の算定の基礎となるべき金額及び率並びに算定方法についての命令等その他当該法律の施行に関し必要な事項を定める命令等を定めようとするとき。

③ 予算の定めるところにより金銭の給付決定を行うために必要となる当該金銭の額の算定の基礎となるべき金額及び率並びに算定方法その他の事項を定める命令等を定めようとするとき。

④ 法律の規定により、内閣府設置法第49条第1項若しくは第2項若しくは国家行政組織法第3条第2項に規定する委員会又は内閣府設置法第37条若しくは第54条若しくは国家行政組織法第8条に規定する機関（以下「委員会等」という。）の議を経て定めることとされている命令等であって、相反する利害を有する者の間の利害の調整を目的として、法律又は政令の規定により、これらの者及び公益をそれぞれ代表する委員をもって組織される委員会等において審議を行うこととされているものとして政令で定める命令等を定めようとするとき。

⑤ 他の行政機関が意見公募手続を実施して定めた命令等と実質的に同一の命令等を定めようとするとき。

⑥ 法律の規定に基づき法令の規定の適用又は準用について必要な技術的読替えを定める命令等を定めようとするとき。

⑦ 命令等を定める根拠となる法令の規定の削除に伴い当然必要とされる当該命令等の廃止をしようとするとき。

⑧ 他の法令の制定又は改廃に伴い当然必要とされる規定の整理その他の意見公募手続を実施することを要しない軽微な変更として政令で定めるものを内容とする命令等を定めようとするとき。

第40条　（意見公募手続の特例）

Ⅰ　命令等制定機関は、命令等を定めようとする場合において、30日以上の意見提出期間を定めることができないやむを得ない理由があるときは、前条第３項の規定にかかわらず、30日を下回る意見提出期間を定めることができる。この場合においては、当該命令等の案の公示の際その理由を明らかにしなければならない。

Ⅱ　命令等制定機関は、委員会等の議を経て命令等を定めようとする場合（前条第４項第４号に該当する場合を除く。）において、当該委員会等が意見公募手続に準じた手続を実施したときは、同条第１項の規定にかかわらず、自ら意見公募手続を実施することを要しない。

第４１条　（意見公募手続の周知等）

命令等制定機関は、意見公募手続を実施して命令等を定めるに当たっては、必要に応じ、当該意見公募手続の実施について周知するよう努めるとともに、当該意見公募手続の実施に関連する情報の提供に努めるものとする。

第４２条　（提出意見の考慮）

命令等制定機関は、意見公募手続を実施して命令等を定める場合には、意見提出期間内に当該命令等制定機関に対し提出された当該命令等の案についての意見（以下「提出意見」という。）を十分に考慮しなければならない。

第４３条　（結果の公示等）

Ⅰ　命令等制定機関は、意見公募手続を実施して命令等を定めた場合には、当該命令等の公布（公布をしないものにあっては、公にする行為。第５項において同じ。）と同時期に、次に掲げる事項を公示しなければならない〈予〉。

①　命令等の題名

②　命令等の案の公示の日

③　提出意見（提出意見がなかった場合にあっては、その旨）

④　提出意見を考慮した結果（意見公募手続を実施した命令等の案と定めた命令等との差異を含む。）及びその理由〈予〉

Ⅱ　命令等制定機関は、前項の規定にかかわらず、必要に応じ、同項第３号の提出意見に代えて、当該提出意見を整理又は要約したものを公示することができる。この場合においては、当該公示の後遅滞なく、当該提出意見を当該命令等制定機関の事務所における備付けその他の適当な方法により公にしなければならない。

Ⅲ　命令等制定機関は、前２項の規定により提出意見を公示し又は公にすることにより第三者の利益を害するおそれがあるとき、その他正当な理由があるときは、当該提出意見の全部又は一部を除くことができる。

Ⅳ　命令等制定機関は、意見公募手続を実施したにもかかわらず命令等を定めないこととした場合には、その旨（別の命令等の案について改めて意見公募手続を実施しようとする場合にあっては、その旨を含む。）並びに第１項第１号及び第２号に掲げる事項を速やかに公示しなければならない。

Ⅴ　命令等制定機関は、第39条第４項各号のいずれかに該当することにより意見公募手続を実施しないで命令等を定めた場合には、当該命令等の公布と同時期に、次に掲げる事項を公示しなければならない。ただし、第１号に掲げる事項のうち命令等の趣旨については、同項第１号から第４号までのいずれかに該当することにより意見公募手続を実施しなかった場合において、当該命令等自体から明らかでないときに限る。
① 命令等の題名及び趣旨
② 意見公募手続を実施しなかった旨及びその理由

第４４条 （準用）

第42条の規定は第40条第２項に該当することにより命令等制定機関が自ら意見公募手続を実施しないで命令等を定める場合について、前条第１項から第３項までの規定は第40条第２項に該当することにより命令等制定機関が自ら意見公募手続を実施しないで命令等を定めた場合について、前条第４項の規定は第40条第２項に該当することにより命令等制定機関が自ら意見公募手続を実施しないで命令等を定めないこととした場合について準用する。この場合において、第42条中「当該命令等制定機関」とあるのは「委員会等」と、前条第１項第２号中「命令等の案の公示の日」とあるのは「委員会等が命令等の案について公示に準じた手続を実施した日」と、同項第４号中「意見公募手続を実施した」とあるのは「委員会等が意見公募手続に準じた手続を実施した」と読み替えるものとする。

第４５条 （公示の方法）

Ⅰ 第39条第１項並びに第43条第１項（前条において読み替えて準用する場合を含む。）、第４項（前条において準用する場合を含む。）及び第５項の規定による公示は、電子情報処理組織を使用する方法その他の情報通信の技術を利用する方法により行うものとする。
Ⅱ 前項の公示に関し必要な事項は、総務大臣が定める。

[趣旨]命令等（法律に基づく命令、規則、審査基準、処分基準、行政指導指針をいう。2⑧）を定めるに当たって、利害関係人との関係で行政運営の公正の確保と透明性の向上が図られるようにする。かかる趣旨は、法律案につき、意見公募手続と同じ内容の手続で広く一般の意見を求めることまで排除するものではない〈共〉。

《注　釈》

一　命令等の原則

1　制定手続

法律による行政の原理から、命令等（法律に基づく命令、規則、審査基準、処分基準、行政指導指針をいう。2⑧）も根拠法令に適合する内容でなければならない（38Ⅰ）ので、命令等を定めるには広く意見を求める手続を経る必要がある（39）。ただし、命令の内容上、性質上、意見公募手続に親しまない命令等（３Ⅱ）、行政主体の組織内部、組織相互間の命令等（４Ⅳ）は適用除外である。また、緊急の必要がある場合などには意見公募手続をせずに命令を定めることができる（39Ⅳ）。

2　社会情勢への対応

命令等制定機関は、制定後も常に、命令等の内容を法令・社会情勢に適合するように対応させることを求められている（38Ⅱ）。そして、命令等制定機関が、命令を出す権限行使を違法に懈怠し、それによって被害を拡大させた場合には、国賠法上違法になる場合がある。

▼　じん肺予防と国賠請求（最判平 16.4.27・百選〔第６版〕231 事件）

事案：　炭鉱で粉じん作業に従事してじん肺に罹患したＸらが、Ｙが鉱山保安法に基づく規制権限の行使を怠ったのは違法であること等を理由として、国家賠償を求めた。

判旨：　鉱山保安法の目的、趣旨にかんがみると、同法の主務大臣であった通商産業大臣の同法に基づく保安規制権限、特に同法30条の規定に基づく省令制定権限は、鉱山労働者の労働環境を整備し、その生命、身体に対する危害を防止し、その健康を確保することをその主要な目的として、できる限り速やかに、技術の進歩や最新の医学的知見等に適合したものに改正すべく、適時にかつ適切に行使されるべきものである。そして、じん肺法成立の時点までに、上記の保安規制の権限（省令改正権限等）が適切に行使されていれば、それ以降の炭鉱労働者のじん肺の被害拡大を相当程度防ぐことができた。

本件における以上の事情を総合すると、昭和35年４月以降、鉱山保安法に基づく上記の保安規制の権限を直ちに行使しなかったことは、国家賠償法１条１項の適用上違法というべきである。

二　意見公募手続

1　原則

⑴　命令等の案、関連資料を公示し（39Ⅱ）、30日以上の意見提出期間内に意見を提出させる（39Ⅲ）。行政庁は必要に応じ、周知・情報収集に努める（41）。

⑵　意見提出者に制限はないし、逆に意見提出の有無で不服申立ての可否に差はない〈同〉。

⑶　命令等制定機関は提出意見に拘束はされないが、十分に考慮する必要がある（42）。この制度は考慮結果を公示すること（43Ⅰ④）で担保される。

⑷　命令の制定の有無・内容などを交付と同時に公示する。

2　例外

⑴　意見公募手続が義務付けられない場合〈同〉

３条２項の適用除外の場合には意見公募手続が義務付けられない。たとえば、大規模施設の設置計画のような命令（３条２項４号の「命令」に当たると考えられる）の策定には意見公募手続は不要である。また意見公募手続をとることが困難である場合、手続をとる意義に乏しい場合については、意見公募手続は義務付けられない（39Ⅳ）。

(2)　意見公募手続の期間、実施に関する特例

30日以上の意見提出期間を定めることができないやむを得ない理由があるときは、公示の際、理由を示すことを条件に30日を下回る期間を定めることができる（40Ⅰ）。

委員会等の議を経て命令等を定めようとする場合において、当該委員会等が意見公募手続に準じた手続を実施したときは、自ら意見公募手続を実施することを要しない（40Ⅱ）。

ただし、法律上、第三者が構成する審議会への付議が義務付けられ、調整を委ねている命令等を定めようとする場合（39Ⅳ④）は、この限りではない。

三　審議会等への諮問の瑕疵

命令等制定の際、個別の法律でこの手続が置かれている場合には審議会等への諮問を行うことになる。

▼ 持ち回り決議（最判昭46.1.22・百選110事件）

事案：　処分をしようとするときは、審議会の意見を聞かなければならないと温泉法に規定されているにもかかわらず、審議会が開催されず、いわゆる持ち回り決議がなされたにすぎないことを理由として、処分の無効確認等が求められた。

判旨：　法が知事に対し温泉審議会の意見を聞かなければならないとしたのは、知事の処分の内容を適正ならしめるためであり、利害関係人の利益の保護を直接の目的としたものではなく、また、知事は右の意見に拘束されるものでもない。知事が温泉審議会の意見を持ち回りの形で聴取したという瑕疵は、本件許可処分の取消の原因としてはともかく、本件許可処分を無効ならしめるものということはできない。

▼ 教育委員会の会議の公開（最判昭49.12.10・百選112事件）

事案：　教育委員会の会議の招集が委員会開催の数十分前に告示され、直ちに秘密会とする旨の決議がされたうえで懲戒免職処分の議決がされた点が会議の公開に違反するとして、本件懲戒免職処分の取消しを求めた。

判旨：　教育委員会が秘密会で免職処分の議決をした場合に、秘密会で審議する旨の議決に公開違反の瑕疵があったとしても、その議決を公開の会議で行うことが議決の公正確保のために実質的にさして重要な意義を有せず、また、その議決は、一部関係者だけが傍聴できない状況のもとで行われたにとどまるときは、右公開違反の瑕疵は軽微であり、免職処分の議決そのものを取り消すべき事由とするには当たらない。

▼ **審議会と行政手続・群馬中央バス事件（最判昭 50.5.29・百選 115 事件）** 司R３

事案： Xは、運輸大臣（当時）に対し、道路運送法に基づく一般乗合旅客自動車運送事業の免許を申請した。運輸大臣は運輸審議会に諮問し、運輸審議会は却下が適当である旨の答申をしたので、運輸大臣はこれを却下する処分をした。Xは、運輸審議会の審理手続が、独立・公正な手続により行われていないことなどを理由に、申請却下処分の取消しを求めた。

判旨： 諮問機関に対する諮問の経由は、きわめて重大な意義を有し、諮問を経た場合においても、当該諮問機関の審理、決定（答申）の過程に重大な法規違反があることなどにより、その決定（答申）自体に法が右諮問機関に対する諮問を経ることを要求した趣旨に反すると認められるような瑕疵があるときは、これを経てなされた処分も違法である。もっとも、本件では、仮に運輸審議会が公聴会審理において、Xに対し、Xの申請計画に関するより具体的な意見・資料の提出を促したとしても、Xには審議会の認定判断を左右するに足りる意見・資料を追加提出しうる可能性があったとは認めがたく、本件処分に違法はない。

■第９節　地方公共団体の措置（行手７章）

第４６条　（地方公共団体の措置）

地方公共団体は、第３条第３項において第２章から前章までの規定を適用しないこととされた処分、行政指導及び届出並びに命令等を定める行為に関する手続について、この法律の規定の趣旨にのっとり、行政運営における公正の確保と透明性の向上を図るため必要な措置を講ずるよう努めなければならない。

［趣旨］行政手続法３条３項は地方公共団体について適用除外とすることを定めているが、これは地方自治を尊重したものであり、地方公共団体に行手法の目的である行政決定の公正性・透明性（１Ⅰ）が不要であるというわけではない。そこで、地方公共団体にも公正の確保と透明性の向上を目指すよう努力義務を課したものである。

・第９章・【行政情報公開法】

行政機関の保有する情報の公開に関する法律

第１条　（目的）

この法律は、国民主権の理念にのっとり、行政文書の開示を請求する権利につき定めること等により、行政機関の保有する情報の一層の公開を図り、もって政府の有するその諸活動を国民に説明する責務が全うされるようにするとともに、国民の的確な理解と批判の下にある公正で民主的な行政の推進に資することを目的とする。

第２条　(定義)

Ⅰ　この法律において「行政機関」とは、次に掲げる機関をいう。
①　法律の規定に基づき内閣に置かれる機関（内閣府を除く。）及び内閣の所轄の下に置かれる機関
②　内閣府、宮内庁並びに内閣府設置法（平成 11 年法律第 89 号）第 49 条第 1 項及び第 2 項に規定する機関（これらの機関のうち第 4 号の政令で定める機関が置かれる機関にあっては、当該政令で定める機関を除く。）
③　国家行政組織法（昭和 23 年法律第 120 号）第 3 条第 2 項に規定する機関（第 5 号の政令で定める機関が置かれる機関にあっては、当該政令で定める機関を除く。）
④　内閣府設置法第 39 条及び第 55 条並びに宮内庁法（昭和 22 年法律第 70 号）第 16 条第 2 項の機関並びに内閣府設置法第 40 条及び第 56 条（宮内庁法第 18 条第 1 項において準用する場合を含む。）の特別の機関で、政令で定めるもの
⑤　国家行政組織法第 8 条の 2 の施設等機関及び同法第 8 条の 3 の特別の機関で、政令で定めるもの
⑥　会計検査院

Ⅱ　この法律において「行政文書」とは、行政機関の職員が職務上作成し、又は取得した文書、図画及び電磁的記録（電子的方式、磁気的方式その他人の知覚によっては認識することができない方式で作られた記録をいう。以下同じ。）であって、当該行政機関の職員が組織的に用いるものとして、当該行政機関が保有しているものをいう〈予。ただし、次に掲げるものを除く。
①　官報、白書、新聞、雑誌、書籍その他不特定多数の者に販売することを目的として発行されるもの
②　公文書等の管理に関する法律（平成 21 年法律第 66 号）第 2 条 7 項に規定する特定歴史公文書等
③　政令で定める研究所その他の施設において、政令で定めるところにより、歴史的若しくは文化的な資料又は学術研究用の資料として特別の管理がされているもの（前号に掲げるものを除く。）

《注　釈》

一　情報公開法の目的の特徴（1）〈司

1　行政文書の公開を求める権利が国民主権という憲法原理（憲前文１段、１）に基づくことを明示している。

2　行政運営の公開性と説明責務（アカウンタビリティ）を明示した。

3　条文上、「知る権利」「個人のプライバシー」という文言はない。

二　定義（2）

1　行政機関

国の行政機関を対象とする。内閣官房・検察庁・警察庁・会計検査院も、「行政機関」に該当する。反面、国会・裁判所、地方公共団体は対象となっていない。また、独立行政法人については別の個別法により、情報公開請求することができる（独立行政法人等の保有する情報の公開に関する法律）司予。

2　行政文書司共

行政機関が「作成又は取得」した文書であり、必ずしも行政機関が作成したものである必要はない。また、職員の見聞、職員が個人的に作成したパソコンデータは「組織的に用い」られておらず「行政文書」ではないが、メモ程度でも組織的に用い又は用いられるよう保管してある場合には「行政文書」に当たる。

第3条　（開示請求権） 司予

何人も、この法律の定めるところにより、行政機関の長（前条第1項第4号及び第5号の政令で定める機関にあっては、その機関ごとに政令で定める者をいう。以下同じ。）に対し、当該行政機関の保有する行政文書の開示を請求することができる。

第4条　（開示請求の手続） 司

Ⅰ　前条の規定による開示の請求（以下「開示請求」という。）は、次に掲げる事項を記載した書面（以下「開示請求書」という。）を行政機関の長に提出してしなければならない予。

①　開示請求をする者の氏名又は名称及び住所又は居所並びに法人その他の団体にあっては代表者の氏名

②　行政文書の名称その他の開示請求に係る行政文書を特定するに足りる事項

Ⅱ　行政機関の長は、開示請求書に形式上の不備があると認めるときは、開示請求をした者（以下「開示請求者」という。）に対し、相当の期間を定めて、その補正を求めることができる。この場合において、行政機関の長は、開示請求者に対し、補正の参考となる情報を提供するよう努めなければならない。

第5条　（行政文書の開示義務）

行政機関の長は、開示請求があったときは、開示請求に係る行政文書に次の各号に掲げる情報（以下「不開示情報」という。）のいずれかが記録されている場合を除き、開示請求者に対し、当該行政文書を開示しなければならない司。

①　個人に関する情報（事業を営む個人の当該事業に関する情報を除く。）であって、当該情報に含まれる氏名、生年月日その他の記述等（文書、図画若しくは電磁的記録に記載され、若しくは記録され、又は音声、動作その他の方法を用いて表された一切の事項をいう。次条第2項において同じ。）により特定の個人を識別することができるもの（他の情報と照合することにより、特定の個人を識別することができることとなるものを含む。）又は特定の個人を識別することはできないが、公にすることにより、なお個人の権利利益を害するおそれがあるもの。

ただし、次に掲げる情報を除く。

イ　法令の規定により又は慣行として公にされ、又は公にすることが予定されている情報

ロ　人の生命、健康、生活又は財産を保護するため、公にすることが必要であると認められる情報

ハ　当該個人が公務員等（国家公務員法（昭和22年法律第120号）第2条第1項に規定する国家公務員（独立行政法人通則法（平成11年法律第103号）第2条第4項に規定する行政執行法人の役員及び職員を除く。）、独立行政法人等（独立行政法人等の保有する情報の公開に関する法律（平成13年法律第140号。以下「独立行政法人等情報公開法」という。）第2条第1項に規定する独立行政法人等をいう。以下同じ。）の役員及び職員、地方公務員法（昭和25年法律第261号）第2条に規定する地方公務員並びに地方独立行政法人（地方独立行政法人法（平成15年法律第118号）第2条第1項に規定する地方独立行政法人をいう。以下同じ。）の役員及び職員をいう。）である場合において、当該情報がその職務の遂行に係る情報であるときは、当該情報のうち、当該公務員等の職及び当該職務遂行の内容に係る部分〈司

①の2　個人情報の保護に関する法律（平成15年法律第57号）第60条第3項に規定する行政機関等匿名加工情報（同条第4項に規定する行政機関等匿名加工情報ファイルを構成するものに限る。以下この号において「行政機関等匿名加工情報」という。）又は行政機関等匿名加工情報の作成に用いた同条第1項に規定する保有個人情報から削除した同法第2条第1項第1号に規定する記述等若しくは同条第2項に規定する個人識別符号

②　法人その他の団体（国、独立行政法人等、地方公共団体及び地方独立行政法人を除く。以下「法人等」という。）に関する情報又は事業を営む個人の当該事業に関する情報であって、次に掲げるもの。ただし、人の生命、健康、生活又は財産を保護するため、公にすることが必要であると認められる情報を除く〈司予。

イ　公にすることにより、当該法人等又は当該個人の権利、競争上の地位その他正当な利益を害するおそれがあるもの〈予

ロ　行政機関の要請を受けて、公にしないとの条件で任意に提供されたものであって、法人等又は個人における通例として公にしないこととされているものその他の当該条件を付することが当該情報の性質、当時の状況等に照らして合理的であると認められるもの

③　公にすることにより、国の安全が害されるおそれ、他国若しくは国際機関との信頼関係が損なわれるおそれ又は他国若しくは国際機関との交渉上不利益を被るおそれがあると行政機関の長が認めることにつき相当の理由がある情報

④　公にすることにより、犯罪の予防、鎮圧又は捜査、公訴の維持、刑の執行その他の公共の安全と秩序の維持に支障を及ぼすおそれがあると行政機関の長が認めることにつき相当の理由がある情報〈司

⑤　国の機関、独立行政法人等、地方公共団体及び地方独立行政法人の内部又は相互間における審議、検討又は協議に関する情報であって、公にすることにより、

率直な意見の交換若しくは意思決定の中立性が不当に損なわれるおそれ、不当に国民の間に混乱を生じさせるおそれ又は特定の者に不当に利益を与え若しくは不利益を及ぼすおそれがあるもの

⑥　国の機関、独立行政法人等、地方公共団体又は地方独立行政法人が行う事務又は事業に関する情報であって、公にすることにより、次に掲げるおそれその他当該事務又は事業の性質上、当該事務又は事業の適正な遂行に支障を及ぼすおそれがあるもの

イ　監査、検査、取締り、試験又は租税の賦課若しくは徴収に係る事務に関し、正確な事実の把握を困難にするおそれ又は違法若しくは不当な行為を容易にし、若しくはその発見を困難にするおそれ

ロ　契約、交渉又は争訟に係る事務に関し、国、独立行政法人等、地方公共団体又は地方独立行政法人の財産上の利益又は当事者としての地位を不当に害するおそれ

ハ　調査研究に係る事務に関し、その公正かつ能率的な遂行を不当に阻害するおそれ

ニ　人事管理に係る事務に関し、公正かつ円滑な人事の確保に支障を及ぼすおそれ

ホ　独立行政法人等、地方公共団体が経営する企業又は地方独立行政法人に係る事業に関し、その企業経営上の正当な利益を害するおそれ

第6条　（部分開示）

Ⅰ　行政機関の長は、開示請求に係る行政文書の一部に不開示情報が記録されている場合において、不開示情報が記録されている部分を容易に区分して除くことができるときは、開示請求者に対し、当該部分を除いた部分につき開示しなければならない。ただし、当該部分を除いた部分に有意の情報が記録されていないと認められるときは、この限りでない 司

Ⅱ　開示請求に係る行政文書に前条第1号の情報（特定の個人を識別することができるものに限る。）が記録されている場合において、当該情報のうち、氏名、生年月日その他の特定の個人を識別することができることとなる記述等の部分を除くことにより、公にしても、個人の権利利益が害されるおそれがないと認められるときは、当該部分を除いた部分は、同号の情報に含まれないものとみなして、前項の規定を適用する。

第7条　（公益上の理由による裁量的開示） 司共予

行政機関の長は、開示請求に係る行政文書に不開示情報（第5条第1号の2に掲げる情報を除く。）が記録されている場合であっても、公益上特に必要があると認めるときは、開示請求者に対し、当該行政文書を開示することができる。

第8条　（行政文書の存否に関する情報） 司予

開示請求に対し、当該開示請求に係る行政文書が存在しているか否かを答えるだけで、不開示情報を開示することとなるときは、行政機関の長は、当該行政文書の存否を明らかにしないで、当該開示請求を拒否することができる。

《注　釈》

一　開示請求権

1　開示請求権

3条から導かれる。一身専属権であり、相続されない。

2　開示請求権者

(1)「何人も」開示請求することができる（3、独立行政法人等情報公開法12 Ⅰ〈司〉）。日本国籍も日本在住も要件ではない〈共予〉。

(2) 開示請求をするには、氏名・住所を特定するに足りる事項を記載した書面（開示請求書）の提出を要する（4）。開示請求書に請求の目的・使用方法などを記載することは求められていない〈予〉。そのため、開示請求者は、対象となる行政文書についていかなる利害関係を有していても開示請求をすることができ、開示請求が専ら営利目的のために行われた場合であっても、行政機関の長は、そのことを理由として開示請求を拒否することができない〈予〉。

(3) 行政機関の長は、開示請求書に不備があるとき（とりわけ文書の特定が不十分のとき）は、補正を命じることができる。その際、行政庁には、求められなくても補正の参考となる情報提供の努力義務が課される（4Ⅱ）。請求権者の請求を要しない点で行政手続法9条と異なる。

3　開示義務者

「行政機関の長」である。行政機関の長は、不開示情報に当たるか文書不存在でない限り、開示する義務がある（5）〈共〉。

二　開示対象文書（5）

1　原則

一切の行政文書が対象となる。

2　不開示事由〈司〉

原則として以下のものは秘密情報として不開示決定できる。なお、秘密の内容としては形式的に下記に当たるだけでは足りず、実質的に秘密にするに値する情報である必要があると解される。ただし、公益上の必要がある場合には行政機関の長が裁量的に開示することができ（7）、例外はない。

(1) 個人情報〈司〉

他の情報と照合することにより、特定の個人を識別することができることとなる個人識別情報も含まれる（モザイク・アプローチ）ことに注意を要する。また、死者の名誉、プライバシーの保護も必要と考えられるため、死者の情報も個人情報に含むと考えられる（個人情報保護法との差異）。ただし、登記簿に示された役員情報のように慣行として公開されている情報、人の生命・身体・健康のために必要な情報、公務員の情報は開示される（5①イロハ）。なお、本人による個人情報開示請求を認めるかという問題については、行政機関個人情報保護法によって解決された〈司〉。

⑵　法人情報

個人事業者は「法人」扱いされ、個人情報ではない。

⑶　国防情報

国防情報が不開示事由とされているのは、国防情報の開示・不開示の判断が我が国の安全保障上又は対外関係上の将来予測としての専門的・技術的判断を要するという特殊性を有するため、行政機関の長の判断に裁量を認める趣旨である（東京高判平20.1.31）＜共。

⑷　公共の安全情報

⑸　審議・検討情報

審議会の過程は、意思形成過程にある情報であり、内容が未成熟であるがゆえに無用の混乱を招くので不開示事由になっている。

⑹　事務事業情報

【守秘義務との関係（実質秘）】

▼　国家公務員法100条１項の「秘密」（最決昭52.12.19・百選38事件）

事案：　税務署直税課に勤務し、所得税の課税事務に従事する被告人が、標準率表等を商工団体連合会幹部に貸与し、国家公務員法100条１項の規定に違反して秘密を漏らした（国公109⑫）として起訴された。

決旨：　国家公務員法100条１項の「秘密」とは、国家機関が単にある事項につき形式的に秘密の指定をしただけでは足りず、非公知の事項であって、実質的にもそれを秘密として保護するに価すると認められるものをいう。

【個人情報】

▼　兵庫県レセプト公開請求事件（最判平13.12.18・百選〔第７版〕38事件）

事案：　Ｘは兵庫県の情報公開条例に基づき、県知事Ｙに対してＸ本人の診療報酬明細書（レセプト）の公開を請求したが、Ｙは、本件文書に記録されている情報が個人の健康状態等に関する情報であって、特定の個人が識別されうるもののうち、通常他人に知られたくないものに当たり、不開示情報に該当するとして、非公開決定をした。そこで、Ｘは本件非公開決定処分の取消訴訟を提起した。

判旨：　情報公開制度が先に採用され、いまだ個人情報保護制度が採用されていない段階においては、Ｘらが同県の実施機関に対し公文書の開示を求める方法は、情報公開制度において認められている請求を行う方法に限られている。また、情報公開制度と個人情報保護制度は目的が異なるが、互いに相容れない性質のものではなく、相互に補完しあって公の情報の開示を実現するための制度である。当該個人の権利利益を害さないことが請求自体において明らかなときは、個人に関する情報であることを理由に請求を拒否することはできない。

▼ 大阪府交際費情報公開請求事件（最判平 6.1.27・百選 31 事件）予

事案： Ｘらは大阪府公文書公開条例に基づき、府知事Ｙに係る交際費関係文書の公開を請求したが、Ｙは一部のみを公開し、債権者の請求書及び領収書、歳出額現金出納簿並びに支出証明書は非公開とする決定をした。

判旨： 府知事の交際費についての関係文書のうち、交際の相手方が識別され得るものは、原則として非公開文書に該当する。

▼ 大阪市食糧費事件（最判平 15.11.11・百選〔第７版〕35 事件）司

事案： Ｘは大阪市公文書公開条例に基づき、Ｙに対し、大阪市財政局財務部財務課に係る食糧費の支出関係文書の公開を請求した。Ｙは本件文書が個人に関する情報であることを理由として全部非公開とする決定をした。

判旨： ⑴「個人に関する情報」については、「事業を営む個人の情報の当該事業に関する情報」が除外されている以外には文言上何らの限定もされていないから、個人の情報、信条、健康状態、所得、学歴、家族構成、住所等の私事に関する情報に限定されるものではなく、個人にかかわりのある情報であれば、原則として「個人に関する情報」に当たる。

⑵ 国及び地方公共団体の公務員の職務の遂行に関する情報は、公務員個人の社会的活動としての側面を有するが、公務員個人の私事に関する情報が含まれる場合を除き、公務員個人が「個人」に当たることを理由に非公開情報に当たるとはいえない。

【公共の安全情報】

▼ 警察費、偽名領収書公開請求事件（最判平 19.5.29・平 19 重判６事件）

事案： 住民Ｘが県の情報公開条例に基づいてした偽造領収書の文書公開請求に対して、警察本部長Ｙが不開示決定をした。そこでＸはその不開示決定の取消しを求めた。

判旨： 開示により、情報提供者が明らかになる又はその危険が生じることによって、捜査協力を受けることが困難になるおそれがあるとして、不開示決定を維持した。

▼ 凶悪重大犯罪等に係る出所情報の有効活用を求める通達文書の公開（最判平 21.7.9・平 21 重判５事件）

事案： Ｘは、新潟県情報公開条例に基づき、同県警察本部長に対し、「凶悪重大犯罪等に係る出所情報の活用について」の公開請求を行ったところ、同条例７条４号の公共の安全等情報（情報公開法５条４号と実施機関と

行政情報公開法

いう文言が異なるのみ）に該当するとして非公開とされたため、取消訴訟を提起した。

判旨：　本件通達に係る情報を明らかにすることは出所情報ファイルを活用した捜査の方法を明かす結果を招くものであるし、犯罪を企てている出所者が、自己がファイルの記録対象となっていることを知った場合には、より周到に犯罪を計画し、捜査方法の裏をかくような対抗策に出る可能性もある。したがって、本件情報を明らかにすることにより犯罪の捜査等に支障を及ぼすおそれがあると認めた新潟県警本部長の判断は合理性を持つものとして許容される限度を超えたものということはできず、この判断には相当の理由があるから、本件情報は本件条例7条4号所定の非公開情報に該当する。

【審議・検討情報】

▼ **審議過程の情報の公開（最判平6.3.25・百選33事件）**

事案：　市民団体Xが、府知事Yに対し、Yが設置した鴨川改修協議会に提出された「ダムサイト候補地点選定位置図」の情報公開請求をしたが、Yはこれを非公開とする決定をしたため、その取消しを求めた。なお、「ダムサイト候補地点選定位置図」とは、ダムサイト候補地選定の重要な要素である自然条件・社会条件を検討していない段階で、府の担当課が鴨川流域で貯水可能な地形を地形図から読み取り、それを流域図に示しただけの未成熟な初期資料である。

判旨：　府又は国等の意思形成の過程における情報であって、公開することにより、当該又は同様の意思形成を公正かつ適切に行うことに著しい支障が生じるおそれのあるものが記録されている公文書の公開をしないことができる旨を定めた右条例の規定は憲法21条1項その他所論の憲法の各規定に違反するものではないとして、Yの非公開決定を支持した原審を維持した。

三　開示範囲

1　部分開示（6）

部分的に不開示情報が含まれていても、その部分が分離可能で分離しても有意な文書になるならば、部分開示しなければならない。また、個人識別情報は、保護されるべき個人情報は文書自体の目的ではないことが多い（アンケート用紙の氏名欄等）から、個人識別性のある部分のみを除いた開示を求めることができる。

なお、部分開示決定は、開示請求の一部を拒否する処分であるから、理由の提示が必要である（行手8Ⅰ）予。

▼ **愛知県公文書公開請求事件（最判平 19.4.17・百選 34 事件）**

事案：　Y県が接待費として支出した食糧費に関する予算執行書、支出調書等について、住民Xがした開示請求に対する非公開決定の取消しを求めた。当該文書中に非公開情報に該当する公務員の情報と、該当しない公務員の情報の両方が記載されていたため、どこまで開示すべきかが争われた。

判旨：　不開示情報に該当しない公務員に関する情報はその記載部分にかかわらず、これを開示すべきである。また、非公開情報に該当しない情報と非公開情報に該当する情報とに共通する記載部分がある場合、その部分は、それ自体が非公開情報に該当する部分を除き、開示すべきである。

2　存否応答拒否決定（グローマー拒否）（8）共

開示請求がされた場合、原則として開示決定又は不開示決定をすべきであり、仮に文書が存在しない場合でも文書不存在を理由とした不開示決定をすることになる。しかし、がんセンターのカルテ、特定の国との外交文書の存在など、その文書の存否を答えるだけで不開示情報と定めた規定の趣旨・保護利益が害される場合は、存否応答さえ拒否できる。

第9条　（開示請求に対する措置）

Ⅰ　行政機関の長は、開示請求に係る行政文書の全部又は一部を開示するときは、その旨の決定をし、開示請求者に対し、その旨及び開示の実施に関し政令で定める事項を書面により通知しなければならない。

Ⅱ　行政機関の長は、開示請求に係る行政文書の全部を開示しないとき（前条の規定により開示請求を拒否するとき及び開示請求に係る行政文書を保有していないときを含む。）は、開示をしない旨の決定をし、開示請求者に対し、その旨を書面により通知しなければならない。

第10条　（開示決定等の期限） 司予

Ⅰ　前条各項の決定（以下「開示決定等」という。）は、開示請求があった日から30日以内にしなければならない。ただし、第4条第2項の規定により補正を求めた場合にあっては、当該補正に要した日数は、当該期間に算入しない。

Ⅱ　前項の規定にかかわらず、行政機関の長は、事務処理上の困難その他正当な理由があるときは、同項に規定する期間を30日以内に限り延長することができる。この場合において、行政機関の長は、開示請求者に対し、遅滞なく、延長後の期間及び延長の理由を書面により通知しなければならない。

第11条　（開示決定等の期限の特例）

開示請求に係る行政文書が著しく大量であるため、開示請求があった日から60日以内にそのすべてについて開示決定等をすることにより事務の遂行に著しい支障が生ずるおそれがある場合には、前条の規定にかかわらず、行政機関の長は、開示請求に係る行政文書のうちの相当の部分につき当該期間内に開示決定等をし、残りの行政文書については相当の期間内に開示決定等をすれば足りる。この場合において、行政機関の長は、同条第1項に規定する期間内に、開示請求者に対し、次に掲げる事項を書面により通知しなければならない。
① 本条を適用する旨及びその理由
② 残りの行政文書について開示決定等をする期限

第12条　（事案の移送）

Ⅰ　行政機関の長は、開示請求に係る行政文書が他の行政機関により作成されたものであるときその他他の行政機関の長において開示決定等をすることにつき正当な理由があるときは、当該他の行政機関の長と協議の上、当該他の行政機関の長に対し、事案を移送することができる。この場合においては、移送をした行政機関の長は、開示請求者に対し、事案を移送した旨を書面により通知しなければならない。
Ⅱ　前項の規定により事案が移送されたときは、移送を受けた行政機関の長において、当該開示請求についての開示決定等をしなければならない。この場合において、移送をした行政機関の長が移送前にした行為は、移送を受けた行政機関の長がしたものとみなす。
Ⅲ　前項の場合において、移送を受けた行政機関の長が第9条第1項の決定（以下「開示決定」という。）をしたときは、当該行政機関の長は、開示の実施をしなければならない。この場合において、移送をした行政機関の長は、当該開示の実施に必要な協力をしなければならない。

第12条の2　（独立行政法人等への事案の移送）

Ⅰ　行政機関の長は、開示請求に係る行政文書が独立行政法人等により作成されたものであるときその他独立行政法人等において独立行政法人等情報公開法第10条第1項に規定する開示決定等をすることにつき正当な理由があるときは、当該独立行政法人等と協議の上、当該独立行政法人等に対し、事案を移送することができる。この場合においては、移送をした行政機関の長は、開示請求者に対し、事案を移送した旨を書面により通知しなければならない。
Ⅱ　前項の規定により事案が移送されたときは、当該事案については、行政文書を移送を受けた独立行政法人等が保有する独立行政法人等情報公開法第2条第2項に規定する法人文書と、開示請求を移送を受けた独立行政法人等に対する独立行政法人等情報公開法第4条第1項に規定する開示請求とみなして、独立行政法人等情報公開法の規定を適用する。この場合において、独立行政法人等情報公開法第10条第1項中「第4条第2項」とあるのは「行政機関の保有する情報の公開に関する法律（平成11年法律第42号）第4条第2項」と、独立行政法人等情報公開法第17条第1項中「開示請求をする者又は法人文書」とあるのは「法人文書」と、「により、それぞれ」とあるのは「により」と、「開示請求に係る手数料又は開示」とあるのは「開示」とする。
Ⅲ　第1項の規定により事案が移送された場合において、移送を受けた独立行政法人等が開示の実施をするときは、移送をした行政機関の長は、当該開示の実施に必要な協力をしなければならない。

第１３条　（第三者に対する意見書提出の機会の付与等）

Ⅰ　開示請求に係る行政文書に国、独立行政法人等、地方公共団体、地方独立行政法人及び開示請求者以外の者（以下この条、第19条第２項及び第20条第１項において「第三者」という。）に関する情報が記録されているときは、行政機関の長は、開示決定等をするに当たって、当該情報に係る第三者に対し、開示請求に係る行政文書の表示その他政令で定める事項を通知して、意見書を提出する機会を与えることができる。

Ⅱ　行政機関の長は、次の各号のいずれかに該当するときは、開示決定に先立ち、当該第三者に対し、開示請求に係る行政文書の表示その他政令で定める事項を書面により通知して、意見書を提出する機会を与えなければならない。ただし、当該第三者の所在が判明しない場合は、この限りでない。

①　第三者に関する情報が記録されている行政文書を開示しようとする場合であって、当該情報が第５条第１号ロ又は同条第２号ただし書に規定する情報に該当すると認められるとき。

②　第三者に関する情報が記録されている行政文書を第７条の規定により開示しようとするとき

Ⅲ　行政機関の長は、前２項の規定により意見書の提出の機会を与えられた第三者が当該行政文書の開示に反対の意思を表示した意見書を提出した場合において、開示決定をするときは、開示決定の日と開示を実施する日との間に少なくとも２週間を置かなければならない。この場合において、行政機関の長は、開示決定後直ちに、当該意見書（第19条において「反対意見書」という。）を提出した第三者に対し、開示決定をした旨及びその理由並びに開示を実施する日を書面により通知しなければならない。

第１４条　（開示の実施）

Ⅰ　行政文書の開示は、文書又は図画については閲覧又は写しの交付により、電磁的記録についてはその種別、情報化の進展状況等を勘案して政令で定める方法により行う。ただし、閲覧の方法による行政文書の開示にあっては、行政機関の長は、当該行政文書の保存に支障を生ずるおそれがあると認めるときその他正当な理由があるときは、その写しにより、これを行うことができる。

Ⅱ　開示決定に基づき行政文書の開示を受ける者は、政令で定めるところにより、当該開示決定をした行政機関の長に対し、その求める開示の実施の方法その他の政令で定める事項を申し出なければならない。

Ⅲ　前項の規定による申出は、第９条第１項に規定する通知があった日から30日以内にしなければならない。ただし、当該期間内に当該申出をすることができないことにつき正当な理由があるときは、この限りでない。

Ⅳ　開示決定に基づき行政文書の開示を受けた者は、最初に開示を受けた日から30日以内に限り、行政機関の長に対し、更に開示を受ける旨を申し出ることができる。この場合においては、前項ただし書の規定を準用する。

第１５条　（他の法令による開示の実施との調整）

Ⅰ　行政機関の長は、他の法令の規定により、何人にも開示請求に係る行政文書が前条第１項本文に規定する方法と同一の方法で開示することとされている場合（開示の期間が定められている場合にあっては、当該期間内に限る。）には、同項本文の規定にかかわらず、当該行政文書については、当該同一の方法による開示を行わない。ただし、当該他の法令の規定に一定の場合には開示をしない旨の定めがあるときは、この限りでない。

Ⅱ　他の法令の規定に定める開示の方法が縦覧であるときは、当該縦覧を前条第１項本文の閲覧とみなして、前項の規定を適用する。

第１６条　（手数料）

Ⅰ　開示請求をする者又は行政文書の開示を受ける者は、政令で定めるところにより、それぞれ、実費の範囲内において政令で定める額の開示請求に係る手数料又は開示の実施に係る手数料を納めなければならない。

Ⅱ　前項の手数料の額を定めるに当たっては、できる限り利用しやすい額とするよう配慮しなければならない。

Ⅲ　行政機関の長は、経済的困難その他特別の理由があると認めるときは、政令で定めるところにより、第１項の手数料を減額し、又は免除することができる。

第１７条　（権限又は事務の委任）

行政機関の長は、政令（内閣の所轄の下に置かれる機関及び会計検査院にあっては、当該機関の命令）で定めるところにより、この章に定める権限又は事務を当該行政機関の職員に委任することができる。

《注　釈》

◆　開示請求の手続

1　開示請求権者による行政機関の長に対する開示請求

2　移送（12）

他の行政機関の作成した文書の開示請求は、その作成した行政機関の長と協議のうえ、作成した行政機関へ事案を移送できる。移送した場合、移送先の行政機関が開示決定をするが、開示を実施するのは移送先の行政機関の長である。

3　意見書の提出

⑴　意見書を求めるのが必要的な場合（13Ⅱ）

①　生命・健康・生活・財産のために公にすることが必要な個人情報・法人情報が含まれる場合

②　第三者の情報が含まれている文書を裁量開示（7）する場合〈共

⑵　意見書を求めるのが任意の場合（13Ⅰ）〈司

それ以外でも第三者の情報が記載された文書を開示するには、任意に意見書の提出をさせることができる。必須ではない。

4　開示・不開示決定

(1)　期限 司予

開示・不開示は原則として、請求から30日以内に決定する（10Ⅰ）。もっとも事務処理上の困難など正当な理由がある場合にはさらに30日延長可能（10Ⅱ）である。また、開示文書があまりに大量で、延長を含めた60日でも処理しきれない（事務の遂行に著しい支障が生じるおそれがある）ときは、相当部分について60日以内に確定し、残りの部分を相当期間内に確定することで足りる（11）。

(2)　開示決定・不開示決定は行政行為であるから、行手法の適用がある。このため、開示決定・不開示決定をしたときは、書面で請求者に通知する（9）。不開示決定、開示拒否決定をするときには、理由提示も要する（行手8）。

5　開示の実施

開示は、原則として文書の閲覧・写しの交付による（14Ⅰ）。請求権者は、開示決定通知から30日以内に開示の実施の日時・方法を申し出て実施する。また、開示を受けて30日以内なら再開示を求めることもできる。

第18条　（審理員による審理手続に関する規定の適用除外等）

Ⅰ　開示決定等又は開示請求に係る不作為に係る審査請求については、行政不服審査法（平成26年法律第68号）第9条、第17条、第24条、第2章第3節及び第4節並びに第50条第2項の規定は、適用しない。

Ⅱ　開示決定等又は開示請求に係る不作為に係る審査請求についての行政不服審査法第2章の規定の適用については、同法第11条第2項中「第9条第1項の規定により指名された者（以下「審理員」という。）」とあるのは「第4条（行政機関の保有する情報の公開に関する法律（平成11年法律第42号）第20条第2項の規定に基づく政令を含む。）の規定により審査請求がされた行政庁（第14条の規定により引継ぎを受けた行政庁を含む。以下「審査庁」という。）」と、同法第13条第1項及び第2項中「審理員」とあるのは「審査庁」と、同法第25条第7項中「あったとき、又は審理員から第40条に規定する執行停止をすべき旨の意見書が提出されたとき」とあるのは「あったとき」と、同法第44条中「行政不服審査会等」とあるのは「情報公開・個人情報保護審査会（審査庁が会計検査院の長である場合にあっては、別に法律で定める審査会。第50条第1項第4号において同じ。）」と、「受けたとき（前条第1項の規定による諮問を要しない場合（同項第2号又は第3号に該当する場合を除く。）にあっては審理員意見書が提出されたとき、同項第2号又は第3号に該当する場合にあっては同項第2号又は第3号に規定する議を経たとき）」とあるのは「受けたとき」と、同法第50条第1項第4号中「審理員意見書又は行政不服審査会等若しくは審議会等」とあるのは「情報公開・個人情報保護審査会」とする。

行政情報公開法

第19条 (審査会への諮問)

Ⅰ 開示決定等又は開示請求に係る不作為について審査請求があったときは、当該審査請求に対する裁決をすべき行政機関の長は、次の各号のいずれかに該当する場合を除き、情報公開・個人情報保護審査会（審査請求に対する裁決をすべき行政機関の長が会計検査院の長である場合にあっては、別に法律で定める審査会）に諮問しなければならない。

① 審査請求が不適法であり、却下する場合

② 裁決で、審査請求の全部を認容し、当該審査請求に係る行政文書の全部を開示することとする場合（当該行政文書の開示について反対意見書が提出されている場合を除く。）

Ⅱ 前項の規定により諮問をした行政機関の長は、次に掲げる者に対し、諮問をした旨を通知しなければならない。

① 審査請求人及び参加人（行政不服審査法第13条第4項に規定する参加人をいう。以下この項及び次条第1項第2号において同じ。）

② 開示請求者（開示請求者が審査請求人又は参加人である場合を除く。）

③ 当該審査請求に係る行政文書の開示について反対意見書を提出した第三者（当該第三者が審査請求人又は参加人である場合を除く。）

第20条 (第三者からの審査請求を棄却する場合等における手続等)

Ⅰ 第13条第3項の規定は、次の各号のいずれかに該当する裁決をする場合について準用する。

① 開示決定に対する第三者からの審査請求を却下し、又は棄却する裁決

② 審査請求に係る開示決定等（開示請求に係る行政文書の全部を開示する旨の決定を除く。）を変更し、当該審査請求に係る行政文書を開示する旨の裁決（第三者である参加人が当該行政文書の開示に反対の意思を表示している場合に限る。）

Ⅱ 開示決定等又は開示請求に係る不作為についての審査請求については、政令で定めるところにより、行政不服審査法第4条の規定の特例を設けることができる。

第21条 (訴訟の移送の特例)

Ⅰ 行政事件訴訟法（昭和37年法律第139号）第12条第4項の規定により同項に規定する特定管轄裁判所に開示決定等の取消しを求める訴訟又は開示決定等若しくは開示請求に係る不作為に係る審査請求に対する裁決の取消しを求める訴訟（次項及び附則第2項において「情報公開訴訟」という。）が提起された場合においては、同法第12条第5項の規定にかかわらず、他の裁判所に同一又は同種若しくは類似の行政文書に係る開示決定等又は開示決定等若しくは開示請求に係る不作為に係る審査請求に対する裁決に係る抗告訴訟（同法第3条第1項に規定する抗告訴訟をいう。次項において同じ。）が係属しているときは、当該特定管轄裁判所は、当事者の住所又は所在地、尋問を受けるべき証人の住所、争点又は証拠の共通性その他の事情を考慮して、相当と認めるときは、申立てにより又は職権で、訴訟の全部又は

一部について、当該他の裁判所又は同法第12条第1項から第3項までに定める裁判所に移送することができる。
Ⅱ　前項の規定は、行政事件訴訟法第12条第4項の規定により同項に規定する特定管轄裁判所に開示決定等又は開示決定等若しくは開示請求に係る不作為に係る審査請求に対する裁決に係る抗告訴訟で情報公開訴訟以外のものが提起された場合について準用する。

《注　釈》

一　開示拒否決定に対する救済

1　不服申立て

(1)　自由選択主義

取消訴訟を提起できるが、その前に不服申立てをすることもできる。不服申立ての前置は義務付けられていない〈同〉。

なお、不開示決定は、その理由のいかんを問わず「行政庁の処分」(行審2、行訴3Ⅱ) に該当するため、開示請求にかかわる行政文書を保有していないことを理由とする不開示決定であっても、不服申立て又は取消訴訟の提起をすることができる〈共予〉。

(2)　情報公開・個人情報保護審査会

(a)　審査会の位置付け

審査請求について裁決・決定を行うべき行政機関の長は、原則として、情報公開・個人情報保護審査会に諮問し、審査会の答申を得たうえで、裁決をなすこととなる (19Ⅰ)。

∵　第三者的視点の導入、審査会を諮問機関にとどめることで、行政責任の所在を明確化させる

審査会の答申に法的拘束力はないが、この答申の内容は公表され (情報公開・個人情報保護審査会設置16)、行政機関の長は、当然にこれを尊重すべきものとされる。

(b)　審査

ア　文書を実際に見分させる (情報公開・個人情報保護審査会設置9Ⅰ前、Ⅱ。インカメラ審理)。

イ　審査会の指定する方式で開示請求された行政文書と請求拒否の理由を分類整理するなどして (ヴォーン・インデックス方式)、審査会に提出させる (同9Ⅲ)。

ウ　不服申立人、諮問庁に意見書又は資料の提出を求める、参考人に陳述させる、鑑定を求める (同9Ⅳ)。

2　取消訴訟

開示拒否決定の取消訴訟を提起することができる (情報公開訴訟、21)。

行政情報公開法

情報公開訴訟は行政庁所在地のみならず、原告の住所を管轄する高等裁判所の所在地にある地方裁判所にも土地管轄が認められている。

情報公開訴訟において、裁判所が情報公開・個人情報保護審査会で行われるインカメラ審理を証拠調べそのものとして実施することは、民事訴訟の基本原則に反し、明文の規定がない限り許されず、相手方が立会権の放棄等をしていたとしても同様である（最決平21.1.15・百選35事件）共予。

二　開示決定に対する救済

意見書提出の機会があり、当該第三者が開示に反対の意思を表明をしているにもかかわらず開示の決定をするときは、第三者の法的対抗措置を採る機会を確保するため、開示決定後直ちに当該第三者に開示決定したこと等を通知しなければならず、さらに、開示決定の日と開示を実施する日との間に少なくとも２週間置かなければならない（13Ⅲ）。

第２２条　（開示請求をしようとする者に対する情報の提供等）

Ⅰ　行政機関の長は、開示請求をしようとする者が容易かつ的確に開示請求をすることができるよう、公文書等の管理に関する法律第７条第２項に規定するもののほか、当該行政機関が保有する行政文書の特定に資する情報の提供その他開示請求をしようとする者の利便を考慮した適切な措置を講ずるものとする。

Ⅱ　総務大臣は、この法律の円滑な運用を確保するため、開示請求に関する総合的な案内所を整備するものとする。

第２３条　（施行の状況の公表）

Ⅰ　総務大臣は、行政機関の長に対し、この法律の施行の状況について報告を求めることができる。

Ⅱ　総務大臣は、毎年度、前項の報告を取りまとめ、その概要を公表するものとする。

第２４条　（行政機関の保有する情報の提供に関する施策の充実）

政府は、その保有する情報の公開の総合的な推進を図るため、行政機関の保有する情報が適時に、かつ、適切な方法で国民に明らかにされるよう、行政機関の保有する情報の提供に関する施策の充実に努めるものとする。

第２５条　（地方公共団体の情報公開）

地方公共団体は、この法律の趣旨にのっとり、その保有する情報の公開に関し必要な施策を策定し、及びこれを実施するよう努めなければならない。

第２６条　（政令への委任）

この法律に定めるもののほか、この法律の実施のため必要な事項は、政令で定める。

《注　釈》

◆　**地方公共団体**〈同〉

地方公共団体には情報公開法は適用されないが、努力義務を課している（25）。そして、現実には、多くの地方公共団体で情報公開条例が制定されている。

・第10章・【個人情報保護法】

＊「行政機関の保有する個人情報の保護に関する法律」（行政機関個人情報保護法）は、令和４年４月１日に施行された改正個人情報保護法に一本化された（行政機関個人情報保護法は廃止された）。そこで、従来、行政法科目の出題範囲であった行政機関個人情報保護法の条文が、改正個人情報保護法ではどの条文に対応するのかについて一目で分かるようにマーカーを付したので、参考にされたい。

■第１節　総則（個人情報１章）

第１条　（目的）

この法律は、デジタル社会の進展に伴い個人情報の利用が著しく拡大していることに鑑み、個人情報の適正な取扱いに関し、基本理念及び政府による基本方針の作成その他の個人情報の保護に関する施策の基本となる事項を定め、国及び地方公共団体の責務等を明らかにし、個人情報を取り扱う事業者及び行政機関等についてこれらの特性に応じて遵守すべき義務等を定めるとともに、個人情報保護委員会を設置することにより、行政機関等の事務及び事業の適正かつ円滑な運営を図り、並びに個人情報の適正かつ効果的な活用が新たな産業の創出並びに活力ある経済社会及び豊かな国民生活の実現に資するものであることその他の個人情報の有用性に配慮しつつ、個人の権利利益を保護することを目的とする。

第２条　（定義）

Ⅰ　この法律において「個人情報」とは、生存する個人に関する情報であって、次の各号のいずれかに該当するものをいう。

①　当該情報に含まれる氏名、生年月日その他の記述等（文書、図画若しくは電磁的記録（電磁的方式（電子的方式、磁気的方式その他人の知覚によっては認識することができない方式をいう。次項第２号において同じ。）で作られる記録をいう。以下同じ。）に記載され、若しくは記録され、又は音声、動作その他の方法を用いて表された一切の事項（個人識別符号を除く。）をいう。以下同じ。）により特定の個人を識別することができるもの（他の情報と容易に照合することができ、それにより特定の個人を識別することができることとなるものを含む。）

②　個人識別符号が含まれるもの

Ⅱ　この法律において「個人識別符号」とは、次の各号のいずれかに該当する文字、番号、記号その他の符号のうち、政令で定めるものをいう。

①　特定の個人の身体の一部の特徴を電子計算機の用に供するために変換した文字、番号、記号その他の符号であって、当該特定の個人を識別することができるもの

②　個人に提供される役務の利用若しくは個人に販売される商品の購入に関し割り当てられ、又は個人に発行されるカードその他の書類に記載され、若しくは電磁的方式により記録された文字、番号、記号その他の符号であって、その利用者若しくは購入者又は発行を受ける者ごとに異なるものとなるように割り当てられ、又は記載され、若しくは記録されることにより、特定の利用者若しくは購入者又は発行を受ける者を識別することができるもの

Ⅲ　この法律において「要配慮個人情報」とは、本人の人種、信条、社会的身分、病歴、犯罪の経歴、犯罪により害を被った事実その他本人に対する不当な差別、偏見その他の不利益が生じないようにその取扱いに特に配慮を要するものとして政令で定める記述等が含まれる個人情報をいう。

Ⅳ　この法律において個人情報について「本人」とは、個人情報によって識別される特定の個人をいう。

Ⅴ　この法律において「仮名加工情報」とは、次の各号に掲げる個人情報の区分に応じて当該各号に定める措置を講じて他の情報と照合しない限り特定の個人を識別することができないように個人情報を加工して得られる個人に関する情報をいう。

①　第１項第１号に該当する個人情報　当該個人情報に含まれる記述等の一部を削除すること（当該一部の記述等を復元することのできる規則性を有しない方法により他の記述等に置き換えることを含む。）。

②　第１項第２号に該当する個人情報　当該個人情報に含まれる個人識別符号の全部を削除すること（当該個人識別符号を復元することのできる規則性を有しない方法により他の記述等に置き換えることを含む。）。

Ⅵ　この法律において「匿名加工情報」とは、次の各号に掲げる個人情報の区分に応じて当該各号に定める措置を講じて特定の個人を識別することができないように個人情報を加工して得られる個人に関する情報であって、当該個人情報を復元することができないようにしたものをいう。

①　第１項第１号に該当する個人情報　当該個人情報に含まれる記述等の一部を削除すること（当該一部の記述等を復元することのできる規則性を有しない方法により他の記述等に置き換えることを含む。）。

②　第１項第２号に該当する個人情報　当該個人情報に含まれる個人識別符号の全部を削除すること（当該個人識別符号を復元することのできる規則性を有しない方法により他の記述等に置き換えることを含む。）。

Ⅶ　この法律において「個人関連情報」とは、生存する個人に関する情報であって、個人情報、仮名加工情報及び匿名加工情報のいずれにも該当しないものをいう。

Ⅷ　この法律において「行政機関」とは、次に掲げる機関をいう。

①　法律の規定に基づき内閣に置かれる機関（内閣府を除く。）及び内閣の所轄の下に置かれる機関

② 内閣府、宮内庁並びに内閣府設置法（平成11年法律第89号）第49条第1項及び第２項に規定する機関（これらの機関のうち第４号の政令で定める機関が置かれる機関にあっては、当該政令で定める機関を除く。）
③ 国家行政組織法（昭和23年法律第120号）第３条第２項に規定する機関（第５号の政令で定める機関が置かれる機関にあっては、当該政令で定める機関を除く。）
④ 内閣府設置法第39条及び第55条並びに宮内庁法（昭和22年法律第70号）第16条第２項の機関並びに内閣府設置法第40条及び第56条（宮内庁法第18条第１項において準用する場合を含む。）の特別の機関で、政令で定めるもの
⑤ 国家行政組織法第８条の２の施設等機関及び同法第８条の３の特別の機関で、政令で定めるもの
⑥ 会計検査院

Ⅸ この法律において「独立行政法人等」とは、独立行政法人通則法（平成11年法律第103号）第２条第１項に規定する独立行政法人及び別表第一に掲げる法人をいう。

Ⅹ この法律において「地方独立行政法人」とは、地方独立行政法人法（平成15年法律第118号）第２条第１項に規定する地方独立行政法人をいう。

Ⅺ この法律において「行政機関等」とは、次に掲げる機関をいう。
① 行政機関
② 地方公共団体の機関（議会を除く。次章、第３章及び第69条第２項第３号を除き、以下同じ。）
③ 独立行政法人等（別表第二に掲げる法人を除く。第16条第２項第３号、第63条、第78条第１項第７号イ及びロ、第89条第４項から第６項まで、第119条第５項から第７項まで並びに第125条第２項において同じ。）
④ 地方独立行政法人（地方独立行政法人法第21条第１号に掲げる業務を主たる目的とするもの又は同条第２号若しくは第３号（チに係る部分に限る。）に掲げる業務を目的とするものを除く。第16条第２項第４号、第63条、第78条第１項第７号イ及びロ、第89条第７項から第９項まで、第119条第８項から第10項まで並びに第125条第２項において同じ。）

第３条　（基本理念）

個人情報は、個人の人格尊重の理念の下に慎重に取り扱われるべきものであることに鑑み、その適正な取扱いが図られなければならない。

■第2節　国及び地方公共団体の責務等（個人情報2章）

第4条　（国の責務）

国は、この法律の趣旨にのっとり、国の機関、地方公共団体の機関、独立行政法人等、地方独立行政法人及び事業者等による個人情報の適正な取扱いを確保するために必要な施策を総合的に策定し、及びこれを実施する責務を有する。

第5条　（地方公共団体の責務）

地方公共団体は、この法律の趣旨にのっとり、国の施策との整合性に配慮しつつ、その地方公共団体の区域の特性に応じて、地方公共団体の機関、地方独立行政法人及び当該区域内の事業者等による個人情報の適正な取扱いを確保するために必要な施策を策定し、及びこれを実施する責務を有する。

第6条　（法制上の措置等）

政府は、個人情報の性質及び利用方法に鑑み、個人の権利利益の一層の保護を図るため特にその適正な取扱いの厳格な実施を確保する必要がある個人情報について、保護のための格別の措置が講じられるよう必要な法制上の措置その他の措置を講ずるとともに、国際機関その他の国際的な枠組みへの協力を通じて、各国政府と共同して国際的に整合のとれた個人情報に係る制度を構築するために必要な措置を講ずるものとする。

■第3節　個人情報の保護に関する施策等（個人情報3章）

第1款　個人情報の保護に関する基本方針（個人情報1節）

第7条

Ⅰ　政府は、個人情報の保護に関する施策の総合的かつ一体的な推進を図るため、個人情報の保護に関する基本方針（以下「基本方針」という。）を定めなければならない。

Ⅱ　基本方針は、次に掲げる事項について定めるものとする。

①　個人情報の保護に関する施策の推進に関する基本的な方向

②　国が講ずべき個人情報の保護のための措置に関する事項

③　地方公共団体が講ずべき個人情報の保護のための措置に関する基本的な事項

④　独立行政法人等が講ずべき個人情報の保護のための措置に関する基本的な事項

⑤　地方独立行政法人が講ずべき個人情報の保護のための措置に関する基本的な事項

⑥　第16条第2項に規定する個人情報取扱事業者、同条第5項に規定する仮名加工情報取扱事業者及び同条第6項に規定する匿名加工情報取扱事業者並びに第51条第1項に規定する認定個人情報保護団体が講ずべき個人情報の保護のための措置に関する基本的な事項

⑦　個人情報の取扱いに関する苦情の円滑な処理に関する事項

⑧　その他個人情報の保護に関する施策の推進に関する重要事項
Ⅲ　内閣総理大臣は、個人情報保護委員会が作成した基本方針の案について閣議の決定を求めなければならない。
Ⅳ　内閣総理大臣は、前項の規定による閣議の決定があったときは、遅滞なく、基本方針を公表しなければならない。
Ⅴ　前２項の規定は、基本方針の変更について準用する。

第２款　国の施策（個人情報２節）

第８条　（国の機関等が保有する個人情報の保護）

Ⅰ　国は、その機関が保有する個人情報の適正な取扱いが確保されるよう必要な措置を講ずるものとする。
Ⅱ　国は、独立行政法人等について、その保有する個人情報の適正な取扱いが確保されるよう必要な措置を講ずるものとする。

第９条　（地方公共団体等への支援）

国は、地方公共団体が策定し、又は実施する個人情報の保護に関する施策及び国民又は事業者等が個人情報の適正な取扱いの確保に関して行う活動を支援するため、情報の提供、地方公共団体又は事業者等が講ずべき措置の適切かつ有効な実施を図るための指針の策定その他の必要な措置を講ずるものとする。

第１０条　（苦情処理のための措置）

国は、個人情報の取扱いに関し事業者と本人との間に生じた苦情の適切かつ迅速な処理を図るために必要な措置を講ずるものとする。

第１１条　（個人情報の適正な取扱いを確保するための措置）

Ⅰ　国は、地方公共団体との適切な役割分担を通じ、次章に規定する個人情報取扱事業者による個人情報の適正な取扱いを確保するために必要な措置を講ずるものとする。
Ⅱ　国は、第５章に規定する地方公共団体及び地方独立行政法人による個人情報の適正な取扱いを確保するために必要な措置を講ずるものとする。

第３款　地方公共団体の施策（個人情報３節）

第１２条　（地方公共団体の機関等が保有する個人情報の保護）

Ⅰ　地方公共団体は、その機関が保有する個人情報の適正な取扱いが確保されるよう必要な措置を講ずるものとする。
Ⅱ　地方公共団体は、その設立に係る地方独立行政法人について、その保有する個人情報の適正な取扱いが確保されるよう必要な措置を講ずるものとする。

第１３条　（区域内の事業者等への支援）

地方公共団体は、個人情報の適正な取扱いを確保するため、その区域内の事業者及び住民に対する支援に必要な措置を講ずるよう努めなければならない。

第１４条　（苦情の処理のあっせん等）

地方公共団体は、個人情報の取扱いに関し事業者と本人との間に生じた苦情が適切かつ迅速に処理されるようにするため、苦情の処理のあっせんその他必要な措置を講ずるよう努めなければならない。

第４款　国及び地方公共団体の協力（個人情報４節）

第１５条

国及び地方公共団体は、個人情報の保護に関する施策を講ずるにつき、相協力するものとする。

■第４節　個人情報取扱事業者等の義務等（個人情報４章）

第１款　総則（個人情報１節）

第１６条　（定義）

Ⅰ　この章及び第８章において「個人情報データベース等」とは、個人情報を含む情報の集合物であって、次に掲げるもの（利用方法からみて個人の権利利益を害するおそれが少ないものとして政令で定めるものを除く。）をいう。

①　特定の個人情報を電子計算機を用いて検索することができるように体系的に構成したもの

②　前号に掲げるもののほか、特定の個人情報を容易に検索することができるように体系的に構成したものとして政令で定めるもの

Ⅱ　この章及び第６章から第８章までにおいて「個人情報取扱事業者」とは、個人情報データベース等を事業の用に供している者をいう。ただし、次に掲げる者を除く。

①　国の機関

②　地方公共団体

③　独立行政法人等

④　地方独立行政法人

Ⅲ　この章において「個人データ」とは、個人情報データベース等を構成する個人情報をいう。

Ⅳ　この章において「保有個人データ」とは、個人情報取扱事業者が、開示、内容の訂正、追加又は削除、利用の停止、消去及び第三者への提供の停止を行うことのできる権限を有する個人データであって、その存否が明らかになることにより公益そ

の他の利益が害されるものとして政令で定めるもの以外のものをいう。
Ⅴ　この章、第６章及び第７章において「仮名加工情報取扱事業者」とは、仮名加工情報を含む情報の集合物であって、特定の仮名加工情報を電子計算機を用いて検索することができるように体系的に構成したものその他特定の仮名加工情報を容易に検索することができるように体系的に構成したものとして政令で定めるもの（第41条第１項において「仮名加工情報データベース等」という。）を事業の用に供している者をいう。ただし、第２項各号に掲げる者を除く。
Ⅵ　この章、第６章及び第７章において「匿名加工情報取扱事業者」とは、匿名加工情報を含む情報の集合物であって、特定の匿名加工情報を電子計算機を用いて検索することができるように体系的に構成したものその他特定の匿名加工情報を容易に検索することができるように体系的に構成したものとして政令で定めるもの（第43条第１項において「匿名加工情報データベース等」という。）を事業の用に供している者をいう。ただし、第２項各号に掲げる者を除く。
Ⅶ　この章、第６章及び第７章において「個人関連情報取扱事業者」とは、個人関連情報を含む情報の集合物であって、特定の個人関連情報を電子計算機を用いて検索することができるように体系的に構成したものその他特定の個人関連情報を容易に検索することができるように体系的に構成したものとして政令で定めるもの（第31条第１項において「個人関連情報データベース等」という。）を事業の用に供している者をいう。ただし、第２項各号に掲げる者を除く。
Ⅷ　この章において「学術研究機関等」とは、大学その他の学術研究を目的とする機関若しくは団体又はそれらに属する者をいう。

第２款　個人情報取扱事業者及び個人関連情報取扱事業者の義務（個人情報２節）

第１７条　（利用目的の特定）

Ⅰ　個人情報取扱事業者は、個人情報を取り扱うに当たっては、その利用の目的（以下「利用目的」という。）をできる限り特定しなければならない。
Ⅱ　個人情報取扱事業者は、利用目的を変更する場合には、変更前の利用目的と関連性を有すると合理的に認められる範囲を超えて行ってはならない。

第１８条　（利用目的による制限）

Ⅰ　個人情報取扱事業者は、あらかじめ本人の同意を得ないで、前条の規定により特定された利用目的の達成に必要な範囲を超えて、個人情報を取り扱ってはならない。
Ⅱ　個人情報取扱事業者は、合併その他の事由により他の個人情報取扱事業者から事業を承継することに伴って個人情報を取得した場合は、あらかじめ本人の同意を得ないで、承継前における当該個人情報の利用目的の達成に必要な範囲を超えて、当該個人情報を取り扱ってはならない。

Ⅲ　前２項の規定は、次に掲げる場合については、適用しない。
①　法令（条例を含む。以下この章において同じ。）に基づく場合
②　人の生命、身体又は財産の保護のために必要がある場合であって、本人の同意を得ることが困難であるとき。
③　公衆衛生の向上又は児童の健全な育成の推進のために特に必要がある場合であって、本人の同意を得ることが困難であるとき。
④　国の機関若しくは地方公共団体又はその委託を受けた者が法令の定める事務を遂行することに対して協力する必要がある場合であって、本人の同意を得ることにより当該事務の遂行に支障を及ぼすおそれがあるとき。
⑤　当該個人情報取扱事業者が学術研究機関等である場合であって、当該個人情報を学術研究の用に供する目的（以下この章において「学術研究目的」という。）で取り扱う必要があるとき（当該個人情報を取り扱う目的の一部が学術研究目的である場合を含み、個人の権利利益を不当に侵害するおそれがある場合を除く。）。
⑥　学術研究機関等に個人データを提供する場合であって、当該学術研究機関等が当該個人データを学術研究目的で取り扱う必要があるとき（当該個人データを取り扱う目的の一部が学術研究目的である場合を含み、個人の権利利益を不当に侵害するおそれがある場合を除く。）。

第１９条　（不適正な利用の禁止）

個人情報取扱事業者は、違法又は不当な行為を助長し、又は誘発するおそれがある方法により個人情報を利用してはならない。

第２０条　（適正な取得）

Ⅰ　個人情報取扱事業者は、偽りその他不正の手段により個人情報を取得してはならない。
Ⅱ　個人情報取扱事業者は、次に掲げる場合を除くほか、あらかじめ本人の同意を得ないで、要配慮個人情報を取得してはならない。
①　法令に基づく場合
②　人の生命、身体又は財産の保護のために必要がある場合であって、本人の同意を得ることが困難であるとき。
③　公衆衛生の向上又は児童の健全な育成の推進のために特に必要がある場合であって、本人の同意を得ることが困難であるとき。
④　国の機関若しくは地方公共団体又はその委託を受けた者が法令の定める事務を遂行することに対して協力する必要がある場合であって、本人の同意を得ることにより当該事務の遂行に支障を及ぼすおそれがあるとき。
⑤　当該個人情報取扱事業者が学術研究機関等である場合であって、当該要配慮個人情報を学術研究目的で取り扱う必要があるとき（当該要配慮個人情報を取り扱う目的の一部が学術研究目的である場合を含み、個人の権利利益を不当に侵害するおそれがある場合を除く。）。

⑥　学術研究機関等から当該要配慮個人情報を取得する場合であって、当該要配慮個人情報を学術研究目的で取得する必要があるとき（当該要配慮個人情報を取得する目的の一部が学術研究目的である場合を含み、個人の権利利益を不当に侵害するおそれがある場合を除く。）（当該個人情報取扱事業者と当該学術研究機関等が共同して学術研究を行う場合に限る。）。
⑦　当該要配慮個人情報が、本人、国の機関、地方公共団体、学術研究機関等、第57条第1項各号に掲げる者その他個人情報保護委員会規則で定める者により公開されている場合
⑧　その他前各号に掲げる場合に準ずるものとして政令で定める場合

第21条　（取得に際しての利用目的の通知等）

Ⅰ　個人情報取扱事業者は、個人情報を取得した場合は、あらかじめその利用目的を公表している場合を除き、速やかに、その利用目的を、本人に通知し、又は公表しなければならない。
Ⅱ　個人情報取扱事業者は、前項の規定にかかわらず、本人との間で契約を締結することに伴って契約書その他の書面（電磁的記録を含む。以下この項において同じ。）に記載された当該本人の個人情報を取得する場合その他本人から直接書面に記載された当該本人の個人情報を取得する場合は、あらかじめ、本人に対し、その利用目的を明示しなければならない。ただし、人の生命、身体又は財産の保護のために緊急に必要がある場合は、この限りでない。
Ⅲ　個人情報取扱事業者は、利用目的を変更した場合は、変更された利用目的について、本人に通知し、又は公表しなければならない。
Ⅳ　前3項の規定は、次に掲げる場合については、適用しない。
①　利用目的を本人に通知し、又は公表することにより本人又は第三者の生命、身体、財産その他の権利利益を害するおそれがある場合
②　利用目的を本人に通知し、又は公表することにより当該個人情報取扱事業者の権利又は正当な利益を害するおそれがある場合
③　国の機関又は地方公共団体が法令の定める事務を遂行することに対して協力する必要がある場合であって、利用目的を本人に通知し、又は公表することにより当該事務の遂行に支障を及ぼすおそれがあるとき。
④　取得の状況からみて利用目的が明らかであると認められる場合

第22条　（データ内容の正確性の確保等）

個人情報取扱事業者は、利用目的の達成に必要な範囲内において、個人データを正確かつ最新の内容に保つとともに、利用する必要がなくなったときは、当該個人データを遅滞なく消去するよう努めなければならない。

第23条　（安全管理措置）

個人情報取扱事業者は、その取り扱う個人データの漏えい、滅失又は毀損の防止その他の個人データの安全管理のために必要かつ適切な措置を講じなければならない。

第２４条 （従業員の監督）

個人情報取扱事業者は、その従業者に個人データを取り扱わせるに当たっては、当該個人データの安全管理が図られるよう、当該従業者に対する必要かつ適切な監督を行わなければならない。

第２５条 （委託先の監督）

個人情報取扱事業者は、個人データの取扱いの全部又は一部を委託する場合は、その取扱いを委託された個人データの安全管理が図られるよう、委託を受けた者に対する必要かつ適切な監督を行わなければならない。

第２６条 （漏えい等の報告等）

Ⅰ 個人情報取扱事業者は、その取り扱う個人データの漏えい、滅失、毀損その他の個人データの安全の確保に係る事態であって個人の権利利益を害するおそれが大きいものとして個人情報保護委員会規則で定めるものが生じたときは、個人情報保護委員会規則で定めるところにより、当該事態が生じた旨を個人情報保護委員会に報告しなければならない。ただし、当該個人情報取扱事業者が、他の個人情報取扱事業者又は行政機関等から当該個人データの取扱いの全部又は一部の委託を受けた場合であって、個人情報保護委員会規則で定めるところにより、当該事態が生じた旨を当該他の個人情報取扱事業者又は行政機関等に通知したときは、この限りでない。

Ⅱ 前項に規定する場合には、個人情報取扱事業者（同項ただし書の規定による通知をした者を除く。）は、本人に対し、個人情報保護委員会規則で定めるところにより、当該事態が生じた旨を通知しなければならない。ただし、本人への通知が困難な場合であって、本人の権利利益を保護するため必要なこれに代わるべき措置をとるときは、この限りでない。

第２７条 （第三者提供の制限）

Ⅰ 個人情報取扱事業者は、次に掲げる場合を除くほか、あらかじめ本人の同意を得ないで、個人データを第三者に提供してはならない。

① 法令に基づく場合

② 人の生命、身体又は財産の保護のために必要がある場合であって、本人の同意を得ることが困難であるとき。

③ 公衆衛生の向上又は児童の健全な育成の推進のために特に必要がある場合であって、本人の同意を得ることが困難であるとき。

④ 国の機関若しくは地方公共団体又はその委託を受けた者が法令の定める事務を遂行することに対して協力する必要がある場合であって、本人の同意を得ることにより当該事務の遂行に支障を及ぼすおそれがあるとき。

⑤ 当該個人情報取扱事業者が学術研究機関等である場合であって、当該個人データの提供が学術研究の成果の公表又は教授のためやむを得ないとき（個人の権利利益を不当に侵害するおそれがある場合を除く。）。

⑥　当該個人情報取扱事業者が学術研究機関等である場合であって、当該個人データを学術研究目的で提供する必要があるとき（当該個人データを提供する目的の一部が学術研究目的である場合を含み、個人の権利利益を不当に侵害するおそれがある場合を除く。）（当該個人情報取扱事業者と当該第三者が共同して学術研究を行う場合に限る。）。

⑦　当該第三者が学術研究機関等である場合であって、当該第三者が当該個人データを学術研究目的で取り扱う必要があるとき（当該個人データを取り扱う目的の一部が学術研究目的である場合を含み、個人の権利利益を不当に侵害するおそれがある場合を除く。）。

Ⅱ　個人情報取扱事業者は、第三者に提供される個人データについて、本人の求めに応じて当該本人が識別される個人データの第三者への提供を停止することとしている場合であって、次に掲げる事項について、個人情報保護委員会規則で定めるところにより、あらかじめ、本人に通知し、又は本人が容易に知り得る状態に置くとともに、個人情報保護委員会に届け出たときは、前項の規定にかかわらず、当該個人データを第三者に提供することができる。ただし、第三者に提供される個人データが要配慮個人情報又は第20条第１項の規定に違反して取得されたもの若しくは他の個人情報取扱事業者からこの項本文の規定により提供されたもの（その全部又は一部を複製し、又は加工したものを含む。）である場合は、この限りでない。

①　第三者への提供を行う個人情報取扱事業者の氏名又は名称及び住所並びに法人にあっては、その代表者（法人でない団体で代表者又は管理人の定めのあるものにあっては、その代表者又は管理人。以下この条、第30条第１項第１号及び第32条第１項第１号において同じ。）の氏名

②　第三者への提供を利用目的とすること。

③　第三者に提供される個人データの項目

④　第三者に提供される個人データの取得の方法

⑤　第三者への提供の方法

⑥　本人の求めに応じて当該本人が識別される個人データの第三者への提供を停止すること。

⑦　本人の求めを受け付ける方法

⑧　その他個人の権利利益を保護するために必要なものとして個人情報保護委員会規則で定める事項

Ⅲ　個人情報取扱事業者は、前項第１号に掲げる事項に変更があったとき又は同項の規定による個人データの提供をやめたときは遅滞なく、同項第３号から第５号まで、第７号又は第８号に掲げる事項を変更しようとするときはあらかじめ、その旨について、個人情報保護委員会規則で定めるところにより、本人に通知し、又は本人が容易に知り得る状態に置くとともに、個人情報保護委員会に届け出なければならない。

Ⅳ　個人情報保護委員会は、第２項の規定による届出があったときは、個人情報保護委員会規則で定めるところにより、当該届出に係る事項を公表しなければならない。前項の規定による届出があったときも、同様とする。

Ⅴ　次に掲げる場合において、当該個人データの提供を受ける者は、前各項の規定の適用については、第三者に該当しないものとする。
① 個人情報取扱事業者が利用目的の達成に必要な範囲内において個人データの取扱いの全部又は一部を委託することに伴って当該個人データが提供される場合
② 合併その他の事由による事業の承継に伴って個人データが提供される場合
③ 特定の者との間で共同して利用される個人データが当該特定の者に提供される場合であって、その旨並びに共同して利用される個人データの項目、共同して利用する者の範囲、利用する者の利用目的並びに当該個人データの管理について責任を有する者の氏名又は名称及び住所並びに法人にあっては、その代表者の氏名について、あらかじめ、本人に通知し、又は本人が容易に知り得る状態に置いているとき。

Ⅵ　個人情報取扱事業者は、前項第3号に規定する個人データの管理について責任を有する者の氏名、名称若しくは住所又は法人にあっては、その代表者の氏名に変更があったときは遅滞なく、同号に規定する利用する者の利用目的又は当該責任を有する者を変更しようとするときはあらかじめ、その旨について、本人に通知し、又は本人が容易に知り得る状態に置かなければならない。

第28条　（外国にある第三者への提供の制限）

Ⅰ　個人情報取扱事業者は、外国（本邦の域外にある国又は地域をいう。以下この条及び第31条第1項第2号において同じ。）（個人の権利利益を保護する上で我が国と同等の水準にあると認められる個人情報の保護に関する制度を有している外国として個人情報保護委員会規則で定めるものを除く。以下この条及び同号において同じ。）にある第三者（個人データの取扱いについてこの節の規定により個人情報取扱事業者が講ずべきこととされている措置に相当する措置（第3項において「相当措置」という。）を継続的に講ずるために必要なものとして個人情報保護委員会規則で定める基準に適合する体制を整備している者を除く。以下この項及び次項並びに同号において同じ。）に個人データを提供する場合には、前条第1項各号に掲げる場合を除くほか、あらかじめ外国にある第三者への提供を認める旨の本人の同意を得なければならない。この場合においては、同条の規定は、適用しない。

Ⅱ　個人情報取扱事業者は、前項の規定により本人の同意を得ようとする場合には、個人情報保護委員会規則で定めるところにより、あらかじめ、当該外国における個人情報の保護に関する制度、当該第三者が講ずる個人情報の保護のための措置その他当該本人に参考となるべき情報を当該本人に提供しなければならない。

Ⅲ　個人情報取扱事業者は、個人データを外国にある第三者（第1項に規定する体制を整備している者に限る。）に提供した場合には、個人情報保護委員会規則で定めるところにより、当該第三者による相当措置の継続的な実施を確保するために必要な措置を講ずるとともに、本人の求めに応じて当該必要な措置に関する情報を当該本人に提供しなければならない。

第２９条　（第三者提供に係る記録の作成等）

Ⅰ　個人情報取扱事業者は、個人データを第三者（第16条第２項各号に掲げる者を除く。以下この条及び次条（第31条第３項において読み替えて準用する場合を含む。）において同じ。）に提供したときは、個人情報保護委員会規則で定めるところにより、当該個人データを提供した年月日、当該第三者の氏名又は名称その他の個人情報保護委員会規則で定める事項に関する記録を作成しなければならない。ただし、当該個人データの提供が第27条第１項各号又は第５項各号のいずれか（前条第１項の規定による個人データの提供にあっては、第27条第１項各号のいずれか）に該当する場合は、この限りでない。

Ⅱ　個人情報取扱事業者は、前項の記録を、当該記録を作成した日から個人情報保護委員会規則で定める期間保存しなければならない。

第３０条　（第三者提供を受ける際の確認等）

Ⅰ　個人情報取扱事業者は、第三者から個人データの提供を受けるに際しては、個人情報保護委員会規則で定めるところにより、次に掲げる事項の確認を行わなければならない。ただし、当該個人データの提供が第27条第１項各号又は第５項各号のいずれかに該当する場合は、この限りでない。

①　当該第三者の氏名又は名称及び住所並びに法人にあっては、その代表者の氏名

②　当該第三者による当該個人データの取得の経緯

Ⅱ　前項の第三者は、個人情報取扱事業者が同項の規定による確認を行う場合において、当該個人情報取扱事業者に対して、当該確認に係る事項を偽ってはならない。

Ⅲ　個人情報取扱事業者は、第１項の規定による確認を行ったときは、個人情報保護委員会規則で定めるところにより、当該個人データの提供を受けた年月日、当該確認に係る事項その他の個人情報保護委員会規則で定める事項に関する記録を作成しなければならない。

Ⅳ　個人情報取扱事業者は、前項の記録を、当該記録を作成した日から個人情報保護委員会規則で定める期間保存しなければならない。

第３１条　（個人関連情報の第三者提供の制限等）

Ⅰ　個人関連情報取扱事業者は、第三者が個人関連情報（個人関連情報データベース等を構成するものに限る。以下この章及び第６章において同じ。）を個人データとして取得することが想定されるときは、第27条第１項各号に掲げる場合を除くほか、次に掲げる事項について、あらかじめ個人情報保護委員会規則で定めるところにより確認することをしないで、当該個人関連情報を当該第三者に提供してはならない。

①　当該第三者が個人関連情報取扱事業者から個人関連情報の提供を受けて本人が識別される個人データとして取得することを認める旨の当該本人の同意が得られていること。

②　外国にある第三者への提供にあっては、前号の本人の同意を得ようとする場合において、個人情報保護委員会規則で定めるところにより、あらかじめ、当該外

国における個人情報の保護に関する制度、当該第三者が講ずる個人情報の保護のための措置その他当該本人に参考となるべき情報が当該本人に提供されていること。

Ⅱ　第28条第３項の規定は、前項の規定により個人関連情報取扱事業者が個人関連情報を提供する場合について準用する。この場合において、同条第３項中「講ずるとともに、本人の求めに応じて当該必要な措置に関する情報を当該本人に提供し」とあるのは、「講じ」と読み替えるものとする。

Ⅲ　前条第２項から第４項までの規定は、第１項の規定により個人関連情報取扱事業者が確認する場合について準用する。この場合において、同条第３項中「の提供を受けた」とあるのは、「を提供した」と読み替えるものとする。

第３２条　（保有個人データに関する事項の公表等）

Ⅰ　個人情報取扱事業者は、保有個人データに関し、次に掲げる事項について、本人の知り得る状態（本人の求めに応じて遅滞なく回答する場合を含む。）に置かなければならない。

①　当該個人情報取扱事業者の氏名又は名称及び住所並びに法人にあっては、その代表者の氏名

②　全ての保有個人データの利用目的（第21条第４項第１号から第３号までに該当する場合を除く。）

③　次項の規定による求め又は次条第１項（同条第５項において準用する場合を含む。）、第34条第１項若しくは第35条第１項、第３項若しくは第５項の規定による請求に応じる手続（第38条第２項の規定により手数料の額を定めたときは、その手数料の額を含む。）

④　前３号に掲げるもののほか、保有個人データの適正な取扱いの確保に関し必要な事項として政令で定めるもの

Ⅱ　個人情報取扱事業者は、本人から、当該本人が識別される保有個人データの利用目的の通知を求められたときは、本人に対し、遅滞なく、これを通知しなければならない。ただし、次の各号のいずれかに該当する場合は、この限りでない。

①　前項の規定により当該本人が識別される保有個人データの利用目的が明らかな場合

②　第21条第４項第１号から第３号までに該当する場合

Ⅲ　個人情報取扱事業者は、前項の規定に基づき求められた保有個人データの利用目的を通知しない旨の決定をしたときは、本人に対し、遅滞なく、その旨を通知しなければならない。

第３３条　（開示）

Ⅰ　本人は、個人情報取扱事業者に対し、当該本人が識別される保有個人データの電磁的記録の提供による方法その他の個人情報保護委員会規則で定める方法による開示を請求することができる。

Ⅱ　個人情報取扱事業者は、前項の規定による請求を受けたときは、本人に対し、同項の規定により当該本人が請求した方法（当該方法による開示に多額の費用を要する場合その他の当該方法による開示が困難である場合にあっては、書面の交付による方法）により、遅滞なく、当該保有個人データを開示しなければならない。ただし、開示することにより次の各号のいずれかに該当する場合は、その全部又は一部を開示しないことができる。
①　本人又は第三者の生命、身体、財産その他の権利利益を害するおそれがある場合
②　当該個人情報取扱事業者の業務の適正な実施に著しい支障を及ぼすおそれがある場合
③　他の法令に違反することとなる場合
Ⅲ　個人情報取扱事業者は、第１項の規定による請求に係る保有個人データの全部若しくは一部について開示しない旨の決定をしたとき、当該保有個人データが存在しないとき、又は同項の規定により本人が請求した方法による開示が困難であるときは、本人に対し、遅滞なく、その旨を通知しなければならない。
Ⅳ　他の法令の規定により、本人に対し第２項本文に規定する方法に相当する方法により当該本人が識別される保有個人データの全部又は一部を開示することとされている場合には、当該全部又は一部の保有個人データについては、第１項及び第２項の規定は、適用しない。
Ⅴ　第１項から第３項までの規定は、当該本人が識別される個人データに係る第29条第１項及び第30条第３項の記録（その存否が明らかになることにより公益その他の利益が害されるものとして政令で定めるものを除く。第37条第２項において「第三者提供記録」という。）について準用する。

第３４条　（訂正等）

Ⅰ　本人は、個人情報取扱事業者に対し、当該本人が識別される保有個人データの内容が事実でないときは、当該保有個人データの内容の訂正、追加又は削除（以下この条において「訂正等」という。）を請求することができる。
Ⅱ　個人情報取扱事業者は、前項の規定による請求を受けた場合には、その内容の訂正等に関して他の法令の規定により特別の手続が定められている場合を除き、利用目的の達成に必要な範囲内において、遅滞なく必要な調査を行い、その結果に基づき、当該保有個人データの内容の訂正等を行わなければならない。
Ⅲ　個人情報取扱事業者は、第１項の規定による請求に係る保有個人データの内容の全部若しくは一部について訂正等を行ったとき、又は訂正等を行わない旨の決定をしたときは、本人に対し、遅滞なく、その旨（訂正等を行ったときは、その内容を含む。）を通知しなければならない。

第３５条　（利用停止等）

Ⅰ　本人は、個人情報取扱事業者に対し、当該本人が識別される保有個人データが第18条若しくは第19条の規定に違反して取り扱われているとき、又は第20条の規

定に違反して取得されたものであるときは、当該保有個人データの利用の停止又は消去（以下この条において「利用停止等」という。）を請求することができる。

Ⅱ　個人情報取扱事業者は、前項の規定による請求を受けた場合であって、その請求に理由があることが判明したときは、違反を是正するために必要な限度で、遅滞なく、当該保有個人データの利用停止等を行わなければならない。ただし、当該保有個人データの利用停止等に多額の費用を要する場合その他の利用停止等を行うことが困難な場合であって、本人の権利利益を保護するため必要なこれに代わるべき措置をとるときは、この限りでない。

Ⅲ　本人は、個人情報取扱事業者に対し、当該本人が識別される保有個人データが第27条第１項又は第28条の規定に違反して第三者に提供されているときは、当該保有個人データの第三者への提供の停止を請求することができる。

Ⅳ　個人情報取扱事業者は、前項の規定による請求を受けた場合であって、その請求に理由があることが判明したときは、遅滞なく、当該保有個人データの第三者への提供を停止しなければならない。ただし、当該保有個人データの第三者への提供の停止に多額の費用を要する場合その他の第三者への提供を停止することが困難な場合であって、本人の権利利益を保護するため必要なこれに代わるべき措置をとるときは、この限りでない。

Ⅴ　本人は、個人情報取扱事業者に対し、当該本人が識別される保有個人データを当該個人情報取扱事業者が利用する必要がなくなった場合、当該本人が識別される保有個人データに係る第26条第１項本文に規定する事態が生じた場合その他当該本人が識別される保有個人データの取扱いにより当該本人の権利又は正当な利益が害されるおそれがある場合には、当該保有個人データの利用停止等又は第三者への提供の停止を請求することができる。

Ⅵ　個人情報取扱事業者は、前項の規定による請求を受けた場合であって、その請求に理由があることが判明したときは、本人の権利利益の侵害を防止するために必要な限度で、遅滞なく、当該保有個人データの利用停止等又は第三者への提供の停止を行わなければならない。ただし、当該保有個人データの利用停止等又は第三者への提供の停止に多額の費用を要する場合その他の利用停止等又は第三者への提供の停止を行うことが困難な場合であって、本人の権利利益を保護するため必要なこれに代わるべき措置をとるときは、この限りでない。

Ⅶ　個人情報取扱事業者は、第１項若しくは第５項の規定による請求に係る保有個人データの全部若しくは一部について利用停止等を行ったとき若しくは利用停止等を行わない旨の決定をしたとき、又は第３項若しくは第５項の規定による請求に係る保有個人データの全部若しくは一部について第三者への提供を停止したとき若しくは第三者への提供を停止しない旨の決定をしたときは、本人に対し、遅滞なく、その旨を通知しなければならない。

第３６条　（理由の説明）

個人情報取扱事業者は、第32条第３項、第33条第３項（同条第５項において準用する場合を含む。）、第34条第３項又は前条第７項の規定により、本人から求められ、又は請求された措置の全部又は一部について、その措置をとらない旨を通知する場合又はその措置と異なる措置をとる旨を通知する場合には、本人に対し、その理由を説明するよう努めなければならない。

第３７条　（開示等の請求等に応じる手続）

Ⅰ　個人情報取扱事業者は、第32条第２項の規定による求め又は第33条第１項（同条第５項において準用する場合を含む。次条第１項及び第39条において同じ。）、第34条第１項若しくは第35条第１項、第３項若しくは第５項の規定による請求（以下この条及び第54条第１項において「開示等の請求等」という。）に関し、政令で定めるところにより、その求め又は請求を受け付ける方法を定めることができる。この場合において、本人は、当該方法に従って、開示等の請求等を行わなければならない。

Ⅱ　個人情報取扱事業者は、本人に対し、開示等の請求等に関し、その対象となる保有個人データ又は第三者提供記録を特定するに足りる事項の提示を求めることができる。この場合において、個人情報取扱事業者は、本人が容易かつ的確に開示等の請求等をすることができるよう、当該保有個人データ又は当該第三者提供記録の特定に資する情報の提供その他本人の利便を考慮した適切な措置をとらなければならない。

Ⅲ　開示等の請求等は、政令で定めるところにより、代理人によってすることができる。

Ⅳ　個人情報取扱事業者は、前３項の規定に基づき開示等の請求等に応じる手続を定めるに当たっては、本人に過重な負担を課するものとならないよう配慮しなければならない。

第３８条　（手数料）

Ⅰ　個人情報取扱事業者は、第32条第２項の規定による利用目的の通知を求められたとき又は第33条第１項の規定による開示の請求を受けたときは、当該措置の実施に関し、手数料を徴収することができる。

Ⅱ　個人情報取扱事業者は、前項の規定により手数料を徴収する場合は、実費を勘案して合理的であると認められる範囲内において、その手数料の額を定めなければならない。

第３９条　（事前の請求）

Ⅰ　本人は、第33条第１項、第34条第１項又は第35条第１項、第３項若しくは第５項の規定による請求に係る訴えを提起しようとするときは、その訴えの被告となるべき者に対し、あらかじめ、当該請求を行い、かつ、その到達した日から２週間を経過した後でなければ、その訴えを提起することができない。ただし、当該訴えの被告となるべき者がその請求を拒んだときは、この限りでない。

Ⅱ　前項の請求は、その請求が通常到達すべきであった時に、到達したものとみなす。

Ⅲ　前２項の規定は、第33条第１項、第34条第１項又は第35条第１項、第３項若しくは第５項の規定による請求に係る仮処分命令の申立てについて準用する。

第４０条　（個人情報取扱事業者による苦情の処理）

Ⅰ　個人情報取扱事業者は、個人情報の取扱いに関する苦情の適切かつ迅速な処理に努めなければならない。

Ⅱ　個人情報取扱事業者は、前項の目的を達成するために必要な体制の整備に努めなければならない。

第３款　仮名加工情報取扱事業者等の義務（個人情報３節）

第４１条　（仮名加工情報の作成等）

Ⅰ　個人情報取扱事業者は、仮名加工情報（仮名加工情報データベース等を構成するものに限る。以下この章及び第６章において同じ。）を作成するときは、他の情報と照合しない限り特定の個人を識別することができないようにするために必要なものとして個人情報保護委員会規則で定める基準に従い、個人情報を加工しなければならない。

Ⅱ　個人情報取扱事業者は、仮名加工情報を作成したとき、又は仮名加工情報及び当該仮名加工情報に係る削除情報等（仮名加工情報の作成に用いられた個人情報から削除された記述等及び個人識別符号並びに前項の規定により行われた加工の方法に関する情報をいう。以下この条及び次条第３項において読み替えて準用する第７項において同じ。）を取得したときは、削除情報等の漏えいを防止するために必要なものとして個人情報保護委員会規則で定める基準に従い、削除情報等の安全管理のための措置を講じなければならない。

Ⅲ　仮名加工情報取扱事業者（個人情報取扱事業者である者に限る。以下この条において同じ。）は、第18条の規定にかかわらず、法令に基づく場合を除くほか、第17条第１項の規定により特定された利用目的の達成に必要な範囲を超えて、仮名加工情報（個人情報であるものに限る。以下この条において同じ。）を取り扱ってはならない。

Ⅳ　仮名加工情報についての第21条の規定の適用については、同条第１項及び第３項中「、本人に通知し、又は公表し」とあるのは「公表し」と、同条第４項第１号から第３号までの規定中「本人に通知し、又は公表する」とあるのは「公表する」とする。

Ⅴ　仮名加工情報取扱事業者は、仮名加工情報である個人データ及び削除情報等を利用する必要がなくなったときは、当該個人データ及び削除情報等を遅滞なく消去するよう努めなければならない。この場合においては、第22条の規定は、適用しない。

Ⅵ　仮名加工情報取扱事業者は、第27条第１項及び第２項並びに第28条第１項の規定にかかわらず、法令に基づく場合を除くほか、仮名加工情報である個人データを第三者に提供してはならない。この場合において、第27条第５項中「前各項」とあるのは「第41条第６項」と、同項第３号中「、本人に通知し、又は本人が容易に知り得る状態に置いて」とあるのは「公表して」と、同条第６項中「、本人に通知し、又は本人が容易に知り得る状態に置かなければ」とあるのは「公表しなければ」と、第29条第１項ただし書中「第27条第１項各号又は第５項各号のいずれか（前条第１項の規定による個人データの提供にあっては、第27条第１項各号のいずれか）」とあり、及び第30条第１項ただし書中「第27条第１項各号又は第５項各号のいずれか」とあるのは「法令に基づく場合又は第27条第５項各号のいずれか」とする。

Ⅶ　仮名加工情報取扱事業者は、仮名加工情報を取り扱うに当たっては、当該仮名加工情報の作成に用いられた個人情報に係る本人を識別するために、当該仮名加工情報を他の情報と照合してはならない。

Ⅷ　仮名加工情報取扱事業者は、仮名加工情報を取り扱うに当たっては、電話をかけ、郵便若しくは民間事業者による信書の送達に関する法律（平成14年法律第99号）第２条第６項に規定する一般信書便事業者若しくは同条第９項に規定する特定信書便事業者による同条第２項に規定する信書便により送付し、電報を送達し、ファクシミリ装置若しくは電磁的方法（電子情報処理組織を使用する方法その他の情報通信の技術を利用する方法であって個人情報保護委員会規則で定めるものをいう。）を用いて送信し、又は住居を訪問するために、当該仮名加工情報に含まれる連絡先その他の情報を利用してはならない。

Ⅸ　仮名加工情報、仮名加工情報である個人データ及び仮名加工情報である保有個人データについては、第17条第２項、第26条及び第32条から第39条までの規定は、適用しない。

第４２条　（仮名加工情報の第三者提供の制限等）

Ⅰ　仮名加工情報取扱事業者は、法令に基づく場合を除くほか、仮名加工情報（個人情報であるものを除く。次項及び第３項において同じ。）を第三者に提供してはならない。

Ⅱ　第27条第５項及び第６項の規定は、仮名加工情報の提供を受ける者について準用する。この場合において、同条第５項中「前各項」とあるのは「第42条第１項」と、同項第１号中「個人情報取扱事業者」とあるのは「仮名加工情報取扱事業者」と、同項第３号中「、本人に通知し、又は本人が容易に知り得る状態に置いて」とあるのは「公表して」と、同条第６項中「個人情報取扱事業者」とあるのは「仮名加工情報取扱事業者」と、「、本人に通知し、又は本人が容易に知り得る状態に置かなければ」とあるのは「公表しなければ」と読み替えるものとする。

Ⅲ　第23条から第25条まで、第40条並びに前条第７項及び第８項の規定は、仮名加工情報取扱事業者による仮名加工情報の取扱いについて準用する。この場合において、第23条中「漏えい、滅失又は毀損」とあるのは「漏えい」と、前条第７項中「ために、」とあるのは「ために、削除情報等を取得し、又は」と読み替えるものとする。

個人情報保護法

第４款　匿名加工情報取扱事業者等の義務（個人情報４節）

第４３条　（匿名加工情報の作成等）

Ⅰ　個人情報取扱事業者は、匿名加工情報（匿名加工情報データベース等を構成するものに限る。以下この章及び第６章において同じ。）を作成するときは、特定の個人を識別すること及びその作成に用いる個人情報を復元することができないようにするために必要なものとして個人情報保護委員会規則で定める基準に従い、当該個人情報を加工しなければならない。

Ⅱ　個人情報取扱事業者は、匿名加工情報を作成したときは、その作成に用いた個人情報から削除した記述等及び個人識別符号並びに前項の規定により行った加工の方法に関する情報の漏えいを防止するために必要なものとして個人情報保護委員会規則で定める基準に従い、これらの情報の安全管理のための措置を講じなければならない。

Ⅲ　個人情報取扱事業者は、匿名加工情報を作成したときは、個人情報保護委員会規則で定めるところにより、当該匿名加工情報に含まれる個人に関する情報の項目を公表しなければならない。

Ⅳ　個人情報取扱事業者は、匿名加工情報を作成して当該匿名加工情報を第三者に提供するときは、個人情報保護委員会規則で定めるところにより、あらかじめ、第三者に提供される匿名加工情報に含まれる個人に関する情報の項目及びその提供の方法について公表するとともに、当該第三者に対して、当該提供に係る情報が匿名加工情報である旨を明示しなければならない。

Ⅴ　個人情報取扱事業者は、匿名加工情報を作成して自ら当該匿名加工情報を取り扱うに当たっては、当該匿名加工情報の作成に用いられた個人情報に係る本人を識別するために、当該匿名加工情報を他の情報と照合してはならない。

Ⅵ　個人情報取扱事業者は、匿名加工情報を作成したときは、当該匿名加工情報の安全管理のために必要かつ適切な措置、当該匿名加工情報の作成その他の取扱いに関する苦情の処理その他の当該匿名加工情報の適正な取扱いを確保するために必要な措置を自ら講じ、かつ、当該措置の内容を公表するよう努めなければならない。

第４４条　（匿名加工情報の提供）

匿名加工情報取扱事業者は、匿名加工情報（自ら個人情報を加工して作成したものを除く。以下この節において同じ。）を第三者に提供するときは、個人情報保護委員会規則で定めるところにより、あらかじめ、第三者に提供される匿名加工情報に含まれる個人に関する情報の項目及びその提供の方法について公表するとともに、当該第三者に対して、当該提供に係る情報が匿名加工情報である旨を明示しなければならない。

第４５条　（識別行為の禁止）

匿名加工情報取扱事業者は、匿名加工情報を取り扱うに当たっては、当該匿名加工情報の作成に用いられた個人情報に係る本人を識別するために、当該個人情報から削

個人情報保護法

除された記述等若しくは個人識別符号若しくは第43条第1項若しくは第116条第1項（同条第2項において準用する場合を含む。）の規定により行われた加工の方法に関する情報を取得し、又は当該匿名加工情報を他の情報と照合してはならない。

第46条　（安全管理措置等）

匿名加工情報取扱事業者は、匿名加工情報の安全管理のために必要かつ適切な措置、匿名加工情報の取扱いに関する苦情の処理その他の匿名加工情報の適正な取扱いを確保するために必要な措置を自ら講じ、かつ、当該措置の内容を公表するよう努めなければならない。

第5款　民間団体による個人情報の保護の推進（個人情報5節）

第47条　（認定）

Ⅰ　個人情報取扱事業者、仮名加工情報取扱事業者又は匿名加工情報取扱事業者（以下この章において「個人情報取扱事業者等」という。）の個人情報、仮名加工情報又は匿名加工情報（以下この章において「個人情報等」という。）の適正な取扱いの確保を目的として次に掲げる業務を行おうとする法人（法人でない団体で代表者又は管理人の定めのあるものを含む。次条第3号ロにおいて同じ。）は、個人情報保護委員会の認定を受けることができる。

①　業務の対象となる個人情報取扱事業者等（以下この節において「対象事業者」という。）の個人情報等の取扱いに関する第53条の規定による苦情の処理

②　個人情報等の適正な取扱いの確保に寄与する事項についての対象事業者に対する情報の提供

③　前2号に掲げるもののほか、対象事業者の個人情報等の適正な取扱いの確保に関し必要な業務

Ⅱ　前項の認定は、対象とする個人情報取扱事業者等の事業の種類その他の業務の範囲を限定して行うことができる。

Ⅲ　第1項の認定を受けようとする者は、政令で定めるところにより、個人情報保護委員会に申請しなければならない。

Ⅳ　個人情報保護委員会は、第1項の認定をしたときは、その旨（第2項の規定により業務の範囲を限定する認定にあっては、その認定に係る業務の範囲を含む。）を公示しなければならない。

第48条　（欠格条項）

次の各号のいずれかに該当する者は、前条第1項の認定を受けることができない。

①　この法律の規定により刑に処せられ、その執行を終わり、又は執行を受けることがなくなった日から2年を経過しない者

②　第155条第1項の規定により認定を取り消され、その取消しの日から2年を経過しない者

③　その業務を行う役員（法人でない団体で代表者又は管理人の定めのあるものの代表者又は管理人を含む。以下この条において同じ。）のうちに、次のいずれかに該当する者があるもの

イ　禁錮以上の刑に処せられ、又はこの法律の規定により刑に処せられ、その執行を終わり、又は執行を受けることがなくなった日から２年を経過しない者

ロ　第155条第１項の規定により認定を取り消された法人において、その取消しの日前30日以内にその役員であった者でその取消しの日から２年を経過しない者

第４９条　（認定の基準）

個人情報保護委員会は、第47条第１項の認定の申請が次の各号のいずれにも適合していると認めるときでなければ、その認定をしてはならない。

①　第47条第１項各号に掲げる業務を適正かつ確実に行うに必要な業務の実施の方法が定められているものであること。

②　第47条第１項各号に掲げる業務を適正かつ確実に行うに足りる知識及び能力並びに経理的基礎を有するものであること。

③　第47条第１項各号に掲げる業務以外の業務を行っている場合には、その業務を行うことによって同項各号に掲げる業務が不公正になるおそれがないものであること。

第５０条　（変更の認定等）

Ⅰ　第47条第１項の認定（同条第２項の規定により業務の範囲を限定する認定を含む。次条第１項及び第155条第１項第５号において同じ。）を受けた者は、その認定に係る業務の範囲を変更しようとするときは、個人情報保護委員会の認定を受けなければならない。ただし、個人情報保護委員会規則で定める軽微な変更については、この限りでない。

Ⅱ　第47条第３項及び第４項並びに前条の規定は、前項の変更の認定について準用する。

第５１条　（廃止の届出）

Ⅰ　第47条第１項の認定（前条第１項の変更の認定を含む。）を受けた者（以下この節及び第６章において「認定個人情報保護団体」という。）は、その認定に係る業務（以下この節及び第６章において「認定業務」という。）を廃止しようとするときは、政令で定めるところにより、あらかじめ、その旨を個人情報保護委員会に届け出なければならない。

Ⅱ　個人情報保護委員会は、前項の規定による届出があったときは、その旨を公示しなければならない。

第５２条　（対象事業者）

Ⅰ　認定個人情報保護団体は、認定業務の対象となることについて同意を得た個人情

報取扱事業者等を対象事業者としなければならない。この場合において、第54条第４項の規定による措置をとったにもかかわらず、対象事業者が同条第１項に規定する個人情報保護指針を遵守しないときは、当該対象事業者を認定業務の対象から除外することができる。

Ⅱ　認定個人情報保護団体は、対象事業者の氏名又は名称を公表しなければならない。

第５３条　（苦情の処理）

Ⅰ　認定個人情報保護団体は、本人その他の関係者から対象事業者の個人情報等の取扱いに関する苦情について解決の申出があったときは、その相談に応じ、申出人に必要な助言をし、その苦情に係る事情を調査するとともに、当該対象事業者に対し、その苦情の内容を通知してその迅速な解決を求めなければならない。

Ⅱ　認定個人情報保護団体は、前項の申出に係る苦情の解決について必要があると認めるときは、当該対象事業者に対し、文書若しくは口頭による説明を求め、又は資料の提出を求めることができる。

Ⅲ　対象事業者は、認定個人情報保護団体から前項の規定による求めがあったときは、正当な理由がないのに、これを拒んではならない。

第５４条　（個人情報保護指針）

Ⅰ　認定個人情報保護団体は、対象事業者の個人情報等の適正な取扱いの確保のために、個人情報に係る利用目的の特定、安全管理のための措置、開示等の請求等に応じる手続その他の事項又は仮名加工情報若しくは匿名加工情報に係る作成の方法、その情報の安全管理のための措置その他の事項に関し、消費者の意見を代表する者その他の関係者の意見を聴いて、この法律の規定の趣旨に沿った指針（以下この節及び第６章において「個人情報保護指針」という。）を作成するよう努めなければならない。

Ⅱ　認定個人情報保護団体は、前項の規定により個人情報保護指針を作成したときは、個人情報保護委員会規則で定めるところにより、遅滞なく、当該個人情報保護指針を個人情報保護委員会に届け出なければならない。これを変更したときも、同様とする。

Ⅲ　個人情報保護委員会は、前項の規定による個人情報保護指針の届出があったときは、個人情報保護委員会規則で定めるところにより、当該個人情報保護指針を公表しなければならない。

Ⅳ　認定個人情報保護団体は、前項の規定により個人情報保護指針が公表されたときは、対象事業者に対し、当該個人情報保護指針を遵守させるため必要な指導、勧告その他の措置をとらなければならない。

第５５条　（目的外利用の禁止）

認定個人情報保護団体は、認定業務の実施に際して知り得た情報を認定業務の用に供する目的以外に利用してはならない。

第５６条 （名称の使用制限）

認定個人情報保護団体でない者は、認定個人情報保護団体という名称又はこれに紛らわしい名称を用いてはならない。

第6款 雑則（個人情報6節）

第５７条 （適用除外）

Ⅰ 個人情報取扱事業者等及び個人関連情報取扱事業者のうち次の各号に掲げる者については、その個人情報等及び個人関連情報を取り扱う目的の全部又は一部がそれぞれ当該各号に規定する目的であるときは、この章の規定は、適用しない。

① 放送機関、新聞社、通信社その他の報道機関（報道を業として行う個人を含む。） 報道の用に供する目的

② 著述を業として行う者 著述の用に供する目的

③ 宗教団体 宗教活動（これに付随する活動を含む。）の用に供する目的

④ 政治団体 政治活動（これに付随する活動を含む。）の用に供する目的

Ⅱ 前項第１号に規定する「報道」とは、不特定かつ多数の者に対して客観的事実を事実として知らせること（これに基づいて意見又は見解を述べることを含む。）をいう。

Ⅲ 第１項各号に掲げる個人情報取扱事業者等は、個人データ、仮名加工情報又は匿名加工情報の安全管理のために必要かつ適切な措置、個人情報等の取扱いに関する苦情の処理その他の個人情報等の適正な取扱いを確保するために必要な措置を自ら講じ、かつ、当該措置の内容を公表するよう努めなければならない。

第５８条 （適用の特例）

Ⅰ 個人情報取扱事業者又は匿名加工情報取扱事業者のうち次に掲げる者については、第32条から第39条まで及び第４節の規定は、適用しない。

① 別表第二に掲げる法人

② 地方独立行政法人のうち地方独立行政法人法第21条第１号に掲げる業務を主たる目的とするもの又は同条第２号若しくは第３号（チに係る部分に限る。）に掲げる業務を目的とするもの

Ⅱ 次の各号に掲げる者が行う当該各号に定める業務における個人情報、仮名加工情報又は個人関連情報の取扱いについては、個人情報取扱事業者、仮名加工情報取扱事業者又は個人関連情報取扱事業者による個人情報、仮名加工情報又は個人関連情報の取扱いとみなして、この章（第32条から第39条まで及び第４節を除く。）及び第６章から第８章までの規定を適用する。

① 地方公共団体の機関 医療法（昭和23年法律第205号）第１条の５第１項に規定する病院（次号において「病院」という。）及び同条第２項に規定する診療所並びに学校教育法（昭和22年法律第26号）第１条に規定する大学の運営

② 独立行政法人労働者健康安全機構 病院の運営

第５９条　（学術研究機関等の責務）

個人情報取扱事業者である学術研究機関等は、学術研究目的で行う個人情報の取扱いについて、この法律の規定を遵守するとともに、その適正を確保するために必要な措置を自ら講じ、かつ、当該措置の内容を公表するよう努めなければならない。

■第５節　行政機関等の義務等（個人情報５章）

第１款　総則（個人情報１節）

第６０条　（定義）

Ⅰ　この章及び第８章において「保有個人情報」とは、行政機関等の職員（独立行政法人等及び地方独立行政法人にあっては、その役員を含む。以下この章及び第８章において同じ。）が職務上作成し、又は取得した個人情報であって、当該行政機関等の職員が組織的に利用するものとして、当該行政機関等が保有しているものをいう。ただし、行政文書（行政機関の保有する情報の公開に関する法律（平成 11 年法律第 42 号。以下この章において「行政機関情報公開法」という。）第２条第２項に規定する行政文書をいう。）、法人文書（独立行政法人等の保有する情報の公開に関する法律（平成 13 年法律第 140 号。以下この章において「独立行政法人等情報公開法」という。）第２条第２項に規定する法人文書（同項第４号に掲げるものを含む。）をいう。）又は地方公共団体等行政文書（地方公共団体の機関又は地方独立行政法人の職員が職務上作成し、又は取得した文書、図画及び電磁的記録であって、当該地方公共団体の機関又は地方独立行政法人の職員が組織的に用いるものとして、当該地方公共団体の機関又は地方独立行政法人が保有しているもの（行政機関情報公開法第２条第２項各号に掲げるものに相当するものとして政令で定めるものを除く。）をいう。）（以下この章において「行政文書等」という。）に記録されているものに限る。

Ⅱ　この章及び第８章において「個人情報ファイル」とは、保有個人情報を含む情報の集合物であって、次に掲げるものをいう。

①　一定の事務の目的を達成するために特定の保有個人情報を電子計算機を用いて検索することができるように体系的に構成したもの

②　前号に掲げるもののほか、一定の事務の目的を達成するために氏名、生年月日、その他の記述等により特定の保有個人情報を容易に検索することができるように体系的に構成したもの

Ⅲ　この章において「行政機関等匿名加工情報」とは、次の各号のいずれにも該当する個人情報ファイルを構成する保有個人情報の全部又は一部（これらの一部に行政機関情報公開法第５条に規定する不開示情報（同条第１号に掲げる情報を除き、同条第２号ただし書に規定する情報を含む。以下この項において同じ。）、独立行政法人等情報公開法第５条に規定する不開示情報（同条第１号に掲げる情報を除き、同

条第２号ただし書に規定する情報を含む。）又は地方公共団体の情報公開条例（地方公共団体の機関又は地方独立行政法人の保有する情報の公開を請求する住民等の権利について定める地方公共団体の条例をいう。以下この章において同じ。）に規定する不開示情報（行政機関情報公開法第５条に規定する不開示情報に相当するものをいう。）が含まれているときは、これらの不開示情報に該当する部分を除く。）を加工して得られる匿名加工情報をいう。

① 第75条第２項各号のいずれかに該当するもの又は同条第３項の規定により同条第１項に規定する個人情報ファイル簿に掲載しないこととされるものでないこと。

② 行政機関情報公開法第３条に規定する行政機関の長、独立行政法人等情報公開法第２条第１項に規定する独立行政法人等、地方公共団体の機関又は地方独立行政法人に対し、当該個人情報ファイルを構成する保有個人情報が記録されている行政文書等の開示の請求（行政機関情報公開法第３条、独立行政法人等情報公開法第３条又は情報公開条例の規定による開示の請求をいう。）があったとしたならば、これらの者が次のいずれかを行うこととなるものであること。

イ 当該行政文書等に記録されている保有個人情報の全部又は一部を開示する旨の決定をすること。

ロ 行政機関情報公開法第13条第１項若しくは第２項、独立行政法人等情報公開法第14条第１項若しくは第２項又は情報公開条例（行政機関情報公開法第13条第１項又は第２項の規定に相当する規定を設けているものに限る。）の規定により意見書の提出の機会を与えること。

③ 行政機関等の事務及び事業の適正かつ円滑な運営に支障のない範囲内で、第116条第１項の基準に従い、当該個人情報ファイルを構成する保有個人情報を加工して匿名加工情報を作成することができるものであること。

Ⅳ この章において「行政機関等匿名加工情報ファイル」とは、行政機関等匿名加工情報を含む情報の集合物であって、次に掲げるものをいう。

① 特定の行政機関等匿名加工情報を電子計算機を用いて検索することができるように体系的に構成したもの

② 前号に掲げるもののほか、特定の行政機関等匿名加工情報を容易に検索することができるように体系的に構成したものとして政令で定めるもの

Ｖ この章において「条例要配慮個人情報」とは、地方公共団体の機関又は地方独立行政法人が保有する個人情報（要配慮個人情報を除く。）のうち、地域の特性その他の事情に応じて、本人に対する不当な差別、偏見その他の不利益が生じないようにその取扱いに特に配慮を要するものとして地方公共団体が条例で定める記述等が含まれる個人情報をいう。

第２款　行政機関等における個人情報等の取扱い（個人情報２節）

第６１条　（個人情報の保有の制限等）

Ⅰ　行政機関等は、個人情報を保有するに当たっては、法令（条例を含む。第66条第２項第３号及び第４号、第69条第２項第２号及び第３号並びに第４節において同じ。）の定める所掌事務又は業務を遂行するため必要な場合に限り、かつ、その利用目的をできる限り特定しなければならない。

Ⅱ　行政機関等は、前項の規定により特定された利用目的の達成に必要な範囲を超えて、個人情報を保有してはならない。

Ⅲ　行政機関等は、利用目的を変更する場合には、変更前の利用目的と相当の関連性を有すると合理的に認められる範囲を超えて行ってはならない。

第６２条　（利用目的の明示）

行政機関等は、本人から直接書面（電磁的記録を含む。）に記録された当該本人の個人情報を取得するときは、次に掲げる場合を除き、あらかじめ、本人に対し、その利用目的を明示しなければならない。

①　人の生命、身体又は財産の保護のために緊急に必要があるとき。

②　利用目的を本人に明示することにより、本人又は第三者の生命、身体、財産その他の権利利益を害するおそれがあるとき。

③　利用目的を本人に明示することにより、国の機関、独立行政法人等、地方公共団体又は地方独立行政法人が行う事務又は事業の適正な遂行に支障を及ぼすおそれがあるとき。

④　取得の状況からみて利用目的が明らかであると認められるとき。

第６３条　（不適正な利用の禁止）

行政機関の長（第２条第８項第４号及び第５号の政令で定める機関にあっては、その機関ごとに政令で定める者をいう。以下この章及び第174条において同じ。）、地方公共団体の機関、独立行政法人等及び地方独立行政法人（以下この章及び次章において「行政機関の長等」という。）は、違法又は不当な行為を助長し、又は誘発するおそれがある方法により個人情報を利用してはならない。

第６４条　（適正な取得）

行政機関の長等は、偽りその他不正の手段により個人情報を取得してはならない。

第６５条　（正確性の確保）

行政機関の長等は、利用目的の達成に必要な範囲内で、保有個人情報が過去又は現在の事実と合致するよう努めなければならない。

第６６条　（安全管理措置）

Ⅰ　行政機関の長等は、保有個人情報の漏えい、滅失又は毀損の防止その他の保有個人情報の安全管理のために必要かつ適切な措置を講じなければならない。

Ⅱ　前項の規定は、次の各号に掲げる者が当該各号に定める業務を行う場合における個人情報の取扱いについて準用する。

① 行政機関等から個人情報の取扱いの委託を受けた者　当該委託を受けた業務

② 指定管理者（地方自治法（昭和22年法律第67号）第244条の２第３項に規定する指定管理者をいう。）　公の施設（同法第244条第１項に規定する公の施設をいう。）の管理の業務

③ 第58条第１項各号に掲げる者　法令に基づき行う業務であって政令で定めるもの

④ 第58条第２項各号に掲げる者　同項各号に定める業務のうち法令に基づき行う業務であって政令で定めるもの

⑤ 前各号に掲げる者から当該各号に定める業務の委託（二以上の段階にわたる委託を含む。）を受けた者　当該委託を受けた業務

第６７条　（従事者の義務）

個人情報の取扱いに従事する行政機関等の職員若しくは職員であった者、前条第２項各号に定める業務に従事している者若しくは従事していた者又は行政機関等において個人情報の取扱いに従事している派遣労働者（労働者派遣事業の適正な運営の確保及び派遣労働者の保護等に関する法律（昭和60年法律第88号）第２条第２号に規定する派遣労働者をいう。以下この章及び第176条において同じ。）若しくは従事していた派遣労働者は、その業務に関して知り得た個人情報の内容をみだりに他人に知らせ、又は不当な目的に利用してはならない。

第６８条　（漏えい等の報告等）

Ⅰ　行政機関の長等は、保有個人情報の漏えい、滅失、毀損その他の保有個人情報の安全の確保に係る事態であって個人の権利利益を害するおそれが大きいものとして個人情報保護委員会規則で定めるものが生じたときは、個人情報保護委員会規則で定めるところにより、当該事態が生じた旨を個人情報保護委員会に報告しなければならない。

Ⅱ　前項に規定する場合には、行政機関の長等は、本人に対し、個人情報保護委員会規則で定めるところにより、当該事態が生じた旨を通知しなければならない。ただし、次の各号のいずれかに該当するときは、この限りでない。

① 本人への通知が困難な場合であって、本人の権利利益を保護するため必要なこれに代わるべき措置をとるとき。

② 当該保有個人情報に第78条第１項各号に掲げる情報のいずれかが含まれるとき。

第６９条　（利用及び提供の制限）

Ⅰ　行政機関の長等は、法令に基づく場合を除き、利用目的以外の目的のために保有個人情報を自ら利用し、又は提供してはならない。

Ⅱ　前項の規定にかかわらず、行政機関の長等は、次の各号のいずれかに該当すると認めるときは、利用目的以外の目的のために保有個人情報を自ら利用し、又は提供することができる。ただし、保有個人情報を利用目的以外の目的のために自ら利用し、又は提供することによって、本人又は第三者の権利利益を不当に侵害するおそれがあると認められるときは、この限りでない。
①　本人の同意があるとき、又は本人に提供するとき。
②　行政機関等が法令の定める所掌事務又は業務の遂行に必要な限度で保有個人情報を内部で利用する場合であって、当該保有個人情報を利用することについて相当の理由があるとき。
③　他の行政機関、独立行政法人等、地方公共団体の機関又は地方独立行政法人に保有個人情報を提供する場合において、保有個人情報の提供を受ける者が、法令の定める事務又は業務の遂行に必要な限度で提供に係る個人情報を利用し、かつ、当該個人情報を利用することについて相当の理由があるとき。
④　前３号に掲げる場合のほか、専ら統計の作成又は学術研究の目的のために保有個人情報を提供するとき、本人以外の者に提供することが明らかに本人の利益になるとき、その他保有個人情報を提供することについて特別の理由があるとき。
Ⅲ　前項の規定は、保有個人情報の利用又は提供を制限する他の法令の規定の適用を妨げるものではない。
Ⅳ　行政機関の長等は、個人の権利利益を保護するため特に必要があると認めるときは、保有個人情報の利用目的以外の目的のための行政機関等の内部における利用を特定の部局若しくは機関又は職員に限るものとする。

第７０条　（保有個人情報の提供を受ける者に対する措置要求）

行政機関の長等は、利用目的のために又は前条第２項第３号若しくは第４号の規定に基づき、保有個人情報を提供する場合において、必要があると認めるときは、保有個人情報の提供を受ける者に対し、提供に係る個人情報について、その利用の目的若しくは方法の制限その他必要な制限を付し、又はその漏えいの防止その他の個人情報の適切な管理のために必要な措置を講ずることを求めるものとする。

第７１条　（外国にある第三者への提供の制限）

Ⅰ　行政機関の長等は、外国（本邦の域外にある国又は地域をいう。以下この条において同じ。）（個人の権利利益を保護する上で我が国と同等の水準にあると認められる個人情報の保護に関する制度を有している外国として個人情報保護委員会規則で定めるものを除く。以下この条において同じ。）にある第三者（第16条第３項に規定する個人データの取扱いについて前章第２節の規定により同条第２項に規定する個人情報取扱事業者が講ずべきこととされている措置に相当する措置（第３項において「相当措置」という。）を継続的に講ずるために必要なものとして個人情報保護委員会規則で定める基準に適合する体制を整備している者を除く。以下この項及び次項において同じ。）に利用目的以外の目的のために保有個人情報を提供する場合には、法令に基づく場合及び第69条第２項第４号に掲げる場合を除くほか、あらかじめ外国にある第三者への提供を認める旨の本人の同意を得なければならない。

Ⅱ　行政機関の長等は、前項の規定により本人の同意を得ようとする場合には、個人情報保護委員会規則で定めるところにより、あらかじめ、当該外国における個人情報の保護に関する制度、当該第三者が講ずる個人情報の保護のための措置その他当該本人に参考となるべき情報を当該本人に提供しなければならない。

Ⅲ　行政機関の長等は、保有個人情報を外国にある第三者（第１項に規定する体制を整備している者に限る。）に利用目的以外の目的のために提供した場合には、法令に基づく場合及び第69条第２項第４号に掲げる場合を除くほか、個人情報保護委員会規則で定めるところにより、当該第三者による相当措置の継続的な実施を確保するために必要な措置を講ずるとともに、本人の求めに応じて当該必要な措置に関する情報を当該本人に提供しなければならない。

第７２条　（個人関連情報の提供を受ける者に対する措置要求）

行政機関の長等は、第三者に個人関連情報を提供する場合（当該第三者が当該個人関連情報を個人情報として取得することが想定される場合に限る。）において、必要があると認めるときは、当該第三者に対し、提供に係る個人関連情報について、その利用の目的若しくは方法の制限その他必要な制限を付し、又はその漏えいの防止その他の個人関連情報の適切な管理のために必要な措置を講ずることを求めるものとする。

第７３条　（仮名加工情報の取扱いに係る義務）

Ⅰ　行政機関の長等は、法令に基づく場合を除くほか、仮名加工情報（個人情報であるものを除く。以下この条及び第128条において同じ。）を第三者（当該仮名加工情報の取扱いの委託を受けた者を除く。）に提供してはならない。

Ⅱ　行政機関の長等は、その取り扱う仮名加工情報の漏えいの防止その他仮名加工情報の安全管理のために必要かつ適切な措置を講じなければならない。

Ⅲ　行政機関の長等は、仮名加工情報を取り扱うに当たっては、法令に基づく場合を除き、当該仮名加工情報の作成に用いられた個人情報に係る本人を識別するために、削除情報等（仮名加工情報の作成に用いられた個人情報から削除された記述等及び個人識別符号並びに第41条第１項の規定により行われた加工の方法に関する情報をいう。）を取得し、又は当該仮名加工情報を他の情報と照合してはならない。

Ⅳ　行政機関の長等は、仮名加工情報を取り扱うに当たっては、法令に基づく場合を除き、電話をかけ、郵便若しくは民間事業者による信書の送達に関する法律第２条第６項に規定する一般信書便事業者若しくは同条第９項に規定する特定信書便事業者による同条第２項に規定する信書便により送付し、電報を送達し、ファクシミリ装置若しくは電磁的方法（電子情報処理組織を使用する方法その他の情報通信の技術を利用する方法であって個人情報保護委員会規則で定めるものをいう。）を用いて送信し、又は住居を訪問するために、当該仮名加工情報に含まれる連絡先その他の情報を利用してはならない。

Ⅴ　前各項の規定は、行政機関の長等から仮名加工情報の取扱いの委託（二以上の段階にわたる委託を含む。）を受けた者が受託した業務を行う場合について準用する。

第3款　個人情報ファイル（個人情報3節）

第74条　（個人情報ファイルの保有等に関する事前通知）

Ⅰ　行政機関（会計検査院を除く。以下この条において同じ。）が個人情報ファイルを保有しようとするときは、当該行政機関の長は、あらかじめ、個人情報保護委員会に対し、次に掲げる事項を通知しなければならない。通知した事項を変更しようとするときも、同様とする。

①　個人情報ファイルの名称

②　当該機関の名称及び個人情報ファイルが利用に供される事務をつかさどる組織の名称

③　個人情報ファイルの利用目的

④　個人情報ファイルに記録される項目（以下この節において「記録項目」という。）及び本人（他の個人の氏名、生年月日その他の記述等によらないで検索し得る者に限る。次項第9号において同じ。）として個人情報ファイルに記録される個人の範囲（以下この節において「記録範囲」という。）

⑤　個人情報ファイルに記録される個人情報（以下この節において「記録情報」という。）の収集方法

⑥　記録情報に要配慮個人情報が含まれるときは、その旨

⑦　記録情報を当該機関以外の者に経常的に提供する場合には、その提供先

⑧　次条第3項の規定に基づき、記録項目の一部若しくは第5号若しくは前号に掲げる事項を次条第1項に規定する個人情報ファイル簿に記載しないこととするとき、又は個人情報ファイルを同項に規定する個人情報ファイル簿に掲載しないこととするときは、その旨

⑨　第76条第1項、第90条第1項又は第98条第1項の規定による請求を受理する組織の名称及び所在地

⑩　第90条第1項ただし書又は第98条第1項ただし書に該当するときは、その旨

⑪　その他政令で定める事項

Ⅱ　前項の規定は、次に掲げる個人情報ファイルについては、適用しない。

①　国の安全、外交上の秘密その他の国の重大な利益に関する事項を記録する個人情報ファイル

②　犯罪の捜査、租税に関する法律の規定に基づく犯則事件の調査又は公訴の提起若しくは維持のために作成し、又は取得する個人情報ファイル

③　当該機関の職員又は職員であった者に係る個人情報ファイルであって、専らその人事、給与若しくは福利厚生に関する事項又はこれらに準ずる事項を記録するもの（当該機関が行う職員の採用試験に関する個人情報ファイルを含む。）

④　専ら試験的な電子計算機処理の用に供するための個人情報ファイル

⑤　前項の規定による通知に係る個人情報ファイルに記録されている記録情報の全部又は一部を記録した個人情報ファイルであって、その利用目的、記録項目及び記録範囲が当該通知に係るこれらの事項の範囲内のもの
⑥　１年以内に消去することとなる記録情報のみを記録する個人情報ファイル
⑦　資料その他の物品若しくは金銭の送付又は業務上必要な連絡のために利用する記録情報を記録した個人情報ファイルであって、送付又は連絡の相手方の氏名、住所その他の送付又は連絡に必要な事項のみを記録するもの
⑧　職員が学術研究の用に供するためその発意に基づき作成し、又は取得する個人情報ファイルであって、記録情報を専ら当該学術研究の目的のために利用するもの
⑨　本人の数が政令で定める数に満たない個人情報ファイル
⑩　第３号から前号までに掲げる個人情報ファイルに準ずるものとして政令で定める個人情報ファイル
⑪　第60条第２項第２号に係る個人情報ファイル

Ⅲ　行政機関の長は、第１項に規定する事項を通知した個人情報ファイルについて、当該行政機関がその保有をやめたとき、又はその個人情報ファイルが前項第９号に該当するに至ったときは、遅滞なく、個人情報保護委員会に対しその旨を通知しなければならない。

第７５条　（個人情報ファイル簿の作成及び公表）

Ⅰ　行政機関の長等は、政令で定めるところにより、当該行政機関の長等の属する行政機関等が保有している個人情報ファイルについて、それぞれ前条第１項第１号から第７号まで、第９号及び第10号に掲げる事項その他政令で定める事項を記載した帳簿（以下この章において「個人情報ファイル簿」という。）を作成し、公表しなければならない。

Ⅱ　前項の規定は、次に掲げる個人情報ファイルについては、適用しない。
①　前条第２項第１号から第10号までに掲げる個人情報ファイル
②　前項の規定による公表に係る個人情報ファイルに記録されている記録情報の全部又は一部を記録した個人情報ファイルであって、その利用目的、記録項目及び記録範囲が当該公表に係るこれらの事項の範囲内のもの
③　前号に掲げる個人情報ファイルに準ずるものとして政令で定める個人情報ファイル

Ⅲ　第１項の規定にかかわらず、行政機関の長等は、記録項目の一部若しくは前条第１項第５号若しくは第７号に掲げる事項を個人情報ファイル簿に記載し、又は個人情報ファイルを個人情報ファイル簿に掲載することにより、利用目的に係る事務又は事業の性質上、当該事務又は事業の適正な遂行に著しい支障を及ぼすおそれがあると認めるときは、その記録項目の一部若しくは事項を記載せず、又はその個人情報ファイルを個人情報ファイル簿に掲載しないことができる。

Ⅳ　地方公共団体の機関又は地方独立行政法人についての第１項の規定の適用については、同項中「定める事項」とあるのは、「定める事項並びに記録情報に条例要配慮個人情報が含まれているときは、その旨」とする。

Ⅴ　前各項の規定は、地方公共団体の機関又は地方独立行政法人が、条例で定めるところにより、個人情報ファイル簿とは別の個人情報の保有の状況に関する事項を記載した帳簿を作成し、公表することを妨げるものではない。

第４款　開示、訂正及び利用停止（個人情報４節）

第１目　開示（個人情報１款）

第７６条　（開示請求権）

Ⅰ　何人も、この法律の定めるところにより、行政機関の長等に対し、当該行政機関の長等の属する行政機関等の保有する自己を本人とする保有個人情報の開示を請求することができる。

Ⅱ　未成年者若しくは成年被後見人の法定代理人又は本人の委任による代理人（以下この節において「代理人」と総称する。）は、本人に代わって前項の規定による開示の請求（以下この節及び第127条において「開示請求」という。）をすることができる。

第７７条　（開示請求の手続）

Ⅰ　開示請求は、次に掲げる事項を記載した書面（第３項において「開示請求書」という。）を行政機関の長等に提出してしなければならない。

①　開示請求をする者の氏名及び住所又は居所

②　開示請求に係る保有個人情報が記録されている行政文書等の名称その他の開示請求に係る保有個人情報を特定するに足りる事項

Ⅱ　前項の場合において、開示請求をする者は、政令で定めるところにより、開示請求に係る保有個人情報の本人であること（前条第２項の規定による開示請求にあっては、開示請求に係る保有個人情報の本人の代理人であること）を示す書類を提示し、又は提出しなければならない。

Ⅲ　行政機関の長等は、開示請求書に形式上の不備があると認めるときは、開示請求をした者（以下この節において「開示請求者」という。）に対し、相当の期間を定めて、その補正を求めることができる。この場合において、行政機関の長等は、開示請求者に対し、補正の参考となる情報を提供するよう努めなければならない。

第７８条　（保有個人情報の開示義務）

Ⅰ　行政機関の長等は、開示請求があったときは、開示請求に係る保有個人情報に次の各号に掲げる情報（以下この節において「不開示情報」という。）のいずれかが含まれている場合を除き、開示請求者に対し、当該保有個人情報を開示しなければならない。

①　開示請求者（第76条第２項の規定により代理人が本人に代わって開示請求をする場合にあっては、当該本人をいう。次号及び第３号、次条第２項並びに第86条第１項において同じ。）の生命、健康、生活又は財産を害するおそれがある情報

② 開示請求者以外の個人に関する情報（事業を営む個人の当該事業に関する情報を除く。）であって、当該情報に含まれる氏名、生年月日その他の記述等により開示請求者以外の特定の個人を識別することができるもの（他の情報と照合することにより、開示請求者以外の特定の個人を識別することができることとなるものを含む。）若しくは個人識別符号が含まれるもの又は開示請求者以外の特定の個人を識別することはできないが、開示することにより、なお開示請求者以外の個人の権利利益を害するおそれがあるもの。ただし、次に掲げる情報を除く。

イ 法令の規定により又は慣行として開示請求者が知ることができ、又は知ることが予定されている情報

ロ 人の生命、健康、生活又は財産を保護するため、開示することが必要であると認められる情報

ハ 当該個人が公務員等（国家公務員法（昭和22年法律第120号）第２条第１項に規定する国家公務員（独立行政法人通則法第２条第４項に規定する行政執行法人の職員を除く。）、独立行政法人等の職員、地方公務員法（昭和25年法律第261号）第２条に規定する地方公務員及び地方独立行政法人の職員をいう。）である場合において、当該情報がその職務の遂行に係る情報であるときは、当該情報のうち、当該公務員等の職及び当該職務遂行の内容に係る部分

③ 法人その他の団体（国、独立行政法人等、地方公共団体及び地方独立行政法人を除く。以下この号において「法人等」という。）に関する情報又は開示請求者以外の事業を営む個人の当該事業に関する情報であって、次に掲げるもの。ただし、人の生命、健康、生活又は財産を保護するため、開示することが必要であると認められる情報を除く。

イ 開示することにより、当該法人等又は当該個人の権利、競争上の地位その他正当な利益を害するおそれがあるもの

ロ 行政機関等の要請を受けて、開示しないとの条件で任意に提供されたものであって、法人等又は個人における通例として開示しないこととされているものその他の当該条件を付することが当該情報の性質、当時の状況等に照らして合理的であると認められるもの

④ 行政機関の長が第82条各項の決定（以下この節において「開示決定等」という。）をする場合において、開示することにより、国の安全が害されるおそれ、他国若しくは国際機関との信頼関係が損なわれるおそれ又は他国若しくは国際機関との交渉上不利益を被るおそれがあると当該行政機関の長が認めることにつき相当の理由がある情報

⑤ 行政機関の長又は地方公共団体の機関（都道府県の機関に限る。）が開示決定等をする場合において、開示することにより、犯罪の予防、鎮圧又は捜査、公訴の維持、刑の執行その他の公共の安全と秩序の維持に支障を及ぼすおそれがあると当該行政機関の長又は地方公共団体の機関が認めることにつき相当の理由がある情報

⑥　国の機関、独立行政法人等、地方公共団体及び地方独立行政法人の内部又は相互間における審議、検討又は協議に関する情報であって、開示することにより、率直な意見の交換若しくは意思決定の中立性が不当に損なわれるおそれ、不当に国民の間に混乱を生じさせるおそれ又は特定の者に不当に利益を与え若しくは不利益を及ぼすおそれがあるもの

⑦　国の機関、独立行政法人等、地方公共団体又は地方独立行政法人が行う事務又は事業に関する情報であって、開示することにより、次に掲げるおそれその他当該事務又は事業の性質上、当該事務又は事業の適正な遂行に支障を及ぼすおそれがあるもの

イ　独立行政法人等、地方公共団体の機関又は地方独立行政法人が開示決定等をする場合において、国の安全が害されるおそれ、他国若しくは国際機関との信頼関係が損なわれるおそれ又は他国若しくは国際機関との交渉上不利益を被るおそれ

ロ　独立行政法人等、地方公共団体の機関（都道府県の機関を除く。）又は地方独立行政法人が開示決定等をする場合において、犯罪の予防、鎮圧又は捜査その他の公共の安全と秩序の維持に支障を及ぼすおそれ

ハ　監査、検査、取締り、試験又は租税の賦課若しくは徴収に係る事務に関し、正確な事実の把握を困難にするおそれ又は違法若しくは不当な行為を容易にし、若しくはその発見を困難にするおそれ

ニ　契約、交渉又は争訟に係る事務に関し、国、独立行政法人等、地方公共団体又は地方独立行政法人の財産上の利益又は当事者としての地位を不当に害するおそれ

ホ　調査研究に係る事務に関し、その公正かつ能率的な遂行を不当に阻害するおそれ

ヘ　人事管理に係る事務に関し、公正かつ円滑な人事の確保に支障を及ぼすおそれ

ト　独立行政法人等、地方公共団体が経営する企業又は地方独立行政法人に係る事業に関し、その企業経営上の正当な利益を害するおそれ

Ⅱ　地方公共団体の機関又は地方独立行政法人についての前項の規定の適用については、同項中「掲げる情報（」とあるのは、「掲げる情報（情報公開条例の規定により開示することとされている情報として条例で定めるものを除く。）又は行政機関情報公開法第5条に規定する不開示情報に準ずる情報であって情報公開条例において開示しないこととされているもののうち当該情報公開条例との整合性を確保するために不開示とする必要があるものとして条例で定めるもの（」とする。

第79条　（部分開示）

Ⅰ　行政機関の長等は、開示請求に係る保有個人情報に不開示情報が含まれている場合において、不開示情報に該当する部分を容易に区分して除くことができるときは、開示請求者に対し、当該部分を除いた部分につき開示しなければならない。

Ⅱ　開示請求に係る保有個人情報に前条第１項第２号の情報（開示請求者以外の特定の個人を識別することができるものに限る。）が含まれている場合において、当該情報のうち、氏名、生年月日その他の開示請求者以外の特定の個人を識別することができることとなる記述等及び個人識別符号の部分を除くことにより、開示しても、開示請求者以外の個人の権利利益が害されるおそれがないと認められるときは、当該部分を除いた部分は、同号の情報に含まれないものとみなして、前項の規定を適用する。

第８０条　（裁量的開示）

行政機関の長等は、開示請求に係る保有個人情報に不開示情報が含まれている場合であっても、個人の権利利益を保護するため特に必要があると認めるときは、開示請求者に対し、当該保有個人情報を開示することができる。

第８１条　（保有個人情報の存否に関する情報）

開示請求に対し、当該開示請求に係る保有個人情報が存在しているか否かを答えるだけで、不開示情報を開示することとなるときは、行政機関の長等は、当該保有個人情報の存否を明らかにしないで、当該開示請求を拒否することができる。

第８２条　（開示請求に対する措置）

Ⅰ　行政機関の長等は、開示請求に係る保有個人情報の全部又は一部を開示するときは、その旨の決定をし、開示請求者に対し、その旨、開示する保有個人情報の利用目的及び開示の実施に関し政令で定める事項を書面により通知しなければならない。ただし、第62条第２号又は第３号に該当する場合における当該利用目的については、この限りでない。

Ⅱ　行政機関の長等は、開示請求に係る保有個人情報の全部を開示しないとき（前条の規定により開示請求を拒否するとき、及び開示請求に係る保有個人情報を保有していないときを含む。）は、開示をしない旨の決定をし、開示請求者に対し、その旨を書面により通知しなければならない。

第８３条　（開示決定等の期限）

Ⅰ　開示決定等は、開示請求があった日から30日以内にしなければならない。ただし、第77条第３項の規定により補正を求めた場合にあっては、当該補正に要した日数は、当該期間に算入しない。

Ⅱ　前項の規定にかかわらず、行政機関の長等は、事務処理上の困難その他正当な理由があるときは、同項に規定する期間を30日以内に限り延長することができる。この場合において、行政機関の長等は、開示請求者に対し、遅滞なく、延長後の期間及び延長の理由を書面により通知しなければならない。

第８４条　（開示決定等の期限の特例）

開示請求に係る保有個人情報が著しく大量であるため、開示請求があった日から60日以内にその全てについて開示決定等をすることにより事務の遂行に著しい支障が生ずるおそれがある場合には、前条の規定にかかわらず、行政機関の長等は、開示請求に係る保有個人情報のうちの相当の部分につき当該期間内に開示決定等をし、残りの保有個人情報については相当の期間内に開示決定等をすれば足りる。この場合において、行政機関の長等は、同条第１項に規定する期間内に、開示請求者に対し、次に掲げる事項を書面により通知しなければならない。
① この条の規定を適用する旨及びその理由
② 残りの保有個人情報について開示決定等をする期限

第８５条 （事案の移送）

Ⅰ 行政機関の長等は、開示請求に係る保有個人情報が当該行政機関の長等が属する行政機関等以外の行政機関等から提供されたものであるとき、その他他の行政機関の長等において開示決定等をすることにつき正当な理由があるときは、当該他の行政機関の長等と協議の上、当該他の行政機関の長等に対し、事案を移送することができる。この場合においては、移送をした行政機関の長等は、開示請求者に対し、事案を移送した旨を書面により通知しなければならない。
Ⅱ 前項の規定により事案が移送されたときは、移送を受けた行政機関の長等において、当該開示請求についての開示決定等をしなければならない。この場合において、移送をした行政機関の長等が移送前にした行為は、移送を受けた行政機関の長等がしたものとみなす。
Ⅲ 前項の場合において、移送を受けた行政機関の長等が第82条第１項の決定（以下この節において「開示決定」という。）をしたときは、当該行政機関の長等は、開示の実施をしなければならない。この場合において、移送をした行政機関の長等は、当該開示の実施に必要な協力をしなければならない。

第８６条 （第三者に対する意見書提出の機会の付与等）

Ⅰ 開示請求に係る保有個人情報に国、独立行政法人等、地方公共団体、地方独立行政法人及び開示請求者以外の者（以下この条、第105条第２項第３号及び第107条第１項において「第三者」という。）に関する情報が含まれているときは、行政機関の長等は、開示決定等をするに当たって、当該情報に係る第三者に対し、政令で定めるところにより、当該第三者に関する情報の内容その他政令で定める事項を通知して、意見書を提出する機会を与えることができる。
Ⅱ 行政機関の長等は、次の各号のいずれかに該当するときは、開示決定に先立ち、当該第三者に対し、政令で定めるところにより、開示請求に係る当該第三者に関する情報の内容その他政令で定める事項を書面により通知して、意見書を提出する機会を与えなければならない。ただし、当該第三者の所在が判明しない場合は、この限りでない。
① 第三者に関する情報が含まれている保有個人情報を開示しようとする場合であって、当該第三者に関する情報が第78条第１項第２号ロ又は同項第３号ただし書に規定する情報に該当すると認められるとき。
② 第三者に関する情報が含まれている保有個人情報を第80条の規定により開示しようとするとき。

Ⅲ　行政機関の長等は、前２項の規定により意見書の提出の機会を与えられた第三者が当該第三者に関する情報の開示に反対の意思を表示した意見書を提出した場合において、開示決定をするときは、開示決定の日と開示を実施する日との間に少なくとも２週間を置かなければならない。この場合において、行政機関の長等は、開示決定後直ちに、当該意見書（第105条において「反対意見書」という。）を提出した第三者に対し、開示決定をした旨及びその理由並びに開示を実施する日を書面により通知しなければならない。

第８７条　（開示の実施）

Ⅰ　保有個人情報の開示は、当該保有個人情報が、文書又は図画に記録されているときは閲覧又は写しの交付により、電磁的記録に記録されているときはその種別、情報化の進展状況等を勘案して行政機関等が定める方法により行う。ただし、閲覧の方法による保有個人情報の開示にあっては、行政機関の長等は、当該保有個人情報が記録されている文書又は図画の保存に支障を生ずるおそれがあると認めるとき、その他正当な理由があるときは、その写しにより、これを行うことができる。

Ⅱ　行政機関等は、前項の規定に基づく電磁的記録についての開示の方法に関する定めを一般の閲覧に供しなければならない。

Ⅲ　開示決定に基づき保有個人情報の開示を受ける者は、政令で定めるところにより、当該開示決定をした行政機関の長等に対し、その求める開示の実施の方法その他の政令で定める事項を申し出なければならない。

Ⅳ　前項の規定による申出は、第82条第１項に規定する通知があった日から30日以内にしなければならない。ただし、当該期間内に当該申出をすることができないことにつき正当な理由があるときは、この限りでない。

第８８条　（他の法令による開示の実施との調整）

Ⅰ　行政機関の長等は、他の法令の規定により、開示請求者に対し開示請求に係る保有個人情報が前条第１項本文に規定する方法と同一の方法で開示することとされている場合（開示の期間が定められている場合にあっては、当該期間内に限る。）には、同項本文の規定にかかわらず、当該保有個人情報については、当該同一の方法による開示を行わない。ただし、当該他の法令の規定に一定の場合には開示をしない旨の定めがあるときは、この限りでない。

Ⅱ　他の法令の規定に定める開示の方法が縦覧であるときは、当該縦覧を前条第１項本文の閲覧とみなして、前項の規定を適用する。

第８９条　（手数料）

Ⅰ　行政機関の長に対し開示請求をする者は、政令で定めるところにより、実費の範囲内において政令で定める額の手数料を納めなければならない。

Ⅱ　地方公共団体の機関に対し開示請求をする者は、条例で定めるところにより、実費の範囲内において条例で定める額の手数料を納めなければならない。

Ⅲ　前２項の手数料の額を定めるに当たっては、できる限り利用しやすい額とするよう配慮しなければならない。

Ⅳ　独立行政法人等に対し開示請求をする者は、独立行政法人等の定めるところにより、手数料を納めなければならない。
Ⅴ　前項の手数料の額は、実費の範囲内において、かつ、第1項の手数料の額を参酌して、独立行政法人等が定める。
Ⅵ　独立行政法人等は、前2項の規定による定めを一般の閲覧に供しなければならない。
Ⅶ　地方独立行政法人に対し開示請求をする者は、地方独立行政法人の定めるところにより、手数料を納めなければならない。
Ⅷ　前項の手数料の額は、実費の範囲内において、かつ、第2項の条例で定める手数料の額を参酌して、地方独立行政法人が定める。
Ⅸ　地方独立行政法人は、前2項の規定による定めを一般の閲覧に供しなければならない。

第2目　訂正（個人情報2款）

第90条　（訂正請求権）

Ⅰ　何人も、自己を本人とする保有個人情報（次に掲げるものに限る。第98条第1項において同じ。）の内容が事実でないと思料するときは、この法律の定めるところにより、当該保有個人情報を保有する行政機関の長等に対し、当該保有個人情報の訂正（追加又は削除を含む。以下この節において同じ。）を請求することができる。ただし、当該保有個人情報の訂正に関して他の法令の規定により特別の手続が定められているときは、この限りでない。
　①　開示決定に基づき開示を受けた保有個人情報
　②　開示決定に係る保有個人情報であって、第88条第1項の他の法令の規定により開示を受けたもの
Ⅱ　代理人は、本人に代わって前項の規定による訂正の請求（以下この節及び第127条において「訂正請求」という。）をすることができる。
Ⅲ　訂正請求は、保有個人情報の開示を受けた日から90日以内にしなければならない。

第91条　（訂正請求の手続）

Ⅰ　訂正請求は、次に掲げる事項を記載した書面（第3項において「訂正請求書」という。）を行政機関の長等に提出してしなければならない。
　①　訂正請求をする者の氏名及び住所又は居所
　②　訂正請求に係る保有個人情報の開示を受けた日その他当該保有個人情報を特定するに足りる事項
　③　訂正請求の趣旨及び理由
Ⅱ　前項の場合において、訂正請求をする者は、政令で定めるところにより、訂正請求に係る保有個人情報の本人であること（前条第2項の規定による訂正請求にあっては、訂正請求に係る保有個人情報の本人の代理人であること）を示す書類を提示し、又は提出しなければならない。

Ⅲ　行政機関の長等は、訂正請求書に形式上の不備があると認めるときは、訂正請求をした者（以下この節において「訂正請求者」という。）に対し、相当の期間を定めて、その補正を求めることができる。

第９２条　（保有個人情報の訂正義務）

行政機関の長等は、訂正請求があった場合において、当該訂正請求に理由があると認めるときは、当該訂正請求に係る保有個人情報の利用目的の達成に必要な範囲内で、当該保有個人情報の訂正をしなければならない。

第９３条　（訂正請求に対する措置）

Ⅰ　行政機関の長等は、訂正請求に係る保有個人情報の訂正をするときは、その旨の決定をし、訂正請求者に対し、その旨を書面により通知しなければならない。

Ⅱ　行政機関の長等は、訂正請求に係る保有個人情報の訂正をしないときは、その旨の決定をし、訂正請求者に対し、その旨を書面により通知しなければならない。

第９４条　（訂正決定等の期限）

Ⅰ　前条各項の決定（以下この節において「訂正決定等」という。）は、訂正請求があった日から30日以内にしなければならない。ただし、第91条第３項の規定により補正を求めた場合にあっては、当該補正に要した日数は、当該期間に算入しない。

Ⅱ　前項の規定にかかわらず、行政機関の長等は、事務処理上の困難その他正当な理由があるときは、同項に規定する期間を30日以内に限り延長することができる。この場合において、行政機関の長等は、訂正請求者に対し、遅滞なく、延長後の期間及び延長の理由を書面により通知しなければならない。

第９５条　（訂正決定等の期限の特例）

行政機関の長等は、訂正決定等に特に長期間を要すると認めるときは、前条の規定にかかわらず、相当の期間内に訂正決定等をすれば足りる。この場合において、行政機関の長等は、同条第１項に規定する期間内に、訂正請求者に対し、次に掲げる事項を書面により通知しなければならない。

①　この条の規定を適用する旨及びその理由

②　訂正決定等をする期限

第９６条　（事案の移送）

Ⅰ　行政機関の長等は、訂正請求に係る保有個人情報が第85条第３項の規定に基づく開示に係るものであるとき、その他他の行政機関の長等において訂正決定等をすることにつき正当な理由があるときは、当該他の行政機関の長等と協議の上、当該他の行政機関の長等に対し、事案を移送することができる。この場合においては、移送をした行政機関の長等は、訂正請求者に対し、事案を移送した旨を書面により通知しなければならない。

Ⅱ　前項の規定により事案が移送されたときは、移送を受けた行政機関の長等において、当該訂正請求についての訂正決定等をしなければならない。この場合において、移送をした行政機関の長等が移送前にした行為は、移送を受けた行政機関の長等がしたものとみなす。

Ⅲ　前項の場合において、移送を受けた行政機関の長等が第93条第1項の決定（以下この項及び次条において「訂正決定」という。）をしたときは、移送をした行政機関の長等は、当該訂正決定に基づき訂正の実施をしなければならない。

第97条　（保有個人情報の提供先への通知）

行政機関の長等は、訂正決定に基づく保有個人情報の訂正の実施をした場合において、必要があると認めるときは、当該保有個人情報の提供先に対し、遅滞なく、その旨を書面により通知するものとする。

第3目　利用停止（個人情報3款）

第98条　（利用停止請求権）

Ⅰ　何人も、自己を本人とする保有個人情報が次の各号のいずれかに該当すると思料するときは、この法律の定めるところにより、当該保有個人情報を保有する行政機関の長等に対し、当該各号に定める措置を請求することができる。ただし、当該保有個人情報の利用の停止、消去又は提供の停止（以下この節において「利用停止」という。）に関して他の法令の規定により特別の手続が定められているときは、この限りでない。

① 第61条第2項の規定に違反して保有されているとき、第63条の規定に違反して取り扱われているとき、第64条の規定に違反して取得されたものであるとき、又は第69条第1項及び第2項の規定に違反して利用されているとき　当該保有個人情報の利用の停止又は消去

② 第69条第1項及び第2項又は第71条第1項の規定に違反して提供されているとき　当該保有個人情報の提供の停止

Ⅱ　代理人は、本人に代わって前項の規定による利用停止の請求（以下この節及び第127条において「利用停止請求」という。）をすることができる。

Ⅲ　利用停止請求は、保有個人情報の開示を受けた日から90日以内にしなければならない。

第99条　（利用停止請求の手続）

Ⅰ　利用停止請求は、次に掲げる事項を記載した書面（第3項において「利用停止請求書」という。）を行政機関の長等に提出してしなければならない。

① 利用停止請求をする者の氏名及び住所又は居所

② 利用停止請求に係る保有個人情報の開示を受けた日その他当該保有個人情報を特定するに足りる事項

③　利用停止請求の趣旨及び理由

Ⅱ　前項の場合において、利用停止請求をする者は、政令で定めるところにより、利用停止請求に係る保有個人情報の本人であること（前条第２項の規定による利用停止請求にあっては、利用停止請求に係る保有個人情報の本人の代理人であること）を示す書類を提示し、又は提出しなければならない。

Ⅲ　行政機関の長等は、利用停止請求書に形式上の不備があると認めるときは、利用停止請求をした者（以下この節において「利用停止請求者」という。）に対し、相当の期間を定めて、その補正を求めることができる。

第１００条　（保有個人情報の利用停止義務）

行政機関の長等は、利用停止請求があった場合において、当該利用停止請求に理由があると認めるときは、当該行政機関の長等の属する行政機関等における個人情報の適正な取扱いを確保するために必要な限度で、当該利用停止請求に係る保有個人情報の利用停止をしなければならない。ただし、当該保有個人情報の利用停止をすることにより、当該保有個人情報の利用目的に係る事務又は事業の性質上、当該事務又は事業の適正な遂行に著しい支障を及ぼすおそれがあると認められるときは、この限りでない。

第１０１条　（利用停止請求に対する措置）

Ⅰ　行政機関の長等は、利用停止請求に係る保有個人情報の利用停止をするときは、その旨の決定をし、利用停止請求者に対し、その旨を書面により通知しなければならない。

Ⅱ　行政機関の長等は、利用停止請求に係る保有個人情報の利用停止をしないときは、その旨の決定をし、利用停止請求者に対し、その旨を書面により通知しなければならない。

第１０２条　（利用停止決定等の期限）

Ⅰ　前条各項の決定（以下この節において「利用停止決定等」という。）は、利用停止請求があった日から30日以内にしなければならない。ただし、第99条第３項の規定により補正を求めた場合にあっては、当該補正に要した日数は、当該期間に算入しない。

Ⅱ　前項の規定にかかわらず、行政機関の長等は、事務処理上の困難その他正当な理由があるときは、同項に規定する期間を30日以内に限り延長することができる。この場合において、行政機関の長等は、利用停止請求者に対し、遅滞なく、延長後の期間及び延長の理由を書面により通知しなければならない。

第１０３条　（利用停止決定等の期限の特例）

行政機関の長等は、利用停止決定等に特に長期間を要すると認めるときは、前条の規定にかかわらず、相当の期間内に利用停止決定等をすれば足りる。この場合において、行政機関の長等は、同条第１項に規定する期間内に、利用停止請求者に対し、次に掲げる事項を書面により通知しなければならない。

① この条の規定を適用する旨及びその理由
② 利用停止決定等をする期限

第4目　審査請求（個人情報4款）

第１０４条　（審理員による審理手続に関する規定の適用除外等）

Ⅰ　行政機関の長等（地方公共団体の機関又は地方独立行政法人を除く。次項及び次条において同じ。）に対する開示決定等、訂正決定等、利用停止決定等又は開示請求、訂正請求若しくは利用停止請求に係る不作為に係る審査請求については、行政不服審査法（平成26年法律第68号）第9条、第17条、第24条、第2章第3節及び第4節並びに第50条第2項の規定は、適用しない。

Ⅱ　行政機関の長等に対する開示決定等、訂正決定等、利用停止決定等又は開示請求、訂正請求若しくは利用停止請求に係る不作為に係る審査請求についての行政不服審査法第2章の規定の適用については、同法第11条第2項中「第9条第1項の規定により指名された者（以下「審理員」という。）」とあるのは「第4条（個人情報の保護に関する法律（平成15年法律第57号）第107条第2項の規定に基づく政令を含む。）の規定により審査請求がされた行政庁（第14条の規定により引継ぎを受けた行政庁を含む。以下「審査庁」という。）」と、同法第13条第1項及び第2項中「審理員」とあるのは「審査庁」と、同法第25条第7項中「あったとき、又は審理員から第40条に規定する執行停止をすべき旨の意見書が提出されたとき」とあるのは「あったとき」と、同法第44条中「行政不服審査会等」とあるのは「情報公開・個人情報保護審査会（審査庁が会計検査院長である場合にあっては、別に法律で定める審査会。第50条第1項第4号において同じ。）」と、「受けたとき（前条第1項の規定による諮問を要しない場合（同項第2号又は第3号に該当する場合を除く。）にあっては審理員意見書が提出されたとき、同項第2号又は第3号に該当する場合にあっては同項第2号又は第3号に規定する議を経たとき）」とあるのは「受けたとき」と、同法第50条第1項第4号中「審理員意見書又は行政不服審査会等若しくは審議会等」とあるのは「情報公開・個人情報保護審査会」とする。

第１０５条　（審査会への諮問）

Ⅰ　開示決定等、訂正決定等、利用停止決定等又は開示請求、訂正請求若しくは利用停止請求に係る不作為について審査請求があったときは、当該審査請求に対する裁決をすべき行政機関の長等は、次の各号のいずれかに該当する場合を除き、情報公開・個人情報保護審査会（審査請求に対する裁決をすべき行政機関の長等が会計検査院長である場合にあっては、別に法律で定める審査会）に諮問しなければならない。

① 審査請求が不適法であり、却下する場合

② 裁決で、審査請求の全部を認容し、当該審査請求に係る保有個人情報の全部を開示することとする場合（当該保有個人情報の開示について反対意見書が提出されている場合を除く。）

③ 裁決で、審査請求の全部を認容し、当該審査請求に係る保有個人情報の訂正をすることとする場合

④ 裁決で、審査請求の全部を認容し、当該審査請求に係る保有個人情報の利用停止をすることとする場合

Ⅱ 前項の規定により諮問をした行政機関の長等は、次に掲げる者に対し、諮問をした旨を通知しなければならない。

① 審査請求人及び参加人（行政不服審査法第13条第４項に規定する参加人をいう。以下この項及び第107条第１項第２号において同じ。）

② 開示請求者、訂正請求者又は利用停止請求者（これらの者が審査請求人又は参加人である場合を除く。）

③ 当該審査請求に係る保有個人情報の開示について反対意見書を提出した第三者（当該第三者が審査請求人又は参加人である場合を除く。）

Ⅲ 前２項の規定は、地方公共団体の機関又は地方独立行政法人について準用する。この場合において、第１項中「情報公開・個人情報保護審査会（審査請求に対する裁決をすべき行政機関の長等が会計検査院長である場合にあっては、別に法律で定める審査会）」とあるのは、「行政不服審査法第81条第１項又は第２項の機関」と読み替えるものとする。

第１０６条 （地方公共団体の機関等における審理員による審理手続に関する規定の適用除外等）

Ⅰ 地方公共団体の機関又は地方独立行政法人に対する開示決定等、訂正決定等、利用停止決定等又は開示請求、訂正請求若しくは利用停止請求に係る不作為に係る審査請求については、行政不服審査法第９条第１項から第３項まで、第17条、第40条、第42条、第２章第４節及び第50条第２項の規定は、適用しない。

Ⅱ 地方公共団体の機関又は地方独立行政法人に対する開示決定等、訂正決定等、利用停止決定等又は開示請求、訂正請求若しくは利用停止請求に係る不作為に係る審査請求についての次の表の上欄に掲げる行政不服審査法の規定の適用については、これらの規定中同表の中欄に掲げる字句は、それぞれ同表の下欄に掲げる字句とするほか、必要な技術的読替えは、政令で定める。

（表略）

第１０７条 （第三者からの審査請求を棄却する場合等における手続等）

Ⅰ 第86条第３項の規定は、次の各号のいずれかに該当する裁決をする場合について準用する。

① 開示決定に対する第三者からの審査請求を却下し、又は棄却する裁決

② 審査請求に係る開示決定等（開示請求に係る保有個人情報の全部を開示する旨の決定を除く。）を変更し、当該審査請求に係る保有個人情報を開示する旨の裁

決（第三者である参加人が当該第三者に関する情報の開示に反対の意思を表示している場合に限る。）

Ⅱ　開示決定等、訂正決定等、利用停止決定等又は開示請求、訂正請求若しくは利用停止請求に係る不作為についての審査請求については、政令（地方公共団体の機関又は地方独立行政法人にあっては、条例）で定めるところにより、行政不服審査法第４条の規定の特例を設けることができる。

第５目　条例との関係（個人情報５款）

第１０８条

この節の規定は、地方公共団体が、保有個人情報の開示、訂正及び利用停止の手続並びに審査請求の手続に関する事項について、この節の規定に反しない限り、条例で必要な規定を定めることを妨げるものではない。

第５款　行政機関等匿名加工情報の提供等（個人情報５節）

第１０９条　（行政機関等匿名加工情報の作成及び提供等）

Ⅰ　行政機関の長等は、この節の規定に従い、行政機関等匿名加工情報（行政機関等匿名加工情報ファイルを構成するものに限る。以下この節において同じ。）を作成することができる。

Ⅱ　行政機関の長等は、次の各号のいずれかに該当する場合を除き、行政機関等匿名加工情報を提供してはならない。

①　法令に基づく場合（この節の規定に従う場合を含む。）

②　保有個人情報を利用目的のために第三者に提供することができる場合において、当該保有個人情報を加工して作成した行政機関等匿名加工情報を当該第三者に提供するとき。

Ⅲ　第69条の規定にかかわらず、行政機関の長等は、法令に基づく場合を除き、利用目的以外の目的のために削除情報（保有個人情報に該当するものに限る。）を自ら利用し、又は提供してはならない。

Ⅳ　前項の「削除情報」とは、行政機関等匿名加工情報の作成に用いた保有個人情報から削除した記述等及び個人識別符号をいう。

第１１０条　（提案の募集に関する事項の個人情報ファイル簿への記載）

行政機関の長等は、当該行政機関の長等の属する行政機関等が保有している個人情報ファイルが第60条第３項各号のいずれにも該当すると認めるときは、当該個人情報ファイルについては、個人情報ファイル簿に次に掲げる事項を記載しなければならない。この場合における当該個人情報ファイルについての第75条第１項の規定の適用については、同項中「第10号」とあるのは、「第10号並びに第110条各号」とする。

① 第112条第１項の提案の募集をする個人情報ファイルである旨
② 第112条第１項の提案を受ける組織の名称及び所在地

第１１１条 （提案の募集）

行政機関の長等は、個人情報保護委員会規則で定めるところにより、定期的に、当該行政機関の長等の属する行政機関等が保有している個人情報ファイル（個人情報ファイル簿に前条第１号に掲げる事項の記載があるものに限る。以下この節において同じ。）について、次条第１項の提案を募集するものとする。

第１１２条 （行政機関等匿名加工情報をその用に供して行う事業に関する提案）

Ⅰ 前条の規定による募集に応じて個人情報ファイルを構成する保有個人情報を加工して作成する行政機関等匿名加工情報をその事業の用に供しようとする者は、行政機関の長等に対し、当該事業に関する提案をすることができる。
Ⅱ 前項の提案は、個人情報保護委員会規則で定めるところにより、次に掲げる事項を記載した書面を行政機関の長等に提出してしなければならない。
① 提案をする者の氏名又は名称及び住所又は居所並びに法人その他の団体にあっては、その代表者の氏名
② 提案に係る個人情報ファイルの名称
③ 提案に係る行政機関等匿名加工情報の本人の数
④ 前号に掲げるもののほか、提案に係る行政機関等匿名加工情報の作成に用いる第116条第１項の規定による加工の方法を特定するに足りる事項
⑤ 提案に係る行政機関等匿名加工情報の利用の目的及び方法その他当該行政機関等匿名加工情報がその用に供される事業の内容
⑥ 提案に係る行政機関等匿名加工情報を前号の事業の用に供しようとする期間
⑦ 提案に係る行政機関等匿名加工情報の漏えいの防止その他当該行政機関等匿名加工情報の適切な管理のために講ずる措置
⑧ 前各号に掲げるもののほか、個人情報保護委員会規則で定める事項
Ⅲ 前項の書面には、次に掲げる書面その他個人情報保護委員会規則で定める書類を添付しなければならない。
① 第１項の提案をする者が次条各号のいずれにも該当しないことを誓約する書面
② 前項第５号の事業が新たな産業の創出又は活力ある経済社会若しくは豊かな国民生活の実現に資するものであることを明らかにする書面

第１１３条 （欠格事由）

次の各号のいずれかに該当する者は、前条第１項の提案をすることができない。
① 未成年者
② 心身の故障により前条第１項の提案に係る行政機関等匿名加工情報をその用に供して行う事業を適正に行うことができない者として個人情報保護委員会規則で定めるもの

③　破産手続開始の決定を受けて復権を得ない者
④　禁錮以上の刑に処せられ、又はこの法律の規定により刑に処せられ、その執行を終わり、又は執行を受けることがなくなった日から起算して２年を経過しない者
⑤　第120条の規定により行政機関等匿名加工情報の利用に関する契約を解除され、その解除の日から起算して２年を経過しない者
⑥　法人その他の団体であって、その役員のうちに前各号のいずれかに該当する者があるもの

第１１４条　（提案の審査等）

Ⅰ　行政機関の長等は、第112条第１項の提案があったときは、当該提案が次に掲げる基準に適合するかどうかを審査しなければならない。
①　第112条第１項の提案をした者が前条各号のいずれにも該当しないこと。
②　第112条第２項第３号の提案に係る行政機関等匿名加工情報の本人の数が、行政機関等匿名加工情報の効果的な活用の観点からみて個人情報保護委員会規則で定める数以上であり、かつ、提案に係る個人情報ファイルを構成する保有個人情報の本人の数以下であること。
③　第112条第２項第３号及び第４号に掲げる事項により特定される加工の方法が第116条第１項の基準に適合するものであること。
④　第112条第２項第５号の事業が新たな産業の創出又は活力ある経済社会若しくは豊かな国民生活の実現に資するものであること。
⑤　第112条第２項第６号の期間が行政機関等匿名加工情報の効果的な活用の観点からみて個人情報保護委員会規則で定める期間を超えないものであること。
⑥　第112条第２項第５号の提案に係る行政機関等匿名加工情報の利用の目的及び方法並びに同項第７号の措置が当該行政機関等匿名加工情報の本人の権利利益を保護するために適切なものであること。
⑦　前各号に掲げるもののほか、個人情報保護委員会規則で定める基準に適合するものであること。

Ⅱ　行政機関の長等は、前項の規定により審査した結果、第112条第１項の提案が前項各号に掲げる基準のいずれにも適合すると認めるときは、個人情報保護委員会規則で定めるところにより、当該提案をした者に対し、次に掲げる事項を通知するものとする。
①　次条の規定により行政機関の長等との間で行政機関等匿名加工情報の利用に関する契約を締結することができる旨
②　前号に掲げるもののほか、個人情報保護委員会規則で定める事項

Ⅲ　行政機関の長等は、第１項の規定により審査した結果、第112条第１項の提案が第１項各号に掲げる基準のいずれかに適合しないと認めるときは、個人情報保護委員会規則で定めるところにより、当該提案をした者に対し、理由を付して、その旨を通知するものとする。

第１１５条 （行政機関等匿名加工情報の利用に関する契約の締結）

前条第２項の規定による通知を受けた者は、個人情報保護委員会規則で定めるところにより、行政機関の長等との間で、行政機関等匿名加工情報の利用に関する契約を締結することができる。

第１１６条 （行政機関等匿名加工情報の作成等）

Ⅰ 行政機関の長等は、行政機関等匿名加工情報を作成するときは、特定の個人を識別することができないように及びその作成に用いる保有個人情報を復元することができないようにするために必要なものとして個人情報保護委員会規則で定める基準に従い、当該保有個人情報を加工しなければならない。

Ⅱ 前項の規定は、行政機関等から行政機関等匿名加工情報の作成の委託（二以上の段階にわたる委託を含む。）を受けた者が受託した業務を行う場合について準用する。

第１１７条 （行政機関等匿名加工情報に関する事項の個人情報ファイル簿への記載）

行政機関の長等は、行政機関等匿名加工情報を作成したときは、当該行政機関等匿名加工情報の作成に用いた保有個人情報を含む個人情報ファイルについては、個人情報ファイル簿に次に掲げる事項を記載しなければならない。この場合における当該個人情報ファイルについての第110条の規定により読み替えて適用する第75条第1項の規定の適用については、同項中「並びに第110条各号」とあるのは、「、第110条各号並びに第117条各号」とする。

① 行政機関等匿名加工情報の概要として個人情報保護委員会規則で定める事項
② 次条第１項の提案を受ける組織の名称及び所在地
③ 次条第１項の提案をすることができる期間

第１１８条 （作成された行政機関等匿名加工情報をその用に供して行う事業に関する提案等）

Ⅰ 前条の規定により個人情報ファイル簿に同条第１号に掲げる事項が記載された行政機関等匿名加工情報をその事業の用に供しようとする者は、行政機関の長等に対し、当該事業に関する提案をすることができる。当該行政機関等匿名加工情報について第115条の規定により行政機関等匿名加工情報の利用に関する契約を締結した者が、当該行政機関等匿名加工情報をその用に供する事業を変更しようとするときも、同様とする。

Ⅱ 第112条第２項及び第３項並びに第113条から第115条までの規定は、前項の提案について準用する。この場合において、第112条第２項中「次に」とあるのは「第１号及び第４号から第８号までに」と、同項第４号中「前号に掲げるもののほか、提案」とあるのは「提案」と、「の作成に用いる第116条第１項の規定による加工の方法を特定する」とあるのは「を特定する」と、同項第８号中「前各号」とあるのは「第１号及び第４号から前号まで」と、第114条第１項中「次に」

とあるのは「第1号及び第4号から第7号までに」と、同項第7号中「前各号」とあるのは「第1号及び前3号」と、同条第2項中「前項各号」とあるのは「前項第1号及び第4号から第7号まで」と、同条第3項中「第1項各号」とあるのは「第1項第1号及び第4号から第7号まで」と読み替えるものとする。

第119条　（手数料）

Ⅰ　第115条の規定により行政機関等匿名加工情報の利用に関する契約を行政機関の長と締結する者は、政令で定めるところにより、実費を勘案して政令で定める額の手数料を納めなければならない。

Ⅱ　前条第2項において準用する第115条の規定により行政機関等匿名加工情報の利用に関する契約を行政機関の長と締結する者は、政令で定めるところにより、前項の政令で定める額を参酌して政令で定める額の手数料を納めなければならない。

Ⅲ　第115条の規定により行政機関等匿名加工情報の利用に関する契約を地方公共団体の機関と締結する者は、条例で定めるところにより、実費を勘案して政令で定める額を標準として条例で定める額の手数料を納めなければならない。

Ⅳ　前条第2項において準用する第115条の規定により行政機関等匿名加工情報の利用に関する契約を地方公共団体の機関と締結する者は、条例で定めるところにより、前項の政令で定める額を参酌して政令で定める額を標準として条例で定める額の手数料を納めなければならない。

Ⅴ　第115条の規定（前条第2項において準用する場合を含む。第8項及び次条において同じ。）により行政機関等匿名加工情報の利用に関する契約を独立行政法人等と締結する者は、独立行政法人等の定めるところにより、利用料を納めなければならない。

Ⅵ　前項の利用料の額は、実費を勘案して合理的であると認められる範囲内において、独立行政法人等が定める。

Ⅶ　独立行政法人等は、前2項の規定による定めを一般の閲覧に供しなければならない。

Ⅷ　第115条の規定により行政機関等匿名加工情報の利用に関する契約を地方独立行政法人と締結する者は、地方独立行政法人の定めるところにより、手数料を納めなければならない。

Ⅸ　前項の手数料の額は、実費を勘案し、かつ、第3項又は第4項の条例で定める手数料の額を参酌して、地方独立行政法人が定める。

Ⅹ　地方独立行政法人は、前2項の規定による定めを一般の閲覧に供しなければならない。

第120条　（行政機関等匿名加工情報の利用に関する契約の解除）

行政機関の長等は、第115条の規定により行政機関等匿名加工情報の利用に関する契約を締結した者が次の各号のいずれかに該当するときは、当該契約を解除することができる。

①　偽りその他不正の手段により当該契約を締結したとき。

② 第113条各号（第118条第２項において準用する場合を含む。）のいずれかに該当することとなったとき。
③ 当該契約において定められた事項について重大な違反があったとき。

第１２１条 （識別行為の禁止等）

Ⅰ 行政機関の長等は、行政機関等匿名加工情報を取り扱うに当たっては、法令に基づく場合を除き、当該行政機関等匿名加工情報の作成に用いられた個人情報に係る本人を識別するために、当該行政機関等匿名加工情報を他の情報と照合してはならない。
Ⅱ 行政機関の長等は、行政機関等匿名加工情報、第109条第４項に規定する削除情報及び第116条第１項の規定により行った加工の方法に関する情報（以下この条及び次条において「行政機関等匿名加工情報等」という。）の漏えいを防止するために必要なものとして個人情報保護委員会規則で定める基準に従い、行政機関等匿名加工情報等の適切な管理のために必要な措置を講じなければならない。
Ⅲ 前２項の規定は、行政機関等から行政機関等匿名加工情報等の取扱いの委託（二以上の段階にわたる委託を含む。）を受けた者が受託した業務を行う場合について準用する。

第１２２条 （従事者の義務）

行政機関等匿名加工情報等の取扱いに従事する行政機関等の職員若しくは職員であった者、前条第３項の委託を受けた業務に従事している者若しくは従事していた者又は行政機関等において行政機関等匿名加工情報等の取扱いに従事している派遣労働者若しくは従事していた派遣労働者は、その業務に関して知り得た行政機関等匿名加工情報等の内容をみだりに他人に知らせ、又は不当な目的に利用してはならない。

第１２３条 （匿名加工情報の取扱いに係る義務）

Ⅰ 行政機関等は、匿名加工情報（行政機関等匿名加工情報を除く。以下この条において同じ。）を第三者に提供するときは、法令に基づく場合を除き、個人情報保護委員会規則で定めるところにより、あらかじめ、第三者に提供される匿名加工情報に含まれる個人に関する情報の項目及びその提供の方法について公表するとともに、当該第三者に対して、当該提供に係る情報が匿名加工情報である旨を明示しなければならない。
Ⅱ 行政機関等は、匿名加工情報を取り扱うに当たっては、法令に基づく場合を除き、当該匿名加工情報の作成に用いられた個人情報に係る本人を識別するために、当該個人情報から削除された記述等若しくは個人識別符号若しくは第43条第１項の規定により行われた加工の方法に関する情報を取得し、又は当該匿名加工情報を他の情報と照合してはならない。
Ⅲ 行政機関等は、匿名加工情報の漏えいを防止するために必要なものとして個人情報保護委員会規則で定める基準に従い、匿名加工情報の適切な管理のために必要な措置を講じなければならない。

Ⅳ　前２項の規定は、行政機関等から匿名加工情報の取扱いの委託（二以上の段階にわたる委託を含む。）を受けた者が受託した業務を行う場合について準用する。

第６款　雑則（個人情報６節）

第１２４条　（適用除外等）

Ⅰ　第４節の規定は、刑事事件若しくは少年の保護事件に係る裁判、検察官、検察事務官若しくは司法警察職員が行う処分、刑若しくは保護処分の執行、更生緊急保護又は恩赦に係る保有個人情報（当該裁判、処分若しくは執行を受けた者、更生緊急保護の申出をした者又は恩赦の上申があった者に係るものに限る。）については、適用しない。

Ⅱ　保有個人情報（行政機関情報公開法第５条、独立行政法人等情報公開法第５条又は情報公開条例に規定する不開示情報を専ら記録する行政文書等に記録されているものに限る。）のうち、まだ分類その他の整理が行われていないもので、同一の利用目的に係るものが著しく大量にあるためその中から特定の保有個人情報を検索することが著しく困難であるものは、第４節（第４款を除く。）の規定の適用については、行政機関等に保有されていないものとみなす。

第１２５条　（適用の特例）

Ⅰ　第58条第２項各号に掲げる者が行う当該各号に定める業務における個人情報、仮名加工情報又は個人関連情報の取扱いについては、この章（第１節、第66条第２項（第４号及び第５号（同項第４号に係る部分に限る。）に係る部分に限る。）において準用する同条第１項、第75条、前２節、前条第２項及び第127条を除く。）の規定、第176条及び第180条の規定（これらの規定のうち第66条第２項第４号及び第５号（同項第４号に係る部分に限る。）に定める業務に係る部分を除く。）並びに第181条の規定は、適用しない。

Ⅱ　第58条第１項各号に掲げる者による個人情報又は匿名加工情報の取扱いについては、同項第１号に掲げる者を独立行政法人等と、同項第２号に掲げる者を地方独立行政法人と、それぞれみなして、第１節、第75条、前２節、前条第２項、第127条及び次章から第８章まで（第176条、第180条及び第181条を除く。）の規定を適用する。

Ⅲ　第58条第１項各号及び第２項各号に掲げる者（同項各号に定める業務を行う場合に限る。）についての第98条の規定の適用については、同条第１項第１号中「第61条第２項の規定に違反して保有されているとき、第63条の規定に違反して取り扱われているとき、第64条の規定に違反して取得されたものであるとき、又は第69条第１項及び第２項の規定に違反して利用されているとき」とあるのは「第18条若しくは第19条の規定に違反して取り扱われているとき、又は第20条の規定に違反して取得されたものであるとき」と、同項第２号中「第69条第１項及び第２項又は第71条第１項」とあるのは「第27条第１項又は第28条」とする。

第１２６条　（権限又は事務の委任）

行政機関の長は、政令（内閣の所轄の下に置かれる機関及び会計検査院にあっては、当該機関の命令）で定めるところにより、第２節から前節まで（第74条及び第４節第４款を除く。）に定める権限又は事務を当該行政機関の職員に委任することができる。

第１２７条　（開示請求等をしようとする者に対する情報の提供等）

行政機関の長等は、開示請求、訂正請求若しくは利用停止請求又は第112条第１項若しくは第118条第１項の提案（以下この条において「開示請求等」という。）をしようとする者がそれぞれ容易かつ的確に開示請求等をすることができるよう、当該行政機関の長等の属する行政機関等が保有する保有個人情報の特定又は当該提案に資する情報の提供その他開示請求等をしようとする者の利便を考慮した適切な措置を講ずるものとする。

第１２８条　（行政機関等における個人情報等の取扱いに関する苦情処理）

行政機関の長等は、行政機関等における個人情報、仮名加工情報又は匿名加工情報の取扱いに関する苦情の適切かつ迅速な処理に努めなければならない。

第１２９条　（地方公共団体に置く審議会等への諮問）

地方公共団体の機関は、条例で定めるところにより、第３章第３節の施策を講ずる場合その他の場合において、個人情報の適正な取扱いを確保するため専門的な知見に基づく意見を聴くことが特に必要であると認めるときは、審議会その他の合議制の機関に諮問することができる。

■第６節　個人情報保護委員会（個人情報６章）

第１款　設置等（個人情報１節）

第１３０条　（設置）

Ⅰ　内閣府設置法第49条第３項の規定に基づいて、個人情報保護委員会（以下「委員会」という。）を置く。

Ⅱ　委員会は、内閣総理大臣の所轄に属する。

第１３１条　（任務）

委員会は、行政機関等の事務及び事業の適正かつ円滑な運営を図り、並びに個人情報の適正かつ効果的な活用が新たな産業の創出並びに活力ある経済社会及び豊かな国民生活の実現に資するものであることその他の個人情報の有用性に配慮しつつ、個人の権利利益を保護するため、個人情報の適正な取扱いの確保を図ること（個人番号利用事務等実施者（行政手続における特定の個人を識別するための番号の利用等に関する法律（平成25年法律第27号。以下「番号利用法」という。）第12条に規定する個人番号利用事務等実施者をいう。）に対する指導及び助言その他の措置を講ずることを含む。）を任務とする。

第１３２条　（所掌事務）

委員会は、前条の任務を達成するため、次に掲げる事務をつかさどる。

① 基本方針の策定及び推進に関すること。

② 個人情報取扱事業者における個人情報の取扱い、個人情報取扱事業者及び仮名加工情報取扱事業者における仮名加工情報の取扱い、個人情報取扱事業者及び匿名加工情報取扱事業者における匿名加工情報の取扱い並びに個人関連情報取扱事業者における個人関連情報の取扱いに関する監督、行政機関等における個人情報、仮名加工情報、匿名加工情報及び個人関連情報の取扱いに関する監視並びに個人情報、仮名加工情報及び匿名加工情報の取扱いに関する苦情の申出についての必要なあっせん及びその処理を行う事業者への協力に関すること（第４号に掲げるものを除く。）。

③ 認定個人情報保護団体に関すること。

④ 特定個人情報（番号利用法第２条第８項に規定する特定個人情報をいう。）の取扱いに関する監視又は監督並びに苦情の申出についての必要なあっせん及びその処理を行う事業者への協力に関すること。

⑤ 特定個人情報保護評価（番号利用法第27条第１項に規定する特定個人情報保護評価をいう。）に関すること。

⑥ 個人情報の保護及び適正かつ効果的な活用についての広報及び啓発に関すること。

⑦ 前各号に掲げる事務を行うために必要な調査及び研究に関すること。

⑧ 所掌事務に係る国際協力に関すること。

⑨ 前各号に掲げるもののほか、法律（法律に基づく命令を含む。）に基づき委員会に属させられた事務

第１３３条　（職権行使の独立性）

委員会の委員長及び委員は、独立してその職権を行う。

第１３４条　（組織等）

Ⅰ　委員会は、委員長及び委員８人をもって組織する。

Ⅱ　委員のうち４人は、非常勤とする。

Ⅲ　委員長及び委員は、人格が高潔で識見の高い者のうちから、両議院の同意を得て、内閣総理大臣が任命する。

Ⅳ　委員長及び委員には、個人情報の保護及び適正かつ効果的な活用に関する学識経験のある者、消費者の保護に関して十分な知識と経験を有する者、情報処理技術に関する学識経験のある者、行政分野に関する学識経験のある者、民間企業の実務に関して十分な知識と経験を有する者並びに連合組織（地方自治法第263条の3第1項の連合組織で同項の規定による届出をしたものをいう。）の推薦する者が含まれるものとする。

第135条（任期等）

Ⅰ　委員長及び委員の任期は、5年とする。ただし、補欠の委員長又は委員の任期は、前任者の残任期間とする。
Ⅱ　委員長及び委員は、再任されることができる。
Ⅲ　委員長及び委員の任期が満了したときは、当該委員長及び委員は、後任者が任命されるまで引き続きその職務を行うものとする。
Ⅳ　委員長又は委員の任期が満了し、又は欠員を生じた場合において、国会の閉会又は衆議院の解散のために両議院の同意を得ることができないときは、内閣総理大臣は、前条第3項の規定にかかわらず、同項に定める資格を有する者のうちから、委員長又は委員を任命することができる。
Ⅴ　前項の場合においては、任命後最初の国会において両議院の事後の承認を得なければならない。この場合において、両議院の事後の承認が得られないときは、内閣総理大臣は、直ちに、その委員長又は委員を罷免しなければならない。

第136条（身分保障）

委員長及び委員は、次の各号のいずれかに該当する場合を除いては、在任中、その意に反して罷免されることがない。
①　破産手続開始の決定を受けたとき。
②　この法律又は番号利用法の規定に違反して刑に処せられたとき。
③　禁錮以上の刑に処せられたとき。
④　委員会により、心身の故障のため職務を執行することができないと認められたとき、又は職務上の義務違反その他委員長若しくは委員たるに適しない非行があると認められたとき。

第137条（罷免）

内閣総理大臣は、委員長又は委員が前条各号のいずれかに該当するときは、その委員長又は委員を罷免しなければならない。

第138条（委員長）

Ⅰ　委員長は、委員会の会務を総理し、委員会を代表する。
Ⅱ　委員会は、あらかじめ常勤の委員のうちから、委員長に事故がある場合に委員長を代理する者を定めておかなければならない。

第139条（会議）

Ⅰ　委員会の会議は、委員長が招集する。

Ⅱ　委員会は、委員長及び4人以上の委員の出席がなければ、会議を開き、議決をすることができない。

Ⅲ　委員会の議事は、出席者の過半数でこれを決し、可否同数のときは、委員長の決するところによる。

Ⅳ　第136条第4号の規定による認定をするには、前項の規定にかかわらず、本人を除く全員の一致がなければならない。

Ⅴ　委員長に事故がある場合の第2項の規定の適用については、前条第2項に規定する委員長を代理する者は、委員長とみなす。

第140条（専門委員）

Ⅰ　委員会に、専門の事項を調査させるため、専門委員を置くことができる。

Ⅱ　専門委員は、委員会の申出に基づいて内閣総理大臣が任命する。

Ⅲ　専門委員は、当該専門の事項に関する調査が終了したときは、解任されるものとする。

Ⅳ　専門委員は、非常勤とする。

第141条（事務局）

Ⅰ　委員会の事務を処理させるため、委員会に事務局を置く。

Ⅱ　事務局に、事務局長その他の職員を置く。

Ⅲ　事務局長は、委員長の命を受けて、局務を掌理する。

第142条（政治運動等の禁止）

Ⅰ　委員長及び委員は、在任中、政党その他の政治団体の役員となり、又は積極的に政治運動をしてはならない。

Ⅱ　委員長及び常勤の委員は、在任中、内閣総理大臣の許可のある場合を除くほか、報酬を得て他の職務に従事し、又は営利事業を営み、その他金銭上の利益を目的とする業務を行ってはならない。

第143条（秘密保持義務）

委員長、委員、専門委員及び事務局の職員は、職務上知ることのできた秘密を漏らし、又は盗用してはならない。その職務を退いた後も、同様とする。

第144条（給与）

委員長及び委員の給与は、別に法律で定める。

第145条（規則の制定）

委員会は、その所掌事務について、法律若しくは政令を実施するため、又は法律若しくは政令の特別の委任に基づいて、個人情報保護委員会規則を制定することができる。

第２款　監督及び監視（個人情報２節）

第１目　個人情報取扱事業者等の監督（個人情報１款）

第１４６条　（報告及び立入検査）

Ⅰ　委員会は、第４章（第５節を除く。次条及び第151条において同じ。）の規定の施行に必要な限度において、個人情報取扱事業者、仮名加工情報取扱事業者、匿名加工情報取扱事業者又は個人関連情報取扱事業者（以下この款において「個人情報取扱事業者等」という。）その他の関係者に対し、個人情報、仮名加工情報、匿名加工情報又は個人関連情報（以下この款及び第３款において「個人情報等」という。）の取扱いに関し、必要な報告若しくは資料の提出を求め、又はその職員に、当該個人情報取扱事業者等その他の関係者の事務所その他必要な場所に立ち入らせ、個人情報等の取扱いに関し質問させ、若しくは帳簿書類その他の物件を検査させることができる。

Ⅱ　前項の規定により立入検査をする職員は、その身分を示す証明書を携帯し、関係人の請求があったときは、これを提示しなければならない。

Ⅲ　第１項の規定による立入検査の権限は、犯罪捜査のために認められたものと解釈してはならない。

第１４７条　（指導及び助言）

委員会は、第４章の規定の施行に必要な限度において、個人情報取扱事業者等に対し、個人情報等の取扱いに関し必要な指導及び助言をすることができる。

第１４８条　（勧告及び命令）

Ⅰ　委員会は、個人情報取扱事業者が第18条から第20条まで、第21条（第１項、第３項及び第４項の規定を第41条第４項の規定により読み替えて適用する場合を含む。）、第23条から第26条まで、第27条（第４項を除き、第５項及び第６項の規定を第41条第６項の規定により読み替えて適用する場合を含む。）、第28条、第29条（第１項ただし書の規定を第41条第６項の規定により読み替えて適用する場合を含む。）、第30条（第２項を除き、第１項ただし書の規定を第41条第６項の規定により読み替えて適用する場合を含む。）、第32条、第33条（第１項（第５項において準用する場合を含む。）を除く。）、第34条第２項若しくは第３項、第35条（第１項、第３項及び第５項を除く。）、第38条第２項、第41条（第４項及び第５項を除く。）若しくは第43条（第６項を除く。）の規定に違反した場合、個人関連情報取扱事業者が第31条第１項、同条第２項において読み替えて準用する第28条第３項若しくは第31条第３項において読み替えて準用する第30条第３項若しくは第４項の規定に違反した場合、仮名加工情報取扱事業者が第42条第１項、同条第２項において読み替えて準用する第27条第５項若しくは第

6項若しくは第42条第3項において読み替えて準用する第23条から第25条まで若しくは第41条第7項若しくは第8項の規定に違反した場合又は匿名加工情報取扱事業者が第44条若しくは第45条の規定に違反した場合において個人の権利利益を保護するため必要があると認めるときは、当該個人情報取扱事業者等に対し、当該違反行為の中止その他違反を是正するために必要な措置をとるべき旨を勧告することができる。

Ⅱ　委員会は、前項の規定による勧告を受けた個人情報取扱事業者等が正当な理由がなくてその勧告に係る措置をとらなかった場合において個人の重大な権利利益の侵害が切迫していると認めるときは、当該個人情報取扱事業者等に対し、その勧告に係る措置をとるべきことを命ずることができる。

Ⅲ　委員会は、前2項の規定にかかわらず、個人情報取扱事業者が第18条から第20条まで、第23条から第26条まで、第27条第1項、第28条第1項若しくは第3項、第41条第1項から第3項まで若しくは第6項から第8項まで若しくは第43条第1項、第2項若しくは第5項の規定に違反した場合、個人関連情報取扱事業者が第31条第1項若しくは同条第2項において読み替えて準用する第28条第3項の規定に違反した場合、仮名加工情報取扱事業者が第42条第1項若しくは同条第3項において読み替えて準用する第23条から第25条まで若しくは第41条第7項若しくは第8項の規定に違反した場合又は匿名加工情報取扱事業者が第45条の規定に違反した場合において個人の重大な権利利益を害する事実があるため緊急に措置をとる必要があると認めるときは、当該個人情報取扱事業者等に対し、当該違反行為の中止その他違反を是正するために必要な措置をとるべきことを命ずることができる。

Ⅳ　委員会は、前2項の規定による命令をした場合において、その命令を受けた個人情報取扱事業者等がその命令に違反したときは、その旨を公表することができる。

第149条（委員会の権限の行使の制限）

Ⅰ　委員会は、前3条の規定により個人情報取扱事業者等に対し報告若しくは資料の提出の要求、立入検査、指導、助言、勧告又は命令を行うに当たっては、表現の自由、学問の自由、信教の自由及び政治活動の自由を妨げてはならない。

Ⅱ　前項の規定の趣旨に照らし、委員会は、個人情報取扱事業者等が第57条第1項各号に掲げる者（それぞれ当該各号に定める目的で個人情報等を取り扱う場合に限る。）に対して個人情報等を提供する行為については、その権限を行使しないものとする。

第150条（権限の委任）

Ⅰ　委員会は、緊急かつ重点的に個人情報等の適正な取扱いの確保を図る必要があることその他の政令で定める事情があるため、個人情報取扱事業者等に対し、第148条第1項の規定による勧告又は同条第2項若しくは第3項の規定による命令を効果的に行う上で必要があると認めるときは、政令で定めるところにより、第26条第1項、第146条第1項、第162条において読み替えて準用する民事訴訟法（平成8年法律第109号）第99条、第101条、第103条、第105条、第106条、第108条及び第109条、第163条並びに第164条の規定による権限を事業所管大臣に委任することができる。

Ⅱ　事業所管大臣は、前項の規定により委任された権限を行使したときは、政令で定めるところにより、その結果について委員会に報告するものとする。

Ⅲ　事業所管大臣は、政令で定めるところにより、第1項の規定により委任された権限及び前項の規定による権限について、その全部又は一部を内閣府設置法第43条の地方支分部局その他の政令で定める部局又は機関の長に委任することができる。

Ⅳ　内閣総理大臣は、第1項の規定により委任された権限及び第2項の規定による権限（金融庁の所掌に係るものに限り、政令で定めるものを除く。）を金融庁長官に委任する。

Ⅴ　金融庁長官は、政令で定めるところにより、前項の規定により委任された権限について、その一部を証券取引等監視委員会に委任することができる。

Ⅵ　金融庁長官は、政令で定めるところにより、第4項の規定により委任された権限（前項の規定により証券取引等監視委員会に委任されたものを除く。）の一部を財務局長又は財務支局長に委任することができる。

Ⅶ　証券取引等監視委員会は、政令で定めるところにより、第5項の規定により委任された権限の一部を財務局長又は財務支局長に委任することができる。

Ⅷ　前項の規定により財務局長又は財務支局長に委任された権限に係る事務に関しては、証券取引等監視委員会が財務局長又は財務支局長を指揮監督する。

Ⅸ　第5項の場合において、証券取引等監視委員会が行う報告又は資料の提出の要求（第7項の規定により財務局長又は財務支局長が行う場合を含む。）についての審査請求は、証券取引等監視委員会に対してのみ行うことができる。

第151条　（事業所管大臣の請求）

事業所管大臣は、個人情報取扱事業者等に第4章の規定に違反する行為があると認めるときその他個人情報取扱事業者等による個人情報等の適正な取扱いを確保するために必要があると認めるときは、委員会に対し、この法律の規定に従い適当な措置をとるべきことを求めることができる。

第152条　（事業所管大臣）

この款の規定における事業所管大臣は、次のとおりとする。

①　個人情報取扱事業者等が行う個人情報等の取扱いのうち雇用管理に関するものについては、厚生労働大臣（船員の雇用管理に関するものについては、国土交通大臣）及び当該個人情報取扱事業者等が行う事業を所管する大臣、国家公安委員会又はカジノ管理委員会（次号において「大臣等」という。）

②　個人情報取扱事業者等が行う個人情報等の取扱いのうち前号に掲げるもの以外のものについては、当該個人情報取扱事業者等が行う事業を所管する大臣等

第2目　認定個人情報保護団体の監督（個人情報2款）

第153条（報告の徴収）

委員会は、第4章第5節の規定の施行に必要な限度において、認定個人情報保護団体に対し、認定業務に関し報告をさせることができる。

第154条（命令）

委員会は、第4章第5節の規定の施行に必要な限度において、認定個人情報保護団体に対し、認定業務の実施の方法の改善、個人情報保護指針の変更その他の必要な措置をとるべき旨を命ずることができる。

第155条（認定の取消し）

Ⅰ　委員会は、認定個人情報保護団体が次の各号のいずれかに該当するときは、その認定を取り消すことができる。

①　第48条第1号又は第3号に該当するに至ったとき。
②　第49条各号のいずれかに適合しなくなったとき。
③　第55条の規定に違反したとき。
④　前条の命令に従わないとき。
⑤　不正の手段により第47条第1項の認定又は第50条第1項の変更の認定を受けたとき。

Ⅱ　委員会は、前項の規定により認定を取り消したときは、その旨を公示しなければならない。

第3目　行政機関等の監視（個人情報3款）

第156条（資料の提出の要求及び実地調査）

委員会は、前章の規定の円滑な運用を確保するため必要があると認めるときは、行政機関の長等（会計検査院長を除く。以下この款において同じ。）に対し、行政機関等における個人情報等の取扱いに関する事務の実施状況について、資料の提出及び説明を求め、又はその職員に実地調査をさせることができる。

第157条（指導及び助言）

委員会は、前章の規定の円滑な運用を確保するため必要があると認めるときは、行政機関の長等に対し、行政機関等における個人情報等の取扱いについて、必要な指導及び助言をすることができる。

第158条（勧告）

委員会は、前章の規定の円滑な運用を確保するため必要があると認めるときは、行政機関の長等に対し、行政機関等における個人情報等の取扱いについて勧告をすることができる。

第１５９条　（勧告に基づいてとった措置についての報告の要求）

委員会は、前条の規定により行政機関の長等に対し勧告をしたときは、当該行政機関の長等に対し、その勧告に基づいてとった措置について報告を求めることができる。

第１６０条　（委員会の権限の行使の制限）

第149条第1項の規定の趣旨に照らし、委員会は、行政機関の長等が第57条第1項各号に掲げる者（それぞれ当該各号に定める目的で個人情報等を取り扱う場合に限る。）に対して個人情報等を提供する行為については、その権限を行使しないものとする。

第3款　送達（個人情報3節）

第１６１条　（送達すべき書類）

Ⅰ　第146条第1項の規定による報告若しくは資料の提出の要求、第148条第1項の規定による勧告若しくは同条第2項若しくは第3項の規定による命令、第153条の規定による報告の徴収、第154条の規定による命令又は第155条第1項の規定による取消しは、個人情報保護委員会規則で定める書類を送達して行う。

Ⅱ　第148条第2項若しくは第3項若しくは第154条の規定による命令又は第155条第1項の規定による取消しに係る行政手続法（平成5年法律第88号）第15条第1項又は第30条の通知は、同法第15条第1項及び第2項又は第30条の書類を送達して行う。この場合において、同法第15条第3項（同法第31条において読み替えて準用する場合を含む。）の規定は、適用しない。

第１６２条　（送達に関する民事訴訟法の準用）

前条の規定による送達については、民事訴訟法第99条、第101条、第103条、第105条、第106条、第108条及び第109条の規定を準用する。この場合において、同法第99条第1項中「執行官」とあるのは「個人情報保護委員会の職員」と、同法第108条中「裁判長」とあり、及び同法第109条中「裁判所」とあるのは「個人情報保護委員会」と読み替えるものとする。

第１６３条　（公示送達）

Ⅰ　委員会は、次に掲げる場合には、公示送達をすることができる。

①　送達を受けるべき者の住所、居所その他送達をすべき場所が知れない場合

②　外国（本邦の域外にある国又は地域をいう。以下同じ。）においてすべき送達について、前条において読み替えて準用する民事訴訟法第108条の規定によることができず、又はこれによっても送達をすることができないと認めるべき場合

③　前条において読み替えて準用する民事訴訟法第108条の規定により外国の管轄官庁に嘱託を発した後６月を経過してもその送達を証する書面の送付がない場合

Ⅱ　公示送達は、送達をすべき書類を送達を受けるべき者にいつでも交付すべき旨を委員会の掲示場に掲示することにより行う。

Ⅲ　公示送達は、前項の規定による掲示を始めた日から２週間を経過することによって、その効力を生ずる。

Ⅳ　外国においてすべき送達についてした公示送達にあっては、前項の期間は、６週間とする。

第１６４条　（電子情報処理組織の使用）

委員会の職員が、情報通信技術を活用した行政の推進等に関する法律（平成14年法律第151号）第３条第９号に規定する処分通知等であって第161条の規定により書類を送達して行うこととしているものに関する事務を、同法第７条第１項の規定により同法第６条第１項に規定する電子情報処理組織を使用して行ったときは、第162条において読み替えて準用する民事訴訟法第109条の規定による送達に関する事項を記載した書面の作成及び提出に代えて、当該事項を当該電子情報処理組織を使用して委員会の使用に係る電子計算機（入出力装置を含む。）に備えられたファイルに記録しなければならない。

第４款　雑則（個人情報４節）

第１６５条　（施行の状況の公表）

Ⅰ　委員会は、行政機関の長等に対し、この法律の施行の状況について報告を求めることができる。

Ⅱ　委員会は、毎年度、前項の報告を取りまとめ、その概要を公表するものとする。

第１６６条　（地方公共団体による必要な情報の提供等の求め）

Ⅰ　地方公共団体は、地方公共団体の機関、地方独立行政法人及び事業者等による個人情報の適正な取扱いを確保するために必要があると認めるときは、委員会に対し、必要な情報の提供又は技術的な助言を求めることができる。

Ⅱ　委員会は、前項の規定による求めがあったときは、必要な情報の提供又は技術的な助言を行うものとする。

第１６７条　（条例を定めたときの届出）

Ⅰ　地方公共団体の長は、この法律の規定に基づき個人情報の保護に関する条例を定めたときは、遅滞なく、個人情報保護委員会規則で定めるところにより、その旨及びその内容を委員会に届け出なければならない。

Ⅱ　委員会は、前項の規定による届出があったときは、当該届出に係る事項をインターネットの利用その他適切な方法により公表しなければならない。
Ⅲ　前2項の規定は、第1項の規定による届出に係る事項の変更について準用する。

第168条　(国会に対する報告)

委員会は、毎年、内閣総理大臣を経由して国会に対し所掌事務の処理状況を報告するとともに、その概要を公表しなければならない。

第169条　(案内所の整備)

委員会は、この法律の円滑な運用を確保するため、総合的な案内所を整備するものとする。

第170条　(地方公共団体が処理する事務)

この法律に規定する委員会の権限及び第150条第1項又は第4項の規定により事業所管大臣又は金融庁長官に委任された権限に属する事務は、政令で定めるところにより、地方公共団体の長その他の執行機関が行うこととすることができる。

■第7節　雑則(個人情報7章)

第171条　(適用範囲)

この法律は、個人情報取扱事業者、仮名加工情報取扱事業者、匿名加工情報取扱事業者又は個人関連情報取扱事業者が、国内にある者に対する物品又は役務の提供に関連して、国内にある者を本人とする個人情報、当該個人情報として取得されることとなる個人関連情報又は当該個人情報を用いて作成された仮名加工情報若しくは匿名加工情報を、外国において取り扱う場合についても、適用する。

第172条　(外国執行当局への情報提供)

Ⅰ　委員会は、この法律に相当する外国の法令を執行する外国の当局(以下この条において「外国執行当局」という。)に対し、その職務(この法律に規定する委員会の職務に相当するものに限る。次項において同じ。)の遂行に資すると認める情報の提供を行うことができる。
Ⅱ　前項の規定による情報の提供については、当該情報が当該外国執行当局の職務の遂行以外に使用されず、かつ、次項の規定による同意がなければ外国の刑事事件の捜査(その対象たる犯罪事実が特定された後のものに限る。)又は審判(同項において「捜査等」という。)に使用されないよう適切な措置がとられなければならない。
Ⅲ　委員会は、外国執行当局からの要請があったときは、次の各号のいずれかに該当する場合を除き、第１項の規定により提供した情報を当該要請に係る外国の刑事事件の捜査等に使用することについて同意をすることができる。

① 当該要請に係る刑事事件の捜査等の対象とされている犯罪が政治犯罪であるとき、又は当該要請が政治犯罪について捜査等を行う目的で行われたものと認められるとき。

② 当該要請に係る刑事事件の捜査等の対象とされている犯罪に係る行為が日本国内において行われたとした場合において、その行為が日本国の法令によれば罪に当たるものでないとき。

③ 日本国が行う同種の要請に応ずる旨の要請国の保証がないとき。

Ⅳ 委員会は、前項の同意をする場合においては、あらかじめ、同項第１号及び第２号に該当しないことについて法務大臣の確認を、同項第３号に該当しないことについて外務大臣の確認を、それぞれ受けなければならない。

第１７３条　（国際約束の誠実な履行等）

この法律の施行に当たっては、我が国が締結した条約その他の国際約束の誠実な履行を妨げることがないよう留意するとともに、確立された国際法規を遵守しなければならない。

第１７４条　（連絡及び協力）

内閣総理大臣及びこの法律の施行に関係する行政機関の長（会計検査院長を除く。）は、相互に緊密に連絡し、及び協力しなければならない。

第１７５条　（政令への委任）

この法律に定めるもののほか、この法律の実施のため必要な事項は、政令で定める。

■第８節　罰則（個人情報８章）

第１７６条

行政機関等の職員若しくは職員であった者、第66条第２項各号に定める業務若しくは第73条第５項若しくは第121条第３項の委託を受けた業務に従事している者若しくは従事していた者又は行政機関等において個人情報、仮名加工情報若しくは匿名加工情報の取扱いに従事している派遣労働者若しくは従事していた派遣労働者が、正当な理由がないのに、個人の秘密に属する事項が記録された第60条第２項第１号に係る個人情報ファイル（その全部又は一部を複製し、又は加工したものを含む。）を提供したときは、２年以下の懲役又は100万円以下の罰金に処する。

第１７７条

第143条の規定に違反して秘密を漏らし、又は盗用した者は、２年以下の懲役又は 100 万円以下の罰金に処する。

第１７８条

第 148 条第２項又は第３項の規定による命令に違反した場合には、当該違反行為をした者は、１年以下の懲役又は 100 万円以下の罰金に処する。

第１７９条

個人情報取扱事業者（その者が法人（法人でない団体で代表者又は管理人の定めのあるものを含む。第 184 条第１項において同じ。）である場合にあっては、その役員、代表者又は管理人）若しくはその従業者又はこれらであった者が、その業務に関して取り扱った個人情報データベース等（その全部又は一部を複製し、又は加工したものを含む。）を自己若しくは第三者の不正な利益を図る目的で提供し、又は盗用したときは、１年以下の懲役又は 50 万円以下の罰金に処する。

第１８０条

第 176 条に規定する者が、その業務に関して知り得た保有個人情報を自己若しくは第三者の不正な利益を図る目的で提供し、又は盗用したときは、１年以下の懲役又は 50 万円以下の罰金に処する。

第１８１条

行政機関等の職員がその職権を濫用して、専らその職務の用以外の用に供する目的で個人の秘密に属する事項が記録された文書、図画又は電磁的記録を収集したときは、１年以下の懲役又は 50 万円以下の罰金に処する。

第１８２条

次の各号のいずれかに該当する場合には、当該違反行為をした者は、50 万円以下の罰金に処する。

① 第 146 条第１項の規定による報告若しくは資料の提出をせず、若しくは虚偽の報告をし、若しくは虚偽の資料を提出し、又は当該職員の質問に対して答弁をせず、若しくは虚偽の答弁をし、若しくは検査を拒み、妨げ、若しくは忌避したとき。

② 第 153 条の規定による報告をせず、又は虚偽の報告をしたとき。

第１８３条

第 176 条、第 177 条及び第 179 条から第 181 条までの規定は、日本国外においてこれらの条の罪を犯した者にも適用する。

第１８４条

Ⅰ　法人の代表者又は法人若しくは人の代理人、使用人その他の従業者が、その法人又は人の業務に関して、次の各号に掲げる違反行為をしたときは、行為者を罰するほか、その法人に対して当該各号に定める罰金刑を、その人に対して各本条の罰金

個人情報保護法

刑を科する。

① 第178条及び第179条　１億円以下の罰金刑

② 第182条　同条の罰金刑

Ⅱ　法人でない団体について前項の規定の適用がある場合には、その代表者又は管理人が、その訴訟行為につき法人でない団体を代表するほか、法人を被告人又は被疑者とする場合の刑事訴訟に関する法律の規定を準用する。

第１８５条

次の各号のいずれかに該当する者は、10万円以下の過料に処する。

① 第30条第２項（第31条第３項において準用する場合を含む。）又は第56条の規定に違反した者

② 第51条第１項の規定による届出をせず、又は虚偽の届出をした者

③ 偽りその他不正の手段により、第85条第３項に規定する開示決定に基づく保有個人情報の開示を受けた者

第3編　行政救済法

・第1章・【行政不服審査法】

■第1節　総則（行審1章）

《概　説》

平成26年6月13日、現行法を全部改正する行政不服審査法（平成26年法律第68号）が公布された。改正法は、平成28年4月1日に施行されている。

従来の行政不服審査制度は、制度や手続が複雑で国民にとって利便性に乏しいこと、審査に長時間を要するケースが多かったこと、処分に係る行政裁量の当不当に踏み込んだ審査等の利点が生かされていないことといった問題点が指摘されていた。他方、行政手続法の制定や行政事件訴訟法の改正等、関連法制度の整備・拡充が行われており、行政不服審査法の欠陥がより目立つようになった。そこで、利便性・公正性の向上の観点から、行政不服審査法についても抜本的な見直しが必要とされ、今回の全面改正が行われるに至った。

また、改正法と同時に、「行政不服審査法の施行に伴う関係法律の整備等に関する法律」及び「行政手続法の一部を改正する法律」も成立し、前者は改正法と同日に施行、後者は平成27年4月1日に施行されている。前者は、利便性の向上の観点から、不服申立前置を廃止・縮小する改正である。後者は、国民の救済手段の充実・拡大の観点から、行政指導の中止等の求め（行手36の2）や処分等の求め（行手36の3）に関する規定を設ける改正である。

第1条　（目的等）

Ⅰ　この法律は、行政庁の違法又は不当な処分その他公権力の行使に当たる行為に関し、国民が簡易迅速かつ公正な手続の下で広く行政庁に対する不服申立てをすることができるための制度を定めることにより、国民の権利利益の救済を図るとともに、行政の適正な運営を確保することを目的とする。

Ⅱ　行政庁の処分その他公権力の行使に当たる行為（以下単に「処分」という。）に関する不服申立てについては、他の法律に特別の定めがある場合を除くほか、この法律の定めるところによる。

《注　釈》

一　行政不服審査法の目的

改正法が行政庁の違法又は不当な処分等に対する国民の権利利益の救済を図り、行政の適正な運営の確保を目的とする点では、旧法と変わりがない。もっとも、改正法は新たに「公正」という文言を明記し、手続の公正性をより重視している（１Ⅰ）。具体的には、処分庁の職員のうち処分に関与していない審理員（９）に審査請求の審理権限を与えて審理の中立・公正を図り、また、審査庁の裁決について第三者機関である行政不服審査会への諮問の制度（43）を設け、裁決の公正性をチェックする仕組みを採用することで、手続の公正性を高めている。

二　行政不服申立てと行政事件訴訟

行政不服申立ては行政監督の制度でもあるので、「違法」な行政処分のみでなく、裁判所による審査の対象にならない「不当」の瑕疵についても審査の対象になる。すなわち、抗告訴訟（「違法」な処分のみが審査対象となる）と異なり、裁量判断の妥当性についても争うことができる〈司〉。

<行政不服申立てと行政事件訴訟>

	行政不服申立て	行政事件訴訟
対象	行政行為の適法・違法の判断 行政行為の当・不当の判断	行政行為の適法・違法の判断
機関	行政機関	裁判所
手続	書面審理主義 （簡易・迅速）	口頭審理主義 （慎重）
法律	行政不服審査法	行政事件訴訟法
両者の関係	原則：自由選択主義〈予〉 例外：審査請求（不服申立て）前置主義	

三「処分その他公権力の行使」

行政事件訴訟法３条２項の「処分その他公権力の行使」と同じ意味である。すなわち、①公権力の主体たる国又は公共団体が行う行為のうち、②その行為によって、直接国民の権利義務を形成しあるいはその範囲を確定することが法律上認められている場合（最判昭39.10.29・百選143事件）をいう。

「処分その他公権力の行使」には権力的事実行為（ex. 退去強制事由に該当すると疑うに足りる相当の理由があるときに行われる収容（入管39）、精神病患者の措置入院（精神29）等）も含まれる。旧法下では否定されていた非継続的な権力的事実行為（ex. 立入検査）も含まれる。

→ただし、非継続的な権力的事実行為に対して不服申立てをしても、不服申立ての利益が失われているとの理由で不適法却下されると解されている

四　行政不服申立ての一般法

1　行政上の不服申立てに関する一般法

1条2項は、行政不服審査法が行政上の不服申立てに関する一般法としての性格をもつことを明らかにしている（1Ⅱ）。したがって、行政上の不服申立てについては、他に特別に定めがない限り、本法の規定が一般的に適用されることになる。

2　「特別の定め」

「他の法律に特別の定めがある場合」としては、①本法の適用を前提にしつつ、一定事項について特別の規定があり、本法の適用を排除している場合（国公90ⅠⅢ、地公49の2ⅠⅢ等）及び②特別の不服申立てを定めて、本法の適用を排除している場合（自然公園63ⅠⅡ、土地改良9Ⅴ等）がある。

第2条（処分についての審査請求）

行政庁の処分に不服がある者は、第4条及び第5条第2項の定めるところにより、審査請求をすることができる。

《注　釈》

一　審査請求の一元化の趣旨

審査請求とは、行政庁の処分又は不作為について、最上級行政庁等に対して行う不服申立てをいう。

旧法は、処分について、審査請求と異議申立てという2つの独立した不服申立てを設け（3、5、6）、1つの処分についてはいずれか1つの申立てしかできない（相互独立主義）としていたため、手続が二元化されていた。そして、異議申立ては基本的に処分庁に上級行政庁がないときに認められ、審査請求は基本的に処分庁に上級行政庁があるときに認められていたところ、異議申立ては審査請求と比べて不服申立人の手続保障が十分ではなく、上級行政庁の有無という不服申立人にとって関係のない相違によって手続保障に差異が生じるのは不合理であるとされていた。そこで、本条は、処分についての不服申立類型を原則として審査請求に一元化することとした。

二　「行政庁の処分に不服がある者」（不服申立適格）

「行政庁の処分に不服がある者」とは、「当該処分について不服申立てをする法律上の利益がある者、すなわち、当該処分により自己の権利若しくは法律上保護された利益を侵害され又は侵害されるおそれがある者」をいう（主婦連ジュース事件、最判昭53.3.14・百選128事件）。取消訴訟の原告適格（行訴9）と同様であると解されており、不服申立適格の有無を判断する際には、原告適格の解釈規定である行政事件訴訟法9条2項が類推適用されると解されている。

「行政庁の処分に不服がある者」の解釈を巡っては、上記主婦連ジュース事件の他、地方議会の処分と不服申立適格に関する最判昭56.5.14・百選〔第７版〕134事件、第２次納税義務者の不服申立適格に関する最判平18.1.19・百選129事件等の判例もある。

▼ 主婦連ジュース事件（最判昭53.3.14・百選128事件）

事案：　Ｙ（公正取引委員会）が果実飲料等の表示に関する公正競争規約を認定したため、主婦連合会と同会会長Ｘらが、この認定について、不当景品類及び不当表示防止法（平成17年改正前。以下「景表法」という。）10条２項１号ないし３号の要件に該当せず違法であると主張して、Ｙに不服申立てをした。Ｙは、Ｘらの不服申立適格がないとして、同申立てを却下した。

判旨：　処分について不服がある者とは、当該処分について不服申立てをする法律上の利益がある者、すなわち、当該処分により自己の権利若しくは法律上保護された利益を侵害され又は必然的に侵害されるおそれのある者をいう。景表法の規定により一般消費者が受ける利益は、同法の規定の目的である公益の保護の結果として生ずる反射的な利益ないし事実上の利益であって、法律上保護された利益とはいえない。仮に、Ｙによる公正競争規約の認定が正当にされなかったとしても、一般消費者としては、景表法の規定の適正な運用によって得られるべき反射的な利益ないし事実上の利益が得られなかったにとどまり、その本来有する法律上の地位には、なんら消長はない。単に一般消費者であるというだけでは、不服申立てをする法律上の利益をもつ者であるということはできない。

▼ 地方議会の処分と不服申立適格（最判昭56.5.14・百選〔第７版〕134事件）

事案：　Ｆ市議会において、Ａ議員が取締役を務める企業が地方自治法に違反してＦ市から業務委託を請け負っていた（地方自治法92条の２）。Ｘ議員はこれを議会に告発し、市議会に議員資格の有無に関する決定（同法127条１項）を求めた。議会がＡの議員資格を認めたため、Ｘが県知事Ｙに審査請求をしたが、ＹはＸに不服申立適格がないとして請求を棄却する旨の裁決をした。そこで、Ｘが本件裁決の取消しを求めて出訴した。

判旨：　不服申立てをすることができる者の範囲は、一般の行政処分の場合と同様にその適否を争う個人的な法律上の利益を有する者（本件でいえばＡ）に限定されることを当然に予定しており、専ら決定によってその職を失うこととなった当該議員に対して不服申立ての権利を付与したものにすぎないから、Ｘに不服申立適格はない。

▼　第２次納税義務者の不服申立適格（最判平 18.1.19・百選 129 事件）

事案：　Ｘは、本件課税処分を受けたＡ社から廉価で同社の保有する株式を譲り受けたところ、東京国税局長は、Ｘに対し、第２次納税義務者として第２次納税義務の納付告知をした。Ｘは、この告知の異議申立てをするとともに、本件課税処分に対しても異議申立てをした。本件では、①第２次納税義務者にすぎないＸに、本件課税処分についての不服申立適格が認められるか、②その不服申立期間の起算点はいつか、が争点となった。

判旨：①について

第２次納税義務の基本的内容は主たる課税処分において定められるのであり、主たる課税処分の全部又は一部が取り消されれば、第２次納税義務は消滅するか又はその額が減少し得る関係にあるのであるから、第２次納税義務者は、主たる課税処分により自己の権利若しくは法律上保護された利益を侵害され又は必然的に侵害されるおそれがあり、その取消しによってこれを回復すべき法律上の利益を有する。

②について

主たる課税処分の時点では、第２次納税義務が成立するかどうかが未確定であることも多く、不服申立ての適格を肯定し得ない段階で、その者について不服申立期間が進行していくというのは背理である。そうすると、不服申立期間の起算日は、納付告知がされた日の翌日であると解するのが相当である。

三　「審査請求をすることができる」（一般概括主義）

１　一般概括主義

一般概括主義とは、法律に例外の定めがある場合を除き、原則としてすべての処分又は不作為について不服申立てを認める方法をいう。国民の権利利益の救済の観点からは、一般概括主義が優れているといえる。

「審査請求をすることができる」という文言には、一般概括主義が含意されている。

２　列記主義

列記主義とは、法律が特に列記した処分又は不作為についてのみ不服申立てを認める方法をいう。審査請求については採用されていないが、再調査の請求（５Ⅰ）及び再審査請求（６Ⅰ）では列記主義が採用されているといえる。

第３条（不作為についての審査請求）

法令に基づき行政庁に対して処分についての申請をした者は、当該申請から相当の期間が経過したにもかかわらず、行政庁の不作為（法令に基づく申請に対して何らの処分をもしないことをいう。以下同じ。）がある場合には、次条の定めるところにより、当該不作為についての審査請求をすることができる。

《注　釈》

一　審査請求の一元化

審査請求の一元化の趣旨（⇒ p.226）は不作為（法令に基づく申請に対して何らの処分をもしないことをいう。）についても妥当するため、不作為についての不服申立ての方法も審査請求に一元化されている。

二「法令に基づき行政庁に対して処分についての申請をした者」

法令に基づく申請とは、当該私人に申請権が付与されており、申請を受けた行政庁が諾否の応答をすることを義務付けられているものをいう（「申請」の意義につき、行手２③参照）。不作為についての審査請求の不服申立適格を有する者は、実際に当該不作為に係る処分を申請した者に限られ、不作為の違法確認訴訟における原告適格を有する者と同様である（行訴37）。　⇒ p.400 以下参照

∵　不作為が不服申立ての対象とされているのは、許認可等の申請に対する行政庁の握り潰しを防止するという趣旨に基づいているため、法令に基づく申請を経ない限り、不作為に対する不服申立ては認められない

三「相当の期間」

１　意義

「相当の期間」とは、当該申請を処理するのに通常必要とされる期間をいう。標準処理期間（行手６）と必ずしも一致するわけではないが、標準処理期間が「相当の期間」を判断する有力な参考となる。

実体的な判断を要するものの、審査請求が認容されるための要件（本案の要件）ではなく、あくまでも不服申立ての適法要件である。

２　不作為の違法確認訴訟（行訴３Ⅴ）における「相当の期間」との相違

不作為の違法確認訴訟では行政庁の不作為が違法な場合にのみ「相当の期間」が経過していることになるのに対し、本条では行政庁の不作為が違法な場合のみならず不当な場合も「相当の期間」が経過することになることから、本条の「相当の期間」の方が不作為の違法確認訴訟における「相当の期間」よりも一般的に短いと解されている。

３　判断基準時

「相当の期間」が経過したかどうかを判断する基準時は、審理手続の終結時である。審査請求を提起した時ではないことに注意を要する。

四　「次条の定めるところにより」

不作為についての審査請求では、処分についての審査請求の場合と異なり、「第５条第２項の定めることにより」という文言がない。そのため、再調査の請求（５）は処分に対してのみ行うことが可能であり、不作為については行えないことになる。

第４条（審査請求をすべき行政庁）

審査請求は、法律（条例に基づく処分については、条例〈予〉）に特別の定めがある場合を除くほか、次の各号に掲げる場合の区分に応じ、当該各号に定める行政庁に対してするものとする。

① 処分庁等（処分をした行政庁（以下「処分庁」という。）又は不作為に係る行政庁（以下「不作為庁」という。）をいう。以下同じ。）に上級行政庁がない場合又は処分庁等が主任の大臣若しくは宮内庁長官若しくは内閣府設置法（平成11年法律第89号）第49条第１項若しくは第２項若しくは国家行政組織法（昭和23年法律第120号）第３条第２項に規定する庁の長である場合　当該処分庁等

② 宮内庁長官又は内閣府設置法第49条第１項若しくは第２項若しくは国家行政組織法第３条第２項に規定する庁の長が処分庁等の上級行政庁である場合　宮内庁長官又は当該庁の長

③ 主任の大臣が処分庁等の上級行政庁である場合（前２号に掲げる場合を除く。）　当該主任の大臣

④ 前３号に掲げる場合以外の場合　当該処分庁等の最上級行政庁

《注　釈》

一　はじめに

本条は、処分及び不作為についての審査請求をすべき行政庁について一括して規定している。各号が審査請求すべき行政庁を定めているところ、特別の定めが法律（条例に基づく処分については、条例）にある場合には、その特別の定めが優先する。

二　原則（④）

審査請求は、原則として当該処分庁等の「最上級行政庁」に対して行う。

１　「最上級行政庁」とは、当該行政庁以上の上級行政庁を有しない行政庁をいう。

ex.　運輸支局長が処分を行った場合の最上級行政庁→国土交通大臣

そして、「上級行政庁」とは、当該行政事務に関し、一般的・直接的に処分庁を指揮監督する権限を有する行政庁をいう。

２　本号は、その「上級行政庁」が複数存在する場合において、原則として「最上級行政庁」に審査請求をすべき旨定めている。

これは、たとえば主務大臣が最上級行政庁である場合、主務大臣は処分の内部基準等を通達として発出するなどしていることから、要件事実の認定や法令解釈の当否の他に、処分の内部基準等の合理性をも公正に判断しうる立場にあることを考慮したものである。また、本号の趣旨は、審査請求人に本府省や地方公共団体の長の審査を受ける機会を確保すること、審査の公正中立性をできる限り確保することにもある。

三　例外（①～③）

1　1号（当該処分庁等に対して審査請求すべき場合）

①　処分庁等（処分庁・不作為庁）に上級行政庁がない場合

ex.　会計検査院の長、公正取引委員会の委員長、独立行政法人等情報公開法の対象法人である独立行政法人等、普通地方公共団体の長、日本弁護士連合会

cf.　都道府県知事の処分に対する審査請求は、当該知事に対して行う（①）のが原則であるが、当該処分が法定受託事務（地自2Ⅸ）に係る場合には、当該事務の所管大臣に対して行う（地自255の2Ⅰ①）

⇒裁定的関与（p.492）

②　処分庁等が主任の大臣等である場合

2　2号（宮内庁長官又は当該庁の長に対して審査請求すべき場合）

宮内庁長官又は外局の庁である長若しくは大臣委員会に置かれる庁の長が処分庁等の上級行政庁である場合は、その自律性に鑑み、最上級行政庁に対してではなく、宮内庁長官又は当該庁の長に対して審査請求をすべきこととされている。

3　3号（主任の大臣に対して審査請求すべき場合）

処分庁の上級行政庁が主任の大臣である場合、主任の大臣の自律性に鑑み、最上級行政庁である内閣に対してではなく、当該主任の大臣に対して審査請求をすべきこととされている。ただし、1号・2号の場合は3号の適用が除外されている。

第5条　（再調査の請求）

Ⅰ　行政庁の処分につき処分庁以外の行政庁に対して審査請求をすることができる場合において、法律に再調査の請求をすることができる旨の定めがあるときは、当該処分に不服がある者は、処分庁に対して再調査の請求をすることができる。ただし、当該処分について第2条の規定により審査請求をしたときは、この限りでない。

Ⅱ　前項本文の規定により再調査の請求をしたときは、当該再調査の請求についての決定を経た後でなければ、審査請求をすることができない。ただし、次の各号のいずれかに該当する場合は、この限りでない。

①　当該処分につき再調査の請求をした日（第61条において読み替えて準用する

> 第23条の規定により不備を補正すべきことを命じられた場合にあっては、当該不備を補正した日）の翌日から起算して3月を経過しても、処分庁が当該再調査の請求につき決定をしない場合
> ②　その他再調査の請求についての決定を経ないことにつき正当な理由がある場合

[趣旨]処分の要件事実の認定の当否に係る不服申立てが大量になされる処分等については、処理人員や処理期間の制約上、審査庁の審査には一定の限界がある。また、要件事実の認定の当否について争点の整理がされていない案件が増加すると、審査庁の審理に時間を要し、審理が長期化する。そこで、審査請求に先立ち、処分等の事案・内容等を容易に把握することができる処分庁に対して、簡易迅速な手続により処分の見直しを求める手続を設けることは、審査請求人の権利利益の簡易迅速な救済及び行政の効率的な事務遂行に資する。以上から、改正法は、審査請求の一元化の例外として、再調査の請求の制度を設けた。

《注　釈》

一　「再調査の請求」

「再調査の請求」とは、行政庁の処分につき処分庁以外の行政庁に対して審査請求をすることができる場合において、再調査の請求を認める法律の規定があるときに、処分庁に対して行う不服申立てをいう。再調査の請求は、審理員による審理手続（9以下）も行政不服審査会等への諮問手続（43）もないことから、審査請求と比べて簡易な手続であるとされている。

再調査の請求と審査請求を並行して審理することは争訟経済上不当であるから、審査請求を選択した場合、再調査の請求をすることはできない（5Ⅰただし書）。

二　「法律に再調査の請求をすることができる旨の定めがあるとき」（Ⅰ）

再調査の請求は、審査請求の一元化の例外として設けられたものであるから、処分庁が再調査を行うことに特に意義がある場合を個別の法律で定めることとしている。

ex.　国税通則法75条（国税に関する法律に基づく税務署長の処分）、関税法89条

なお、条例により再調査の請求を定めることは認められていない。

三　再調査の請求についての決定の前置（Ⅱ）

1　原則（5Ⅱ柱書本文）

再調査の請求を選択した場合、争訟経済の観点から、その決定を経た後でなければ、審査請求をすることができない。この点、審査請求前置主義（行訴8Ⅰただし書）と同様、再調査の請求は適法なものでなければならず、その請求が不適法であるとして却下された場合には、「再調査の請求についての決定を経た」とはいえないと解される（名古屋高金沢支判昭56.2.4参照）。ただ

行政不服審査法

し、適法な再調査の請求をしたにもかかわらず、審査庁が誤って不適法却下した場合には、「再調査の請求についての決定を経た」ものとして扱うべきである（最判昭 36.7.21・百選 177 事件参照）。⇒ p.340

２　例外（５Ⅱ①②）

再調査の請求をした日（補正を命じられた場合にあっては補正をした日）の翌日から起算して３か月を経過しても処分庁が当該再調査の請求につき決定をしない場合（５Ⅱ①）、その他再調査の請求についての決定を経ないことにつき正当な理由がある場合（同②）には、再調査の請求についての決定を経なくても審査請求をすることが可能である。

第６条　（再審査請求）

Ⅰ　行政庁の処分につき法律に再審査請求をすることができる旨の定めがある場合には、当該処分についての審査請求の裁決に不服がある者は、再審査請求をすることができる。

Ⅱ　再審査請求は、原裁決（再審査請求をすることができる処分についての審査請求の裁決をいう。以下同じ。）又は当該処分（以下「原裁決等」という。）を対象として、前項の法律に定める行政庁に対してするものとする。

《注　釈》

一「再審査請求」

「再審査請求」とは、審査請求の裁決に不服がある場合において、再審査請求を認める法律の規定があるときに、当該裁決に対して行う不服申立てをいう。再審査請求は、処分についてのみ行うことができ、不作為について再審査請求をすることはできない。これは、不作為について審査請求を行い、棄却裁決を受けたとしても、不作為の状態がその後も継続すれば、再び不作為について審査請求をすることができるため、再審査請求を認める意義に乏しいという理由に基づく。

二「法律に再審査請求をすることができる旨の定めがある場合」（Ⅰ）

再審査請求は、審査請求に対する裁決後の手続として特に意義がある場合に限り、特別に個別の法律によって認められている。具体的には、専門技術性を有する第三者機関が再審査請求の審理を行うものや、判断の統一性及び事務処理の適正性を確保するために必要があるものについては、再審査請求が認められている。

ex.　厚生年金保険法、労働者災害補償保険法、生活保護法、児童福祉法

なお、条例により再審査請求を定めることは認められていない。

三　再審査請求の対象（Ⅱ）

再審査請求は、審査請求に対する第２審としての意味をもち、審査請求の裁決（原裁決）を対象としてすることができる。また、旧法下においては、再審査請求において原処分を争うこともできると解されていた。そこで、本項は、原裁決

の他に原処分も再審査請求の対象となることを明文化した。

再審査請求をすべき行政庁について、改正法は一般的な規定を置いておらず、個別の法律に定める行政庁に対して再審査請求を行うことになる。

<不服申立ての種類>

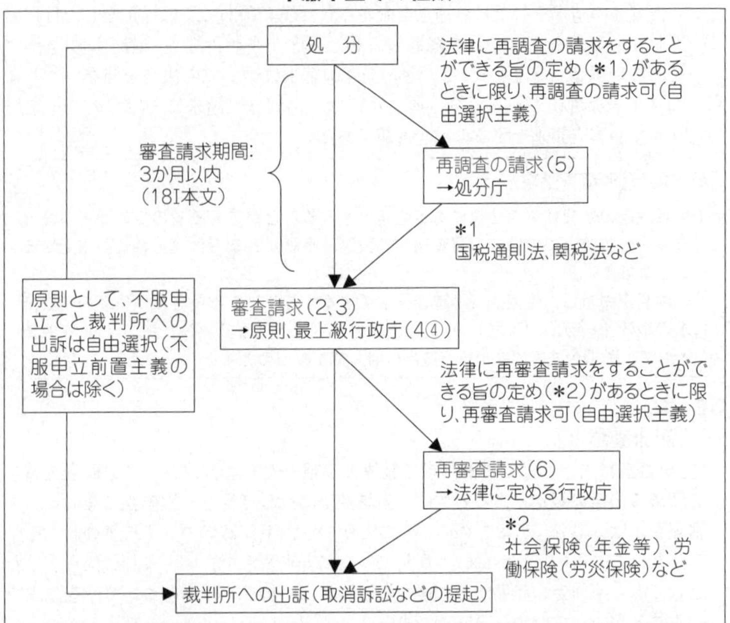

第７条　（適用除外）

Ⅰ　次に掲げる処分及びその不作為については、第２条及び第３条の規定は、適用しない。

①　国会の両院若しくは一院又は議会の議決によってされる処分

②　裁判所若しくは裁判官の裁判により、又は裁判の執行としてされる処分

③　国会の両院若しくは一院若しくは議会の議決を経て、又はこれらの同意若しくは承認を得た上でされるべきものとされている処分

④　検査官会議で決すべきものとされている処分

⑤　当事者間の法律関係を確認し、又は形成する処分で、法令の規定により当該処分に関する訴えにおいてその法律関係の当事者の一方を被告とすべきものと定められているもの

⑥　刑事事件に関する法令に基づいて検察官、検察事務官又は司法警察職員がする処分
⑦　国税又は地方税の犯則事件に関する法令（他の法令において準用する場合を含む。）に基づいて国税庁長官、国税局長、税務署長、国税庁、国税局若しくは税務署の当該職員、税関長、税関職員又は徴税吏員（他の法令の規定に基づいてこれらの職員の職務を行う者を含む。）がする処分及び金融商品取引の犯則事件に関する法令（他の法令において準用する場合を含む。）に基づいて証券取引等監視委員会、その職員（当該法令においてその職員とみなされる者を含む。）、財務局長又は財務支局長がする処分
⑧　学校、講習所、訓練所又は研修所において、教育、講習、訓練又は研修の目的を達成するために、学生、生徒、児童若しくは幼児若しくはこれらの保護者、講習生、訓練生又は研修生に対してされる処分
⑨　刑務所、少年刑務所、拘置所、留置施設、海上保安留置施設、少年院又は少年鑑別所において、収容の目的を達成するためにされる処分
⑩　外国人の出入国又は帰化に関する処分
⑪　専ら人の学識技能に関する試験又は検定の結果についての処分
⑫　この法律に基づく処分（第５章第１節第１款の規定に基づく処分を除く。）
Ⅱ　国の機関又は地方公共団体その他の公共団体若しくはその機関に対する処分で、これらの機関又は団体がその固有の資格において当該処分の相手方となるもの及びその不作為については、この法律の規定は、適用しない。

行政不服審査法

《注　釈》

一　適用除外

本条は、処分のみならず不作為をも対象とした適用除外規定となっている。

審査請求の対象外とされる処分は、次のようにまとめることができる。

①　当該分野の特性を踏まえた独自の慎重な手続によって行われた処分であり、審査請求の審理を認めることが適当でなく、仮に審査請求の審理を経ても結果が覆ることは想定できないもの（７Ⅰ①～④）
②　行政不服審査法の審査請求よりも慎重な手続で審理するものであり、審査請求の審理をすべきでないもの（同⑤～⑦）
③　処分の性格上、審査請求の審理をすべきでないもの（同⑧～⑪）
④　本法に基づく処分（同⑫）
　ex.　審理員による審査手続を経ないで行う審査庁の却下裁決（24ⅠⅡ）、審査庁が行う裁決（45～47、49）
　∵　審査請求の審理を認めると争訟経済上不当であり、審理の迅速性を阻害する

二　「固有の資格」（Ⅱ）

１　「固有の資格」とは、「国の機関等であるからこそ立ち得る特有の立場、すな

わち、一般私人が立ち得ないような立場」をいう（最判令2.3.26・百選130事件）〈予〉。行政手続法4条1項かっこ書の「固有の資格」と同じ意味である。

また、「固有の資格」の有無について、上記判例は、「当該事務又は事業の実施主体が国の機関等に限られているか否か、また、限られていないとすれば、当該事務又は事業を実施し得る地位の取得について、国の機関等が一般私人に優先するなど特別に取り扱われているか否か等を考慮して判断すべきである」としている〈予〉。

2　この場合、行政不服審査法そのものの適用がなく、本法6章において規定する教示等の規定も含めて適用除外となる。

ex.　地方公共団体が国等から「関与」（地自245）を受ける場合、地方公共団体が総務大臣等から起債の許可（地財5の4Ⅰ）を受ける場合

第8条　（特別の不服申立ての制度）

前条の規定は、同条の規定により審査請求をすることができない処分又は不作為につき、別に法令で当該処分又は不作為の性質に応じた不服申立ての制度を設けることを妨げない。

■第2節　審査請求（行審2章）

第1款　審査庁及び審理関係人（行審1節）

第9条　（審理員）

Ⅰ　第4条又は他の法律若しくは条例の規定により審査請求がされた行政庁（第14条の規定により引継ぎを受けた行政庁を含む。以下「審査庁」という。）は、審査庁に所属する職員（第17条に規定する名簿を作成した場合にあっては、当該名簿に記載されている者）のうちから第3節に規定する審理手続（この節に規定する手続を含む。）を行う者を指名するとともに、その旨を審査請求人及び処分庁等（審査庁以外の処分庁等に限る。）に通知しなければならない。ただし、次の各号のいずれかに掲げる機関が審査庁である場合若しくは条例に基づく処分について条例に特別の定めがある場合又は第24条の規定により当該審査請求を却下する場合は、この限りでない。

①　内閣府設置法第49条第1項若しくは第2項又は国家行政組織法第3条第2項に規定する委員会

②　内閣府設置法第37条若しくは第54条又は国家行政組織法第8条に規定する機関

③　地方自治法（昭和22年法律第67号）第138条の4第1項に規定する委員会若しくは委員又は同条第3項に規定する機関

Ⅱ　審査庁が前項の規定により指名する者は、次に掲げる者以外の者でなければならない。

① 審査請求に係る処分若しくは当該処分に係る再調査の請求についての決定に関与した者又は審査請求に係る不作為に係る処分に関与し、若しくは関与することとなる者
② 審査請求人
③ 審査請求人の配偶者、４親等内の親族又は同居の親族
④ 審査請求人の代理人
⑤ 前２号に掲げる者であった者
⑥ 審査請求人の後見人、後見監督人、保佐人、保佐監督人、補助人又は補助監督人
⑦ 第13条第１項に規定する利害関係人

Ⅲ 審査庁が第１項各号に掲げる機関である場合又は同項ただし書の特別の定めがある場合においては、別表第一の上欄に掲げる規定の適用については、これらの規定中同表の中欄に掲げる字句は、それぞれ同表の下欄に掲げる字句に読み替えるものとし、第17条、第40条、第42条及び第50条第２項の規定は、適用しない。

Ⅳ 前項に規定する場合において、審査庁は、必要があると認めるときは、その職員（第２項各号（第１項各号に掲げる機関の構成員にあっては、第１号を除く。）に掲げる者以外の者に限る。）に、前項において読み替えて適用する第31条第１項の規定による審査請求人若しくは第13条第４項に規定する参加人の意見の陳述を聴かせ、前項において読み替えて適用する第34条の規定による参考人の陳述を聴かせ、同項において読み替えて適用する第35条第１項の規定による検証をさせ、前項において読み替えて適用する第36条の規定による第28条に規定する審理関係人に対する質問をさせ、又は同項において読み替えて適用する第37条第１項若しくは第２項の規定による意見の聴取を行わせることができる。

[趣旨]旧法下では、審理を行う者が処分に関与した職員の中から指名される可能性があり、審理手続の中立性・公正性に対する配慮が欠如しているとの問題が指摘されていた。そこで、行政手続法の聴聞主宰者の制度等を参考に、処分等に関与していないこと等の要件を満たす審理員が自己の名において審理手続を主宰すること、審査請求人及び処分庁等に審理員が指名された旨を通知することを規定するとともに、審理員の除斥事由等について定めることにより、審理手続の中立性・公正性を向上させ、行政不服審査制度に対する国民の信頼を確保し、国民の権利利益の救済と行政の適正な運営を確保することとした。

《注　釈》

一　審理員の指名及びその通知（Ⅰ柱書本文）

1　審査庁（審査請求を受けた行政庁をいう。）は、審査庁に所属する職員のうちから審理員（審理手続を行う者をいう。）を指名する。審理員が「審査庁に所属する職員」から指名されるのは、審理員が審査庁の補助機関として位置付けられること、裁決権限を有する審査庁から完全に独立した者が審理手続を行うと責任の所在が曖昧になることという理由に基づく。

2　審査庁は、審理員となるべき者の名簿の作成に努め（17）、審査請求に係る個々の事案ごとに、審査庁の職員のうち除斥事由に該当しない者を審理員に指名し、審査請求人及び処分庁等（審査庁以外の処分庁等に限る。）に通知しなければならない（9Ⅰ柱書本文）。これにより、処分等に関与しない者による審理であることが外部から認識でき、審理手続の中立性・公正性が担保される。審理員は、複数指名してもよい。

3　審理員の指名・通知には例外が定められている（9Ⅰ柱書ただし書、同各号）。

① 審査庁が処分庁等から独立して職権行使を行う合議制の機関である場合（9Ⅰ各号）

この場合、審理員の指名を行わなくても、審理手続の中立性・公正性が十分に確保されるため、審理員の指名を要しない。

→9条1項1号所定の委員会（内閣府49ⅠⅡ、行組3Ⅱ）、同2号所定の審議会等（内閣府37、同法54、行組8）、同3号所定の地方公共団体の執行機関としての委員会（地自138の4Ⅰ、同Ⅲ）

② 条例に基づく処分について条例に特別の定めがある場合

この場合、地方自治の尊重の観点から、審理員の指名を要しない。

ex.　情報公開条例に基づく不開示決定に対する審査請求がなされた場合において、第三者機関である情報公開審査会による審査手続が行われるようなときは、条例で審理員制度の適用除外を定めることができる

③ 審査請求書の不備等を理由として当該審査請求を却下（24）する場合

この場合、審理員による審理を行う実益がないため、審理員の指名を要しない。

4　上記の審理員の指名・通知を要しない場合のうち、①及び②については、これに応じた本法の適用除外規定や読替規定が設けられている（9Ⅲ）。

二　審理員の除斥事由（Ⅱ各号）

審理員の除斥事由は、処分庁等に関するもの（9Ⅱ①）と審査請求人又は参加人に関するもの（9Ⅱ②～⑦）の2つに大別できる。前者は、予断に基づく審理がされるおそれを排除する趣旨に基づく。後者は、審理の結果について定型的な利害関係をもつ者を排除する趣旨に基づく（類似の規定として行手19Ⅱ①～⑥参照）。

① 「審査請求に係る処分若しくは当該処分に係る再調査の請求についての決定に関与した者又は審査請求に係る不作為に係る処分に関与し、若しくは関与することとなる者」（9Ⅱ①）予

「審査請求に係る処分……に関与した者」とは、当該処分を行うか否かの

判断に関する事務を実質的に行った者に限らず、当該事務を直接又は間接に指揮監督した者も含まれる。

ex. 当該処分をするか否かを判断するための調査に携わった者、当該処分の決定書を起案した者、当該処分の決裁をした者、当該処分について指揮監督権を行使した者、当該担当課には所属しないが当該処分について協議を受けた者

② 「審査請求人」（同②）

③ 「審査請求人の配偶者、4親等内の親族又は同居の親族」（同③）

指名時に除斥事由が存在しなければ当該指名は適法であり、事後的に本号に規定するような状態に至ったとしても、遡って指名や当該審理員による審理手続が違法になるわけではない。

④ 「審査請求人の代理人」（同④）

⑤ 「前2号に掲げる者であった者」（同⑤）

⑥ 「審査請求人の後見人、後見監督人、保佐人、保佐監督人、補助人又は補助監督人」（同⑥）

⑦ 「第13条第1項に規定する利害関係人」（同⑦）

第１０条 （法人でない社団又は財団の審査請求）

法人でない社団又は財団で代表者又は管理人の定めがあるものは、その名で審査請求をすることができる。

[趣旨] 法人でない社団又は財団であっても、代表者又は管理者の定めがあるものについて、民事訴訟法29条は当事者能力を認めていることから、これに倣い、当事者能力に対応する審査請求資格を認めることとした。

第１１条 （総代）

Ⅰ 多数人が共同して審査請求をしようとするときは、３人を超えない総代を互選することができる。

Ⅱ 共同審査請求人が総代を互選しない場合において、必要があると認めるときは、第９条第１項の規定により指名された者（以下「審理員」という。）は、総代の互選を命ずることができる。

Ⅲ 総代は、各自、他の共同審査請求人のために、審査請求の取下げを除き、当該審査請求に関する一切の行為をすることができる。

Ⅳ 総代が選任されたときは、共同審査請求人は、総代を通じてのみ、前項の行為をすることができる。

Ⅴ 共同審査請求人に対する行政庁の通知その他の行為は、２人以上の総代が選任されている場合においても、１人の総代に対してすれば足りる。

Ⅵ 共同審査請求人は、必要があると認める場合には、総代を解任することができる。

［趣旨］共同で行われる審査請求手続を円滑に進行するための特例を定めたものである。

第１２条　（代理人による審査請求）

Ⅰ　審査請求は、代理人によってすることができる。

Ⅱ　前項の代理人は、各自、審査請求人のために、当該審査請求に関する一切の行為をすることができる。ただし、審査請求の取下げは、特別の委任を受けた場合に限り、することができる。

《注　釈》

◆　審査請求の取下げに関する代理人の権限の制限

代理人は、審査請求人のために、当該審査請求に関する一切の行為をすることができる（12Ⅱ本文）。しかし、審査請求の取下げは、審査請求人に与える影響が大きく、審査請求人が熟慮して判断すべき事項であるから、代理人が審査請求の取下げを行う場合には、審査請求人の特別の委任が必要とされている（同Ⅱただし書）。

第１３条　（参加人）

Ⅰ　利害関係人（審査請求人以外の者であって審査請求に係る処分又は不作為に係る処分の根拠となる法令に照らし当該処分につき利害関係を有するものと認められる者をいう。以下同じ。）は、審理員の許可を得て、当該審査請求に参加することができる。

Ⅱ　審理員は、必要があると認める場合には、利害関係人に対し、当該審査請求に参加することを求めることができる。

Ⅲ　審査請求への参加は、代理人によってすることができる。

Ⅳ　前項の代理人は、各自、第１項又は第２項の規定により当該審査請求に参加する者（以下「参加人」という。）のために、当該審査請求への参加に関する一切の行為をすることができる。ただし、審査請求への参加の取下げは、特別の委任を受けた場合に限り、することができる。

《注　釈》

一　「利害関係人」（参加人）

「利害関係人」は、審査請求の結果に事実上の利害関係を有するのみでは不十分であり、法律上の利害関係を有している者でなければならない。法律上の利害関係を有している者であれば、審査請求人と利害が一致する場合のみならず、審査請求人と利害が反する場合であってもよい。また、現に利害関係を有する者のみならず、将来利害関係を有することとなる者も「利害関係人」に含まれる。

二　参加人の権利

参加人は、口頭意見陳述権（31Ⅰ）、証拠書類又は証拠物の提出権（32Ⅰ）など、審査請求人とほとんど同一の権利を有する。そのため、審査庁による裁決の効果は、審査請求人のみならず参加人に対しても及ぶ。

→ただし、執行停止の申立て（25 Ⅱ Ⅲ）、審査請求の取下げ（27 Ⅰ）は審査請求人のみなしうる

第14条　（行政庁が裁決をする権限を有しなくなった場合の措置）

行政庁が審査請求がされた後法令の改廃により当該審査請求につき裁決をする権限を有しなくなったときは、当該行政庁は、第19条に規定する審査請求書又は第21条第2項に規定する審査請求録取書及び関係書類その他の物件を新たに当該審査請求につき裁決をする権限を有することとなった行政庁に引き継がなければならない。この場合において、その引継ぎを受けた行政庁は、速やかに、その旨を審査請求人及び参加人に通知しなければならない。

第15条　（審理手続の承継）

Ⅰ　審査請求人が死亡したときは、相続人その他法令により審査請求の目的である処分に係る権利を承継した者は、審査請求人の地位を承継する。

Ⅱ　審査請求人について合併又は分割（審査請求の目的である処分に係る権利を承継させるものに限る。）があったときは、合併後存続する法人その他の社団若しくは財団若しくは合併により設立された法人その他の社団若しくは財団又は分割により当該権利を承継した法人は、審査請求人の地位を承継する。

Ⅲ　前2項の場合には、審査請求人の地位を承継した相続人その他の者又は法人その他の社団若しくは財団は、書面でその旨を審査庁に届け出なければならない。この場合には、届出書には、死亡若しくは分割による権利の承継又は合併の事実を証する書面を添付しなければならない。

Ⅳ　第1項又は第2項の場合において、前項の規定による届出がされるまでの間において、死亡者又は合併前の法人その他の社団若しくは財団若しくは分割をした法人に宛ててされた通知が審査請求人の地位を承継した相続人その他の者又は合併後の法人その他の社団若しくは財団若しくは分割により審査請求人の地位を承継した法人に到達したときは、当該通知は、これらの者に対する通知としての効力を有する。

Ⅴ　第1項の場合において、審査請求人の地位を承継した相続人その他の者が2人以上あるときは、その1人に対する通知その他の行為は、全員に対してされたものとみなす。

Ⅵ　審査請求の目的である処分に係る権利を譲り受けた者は、審査庁の許可を得て、審査請求人の地位を承継することができる。

第16条　（標準審理期間）

第4条又は他の法律若しくは条例の規定により審査庁となるべき行政庁（以下「審査庁となるべき行政庁」という。）は、審査請求がその事務所に到達してから当該審査請求に対する裁決をするまでに通常要すべき標準的な期間を定めるよう努めるとともに、これを定めたときは、当該審査庁となるべき行政庁及び関係処分庁（当該審査請求の対象となるべき処分の権限を有する行政庁であって当該審査庁となるべき行政庁以外のものをいう。次条において同じ。）の事務所における備付けその他の適当な方法により公にしておかなければならない。

[趣旨]本条は、審査庁となるべき行政庁に標準審理期間を定めるよう努力義務を課した規定であり、行政手続法の標準処理期間の制度（行手6）を参考にして新設された。審査庁となるべき行政庁が、裁決権限を有する審査請求の種別、通常想定される事案と争点等を考慮のうえ、標準的な審理期間の目安を定め、これを公にすることによって、裁決に至るまでの手続の迅速化を促進し、審理の遅延を防止しようとするものである。

《注　釈》

一「審査庁となるべき行政庁」

これには、①4条により審査庁となるべき行政庁、②他の法律により特例として定められた審査庁となるべき行政庁、③条例に基づく処分について条例により特例として定められた審査庁となるべき行政庁の3つが含まれる。

二「通常要すべき標準的な期間」

1　「通常」とは、審査請求の態様と審査庁の審理体制の双方が異常でないことを意味する。そのため、審査請求の補正に要する期間は含まれず、適法な審査請求を審理する期間のみを対象とする。　⇒p.114参照

2　標準審理期間はあくまで審理期間の目安であるから、審査庁が定められた標準審理期間内に裁決を行うことができなかったとしても、そのことが当然に裁決固有の瑕疵となるわけではない。

3　なお、本条は処分についての審査請求に係る標準審理期間を対象としており、不作為についての審査請求に係る標準審理期間は対象外である。

三「公にしておかなければならない」

これは、「公表」と異なり、官報に掲載するといった積極的な周知を要するものではなく、国民から求められたときに継続的に標準審理期間を知り得る状態にしておくことを意味する。

第１７条　（審理員となるべき者の名簿）

審査庁となるべき行政庁は、審理員となるべき者の名簿を作成するよう努めるとともに、これを作成したときは、当該審査庁となるべき行政庁及び関係処分庁の事務所における備付けその他の適当な方法により公にしておかなければならない。

［趣旨］審理手続において中核的な役割を担う審理員の名簿をあらかじめ作成し、公にしておくことにより、審査請求をしようとする者及び国民一般に対する透明性を向上させ、指名手続の公正性を確保する。

《注　釈》

・審理員となるべき者の名簿を作成する努力義務を負うのは、審査庁ではなく「審査庁となるべき行政庁」である。

第2款　審査請求の手続（行審２節）

第１８条　（審査請求期間）

Ⅰ　処分についての審査請求は、処分があったことを知った日の翌日から起算して３月（当該処分について再調査の請求をしたときは、当該再調査の請求についての決定があったことを知った日の翌日から起算して１月）を経過したときは、することができない。ただし、正当な理由があるときは、この限りでない。

Ⅱ　処分についての審査請求は、処分（当該処分について再調査の請求をしたときは、当該再調査の請求についての決定）があった日の翌日から起算して１年を経過したときは、することができない。ただし、正当な理由があるときは、この限りでない。

Ⅲ　次条に規定する審査請求書を郵便又は民間事業者による信書の送達に関する法律（平成14年法律第99号）第２条第６項に規定する一般信書便事業者若しくは同条第９項に規定する特定信書便事業者による同条第２項に規定する信書便で提出した場合における前２項に規定する期間（以下「審査請求期間」という。）の計算については、送付に要した日数は、算入しない。

《注　釈》

一　「処分についての審査請求」（Ⅰ）

不作為についての審査請求は、不作為の状態が継続している限り、いつでも審査請求をすることができる〈回〉。そこで、本条は「処分」についての審査請求期間を定めている。

二　「処分があったことを知った日の翌日から起算して３月」（主観的審査請求期間、Ⅰ本文）

1　旧法下では、審査請求は処分があったことを知った日の翌日から「60日以内」にしなければならない旨規定していたが、改正法では、国民の権利利益を擁護する機会の喪失を防止するため、「３月」に延長された。

２　「処分があったことを知った日」とは、処分のあったことを現実に知った日をいう（最判昭27.11.20・百選〔第６版〕188事件）。また、処分があったことを現実に知ったかどうかにかかわらず、処分が社会通念上相手方において了知することのできる状態に置かれたときは、特段の事情がない限り、これを知ったものと解される（最判昭27.11.20・百選〔第６版〕188事件）。

処分が個別の通知ではなく告示をもってされる場合、特段の事情がない限り、告示のあった日が「処分があったことを知った日」になる（最判平14.10.24・百選127事件）。

▼　出訴期間の起算日（最判昭27.11.20・百選〔第６版〕188事件）

事案：　県農地委員会の裁決書をＸに送付したが、Ｘは旅行で不在であったため、約２週間後に同書を受け取った。そこで、処分取消訴訟の出訴期間を徒過しているかどうかが問題となった。

判旨：　「処分のあったことを知った日」とは、当事者が書類の交付、口頭の告知その他の方法により処分の存在を現実に知った日を指す。

▼　公示による処分と不服申立期間の起算点（最判平14.10.24・百選127事件）

事案：　群馬県知事が行った都市計画事業認可の取消しを求める審査請求がなされた。審査庁である国土交通大臣は審査請求期間は認可の告示の翌日から進行すると解し、本件審査請求は期間を徒過しているとして却下する旨の裁決をしたため、原告は本件裁決の取消しを求めて出訴した。

判旨：　都市計画法における都市計画事業の認可のように、処分が個別の通知ではなく告示をもって多数の関係権利者等に画一的に告知される場合については、そのような告知方法が採られている趣旨にかんがみ、告示のあった日を「処分があったことを知った日」と解するのが相当である。

３　なお、新たに再調査の請求（５）が導入されたことに伴い、再調査の請求をしたときは、当該再調査の請求についての決定があったことを知った日の翌日から起算して「１月」が審査請求期間とされる（18Ⅰかっこ書）。

→再調査の請求それ自体の主観的請求期間は「処分があったことを知った日の翌日から起算して３月」である（54Ⅰ本文）　⇒p.278参照

三　「正当な理由」（Ⅰただし書）

審査請求期間が経過しても審査請求が認められるための例外の要件について、旧法下では、「天災その他審査請求をしなかったことについてやむをえない理由があるとき」という厳格な要件が設けられていたが、改正法では、国民の権利利益の救済の実効性確保の観点から、この要件は「正当な理由」があるときという要件に緩和された。

「正当な理由」とは、審査請求期間が教示されなかった場合及び誤って長期の審査請求期間が教示された場合であって、審査請求人が他の方法で正しい審査請求期間を知ることができなかったような場合をいう。

四　客観的審査請求期間（Ⅱ本文）

18条２項本文は、法的安定性を確保するため、「処分（当該処分について再調査の請求をしたときは、当該再調査の請求についての決定）があった日の翌日から起算して１年を経過したとき」は審査請求をすることができないと定めている。この期間を客観的審査請求期間という。ただし、正当な理由があるときは、この限りでない（同Ⅱただし書）。

五　発信主義（Ⅲ）

審査請求書を信書便で提出した場合、送付に要した日数は審査請求期間（18ⅠⅡ）に算入しない（18Ⅲ）。すなわち、審査請求書を信書便で審査請求期間内に発信すれば、その到着が審査請求期間を超えていたとしても、適法な審査請求となる（発信主義）。

第１９条　（審査請求書の提出）

Ⅰ　審査請求は、他の法律（条例に基づく処分については、条例）に口頭ですることができる旨の定めがある場合を除き、政令で定めるところにより、審査請求書を提出してしなければならない予。

Ⅱ　処分についての審査請求書には、次に掲げる事項を記載しなければならない。
　①　審査請求人の氏名又は名称及び住所又は居所
　②　審査請求に係る処分の内容
　③　審査請求に係る処分（当該処分について再調査の請求についての決定を経たときは、当該決定）があったことを知った年月日
　④　審査請求の趣旨及び理由
　⑤　処分庁の教示の有無及びその内容
　⑥　審査請求の年月日

Ⅲ　不作為についての審査請求書には、次に掲げる事項を記載しなければならない。
　①　審査請求人の氏名又は名称及び住所又は居所
　②　当該不作為に係る処分についての申請の内容及び年月日
　③　審査請求の年月日

Ⅳ　審査請求人が、法人その他の社団若しくは財団である場合、総代を互選した場合又は代理人によって審査請求をする場合には、審査請求書には、第２項各号又は前項各号に掲げる事項のほか、その代表者若しくは管理人、総代又は代理人の氏名及び住所又は居所を記載しなければならない。

Ⅴ　処分についての審査請求書には、第２項及び前項に規定する事項のほか、次の各号に掲げる場合においては、当該各号に定める事項を記載しなければならない。

① 第5条第2項第1号の規定により再調査の請求についての決定を経ないで審査請求をする場合　再調査の請求をした年月日
② 第5条第2項第2号の規定により再調査の請求についての決定を経ないで審査請求をする場合　その決定を経ないことについての正当な理由
③ 審査請求期間の経過後において審査請求をする場合　前条第1項ただし書又は第2項ただし書に規定する正当な理由

《注　釈》

一　書面提出主義

審査請求は、他の法律（条例に基づく処分については、条例）に口頭ですることができる旨の定めがある場合を除き、書面（審査請求書）を提出してしなければならない（書面提出主義、19Ⅰ）。

∵　審査請求の争点を明確にするとともに手続を確実にする

二　審査請求書の記載事項

1　処分についての審査請求書

(1)　審査請求書には、19条2項各号所定の事項（必要的記載事項）を記載しなければならない（19Ⅱ）。

→審査請求書の必要的記載事項に記載漏れがある場合には、当該審査請求は不適法なものとなるから、審査庁は、相当の期間を定め、その期間内に不備の補正を命じなければならない（23）。審査請求人が期間内に不備を補正しない場合、審査庁は、審理員による審理手続を経ずに、裁決で、当該審査請求を却下することができる（24Ⅰ、9Ⅰ柱書ただし書）

(2)　再調査の請求をした日の翌日から起算して3か月を経過しても処分庁がその決定をしない場合、例外的に、再調査の請求についての決定を経ずに審査請求をすることができる（5Ⅱ①）。この場合、審査請求書には「再調査の請求をした年月日」を記載しなければならない（19Ⅴ①）。

(3)　再調査の請求についての決定を経ないことにつき正当な理由がある場合も、例外的に、再調査の請求についての決定を経ずに審査請求をすることができる（5Ⅱ②）。この場合、審査請求書には「その決定を経ないことについての正当な理由」を記載しなければならない（19Ⅴ②）。

(4)　主観的・客観的審査請求期間（18ⅠⅡ）の経過後に審査請求をする場合、その審査請求にはそれぞれの「正当な理由」を記載しなければならない（19Ⅴ③）。

2　不作為についての審査請求書

不作為についての審査請求書には、19条3項各号所定の事項を記載しなければならない（19Ⅲ）。

▼ **陳情書と不服申立書の区別（最判昭32.12.25・百選〔第6版〕139事件）**

判旨：　異議の申立書であるか若しくは単なる陳情書であるかは、当事者の意思解釈の問題に帰する。

第20条　（口頭による審査請求）

口頭で審査請求をする場合には、前条第2項から第5項までに規定する事項を陳述しなければならない。この場合において、陳述を受けた行政庁は、その陳述の内容を録取し、これを陳述人に読み聞かせて誤りのないことを確認しなければならない。

[趣旨] 書面提出主義の例外である口頭による審査請求の手続について定める。

《注　釈》

・口頭による審査請求は、他の法律（条例に基づく処分については、条例）に口頭ですることができる旨の定めがある場合にのみすることができる（19 Ⅰ）。
・口頭による審査請求は、審査庁に対して行う場合のみならず、処分庁等を経由する場合（21 Ⅰ）も考えられることから、「陳述を受けた行政庁」との文言になっている。

第21条　（処分庁等を経由する審査請求）

Ⅰ　審査請求をすべき行政庁が処分庁等と異なる場合における審査請求は、処分庁等を経由してすることができる。この場合において、審査請求人は、処分庁等に審査請求書を提出し、又は処分庁等に対し第19条第2項から第5項までに規定する事項を陳述するものとする。

Ⅱ　前項の場合には、処分庁等は、直ちに、審査請求書又は審査請求録取書（前条後段の規定により陳述の内容を録取した書面をいう。第29条第1項及び第55条において同じ。）を審査庁となるべき行政庁に送付しなければならない。

Ⅲ　第1項の場合における審査請求期間の計算については、処分庁に審査請求書を提出し、又は処分庁に対し当該事項を陳述した時に、処分についての審査請求があったものとみなす。

[趣旨] 審査請求をしようとする者の便宜に配慮するため、処分庁等を経由した審査請求を選択することも可能にするとともに、この場合の審査請求期間の計算について定める。

《注　釈》

・審査請求についての発信主義（18 Ⅲ参照）からすれば、処分庁から審査庁となるべき行政庁への送付に要した日数は、審査請求期間に算入すべきではない。また、処分庁を経由する審査請求を制度として許容した以上、処分庁から審査庁となるべき行政庁への送付が遅延したことによる不利益を審査請求人に負わせるべきでもない。そこで、処分庁に審査請求書を提出し、又は処分庁に対し陳述した時に、処分についての審査請求があったものとみなすこととされた（21 Ⅲ）。

第22条（誤った教示をした場合の救済）

Ⅰ　審査請求をすることができる処分につき、処分庁が誤って審査請求をすべき行政庁でない行政庁を審査請求をすべき行政庁として教示した場合において、その教示された行政庁に書面で審査請求がされたときは、当該行政庁は、速やかに、審査請求書を処分庁又は審査庁となるべき行政庁に送付し、かつ、その旨を審査請求人に通知しなければならない。

Ⅱ　前項の規定により処分庁に審査請求書が送付されたときは、処分庁は、速やかに、これを審査庁となるべき行政庁に送付し、かつ、その旨を審査請求人に通知しなければならない。

Ⅲ　第1項の処分のうち、再調査の請求をすることができない処分につき、処分庁が誤って再調査の請求をすることができる旨を教示した場合において、当該処分庁に再調査の請求がされたときは、処分庁は、速やかに、再調査の請求書（第61条において読み替えて準用する第19条に規定する再調査の請求書をいう。以下この条において同じ。）又は再調査の請求録取書（第61条において準用する第20条後段の規定により陳述の内容を録取した書面をいう。以下この条において同じ。）を審査庁となるべき行政庁に送付し、かつ、その旨を再調査の請求人に通知しなければならない。

Ⅳ　再調査の請求をすることができる処分につき、処分庁が誤って審査請求をすることができる旨を教示しなかった場合において、当該処分庁に再調査の請求がされた場合であって、再調査の請求人から申立てがあったときは、処分庁は、速やかに、再調査の請求書又は再調査の請求録取書及び関係書類その他の物件を審査庁となるべき行政庁に送付しなければならない。この場合において、その送付を受けた行政庁は、速やかに、その旨を再調査の請求人及び第61条において読み替えて準用する第13条第1項又は第2項の規定により当該再調査の請求に参加する者に通知しなければならない。

Ⅴ　前各項の規定により審査請求書又は再調査の請求書若しくは再調査の請求録取書が審査庁となるべき行政庁に送付されたときは、初めから審査庁となるべき行政庁に審査請求がされたものとみなす。

［趣旨］国民の権利救済を徹底させるために、処分庁が誤って教示をした場合等の救済規定を定める。

《注　釈》

一　はじめに

1　教示とは、処分庁が処分の相手方に対して、当該処分について不服申立てをすることができる旨、不服申立てをすべき行政庁、不服申立てをすることができる期間など、不服申立てに関する手続を教え示す制度をいう。

2　一般的教示規定は82条に、一般的教示に係る救済規定は83条に規定されている（⇒p.293以下参照）。もっとも、83条は「教示しなかった」場合に限って規定しており、誤って「教示した」場合は本条が規定している。本条は、誤って「教示した」場合を2つ規定し、「教示しなかった」場合を1つ規定している。

二　誤って「教示した」場合①～審査請求をすべき行政庁でない行政庁を教示した場合（Ⅰ）

処分庁の過誤に基づく不利益を審査請求人に負担させるべきではないことから、審査請求書の提出を受けた行政庁は、速やかに、審査請求書を処分庁又は審査庁となるべき行政庁に送付し、かつ、その旨を審査請求人に通知しなければならない（22Ⅰ）。また、審査請求書の送付を処分庁が受けた場合、処分庁は、速やかに、これを審査庁となるべき行政庁に送付し、かつ、その旨を審査請求人に通知しなければならない（同Ⅱ）。

→審査請求先を誤って教示した場合は上記のような取扱いとなるが、審査請求期間が教示されなかった場合及び誤って長期の審査請求期間が教示された場合には、審査請求期間を徒過しても、「正当な理由」（18Ⅰただし書）があると解されている

三　誤って「教示した」場合②～再調査の請求ができないにもかかわらず、これができる旨教示した場合（Ⅲ）

再調査の請求ができないにもかかわらず、これができる旨の教示を受けた場合であっても、再調査の請求を選択することはできず、審査請求以外の選択の余地はない。処分庁は、速やかに、再調査の請求書等を審査庁となるべき行政庁に送付し、かつ、その旨を再調査の請求人に通知しなければならない（同Ⅲ）。

→再調査の請求がされたものとみなされるわけではない

四　再調査の請求ができる処分につき、審査請求ができる旨を教示しなかった場合（Ⅳ）

再調査の請求ができる処分については、一般的教示規定である82条により、再調査の請求と審査請求のいずれかを選択できる旨教示すべきとされている。そして、審査請求ができる旨の教示があれば、再調査の請求ではなく審査請求を選択したはずの再調査の請求人の選択権を尊重する必要がある。そこで、「再調査の請求人から申立てがあったとき」、処分庁は、再調査の請求書等を審査庁となるべき行政庁に送付しなければならない（同Ⅳ）。

→再調査の請求期間を徒過し、かつ「正当な理由」（54Ⅰただし書）もない場合には、当該再調査の請求は不適法であるため、審査請求への切替えはできない

なお、再調査の請求ができる処分につき、再調査の請求ができる旨を教示しなかった場合については、55条が規定している。　⇒ p.279 参照

五　効果（V）

前各項の規定により審査請求書等が審査庁となるべき行政庁に送付されたときは、初めから審査庁となるべき行政庁に審査請求がされたものとみなす（同V）。

第２３条　（審査請求書の補正）

審査請求書が第19条の規定に違反する場合には、審査庁は、相当の期間を定め、その期間内に不備を補正すべきことを命じなければならない。

第２４条　（審理手続を経ないでする却下裁決）

Ⅰ　前条の場合において、審査請求人が同条の期間内に不備を補正しないときは、審査庁は、次節に規定する審理手続を経ないで、第45条第１項又は第49条第１項の規定に基づき、裁決で、当該審査請求を却下することができる。

Ⅱ　審査請求が不適法であって補正することができないことが明らかなときも、前項と同様とする。

《注　釈》

・「審査請求が不適法であって補正することができないことが明らかなとき」（24Ⅱ）としては、審査請求の年月日（19Ⅱ⑥）の記載から審査請求期間（18Ⅰ本文、同Ⅱ本文）を経過していることが明らかであり、かつ、期間の経過について「正当な理由」（18Ⅰただし書、同Ⅱただし書）がないことが明らかな場合等が挙げられる。

・審査請求人が期間内に不備を補正しない場合や、審査請求が不適法であって補正することができないことが明らかなときは、審査庁は、審理員による審理手続を経ずに、裁決で、当該審査請求を却下することができる（24Ⅰ、9Ⅰ柱書ただし書）。

第２５条　（執行停止）

Ⅰ　審査請求は、処分の効力、処分の執行又は手続の続行を妨げない。

Ⅱ　処分庁の上級行政庁又は処分庁である審査庁は、必要があると認める場合には、審査請求人の申立てにより又は職権で、処分の効力、処分の執行又は手続の続行の全部又は一部の停止その他の措置（以下「執行停止」という。）をとることができる予。

Ⅲ　処分庁の上級行政庁又は処分庁のいずれでもない審査庁は、必要があると認める場合には、審査請求人の申立てにより、処分庁の意見を聴取した上、執行停止をすることができる。ただし、処分の効力、処分の執行又は手続の続行の全部又は一部の停止以外の措置をとることはできない。

Ⅳ　前２項の規定による審査請求人の申立てがあった場合において、処分、処分の執行又は手続の続行により生ずる重大な損害を避けるために緊急の必要があると認めるときは、審査庁は、執行停止をしなければならない。ただし、公共の福祉に重大な影響を及ぼすおそれがあるとき、又は本案について理由がないとみえるときは、この限りでない。
Ⅴ　審査庁は、前項に規定する重大な損害を生ずるか否かを判断するに当たっては、損害の回復の困難の程度を考慮するものとし、損害の性質及び程度並びに処分の内容及び性質をも勘案するものとする。
Ⅵ　第２項から第４項までの場合において、処分の効力の停止は、処分の効力の停止以外の措置によって目的を達することができるときは、することができない予。
Ⅶ　執行停止の申立てがあったとき、又は審理員から第40条に規定する執行停止をすべき旨の意見書が提出されたときは、審査庁は、速やかに、執行停止をするかどうかを決定しなければならない。

《注　釈》

一　執行不停止の原則（Ⅰ）

審査請求により当然に執行停止の効果が生じるとすると、十分な理由もないのにとりあえず審査請求をすることで時間稼ぎを図るというケースが多発し、行政の円滑な運営が阻害され、公益が損なわれるおそれがある。そこで、審査請求は、処分の効力、処分の執行又は手続の続行を妨げないとして、執行不停止の原則（25Ⅰ）を定めた。

執行不停止の原則は、再調査の請求、再審査請求でも採られている（61、66Ⅰ）。

二　裁量的執行停止（ⅡⅢ）

1　執行不停止の原則があるとはいえ、執行停止が一切認められないとすれば、最終的に審査請求が認容されても、処分がすでに執行されたことで原状回復が難しくなっていることも考えられる。

そこで、例外的に、処分庁の上級行政庁又は処分庁である審査庁は、必要があると認める場合には、審査請求人の申立てにより又は職権で、「処分の効力、処分の執行又は手続の続行の全部又は一部の停止その他の措置」（執行停止）を採ることができる（25Ⅱ）予。

2　執行停止は処分の効力に関わるものであるから、執行停止の判断権限は審理員ではなく審査庁にある。もっとも、審理員は、必要があると認める場合には、審査庁に対し、「執行停止をすべき旨の意見書」を提出することができる（40。なお、執行停止の取消しをすべき旨の意見書を提出することはできない）。これを受けた審査庁は、速やかに、執行停止をするかどうかを決定しなければならない（25Ⅶ）。

3　行政事件訴訟法上の執行停止（行訴25 II）と異なり、「職権」による執行停止も認められており、さらに「その他の措置」を採ることも許される（行審25 II）〈同〉。

∵　審査庁が「処分庁の上級行政庁」である場合には、その審査庁に一般的指揮監督権が認められるからであり、また、審査庁が「処分庁」である場合には、当該処分を行う権限があるため

→「その他の措置」とは、原処分に代わる仮の処分をいう

ex.　営業免許取消処分に係る審査請求において、暫定的に一定期間の営業停止処分に変更する措置

4　審査庁が「処分庁の上級行政庁又は処分庁」のいずれでもない場合（法律・条例に特別の定めがある場合（4柱書））において、その審査庁が執行停止をするには、次のような制約がある。

①　審査庁は、職権で執行停止をすることが許されない（25 III本文）

②　審査庁は、処分庁の意見を聴取しなければならない（25 III本文）

③「その他の措置」を採ることができない（25 IIIただし書）

∵　上記のような制約は、審査庁が処分庁に対して一般的指揮監督権を有しているわけではなく、また当該処分を行う権限も有しておらず、当該審査請求の処理に係る権限を個別の法律により付与されているにすぎないため

三　義務的執行停止（IV V）

1　審査請求人の執行停止の申立てがあった場合において、処分、処分の執行又は手続の続行により生ずる重大な損害を避けるために緊急の必要があると認めるときは、審査庁は、執行停止をしなければならない（25 IV本文）。

→審査庁が処分庁の上級行政庁又は処分庁である場合であっても、職権では義務的執行停止をすることができず、審査請求人による執行停止の申立てが必要となる

2　ただし、公共の福祉に重大な影響を及ぼすおそれがあるとき、又は本案について理由がないとみえるときは、この限りでない（25 IVただし書）。

これらの消極要件のいずれかに該当する場合であっても、裁量的執行停止をすることは妨げられない（行政事件訴訟法上の執行停止制度では、これらの消極要件のいずれかに該当する場合、執行停止をすることができない（行訴25 IV））。

→旧法下では、「処分の執行若しくは手続の続行ができなくなるおそれがあるとき」という消極要件が規定されていたが、この規定自体国民の権利利益の救済の観点からして不適切であること、行政事件訴訟法25条4項もこのような消極要件を設けていないことから、改正法において削除された

3　審査庁は、「重大な損害」（25 IV）を生ずるか否かを判断するに当たっては、損害の回復の困難の程度を考慮するものとし、損害の性質及び程度並びに処分

の内容及び性質をも勘案するものとする（25Ⅴ）。

四　処分の効力停止の補充性（Ⅵ）

裁量的・義務的執行停止をする場合において、処分の効力の停止以外の措置によって目的を達することができるときは、「処分の効力の停止」をすることができない（25Ⅵ）予。

→「処分の効力の停止」がもっとも直接的な執行停止で広範な影響を及ぼすものであるため、それ以外のより間接的な執行停止によって申立人の権利利益の保護という目的を達することができるときは、処分の効力の停止を認めるべきではない（処分の効力停止の補充性）

ex.　建築物の除却命令の効力を停止しなくても、除却命令の執行である代執行手続を停止すれば、除却を免れるという申立人の目的を達することができるため、このような場合においては、除却命令の効力の停止をすることはできない

<執行停止制度の比較～行政不服審査法と行政事件訴訟法>

	行政不服審査	行政事件訴訟
執行不停止の原則	あり（25Ⅰ）	あり（25Ⅰ）
執行停止の判断機関	審査庁	裁判所
職権で裁量的執行停止をすることの可否	可（25Ⅱ）（＊）	不可
「その他の措置」を採ることの可否	可（25Ⅱ）（＊）	不可
事前の意見聴取の要否	不要（＊）	必要（25Ⅵただし書）
義務的執行停止の制度	あり（25Ⅳ）	なし
消極要件に該当した場合の処理	裁量的執行停止は可能（25Ⅳただし書）	執行停止をすることはできない（25Ⅳ）
処分の効力停止の補充性	あり（25Ⅵ）	あり（25Ⅱただし書）
職権で執行停止の取消しをすることの可否	可（26）	不可（26Ⅰ）
内閣総理大臣の異議の制度	なし	あり（27）

＊　審査庁が「処分庁の上級行政庁又は処分庁」のいずれでもない場合（法律・条例に特別の定めがある場合（４柱書参照））はそれぞれ「不可」又は「必要」となる（25Ⅲ）。

第26条　（執行停止の取消し）

執行停止をした後において、執行停止が公共の福祉に重大な影響を及ぼすことが明らかとなったとき、その他事情が変更したときは、審査庁は、その執行停止を取り消すことができる。

[趣旨] 執行停止の決定後の事情の変化により、執行停止が公共の福祉に重大な影響を及ぼすことが明らかとなったときや、執行停止の要件を充足しなくなることがある。このような場合にも執行停止を続行することは、執行停止制度の趣旨に反する。そこで、審査庁は、職権で執行停止を取り消すことができることとした（行訴26 I参照）。

《注　釈》

・執行停止の取消しは、処分庁の上級行政庁以外の審査庁もすることができる。
・行政事件訴訟法上の執行停止においては、裁判所が職権で執行停止の取消しをすることはできない（26 I参照）。

第27条　（審査請求の取下げ）

I　審査請求人は、裁決があるまでは、いつでも審査請求を取り下げることができる予。
II　審査請求の取下げは、書面でしなければならない。

《注　釈》

◆　審査請求の取下げ

1　審査請求をするかどうかは処分の相手方等の自由な意思に委ねられていることから、審査請求の取下げについても、審査請求人の自由な意思に委ねている。ただし、審査庁の確定的な判断である裁決があった後は、取り下げることができない（27 I）。

2　審査手続が開始され、処分庁等が書面を提出したり意見を述べた後であっても、処分庁等の同意を得ることなく審査請求を取り下げることが可能である（民訴261 II本文参照）。

3　審査請求の取下げにより、審査請求は初めからなかったものとされる。そのため、取下げが審査請求期間（18 I II）を経過した後になされた場合、改めて審査請求をすることはできなくなる。このように、審査請求の取下げは、審査請求人に重大な影響を与える行為であり、取下げの有無に係る後日の紛争を回避するため、書面でしなければならないとされている（27 II）。

第3款　審理手続（行審3節）

《概　説》

＜審査請求から裁決までの流れ＞

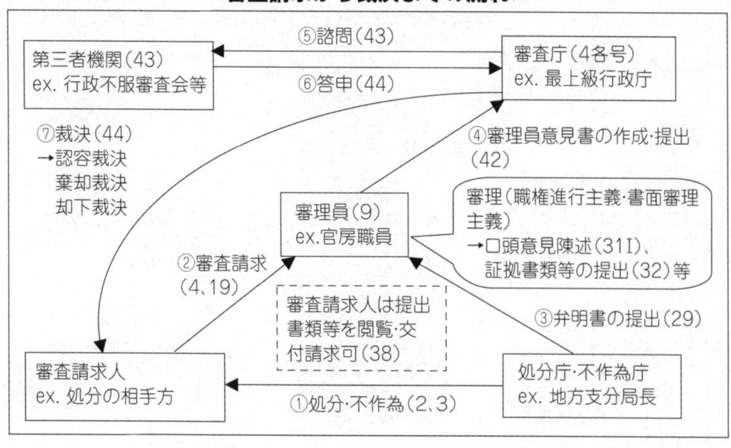

<審理手続の流れ>

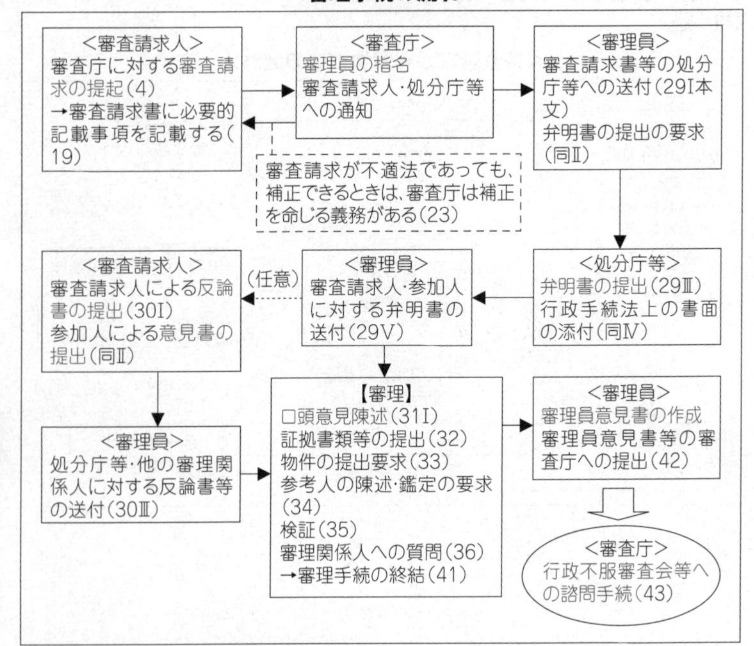

第２８条　（審理手続の計画的進行）

審査請求人、参加人及び処分庁等（以下「審理関係人」という。）並びに審理員は、簡易迅速かつ公正な審理の実現のため、審理において、相互に協力するとともに、審理手続の計画的な進行を図らなければならない。

[趣旨] 審理関係人及び審理員に、無駄のない実質的かつ効率的な審理を行うために、審理手続を計画的に進行すべきことを義務付けたものである。

第２９条　（弁明書の提出）

Ⅰ　審理員は、審査庁から指名されたときは、直ちに、審査請求書又は審査請求録取書の写しを処分庁等に送付しなければならない。ただし、処分庁等が審査庁である場合には、この限りでない。

Ⅱ　審理員は、相当の期間を定めて、処分庁等に対し、弁明書の提出を求めるものとする。

Ⅲ　処分庁等は、前項の弁明書に、次の各号の区分に応じ、当該各号に定める事項を記載しなければならない。

①　処分についての審査請求に対する弁明書　処分の内容及び理由

②　不作為についての審査請求に対する弁明書　処分をしていない理由並びに予定される処分の時期、内容及び理由

Ⅳ　処分庁が次に掲げる書面を保有する場合には、前項第１号に掲げる弁明書にこれを添付するものとする。

①　行政手続法（平成５年法律第88号）第24条第１項の調書及び同条第３項の報告書

②　行政手続法第29条第１項に規定する弁明書

Ⅴ　審理員は、処分庁等から弁明書の提出があったときは、これを審査請求人及び参加人に送付しなければならない。

《注　釈》

◆　弁明書の提出

1　「弁明書」とは、処分についての審査請求であれば処分を行ったこと、不作為の審査請求であれば処分を行っていないことの理由を説明した書面をいう(29Ⅱ)。

審理員は、処分等に関与していない者であるため、原処分の理由等を処分庁等に弁明させて知る必要がある。また、対審的な審理構造を採用する本法の下では、処分庁等が弁明した理由は審査請求人による主張・立証活動の前提となる。

そこで、審理員は、処分庁等に対して、弁明書の提出を求めることを義務付けられている。

2　処分についての審査請求に対する弁明書には、「処分の内容及び理由」を記載しなければならない（29Ⅲ①)。

∵　原処分の違法性・不当性の有無を審理員が判断するために必要であり、審査請求人・参加人が処分庁の主張に対する反論を適切に行うことができるようにするため

→行政手続法上の理由の提示（行手８Ⅰ、14Ⅰ）と同程度のものを記載する必要があると解されている　⇒p.115、120参照

3　不作為についての審査請求に対する弁明書には、「処分をしていない理由並びに予定される処分の時期、内容及び理由」を記載しなければならない（29Ⅲ②）。

「処分をしていない理由」として、不作為庁は、申請がいかなる処理段階にあるのかを示し、審査に通常よりも時間がかかっている特別の事情があれば、それも示す必要があるとされている。

4　処分庁が聴聞調書（行手24Ⅰ）及び報告書（行手24Ⅲ）、又は弁明書（行手29Ⅰ）を保有するときは、弁明書に添付して提出する義務を負う（行審29Ⅳ①②）。

→上記書類の提出義務は、不作為庁にはない

∵　上記書類が作成された場合には、通常、聴聞手続・弁明の機会の付与手続を経て不利益処分が行われているため

第３０条　（反論書等の提出）

Ⅰ　審査請求人は、前条第５項の規定により送付された弁明書に記載された事項に対する反論を記載した書面（以下「反論書」という。）を提出することができる。この場合において、審理員が、反論書を提出すべき相当の期間を定めたときは、その期間内にこれを提出しなければならない。

Ⅱ　参加人は、審査請求に係る事件に関する意見を記載した書面（第40条及び第42条第１項を除き、以下「意見書」という。）を提出することができる。この場合において、審理員が、意見書を提出すべき相当の期間を定めたときは、その期間内にこれを提出しなければならない。

Ⅲ　審理員は、審査請求人から反論書の提出があったときはこれを参加人及び処分庁等に、参加人から意見書の提出があったときはこれを審査請求人及び処分庁等に、それぞれ送付しなければならない。

《注　釈》

◆　反論書等の提出

1　30条1項前段は、反論書を「提出することができる」と規定していることから、反論書の提出は義務ではなく、審査請求人の意思に委ねられている（30Ⅰ前段）。

2　審査請求に係る処分等につき利害関係を有する参加人（13ⅠⅣ）は、意見書を提出することができる（30Ⅱ前段）。

∵　参加人の手続的権利を拡充することで、参加人の意見を適切に踏まえて、三面的な利害対立を巡る審理を公正かつ迅速に解決することができる。また、審査請求を全部認容する場合、審査庁の行政不服審査会等への諮問義務は原則としてないところ（43Ⅰ⑧）、参加人が審査請求の全部認容に反対する意見を述べている場合には、審査庁は諮問義務を免れないた

め、参加人の主張を明確にしておく必要がある

第３１条　（口頭意見陳述）

Ⅰ　審査請求人又は参加人の申立てがあった場合には、審理員は、当該申立てをした者（以下この条及び第41条第２項第２号において「申立人」という。）に口頭で審査請求に係る事件に関する意見を述べる機会を与えなければならない。ただし、当該申立人の所在その他の事情により当該意見を述べる機会を与えることが困難であると認められる場合には、この限りでない。

Ⅱ　前項本文の規定による意見の陳述（以下「口頭意見陳述」という。）は、審理員が期日及び場所を指定し、全ての審理関係人を招集してさせるものとする。

Ⅲ　口頭意見陳述において、申立人は、審理員の許可を得て、補佐人とともに出頭することができる。

Ⅳ　口頭意見陳述において、審理員は、申立人のする陳述が事件に関係のない事項にわたる場合その他相当でない場合には、これを制限することができる。

Ⅴ　口頭意見陳述に際し、申立人は、審理員の許可を得て、審査請求に係る事件に関し、処分庁等に対して、質問を発することができる。

［趣旨］本条は、書面審理主義の例外として、審査請求人・参加人に口頭意見陳述権を認めることにより、審理請求人・参加人の権利利益の救済を十分に確保するものである。

《注　釈》

◆　**口頭意見陳述**

1　口頭意見陳述は、職権で行うことができず、審査請求人又は参加人による申立てが必要となる（31Ⅰ本文）。

2　「審査請求に係る事件に関する意見」（同Ⅰ本文）には、審査請求の本案要件に関する意見のみならず、審査請求の適法要件（ex.処分性、不服申立適格）に関する意見も含まれる。

3　「申立人の所在その他の事情により当該意見を述べる機会を与えることが困難であると認められる場合」（同Ⅰただし書）としては、刑務所、少年院等の矯正施設に収容されており、当面出所の見込みが立たない場合等がある。このような場合、審理の遅延を防止するため、口頭意見陳述の機会を与えなくてもよい。

4　口頭意見陳述は、「全て」の「審理関係人を招集してさせるものとする」（同Ⅱ）予。

∵　口頭意見陳述の手続の公正性・実効性の確保

なお、「審理関係人」とは、審査請求人、参加人及び処分庁等をいう（28）。

5　「補佐人」（31Ⅲ）とは、自然科学、社会科学、人文科学の専門知識を有していたり、日本語の理解が十分でない外国人や言語障害者のために陳述を補助

する者であって、審査請求人又は参加人を補佐する者をいう。補佐人は代理人ではなく、補佐人単独の出頭はできない。

6　審理員は、申立人の陳述が「事件に関係のない事項にわたる場合その他相当でない場合」には、その陳述を制限できる（31 Ⅳ）。

∵　審理の迅速化・効率化を確保する

「その他相当でない場合」としては、同一内容の反復した発言、処分庁等の職員に対する誹謗中傷等がある。

7　申立人は、審理員の許可を得て、審査請求に係る事件に関し、処分庁等に対して質問を発することができる（31 Ⅴ）。これは、対審的な審理構造の下での口頭意見陳述の実効性を確保すべく、審査請求人及び参加人の手続的権利を拡充したものである。他方、質問するに当たり審理員の許可が必要なのは、質問権の濫発によって審理手続が紛糾する事態を回避する趣旨である。

→他方、処分庁等の審査請求人・参加人に対する質問権は認められていないため、対審的な審理構造が徹底されているわけではない

処分庁等に申立人の質問に対する応答義務を課す規定は特に設けられていないが、質問が全ての審理関係人を招集した口頭意見陳述の場で行われ、手続の公正と実効性が図られている趣旨に照らせば、処分庁等は、申立人の質問に対して、適切に回答すべきことが前提とされている。

第３２条　（証拠書類等の提出）

Ⅰ　審査請求人又は参加人は、証拠書類又は証拠物を提出することができる。

Ⅱ　処分庁等は、当該処分の理由となる事実を証する書類その他の物件を提出することができる。

Ⅲ　前２項の場合において、審理員が、証拠書類若しくは証拠物又は書類その他の物件を提出すべき相当の期間を定めたときは、その期間内にこれを提出しなければならない。

第３３条　（物件の提出要求）

審理員は、審査請求人若しくは参加人の申立てにより又は職権で、書類その他の物件の所持人に対し、相当の期間を定めて、その物件の提出を求めることができる。この場合において、審理員は、その提出された物件を留め置くことができる。

《注　釈》

◆　職権探知主義

33条は、審理員の職権による物件の提出要求を規定しているところ、審理員の職権による調査が審理関係人の主張しない事実の調査を認める趣旨（職権探知主義）であるかは明文上明らかではない。

この点について、旧訴願法に関するものではあるが、判例（最判昭29.10.14・

百選132事件）は、職権探知が可能であるとする立場をとっており、改正法においても、引き続き職権探知は可能であると一般に解されている。

▼ **職権探知（最判昭29.10.14・百選132事件）**

事案：　Xは松戸市議会議員選挙の被選挙人であり、本件選挙で当選と決定されたが、千葉県選挙管理委員会Yが本件選挙を無効としたため、住民が公職選挙法202条に基づき、本件選挙の効力に関して市選挙管理委員会に異議の申立てをし、その却下決定を不服としてYに訴願した。その際の職権探知の可否が争われた。

判旨：　訴願においては訴願庁がその裁決をなすに当たって職権を以ってその基礎となすべき事実を探知しうべきことは勿論であり、必ずしも訴願人の主張した事実のみを斟酌すべきものということはできない。

第３４条　（参考人の陳述及び鑑定の要求）

審理員は、審査請求人若しくは参加人の申立てにより又は職権で、適当と認める者に、参考人としてその知っている事実の陳述を求め、又は鑑定を求めることができる。

第３５条　（検証）

Ⅰ　審理員は、審査請求人若しくは参加人の申立てにより又は職権で、必要な場所につき、検証をすることができる。

Ⅱ　審理員は、審査請求人又は参加人の申立てにより前項の検証をしようとするときは、あらかじめ、その日時及び場所を当該申立てをした者に通知し、これに立ち会う機会を与えなければならない。

《注　釈》

一　鑑定

鑑定（34）とは、特別な学識経験を有する者から、その専門的知識又はその知識を利用した判断の報告を求めることをいう。

二　検証

検証（35Ⅰ）とは、人、物又は場所について、その存在、性質、状態等を五官の作用により認識することをいう。

第３６条　（審理関係人への質問）

審理員は、審査請求人若しくは参加人の申立てにより又は職権で、審査請求に係る事件に関し、審理関係人に質問することができる。

《注　釈》

◆　**審理関係人への質問**

1「審査請求に係る事件に関し」

審理員による質問の内容が審査請求に係る事件に関するものに限られる旨を明確に定めるとともに、審査請求の適法要件についても質問することが可能であることを意味する。

2「審理関係人に質問することができる」

事実関係や争点、審理関係人の主張の趣旨・内容が不明瞭である場合、充実した迅速な審理を行うことができない。そこで、審理員は、審査請求人・参加人の申立て又は職権により、審理関係人（＝審査請求人、参加人及び処分庁等（28））に対して質問することができる。

第３７条　（審理手続の計画的遂行）

Ⅰ　審理員は、審査請求に係る事件について、審理すべき事項が多数であり又は錯綜(そう)しているなど事件が複雑であることその他の事情により、迅速かつ公正な審理を行うため、第31条から前条までに定める審理手続を計画的に遂行する必要があると認める場合には、期日及び場所を指定して、審理関係人を招集し、あらかじめ、これらの審理手続の申立てに関する意見の聴取を行うことができる。

Ⅱ　審理員は、審理関係人が遠隔の地に居住している場合その他相当と認める場合には、政令で定めるところにより、審理員及び審理関係人が音声の送受信により通話をすることができる方法によって、前項に規定する意見の聴取を行うことができる。

Ⅲ　審理員は、前２項の規定による意見の聴取を行ったときは、遅滞なく、第31条から前条までに定める審理手続の期日及び場所並びに第41条第１項の規定による審理手続の終結の予定時期を決定し、これらを審理関係人に通知するものとする。当該予定時期を変更したときも、同様とする。

[趣旨] 審理事項が多数にわたり、錯綜している事件等において、口頭意見陳述(31)、証拠書類等の提出（32）、その他の審理手続の申立て等が五月雨式にされると、審理の長期化を招くことになりかねない。そこで、本条は、審理員が審理関係人を招集する期日を設けて、これらの手続の申立てに関する意見を聴取し（37Ⅰ）、審理手続の期日及び場所と審理手続の終結予定時期を決定する（同Ⅲ）旨の定めを新設し、審理の迅速化・公正性の確保を図った。

《注　釈》

◆　**審理手続の計画的遂行**

1「審理すべき事項が多数であり又は錯綜しているなど事件が複雑であること」（37Ⅰ）

事実関係が複雑で審査請求の内容も多岐にわたり、弁明書・反論書・意見書からは争点を明確に把握することが困難な場合、多数の参考人に陳述を求める必要がある場合、多分野にわたる専門家の鑑定を求める必要がある場合等である。

→31条～36条までに定める審理手続を計画的に遂行する必要があること

2 「審理関係人を招集し、あらかじめ、これらの審理手続の申立てに関する意見の聴取を行うことができる」(37 Ⅰ)

(1) 口頭意見陳述（31）は「全ての審理関係人を招集してさせる」(同Ⅱ) が、本条の意見聴取手続をとる際には必ずしも全ての審理関係人を招集する必要はない。

(2) 「あらかじめ」という文言から、本条の意見聴取手続は口頭意見陳述（31）等の手続を実施する前に行われることが想定されているが、口頭意見陳述の手続を実施した後、32条から36条までの手続を計画的に遂行するために、意見聴取手続を実施することも審理員の裁量により可能と解されている。

(3) 「審理手続の申立てに関する意見」という文言から、審理関係人は、処分の違法性・不当性に関する意見を述べることは認められない。また、審理員も、審理関係人の主張内容に関する質問は、本条の意見聴取手続ではなく36条に従って行うことになる。

(4) 「行うことができる」という文言から、31条～36条までに定める審理手続を計画的に遂行する必要があると認められる場合であっても、本条の意見聴取手続を行うかどうかは審理員の裁量である。

第38条　（審査請求人等による提出書類等の閲覧等）

Ⅰ　審査請求人又は参加人は、第41条第1項又は第2項の規定により審理手続が終結するまでの間、審理員に対し、提出書類等（第29条第4項各号に掲げる書面又は第32条第1項若しくは第2項若しくは第33条の規定により提出された書類その他の物件をいう。次項において同じ。）の閲覧（電磁的記録（電子的方式、磁気的方式その他人の知覚によっては認識することができない方式で作られる記録であって、電子計算機による情報処理の用に供されるものをいう。以下同じ。）にあっては、記録された事項を審査庁が定める方法により表示したものの閲覧）又は当該書面若しくは当該書類の写し若しくは当該電磁的記録に記録された事項を記載した書面の交付を求めることができる。この場合において、審理員は、第三者の利益を害するおそれがあると認めるとき、その他正当な理由があるときでなければ、その閲覧又は交付を拒むことができない。

Ⅱ　審理員は、前項の規定による閲覧をさせ、又は同項の規定による交付をしようとするときは、当該閲覧又は交付に係る提出書類等の提出人の意見を聴かなければならない。ただし、審理員が、その必要がないと認めるときは、この限りでない。

Ⅲ　審理員は、第1項の規定による閲覧について、日時及び場所を指定することができる。

Ⅳ　第１項の規定による交付を受ける審査請求人又は参加人は、政令で定めるところにより、実費の範囲内において政令で定める額の手数料を納めなければならない。
Ⅴ　審理員は、経済的困難その他特別の理由があると認めるときは、政令で定めるところにより、前項の手数料を減額し、又は免除することができる。
Ⅵ　地方公共団体（都道府県、市町村及び特別区並びに地方公共団体の組合に限る。以下同じ。）に所属する行政庁が審査庁である場合における前２項の規定の適用については、これらの規定中「政令」とあるのは、「条例」とし、国又は地方公共団体に所属しない行政庁が審査庁である場合におけるこれらの規定の適用については、これらの規定中「政令で」とあるのは、「審査庁が」とする。

［趣旨］審査請求人・参加人に対して、当該処分がいかなる根拠に基づくものであるかを知らせ、効果的な主張・立証の機会を認め、審理の公正性と手続の利便性を確保するために、提出書類等の閲覧及び写しの交付請求権を付与した。

《注　釈》

◆　審査請求人等による提出書類等の閲覧等

1　本条の閲覧及び写しの交付請求権は、書類等を提出した処分庁等の提出人に対して行使するのではなく、「審理員」に対して行使する（38Ⅰ前段）。

2　閲覧及び写しの交付請求権の対象となる「提出書類等」は、以下のとおりである。

①　行政手続法上の聴聞調書（行手24Ⅰ）・報告書（同Ⅲ）・弁明書（同29Ⅰ）
②　審査請求人又は参加人が提出した証拠書類・証拠物（行審32Ⅰ）
③　処分庁等が提出した「当該処分の理由となる事実を証する書類その他の物件」（同Ⅱ）
④　審理員が所持人に対して提出要求し、提出された「書類その他の物件」（33前段）

→審理員が作成した文書等は、閲覧及び写しの交付請求権の対象となっていない

3　「第三者の利益を害するおそれがあるとき」（38Ⅰ後段）
第三者のプライバシーを侵害するおそれがあるとき、第三者の営業秘密を漏洩するおそれがあるとき等である。

4　「その他正当な理由」（38Ⅰ後段）
当該事務の適正な遂行に支障を来たすおそれがあるとき等である。

5　上記の例外的な事由がないにもかかわらず、審理員が閲覧及び写しの交付請求について拒否処分をしたとしても、その拒否処分は行政不服審査法に基づく処分であるから、本法の不服申立ての対象とはならない（7Ⅰ⑫）。

6　審理員は、閲覧及び写しの交付請求権の行使があった場合、当該閲覧又は交付に係る提出書類等の提出人の意見を聴く義務を負う（38 Ⅱ本文)。ただし、審理員が、その必要がないと認めるときは、この限りでない（同Ⅱただし書)。
→提出人の意見は参考にすぎず、審理員は提出人の意見に拘束されない

第３９条　（審理手続の併合又は分離）

審理員は、必要があると認める場合には、数個の審査請求に係る審理手続を併合し、又は併合された数個の審査請求に係る審理手続を分離することができる。

[趣旨] 審理手続を併合又は分離することにより、迅速かつ円滑な審理手続の進行を確保する趣旨である。

《注　釈》

・審理手続の併合の効果は、次の３つである。
①　併合される前の審査請求に参加していた参加人は、併合された後の審査請求の全てにおいて参加人としての地位を取得し、31条～36条及び38条に基づく手続的権利を行使することができる。
②　併合される前の審査請求において提出された証拠書類等の物件は、併合された後の審査請求の全てに共通する審理資料となる。
③　併合審理される複数の審査請求についての弁明書等の提出書面は、審査請求の全てに共通する審理資料となる。

第４０条　（審理員による執行停止の意見書の提出）

審理員は、必要があると認める場合には、審査庁に対し、執行停止をすべき旨の意見書を提出することができる。

《注　釈》

・執行停止の権限は審査庁にあるところ（25 Ⅱ Ⅲ)、審理員は、執行停止の必要があると認める場合は、審査庁に対し、執行停止をすべき旨の意見書を提出することができる。これを受けた審査庁は、速やかに、執行停止をするかどうかを決定しなければならない（25 Ⅶ)。
→審理員は、執行停止の取消しをすべき旨の意見書の提出をすることはできない

第４１条（審理手続の終結）

Ⅰ　審理員は、必要な審理を終えたと認めるときは、審理手続を終結するものとする。

Ⅱ　前項に定めるもののほか、審理員は、次の各号のいずれかに該当するときは、審理手続を終結することができる。

①　次のイからホまでに掲げる規定の相当の期間内に、当該イからホまでに定める物件が提出されない場合において、更に一定の期間を示して、当該物件の提出を求めたにもかかわらず、当該提出期間内に当該物件が提出されなかったとき。

イ　第29条第２項　弁明書

ロ　第30条第１項後段　反論書

ハ　第30条第２項後段　意見書

ニ　第32条第３項　証拠書類若しくは証拠物又は書類その他の物件

ホ　第33条前段　書類その他の物件

②　申立人が、正当な理由なく、口頭意見陳述に出頭しないとき。

Ⅲ　審理員が前２項の規定により審理手続を終結したときは、速やかに、審理関係人に対し、審理手続を終結した旨並びに次条第１項に規定する審理員意見書及び事件記録（審査請求書、弁明書その他審査請求に係る事件に関する書類その他の物件のうち政令で定めるものをいう。同条第２項及び第43条第２項において同じ。）を審査庁に提出する予定時期を通知するものとする。当該予定時期を変更したときも、同様とする。

《注　釈》

◆　審理手続の終結

1　「必要な審理を終えたと認めるとき」（41 Ⅰ）

審査請求人・参加人の口頭意見陳述の申立てがあった場合（31 Ⅰ本文）において、31条１項ただし書に掲げる事由がないにもかかわらず、口頭意見陳述の機会を与えずに審理を終結して裁決をした場合、「必要な審理を終えた」とはいえないから、その裁決には裁決固有の瑕疵が認められる。

2　審理員は、本条２項１号・２号のいずれかに該当するときは、審理手続を終結することができる（41 Ⅱ柱書）。

→審理手続を終結する義務はない

①　相当の期間内に弁明書・反論書等の物件が提出されない場合において、審理員が更に一定の期間を示して当該物件の提出を求めたにもかかわらず、当該提出期間内に当該物件が提出されなかったとき（同①）

②　申立人が、正当な理由なく、口頭意見陳述に出頭しないとき（同②）

いずれも、審理関係人ないし申立人の手続的権利を保障しつつ、審理手続の迅速性の要請に応える趣旨に基づく。

第４２条（審理員意見書）

Ⅰ　審理員は、審理手続を終結したときは、遅滞なく、審査庁がすべき裁決に関する意見書（以下「審理員意見書」という。）を作成しなければならない。

Ⅱ　審理員は、審理員意見書を作成したときは、速やかに、これを事件記録とともに、審査庁に提出しなければならない。

《注　釈》

・審理員意見書は、審査庁を法的に拘束するものではない。

・審理員は、審理員意見書を作成・提出する義務を負うが（42）、行政不服審査会に諮問するのはあくまで審査庁であって、審理員ではない予。

<審理手続に関する旧法と改正法の比較>

旧法	改正法
口頭意見陳述において、審査請求人等に処分庁等に対する質問権を認める規定はない	口頭意見陳述において、審査請求人等に処分庁等に対する質問権を認めた（31 Ⅴ）
審査請求人等に証拠書類等の閲覧が認められていたが、写しの交付を認める規定はない	審査請求人等に証拠書類等の閲覧の他、写しの交付を認めた（38 Ⅰ）
参加人の意見書の提出に関する規定はない	参加人に意見書の提出を認めた（30 Ⅱ）
審理手続の進行、遂行に関する規定は特に設けられていない	審理手続の計画的進行（28）、計画的遂行（37）に関する規定を設けた

第４款　行政不服審査会等への諮問（行審４節）

第４３条

Ⅰ　審査庁は、審理員意見書の提出を受けたときは、次の各号のいずれかに該当する場合を除き、審査庁が主任の大臣又は宮内庁長官若しくは内閣府設置法第49条第１項若しくは第２項若しくは国家行政組織法第３条第２項に規定する庁の長である場合にあっては行政不服審査会に、審査庁が地方公共団体の長（地方公共団体の組合にあっては、長、管理者又は理事会）である場合にあっては第81条第１項又は第２項の機関に、それぞれ諮問しなければならない。

①　審査請求に係る処分をしようとするときに他の法律又は政令（条例に基づく処分については、条例）に第９条第１項各号に掲げる機関若しくは地方公共団体の議会又はこれらの機関に類するものとして政令で定めるもの（以下「審議会等」という。）の議を経るべき旨又は経ることができる旨の定めがあり、かつ、当該議を経て当該処分がされた場合

② 裁決をしようとするときに他の法律又は政令（条例に基づく処分については、条例）に第9条第1項各号に掲げる機関若しくは地方公共団体の議会又はこれらの機関に類するものとして政令で定めるものの議を経るべき旨又は経ることができる旨の定めがあり、かつ、当該議を経て裁決をしようとする場合
③ 第46条第3項又は第49条第4項の規定により審議会等の議を経て裁決をしようとする場合
④ 審査請求人から、行政不服審査会又は第81条第1項若しくは第2項の機関（以下「行政不服審査会等」という。）への諮問を希望しない旨の申出がされている場合（参加人から、行政不服審査会等に諮問しないことについて反対する旨の申出がされている場合を除く。）
⑤ 審査請求が、行政不服審査会等によって、国民の権利利益及び行政の運営に対する影響の程度その他当該事件の性質を勘案して、諮問を要しないものと認められたものである場合
⑥ 審査請求が不適法であり、却下する場合
⑦ 第46条第1項の規定により審査請求に係る処分（法令に基づく申請を却下し、又は棄却する処分及び事実上の行為を除く。）の全部を取り消し、又は第47条第1号若しくは第2号の規定により審査請求に係る事実上の行為の全部を撤廃すべき旨を命じ、若しくは撤廃することとする場合（当該処分の全部を取り消すこと又は当該事実上の行為の全部を撤廃すべき旨を命じ、若しくは撤廃することについて反対する旨の意見書が提出されている場合及び口頭意見陳述においてその旨の意見が述べられている場合を除く。）
⑧ 第46条第2項各号又は第49条第3項各号に定める措置（法令に基づく申請の全部を認容すべき旨を命じ、又は認容するものに限る。）をとることとする場合（当該申請の全部を認容することについて反対する旨の意見書が提出されている場合及び口頭意見陳述においてその旨の意見が述べられている場合を除く。）

Ⅱ 前項の規定による諮問は、審理員意見書及び事件記録の写しを添えてしなければならない。

Ⅲ 第1項の規定により諮問をした審査庁は、審理関係人（処分庁等が審査庁である場合にあっては、審査請求人及び参加人）に対し、当該諮問をした旨を通知するとともに、審理員意見書の写しを送付しなければならない。

行政不服審査法

[趣旨]本法は、審理員に審理権限を付与することで審理手続の中立性・公正性を向上させているが、責任の所在を曖昧にしないという趣旨から、審理員は審査庁に所属する職員の中から指名される必要がある（9Ⅰ）。そのため、審理員による審理は、審査庁から完全に独立した中立・公正なものとはいいきれない。そこで、審理員が提出した審理員意見書について、審査庁に第三者機関である行政不服審査会等への諮問を原則として義務付け、行政不服審査会等が事実認定や法令解釈の適法性・妥当性を検証することにより、更なる審理手続の中立性・公正性を確保するこ

ととした。

《注　釈》

一　諮問の原則（43Ⅰ柱書）

1　審査庁は、審理員意見書の提出を受けたときは、43条１項各号のいずれかに該当する場合を除き、行政不服審査会等に諮問しなければならない。

2　諮問すべき機関は、審査庁によって異なる。すなわち、

①　審査庁が主任の大臣、宮内庁長官又は外局の庁である長若しくは大臣委員会に置かれる庁の長である場合（４①参照）

→行政不服審査会に対して諮問をする

②　審査庁が地方公共団体の長等である場合

→執行機関の附属機関（審査会等）に対して諮問をする（81ⅠⅡ参照）

3　行政不服審査会等による答申は、審理員意見書と同様、審査庁を法的に拘束するものではない。

二　諮問の例外（43Ⅰ各号）

次のいずれかに該当する場合、行政不服審査会等への諮問は不要となる。

①　処分をしようとするときに、法令又は条例上、処分に際して審議会等の議を経るべき旨などが定められ、実際にその議を経て処分がされた場合（43Ⅰ①）

∵　合議制の第三者機関の審査を受けるという国民の手続的権利がすでに実現している

②　裁決をしようとするときに、法令又は条例上、裁決に際して審議会等の議を経るべき旨などが定められ、実際にその議を経て裁決をしようとする場合（同②）

∵　合議制の第三者機関の審査を受けるという国民の手続的権利がすでに実現している

③　審査庁が処分庁の申請拒否処分を取り消すのみならず、処分庁に当該処分をすべき旨命じ、若しくは処分庁が当該処分をする場合（46Ⅲ）、又は審査庁が不作為庁の不作為を違法・不当と宣言するのみならず、不作為庁に当該処分をすべき旨命じ、若しくは不作為庁が当該処分をする場合（49Ⅳ）において、審議会等の議を経て裁決をしようとする場合（43Ⅰ③）

∵　審査庁の裁決前に行政不服審査会等に相当する諮問機関の審理がすでになされている

④　審査請求人から、行政不服審査会等への諮問を希望しない旨の申出がされている場合（43Ⅰ④）

∵　本法の主たる目的は国民の権利利益を適切に救済することにあり、審査請求人が諮問を希望しない場合にまで諮問を行う必要性は乏しい

行政不服審査法

ただし、参加人の権利利益の保護にも配慮すべきであるから、参加人から、行政不服審査会等に諮問しないことについて反対する旨の申出がされている場合は、原則に戻って行政不服審査会等への諮問が必要となる（同かっこ書）。

⑤ 審査請求が、行政不服審査会等によって、国民の権利利益及び行政の運営に対する影響の程度その他当該事件の性質を勘案して、諮問を要しないものと認められたものである場合（43 I⑤）

ex. 申請に対する処分について、法令がその要件を客観的基準として解釈の余地がないほど明確に定めており、審理員が行った審理の結果、当該基準への適合性の有無を明白に判断しうるような場合

∵ 諮問をしても結果は変わらず、国民の権利利益の救済につながる可能性に乏しい

⑥ 審査請求が不適法であり、却下する場合（43 I⑥）

∵ この場合には審理員の事実認定や法令解釈の適法性・妥当性を審査するという行政不服審査会等の役割が果たせず、諮問をする意味がない

⑦ 審査請求に理由があるとして、審査請求に係る処分の全部を取り消し（46 I）、又は事実上の行為の全部を撤廃すべき旨を命じ（47①）、若しくは撤廃する（47②）場合（43 I⑦）

∵ 審査請求人にとって完全に満足な結果を得ることができる以上、諮問を行う必要がない

ただし、参加人の権利利益の保護にも配慮すべきであるから、参加人から、処分の全部取消し・事実上の行為の全部撤廃について反対する旨の意見書が提出されている場合や、口頭意見陳述でその旨の意見が述べられている場合は、原則に戻って行政不服審査会等への諮問が必要となる（同かっこ書）。

⑧ 審査請求に理由があるとして、申請の却下・棄却処分の全部を取り消して一定の措置（当該処分をすべき旨を命じ、又は当該処分をすること）を採る（46 II①②）場合や、不作為の違法・不当を宣言して一定の措置（当該処分をすべき旨を命じ、又は当該処分をすること）を採る（49 III①②）場合（43 I⑧）

∵ 審査請求人にとって完全に満足な結果を得ることができる以上、諮問を行う必要がない

ただし、参加人の権利利益の保護にも配慮すべきであるから、参加人から、申請の全部を認容することについて反対する旨の意見書が提出されている場合や、口頭意見陳述でその旨の意見が述べられている場合は、原則に戻って行政不服審査会等への諮問が必要となる（同かっこ書）。

第5款　裁決（行審5節）

第４４条　（裁決の時期）

審査庁は、行政不服審査会等から諮問に対する答申を受けたとき（前条第１項の規定による諮問を要しない場合（同項第２号又は第３号に該当する場合を除く。）にあっては審理員意見書が提出されたとき、同項第２号又は第３号に該当する場合にあっては同項第２号又は第３号に規定する議を経たとき）は、遅滞なく、裁決をしなければならない。

第４５条　（処分についての審査請求の却下又は棄却）

Ⅰ　処分についての審査請求が法定の期間経過後にされたものである場合その他不適法である場合には、審査庁は、裁決で、当該審査請求を却下する。

Ⅱ　処分についての審査請求が理由がない場合には、審査庁は、裁決で、当該審査請求を棄却する。

Ⅲ　審査請求に係る処分が違法又は不当ではあるが、これを取り消し、又は撤廃することにより公の利益に著しい障害を生ずる場合において、審査請求人の受ける損害の程度、その損害の賠償又は防止の程度及び方法その他一切の事情を考慮した上、処分を取り消し、又は撤廃することが公共の福祉に適合しないと認めるときは、審査庁は、裁決で、当該審査請求を棄却することができる。この場合には、審査庁は、裁決の主文で、当該処分が違法又は不当であることを宣言しなければならない。

第４６条　（処分についての審査請求の認容）

Ⅰ　処分（事実上の行為を除く。以下この条及び第48条において同じ。）についての審査請求が理由がある場合（前条第３項の規定の適用がある場合を除く。）には、審査庁は、裁決で、当該処分の全部若しくは一部を取り消し、又はこれを変更する。ただし、審査庁が処分庁の上級行政庁又は処分庁のいずれでもない場合には、当該処分を変更することはできない。

Ⅱ　前項の規定により法令に基づく申請を却下し、又は棄却する処分の全部又は一部を取り消す場合において、次の各号に掲げる審査庁は、当該申請に対して一定の処分をすべきものと認めるときは、当該各号に定める措置をとる〈予〉。

①　処分庁の上級行政庁である審査庁　当該処分庁に対し、当該処分をすべき旨を命ずること。

②　処分庁である審査庁　当該処分をすること。

Ⅲ　前項に規定する一定の処分に関し、第43条第１項第１号に規定する議を経るべき旨の定めがある場合において、審査庁が前項各号に定める措置をとるために必要があると認めるときは、審査庁は、当該定めに係る審議会等の議を経ることができる。

Ⅳ　前項に規定する定めがある場合のほか、第２項に規定する一定の処分に関し、他の法令に関係行政機関との協議の実施その他の手続をとるべき旨の定めがある場合において、審査庁が同項各号に定める措置をとるために必要があると認めるときは、審査庁は、当該手続をとることができる。

第４７条

事実上の行為についての審査請求が理由がある場合（第45条第３項の規定の適用がある場合を除く。）には、審査庁は、裁決で、当該事実上の行為が違法又は不当である旨を宣言するとともに、次の各号に掲げる審査庁の区分に応じ、当該各号に定める措置をとる。ただし、審査庁が処分庁の上級行政庁以外の審査庁である場合には、当該事実上の行為を変更すべき旨を命ずることはできない。

①　処分庁以外の審査庁　当該処分庁に対し、当該事実上の行為の全部若しくは一部を撤廃し、又はこれを変更すべき旨を命ずること予。

②　処分庁である審査庁　当該事実上の行為の全部若しくは一部を撤廃し、又はこれを変更すること。

第４８条　（不利益変更の禁止）

第46条第１項本文又は前条の場合において、審査庁は、審査請求人の不利益に当該処分を変更し、又は当該事実上の行為を変更すべき旨を命じ、若しくはこれを変更することはできない予。

第４９条　（不作為についての審査請求の裁決）

Ⅰ　不作為についての審査請求が当該不作為に係る処分についての申請から相当の期間が経過しないでされたものである場合その他不適法である場合には、審査庁は、裁決で、当該審査請求を却下する。

Ⅱ　不作為についての審査請求が理由がない場合には、審査庁は、裁決で、当該審査請求を棄却する。

Ⅲ　不作為についての審査請求が理由がある場合には、審査庁は、裁決で、当該不作為が違法又は不当である旨を宣言する。この場合において、次の各号に掲げる審査庁は、当該申請に対して一定の処分をすべきものと認めるときは、当該各号に定める措置をとる。

①　不作為庁の上級行政庁である審査庁　当該不作為庁に対し、当該処分をすべき旨を命ずること。

②　不作為庁である審査庁　当該処分をすること。

Ⅳ　審査請求に係る不作為に係る処分に関し、第43条第１項第１号に規定する議を経るべき旨の定めがある場合において、審査庁が前項各号に定める措置をとるために必要があると認めるときは、審査庁は、当該定めに係る審議会等の議を経ることができる。

Ⅴ　前項に規定する定めがある場合のほか、審査請求に係る不作為に係る処分に関し、他の法令に関係行政機関との協議の実施その他の手続をとるべき旨の定めがある場合において、審査庁が第３項各号に定める措置をとるために必要があると認めるときは、審査庁は、当該手続をとることができる。

《注　釈》

◆　裁決・決定

審査請求・再審査請求に対する審査庁の判断を「裁決」、再調査の請求に対する処分庁の判断を「決定」という。

裁決・決定には次の３種類がある。

1　却下裁決・却下決定

却下裁決（45Ⅰ、49Ⅰ、64Ⅰ）・却下決定（58Ⅰ）とは、不服申立てが適法要件を欠くことを理由として、不服申立てに係る処分が違法又は不当かどうかの本案の審理を拒否する裁決・決定をいう。

却下裁決・却下決定は、次のような場合などになされる。

①　不服申立期間を経過した場合（45Ⅰ等）
②　不服申立人が相当の期間内に不備の補正命令に従わない場合（24、61、66Ⅰ）
③　不服申立てをすることができない事項について不服申立てがなされた場合（45Ⅰ等）
④　不服申立適格を欠く場合（45Ⅰ等）
⑤　教示の懈怠・誤りがないのに不服申立てをすべき行政庁以外の行政庁に不服申立てがなされた場合（45Ⅰ等）

2　棄却裁決・棄却決定

⑴　意義

棄却裁決（45Ⅱ、49Ⅱ、64Ⅱ）・棄却決定（58Ⅱ）とは、不服申立ての適法要件は満たしているが、不服申立てに係る処分が違法又は不当でない場合において、当該不服申立てを棄却する裁決・決定をいう。

審査庁・処分庁・再審査庁は、不服申立人によって主張された違法・不当の事由が存在しないことを認定すれば、処分の適法性・妥当性全般を認定するまでもなく、棄却裁決・棄却決定をすることができる。

また、審査請求における棄却裁決の場合、審査請求を棄却する理由は、原処分と異なる理由でも、あるいは審査請求人の主張する理由と異なる理由であってもよいとされている。

⑵　再審査請求における棄却裁決の特則（⇒ p.285 以下参照）

⑶　事情裁決

審査請求・再審査請求に係る処分は違法・不当であるが、これを取り消し、又は撤廃することにより公の利益に著しい障害を生ずる場合において、審査請求人の受ける損害の程度、その損害の賠償又は防止の程度及び方法その他一切の事情を考慮した上、公共の福祉に適合しないと認めるときは、裁決の主文で当該処分が違法・不当であることを宣言した上で、当該審査請求・再審査請求を棄却することができる。これを事情裁決（45 Ⅲ、64 Ⅳ）という。

→取消訴訟における事情判決（行訴31 Ⅰ）と同様の制度であり、認容裁決をすることによる公共の福祉への支障を回避するために認められた例外的な措置である

ex. 大規模のダムが建設された後において、当該ダムの設置許可が違法・不当であるとして取り消す場合

cf. 再調査の請求においては、事情裁決に相当する決定はない

3 認容裁決・認容決定

認容裁決（46 Ⅰ、47、49 Ⅲ、65）・認容決定（59）とは、処分等についての不服申立てが適法であり、かつ当該不服申立てに係る処分等が違法・不当である場合において、当該不服申立てを認容する裁決・決定をいう。

認容裁決・認容決定には、①取消裁決・取消決定、②撤廃裁決・撤廃決定、③変更裁決・変更決定の３種類がある。

⑴ 取消裁決・取消決定

取消裁決（46 Ⅰ、65 Ⅰ）・取消決定（59 Ⅰ）とは、処分（事実上の行為を除く）についての不服申立てに理由がある場合において、当該処分の全部又は一部の効果を失わせる裁決・決定をいう。

ex. ３か月間10％の減給処分を２か月間５％の減給処分にするような場合

∵ 量的に可分な処分の効果を一部失わせる

⑵ 撤廃裁決・撤廃決定

撤廃裁決（47、65 Ⅱ）・撤廃決定（59 Ⅱ）とは、事実上の行為についての不服申立てに理由がある場合において、当該事実上の行為が違法・不当であると宣言した上で、当該事実上の行為を撤廃する裁決・決定をいう。

⑶ 変更裁決・変更決定

(a) 意義

変更裁決（46 Ⅰ、47）・変更決定（59 Ⅰ Ⅱ）とは、処分・事実上の行為についての審査請求・再調査の請求に理由がある場合において、当該処分・行為を行う意思決定は存続させたまま、その法的効果を変更する裁決・決定をいう。

ex. 減給処分を戒告処分にするような場合や、営業免許取消処分を営

業停止処分にするような場合
∵　質的な変化を伴う
変更裁決は、審査庁が「処分庁の上級行政庁」又は「処分庁」のいずれでもない場合には、することができない（46 Ⅰただし書、47 柱書ただし書）予。
∵　審査庁が「処分庁の上級行政庁」ではない場合には、その審査庁に一般的指揮監督権が認められないからであり、また、審査庁が「処分庁」ではない場合には、当該処分を自ら変更する権限が認められない
これに対し、変更決定について上記のような規定はない。
∵　審査をすべき行政庁が処分庁であるため

(b)　不利益変更禁止の原則
審査庁は、審査請求人の不利益に当該処分を変更し、又は当該事実上の行為を変更すべき旨を命じ、若しくはこれを変更することはできない(48)。再調査の請求の場合にも、同様に不利益変更禁止の原則が採られている（59 Ⅲ）。
∵　国民の権利利益の救済を確保する趣旨である
ex.　３か月の営業停止処分に対する審査請求について、審査庁が当該処分を６か月の営業停止処分に変更することは、不利益変更禁止の原則に反し許されない

(c)　再審査庁は、変更裁決をすることができない（65 参照）。⇒ p.285 参照

(d)　義務付け裁決
法令に基づく申請を却下・棄却する処分の全部・一部を取り消す場合(46 Ⅱ)、又は不作為の違法・不当を宣言する場合（49 Ⅲ）において、当該申請に対して一定の処分をすべきものと認めるときは、上級行政庁である審査庁は、不作為庁に対し、当該処分をすべき旨を命じなければならない（46 Ⅱ①、49 Ⅲ①)。これを義務付け裁決（行訴 37 の３Ⅴ参照）という。
∵　争訟の一回的解決を図るため
また、上記の場合において、当該申請に対して一定の処分をすべきものと認めるときは、不作為庁は、当該処分をしなければならない（46 Ⅱ②、49 Ⅲ②)。

第50条　（裁決の方式）

Ⅰ　裁決は、次に掲げる事項を記載し、審査庁が記名押印した裁決書によりしなければならない。

① 主文

② 事案の概要

③ 審理関係人の主張の要旨

④ 理由（第1号の主文が審理員意見書又は行政不服審査会等若しくは審議会等の答申書と異なる内容である場合には、異なることとなった理由を含む。）〈予

Ⅱ　第43条第1項の規定による行政不服審査会等への諮問を要しない場合には、前項の裁決書には、審理員意見書を添付しなければならない。

Ⅲ　審査庁は、再審査請求をすることができる裁決をする場合には、裁決書に再審査請求をすることができる旨並びに再審査請求をすべき行政庁及び再審査請求期間（第62条に規定する期間をいう。）を記載して、これらを教示しなければならない。

[趣旨] 審査請求人・参加人の手続保障を確保し、審査庁の説明責任を果たさせる趣旨から、裁決書の必要的記載事項（Ⅰ）を明記した。また、理由付記（Ⅰ④）を要求することにより、審査庁の恣意的判断を抑制し公正妥当な判断を確保するとともに、再審査請求の教示（Ⅲ）によって、後の争訟につき便宜を与えることとした。

《注　釈》

・「理由」（50Ⅰ④）について裁決書に記載がない場合や、一応の説明はあるが不十分な場合には、裁決固有の瑕疵となる。また、主文（同①）が審理員意見書ないし行政不服審査会等の答申書と異なる内容である場合において、異なることとなった理由を記載しなかったときは、たとえ主文に対応する理由が記載されていたとしても、裁決固有の瑕疵となる（同④かっこ書）。

▼　審査決定と理由付記（最判昭37.12.26・百選135事件）　⇒ p.115

第５１条　（裁決の効力発生）

Ⅰ　裁決は、審査請求人（当該審査請求が処分の相手方以外の者のしたものである場合における第46条第１項及び第47条の規定による裁決にあっては、審査請求人及び処分の相手方）に送達された時に、その効力を生ずる。

Ⅱ　裁決の送達は、送達を受けるべき者に裁決書の謄本を送付することによってする。ただし、送達を受けるべき者の所在が知れない場合その他裁決書の謄本を送付することができない場合には、公示の方法によってすることができる。

Ⅲ　公示の方法による送達は、審査庁が裁決書の謄本を保管し、いつでもその送達を受けるべき者に交付する旨を当該審査庁の掲示場に掲示し、かつ、その旨を官報その他の公報又は新聞紙に少なくとも１回掲載してするものとする。この場合において、その掲示を始めた日の翌日から起算して２週間を経過した時に裁決書の謄本の送付があったものとみなす。

Ⅳ　審査庁は、裁決書の謄本を参加人及び処分庁等（審査庁以外の処分庁等に限る。）に送付しなければならない。

第５２条　（裁決の拘束力）

Ⅰ　裁決は、関係行政庁を拘束する。

Ⅱ　申請に基づいてした処分が手続の違法若しくは不当を理由として裁決で取り消され、又は申請を却下し、若しくは棄却した処分が裁決で取り消された場合には、処分庁は、裁決の趣旨に従い、改めて申請に対する処分をしなければならない予。

Ⅲ　法令の規定により公示された処分が裁決で取り消され、又は変更された場合には、処分庁は、当該処分が取り消され、又は変更された旨を公示しなければならない。

Ⅳ　法令の規定により処分の相手方以外の利害関係人に通知された処分が裁決で取り消され、又は変更された場合には、処分庁は、その通知を受けた者（審査請求人及び参加人を除く。）に、当該処分が取り消され、又は変更された旨を通知しなければならない。

《注　釈》

◆　拘束力（52Ⅰ）

1　拘束力とは、関係行政庁を拘束する効力をいう。具体的には、裁決が確定した場合に、関係行政庁に当該裁決の趣旨に従って行動する義務を負わせる法的効果をいう。その趣旨は、裁決の実効性を確保する点にある。

ex.1　申請認容処分が第三者からの審査請求によって取り消され、かつその理由が手続的な違法・不当を理由とする場合、処分庁は、違法又は不当とされた手続を反復することは許されない

ex.2　申請拒否処分が裁決で取り消された場合、処分庁は、違法又は不当とされたのと同一の理由により同一の処分を行うことは許されない

→「関係行政庁」（同Ⅰ）には、処分庁及びその上級行政庁のみならず、その下級行政庁や当該処分に係る協議を受けた行政庁等も含まれる

2　拘束力は、裁決の実効性を確保するための効力であるから、裁決主文（50Ⅰ①）を導くのに必要な要件事実の認定及び法律判断についてのみ生じる。

→裁決主文と関係のない傍論や間接事実の認定について拘束力は生じない

3　拘束力は、明文にないものの、取消訴訟における取消判決の拘束力（行訴33Ⅰ）と同じく、認容裁決にのみ認められ、棄却裁決には認められないと解されている。そのため、裁決で棄却された処分を処分庁が職権で取り消すことは妨げられない◀同。

4　拘束力は、審査庁による裁決・再審査庁による裁決に生じ（66Ⅰ）、処分庁による決定には生じない（61条は52条を準用していない）。

∵　再調査の請求を認容する決定は処分庁自身によってなされるため

5　なお、裁決は行政行為の一種であるから、拘束力の他にも、公定力（⇒p.37参照）・不可争力（⇒p.39参照）を有する。また、裁決は争訟手続を経てなされるものであるから、不可変更力（⇒p.40参照）も有する◀判。

第５３条（証拠書類等の返還）

審査庁は、裁決をしたときは、速やかに、第32条第１項又は第２項の規定により提出された証拠書類若しくは証拠物又は書類その他の物件及び第33条の規定による提出要求に応じて提出された書類その他の物件をその提出人に返還しなければならない。

■第３節　再調査の請求（行審３章）

第５４条（再調査の請求期間）

Ⅰ　再調査の請求は、処分があったことを知った日の翌日から起算して３月を経過したときは、することができない。ただし、正当な理由があるときは、この限りでない。

Ⅱ　再調査の請求は、処分があった日の翌日から起算して１年を経過したときは、することができない。ただし、正当な理由があるときは、この限りでない。

[趣旨]再調査の請求期間についても、審査請求期間（18）と平仄を合わせ、主観的請求期間を処分があったことを知った日の翌日から起算して３か月（Ⅰ）、客観的請求期間を処分があった日の翌日から起算して１年（Ⅱ）とした。

第55条　（誤った教示をした場合の救済）

Ⅰ　再調査の請求をすることができる処分につき、処分庁が誤って再調査の請求をすることができる旨を教示しなかった場合において、審査請求がされた場合であって、審査請求人から申立てがあったときは、審査庁は、速やかに、審査請求書又は審査請求録取書を処分庁に送付しなければならない。ただし、審査請求人に対し弁明書が送付された後においては、この限りでない予。

Ⅱ　前項本文の規定により審査請求書又は審査請求録取書の送付を受けた処分庁は、速やかに、その旨を審査請求人及び参加人に通知しなければならない。

Ⅲ　第1項本文の規定により審査請求書又は審査請求録取書が処分庁に送付されたときは、初めから処分庁に再調査の請求がされたものとみなす。

[趣旨]国民の権利救済を徹底させるために、処分庁が誤って再調査の請求ができる旨を教示しなかった場合の救済規定を定める。

《注　釈》

一　はじめに

一般的教示規定は82条に、一般的教示に係る救済規定は83条に規定されている（⇒p.293以下）。もっとも、83条は「教示しなかった」場合に限って規定しており、誤って「教示した」場合は22条が規定している。本条は、再調査の請求について「教示しなかった」場合を規定している。

二　再調査の請求ができる処分につき、再調査の請求ができる旨を教示しなかった場合

1　再調査の請求ができる処分については、一般的教示規定である82条により、再調査の請求と審査請求のいずれかを選択できる旨教示すべきとされている。しかし、再調査の請求ができる旨を教示せずに審査請求ができる旨のみ教示した場合には、再調査の請求をする機会が失われるおそれがある。そこで、審査請求人の意思を尊重し、「審査請求人から申立てがあったとき」は、審査庁は審査請求書等を処分庁に送付しなければならない（55Ⅰ）予。

→「再調査の請求をすることができる旨を教示しなかった場合」には、不服申立てをすることができる旨の教示を全くしなかった場合も含む

なお、再調査の請求ができる処分につき、審査請求ができる旨を教示しなかった場合については、22条4項が規定している。　⇒p.248

2　審査請求人に弁明書の送付（29Ⅴ）がなされた後においては、審査請求から再調査の請求への切替えは認められない（55Ⅰただし書）。

∵　審査請求の審理が一定程度進行した時点（弁明書が送付された時点）において再調査の請求への切替えを認めることは争訟経済上不当である

三　効果（Ⅲ）

1項本文の規定により審査請求書等が処分庁に送付されたときは、初めから処

分庁に再調査の請求がされたものとみなす（同Ⅲ）〈予〉。

第56条　（再調査の請求についての決定を経ずに審査請求がされた場合）

第5条第2項ただし書の規定により審査請求がされたときは、同項の再調査の請求は、取り下げられたものとみなす。ただし、処分庁において当該審査請求がされた日以前に再調査の請求に係る処分（事実上の行為を除く。）を取り消す旨の第60条第1項の決定書の謄本を発している場合又は再調査の請求に係る事実上の行為を撤廃している場合は、当該審査請求（処分（事実上の行為を除く。）の一部を取り消す旨の第59条第1項の決定がされている場合又は事実上の行為の一部が撤廃されている場合にあっては、その部分に限る。）が取り下げられたものとみなす。

《注　釈》

・再調査の請求をした日（補正を命じられた場合にあっては補正をした日）の翌日から起算して3か月を経過しても処分庁が当該再調査の請求につき決定をしない場合（5Ⅱ①）、その他再調査の請求についての決定を経ないことにつき正当な理由がある場合（同②）には、再調査の請求についての決定を経なくても審査請求をすることが可能である（5Ⅱただし書）。この場合において、審査請求がされたときは、再調査の請求を維持する意味がないことから、再調査の請求は取り下げられたものとみなされる（56本文）。
　→ただし、処分庁において当該審査請求がされた日以前に再調査の請求に係る処分（事実上の行為を除く）を取り消す旨の決定書（60Ⅰ）の謄本を発している場合、又は再調査の請求に係る事実上の行為を撤廃している場合は、すでに再調査の請求に係る審理が終了して最終的な判断が下されている以上、争訟経済の観点から、当該審査請求が取り下げられたものとみなされる（56ただし書）

第57条　（3月後の教示）

処分庁は、再調査の請求がされた日（第61条において読み替えて準用する第23条の規定により不備を補正すべきことを命じた場合にあっては、当該不備が補正された日）の翌日から起算して3月を経過しても当該再調査の請求が係属しているときは、遅滞なく、当該処分について直ちに審査請求をすることができる旨を書面でその再調査の請求人に教示しなければならない。

［趣旨］再調査の請求をした日（補正を命じられた場合にあっては補正をした日）の翌日から起算して3か月を経過しても処分庁が当該再調査の請求につき決定をしない場合（5Ⅱ①）には、再調査の請求についての決定を経なくても審査請求をすることが可能である（5Ⅱただし書）。そこで、再調査の請求人が審査請求の機会を失わないようにするため、処分庁は、遅滞なく審査請求に係る教示をする義務を負うものとされた。

第５８条　（再調査の請求の却下又は棄却の決定）

Ⅰ　再調査の請求が法定の期間経過後にされたものである場合その他不適法である場合には、処分庁は、決定で、当該再調査の請求を却下する。

Ⅱ　再調査の請求が理由がない場合には、処分庁は、決定で、当該再調査の請求を棄却する。

［趣旨］再調査の請求が不適法であり、却下すべき場合（Ⅰ）、再調査の請求に理由がなく棄却すべき場合（Ⅱ）について規定したものである。

《注　釈》

・「裁決」（審査請求・再審査請求に対する審査庁の判断）では、審理員による審理手続（９以下）、行政不服審査会等への諮問手続（43）によって裁決の公正性・中立性が確保されているのに対し、「決定」（再調査の請求に対する処分庁の判断）では、これらの制度が導入されていないという点で、両者に大きな差異がある。

→本条では、事情裁決（45 Ⅲ）に相当する規定がない

第５９条　（再調査の請求の認容の決定）

Ⅰ　処分（事実上の行為を除く。）についての再調査の請求が理由がある場合には、処分庁は、決定で、当該処分の全部若しくは一部を取り消し、又はこれを変更する。

Ⅱ　事実上の行為についての再調査の請求が理由がある場合には、処分庁は、決定で、当該事実上の行為が違法又は不当である旨を宣言するとともに、当該事実上の行為の全部若しくは一部を撤廃し、又はこれを変更する。

Ⅲ　処分庁は、前２項の場合において、再調査の請求人の不利益に当該処分又は当該事実上の行為を変更することはできない。

［趣旨］再調査の請求の認容決定の内容（処分の取消し・変更（Ⅰ）、事実上の行為の撤廃・変更（Ⅱ））と不利益変更禁止の原則（Ⅲ）について定めたものである。

第６０条　（決定の方式）

Ⅰ　前２条の決定は、主文及び理由を記載し、処分庁が記名押印した決定書によりしなければならない。

Ⅱ　処分庁は、前項の決定書（再調査の請求に係る処分の全部を取り消し、又は撤廃する決定に係るものを除く。）に、再調査の請求に係る処分につき審査請求をすることができる旨（却下の決定である場合にあっては、当該却下の決定が違法な場合に限り審査請求をすることができる旨）並びに審査請求をすべき行政庁及び審査請求期間を記載して、これらを教示しなければならない。

［趣旨］再調査の請求人の手続保障を確保し、処分庁の説明責任を果たさせる趣旨

から、決定書の必要的記載事項（Ⅰ）を明記した。また、審査請求の教示（Ⅱ）によって、後の争訟につき便宜を与えることとした。

《注　釈》

・再調査の請求に係る処分の全部を取り消し、又は撤廃する場合は、再調査の請求に係る処分が失効し、審査請求をすることができなくなるため、教示の対象とならない（60 Ⅱかっこ書）。

第６１条　（審査請求に関する規定の準用）

第９条第４項、第 10 条から第 16 条まで、第 18 条第３項、第 19 条（第３項並びに第５項第１号及び第２号を除く。）、第 20 条、第 23 条、第 24 条、第 25 条（第３項を除く。）、第 26 条、第 27 条、第 31 条（第５項を除く。）、第 32 条（第２項を除く。）、第 39 条、第 51 条及び第 53 条の規定は、再調査の請求について準用する。この場合において、別表第二の上欄に掲げる規定中同表の中欄に掲げる字句は、それぞれ同表の下欄に掲げる字句に読み替えるものとする。

《注　釈》

◆　準用されない規定

①　審理員（９Ⅰ～Ⅲ）、審理員となるべき者の名簿（17）、審理員による執行停止の意見書の提出（40）、審理手続の終結（41）、審理員意見書（42）

∵　再調査の請求は審理員による審理手続を経ない簡易迅速な手続であるため

→準用される条文中の「審理員」という文言は、「処分庁」と読み替えられている（別表第二　⇒付録１）

②　審査請求期間（18ⅠⅡ）

→発信主義（18Ⅲ）は準用されている

③　不作為についての審査請求書の必要的記載事項（19Ⅲ）

∵　不作為についての再調査の請求は認められていない

④　再調査の請求の決定を経ないで行う審査請求書の必要的記載事項（19Ⅴ①②）

∵　再調査の請求と関係がない

⑤　処分庁等を経由する審査請求（21）、処分庁の上級行政庁又は処分庁のいずれでもない審査庁による執行停止（25Ⅲ）

∵　再調査の請求は処分庁に対して行うため、審査をする行政庁が処分庁以外の行政庁であることを前提とする規定は準用されない

⑥　誤った教示をした場合の救済（22）

→決定書における教示（60Ⅱ）を懈怠した場合の救済について、本法は何ら規定していない　∵実際上問題にならないと考えられたため

⑦　審理手続の計画的進行（28）・遂行（37）、弁明書の提出（29）、反論書等

の提出（30）、処分庁等に対する質問権（31 Ⅴ）、処分庁等による書類等の提出（32 Ⅱ）、物件の提出要求（33）、参考人の陳述及び鑑定の要求（34）、検証（35）、審理関係人への質問（36）、審査請求人等による提出書類等の閲覧等（38）

∵　再調査の請求は対審的な審理構造をとらない簡易迅速な手続であるため

⑧　行政不服審査会等への諮問（43）

∵　再調査の請求においては迅速性の要請が大きい

⑨　裁決に関する規定（44～50、52）

∵　再調査の請求は簡易迅速な手続によって処分庁自身が原処分を見直す手続であり、決定についての独自の規定（58、59、60）が定められている

→裁決の効力発生（51）、証拠書類等の返還（53）は準用されている

■第４節　再審査請求（行審４章）

第６２条　（再審査請求期間）

Ⅰ　再審査請求は、原裁決があったことを知った日の翌日から起算して１月を経過したときは、することができない。ただし、正当な理由があるときは、この限りでない。

Ⅱ　再審査請求は、原裁決があった日の翌日から起算して１年を経過したときは、することができない。ただし、正当な理由があるときは、この限りでない。

《注　釈》

◆　**再審査請求期間**

1　主観的再審査請求期間は、審査請求の主観的審査請求期間（18 Ⅰ）と異なり、原裁決があったことを知った日の翌日から起算して「３月」ではなく「１月」と短縮されている（62 Ⅰ本文）。

∵　原裁決がされた時点で処分があったことを知った日から相当の年月が経過していることに加え、審査請求に係る審理手続を経ることで争点が絞られており、証拠書類等の準備も十分にできていると考えられるため

2　上記以外の点は、審査請求期間（18 Ⅰただし書、同Ⅱ）と平仄（ひょうそく）を合わせる内容となっている。

第６３条 （裁決書の送付）

第66条第１項において読み替えて準用する第11条第２項に規定する審理員又は第66条第１項において準用する第９条第１項各号に掲げる機関である再審査庁（他の法律の規定により再審査請求がされた行政庁（第66条第１項において読み替えて準用する第14条の規定により引継ぎを受けた行政庁を含む。）をいう。以下同じ。）は、原裁決をした行政庁に対し、原裁決に係る裁決書の送付を求めるものとする。

［趣旨］再審査庁が事案の概要や原裁決の理由等を理解するために、原裁決をした行政庁に対して、原裁決に係る裁決書の送付を求めるものとした。

第６４条 （再審査請求の却下又は棄却の裁決）

Ⅰ 再審査請求が法定の期間経過後にされたものである場合その他不適法である場合には、再審査庁は、裁決で、当該再審査請求を却下する。

Ⅱ 再審査請求が理由がない場合には、再審査庁は、裁決で、当該再審査請求を棄却する。

Ⅲ 再審査請求に係る原裁決（審査請求を却下し、又は棄却したものに限る。）が違法又は不当である場合において、当該審査請求に係る処分が違法又は不当のいずれでもないときは、再審査庁は、裁決で、当該再審査請求を棄却する。

Ⅳ 前項に規定する場合のほか、再審査請求に係る原裁決等が違法又は不当ではあるが、これを取り消し、又は撤廃することにより公の利益に著しい障害を生ずる場合において、再審査請求人の受ける損害の程度、その損害の賠償又は防止の程度及び方法その他一切の事情を考慮した上、原裁決等を取り消し、又は撤廃することが公共の福祉に適合しないと認めるときは、再審査庁は、裁決で、当該再審査請求を棄却することができる。この場合には、再審査庁は、裁決の主文で、当該原裁決等が違法又は不当であることを宣言しなければならない。

第６５条 （再審査請求の認容の裁決）

Ⅰ 原裁決等（事実上の行為を除く。）についての再審査請求が理由がある場合（前条第３項に規定する場合及び同条第４項の規定の適用がある場合を除く。）には、再審査庁は、裁決で、当該原裁決等の全部又は一部を取り消す。

Ⅱ 事実上の行為についての再審査請求が理由がある場合（前条第４項の規定の適用がある場合を除く。）には、裁決で、当該事実上の行為が違法又は不当である旨を宣言するとともに、処分庁に対し、当該事実上の行為の全部又は一部を撤廃すべき旨を命ずる。

［趣旨］64条及び65条は、却下裁決（64Ⅰ）、棄却裁決（同ⅡⅢ）、事情裁決（同Ⅳ）、認容裁決（取消裁決（65Ⅰ）、撤廃裁決（同Ⅱ））について規定したものである。

《注　釈》

◆　再審査請求の裁決

1　再審査請求は、原処分と原裁決のいずれかを対象とすることができる。

再審査請求人が原裁決を対象として再審査請求をした場合において、原裁決に違法・不当な瑕疵があったとしても、原処分に違法・不当な瑕疵がない場合には、当該再審査請求は棄却される（64 Ⅲ）。

∵　原処分に違法・不当な瑕疵がなければ審査請求は認容されない以上、棄却裁決によって審査請求手続の反復を回避する方が争訟経済に資する

2　再審査庁は、個別法に特別の規定がない限り、変更裁決をすることができない（65参照）。

∵　審査庁は原則として処分庁の最上級行政庁（4④）であるため、再審査庁が処分庁・裁決庁であることやこれらの上級行政庁であることは想定されず、そのため、原処分を自ら変更する権限や一般的指揮監督権を再審査庁が有することも想定されない

→なお、審査請求における審査庁は、変更裁決をすることができる（46 Ⅰ、47）

第66条　（審査請求に関する規定の準用）

Ⅰ　第2章（第9条第3項、第18条（第3項を除く。）、第19条第3項並びに第5項第1号及び第2号、第22条、第25条第2項、第29条（第1項を除く。）、第30条第1項、第41条第2項第1号イ及びロ、第4節、第45条から第49条まで並びに第50条第3項を除く。）の規定は、再審査請求について準用する。この場合において、別表第三の上欄に掲げる規定中同表の中欄に掲げる字句は、それぞれ同表の下欄に掲げる字句に読み替えるものとする。

Ⅱ　再審査庁が前項において準用する第9条第1項各号に掲げる機関である場合には、前項において準用する第17条、第40条、第42条及び第50条第2項の規定は、適用しない。

《注　釈》

◆　準用されない規定

再審査請求においては、簡易迅速な手続である再調査の請求と異なり、審査請求に準ずる公正・中立な審理の確保が必要となる。そこで、審査請求に関する第2章（9～53）の規定が包括的に準用されているが、個別に準用されない規定が列挙されている。

①　第三者機関が裁決機関となる場合の特例（9 Ⅲ）
　→同様の規定が本条2項に定められている

②　審査請求期間（18 Ⅰ Ⅱ）
　→発信主義（18 Ⅲ）は準用されている

③　不作為についての審査請求書の必要的記載事項（19 Ⅲ）
∵　不作為についての再審査請求は認められていない
④　再調査の請求の決定を経ないで行う審査請求書の必要的記載事項（19 Ⅴ①②）
∵　再審査請求と関係がない
⑤　誤った教示をした場合の救済（22）
→裁決書における教示（50 Ⅲ）を懈怠した場合の救済について、本法は何ら規定していない　∵実際上問題にならないと考えられたため
⑥　処分庁の上級行政庁又は処分庁である審査庁による執行停止（25 Ⅱ）
∵　これらの行政庁が再審査庁となることは一般に想定できない
⑦　弁明書の提出（29 Ⅱ～Ⅴ）、反論書の提出（30 Ⅰ）、弁明書・反論書が提出されない場合の審理手続の終結（41 Ⅱ①イロ）
∵　裁決書の送付（63）が弁明書・反論書の機能を代替しているため、弁明書・反論書の提出は不要である
⑧　行政不服審査会等への諮問（43）
∵　再審査請求は審査請求に対する第２審としての意味を有し、行政不服審査会等への諮問を２度行う意義に乏しい
⑨　却下・棄却裁決等（45）、認容裁決（46、47）
∵　これらの規定に相当する再審査請求についての独自の規定（64、65）がある
⑩　不利益変更禁止の原則（48）
∵　変更裁決は処分庁の上級行政庁又は処分庁である審査庁のみなしうるが、これらの行政庁が再審査庁となることは一般に想定できない
⑪　不作為についての審査請求の裁決（49）
∵　再審査請求は処分についての審査請求の裁決に対して行う
⑫　再審査請求に関する教示（50 Ⅲ）
∵　再審査請求に対する裁決の後において、さらに再々審査請求をすることは一般に想定できない

■第５節　行政不服審査会等（行審５章）

第１款　行政不服審査会（行審１節）

第１目　設置及び組織（行審１款）

第６７条（設置）

Ⅰ　総務省に、行政不服審査会（以下「審査会」という。）を置く。
Ⅱ　審査会は、この法律の規定によりその権限に属させられた事項を処理する。

[趣旨]国民の権利利益に影響を与えうる一定の案件について、法令解釈に関する行政庁の通達に拘束されずに、違法・不当について調査審議を行う第三者機関である行政不服審査会が審理に関与することによって、行政の自己反省機能を高め、より客観的かつ公正な判断を得ることができるようにした。

《注　釈》

◆　**行政不服審査会の設置**

1　行政不服審査会は、行政分野を特定することなく、審査請求事件一般について諮問を受けて審議し答申する一般的諮問機関である（行組８参照）。行政不服審査法を所管する総務省に設置されている（67 Ｉ）。

2 「この法律の規定によりその権限に属させられた事項を処理する」とは、行政不服審査法の規定に基づく諮問案件について調査審議し、答申を行うことを意味する。

→内閣府に設置されている情報公開・個人情報保護審査会とは別個の機関であり、情報公開法・行政個人情報保護法等の規定によりその権限に属させられた事項を処理するのは情報公開・個人情報保護審査会であって、行政不服審査会ではない

第６８条　（組織）

Ⅰ　審査会は、委員９人をもって組織する。

Ⅱ　委員は、非常勤とする。ただし、そのうち３人以内は、常勤とすることができる。

第６９条　（委員）

Ⅰ　委員は、審査会の権限に属する事項に関し公正な判断をすることができ、かつ、法律又は行政に関して優れた識見を有する者のうちから、両議院の同意を得て、総務大臣が任命する。

Ⅱ　委員の任期が満了し、又は欠員を生じた場合において、国会の閉会又は衆議院の解散のために両議院の同意を得ることができないときは、総務大臣は、前項の規定にかかわらず、同項に定める資格を有する者のうちから、委員を任命することができる。

Ⅲ　前項の場合においては、任命後最初の国会で両議院の事後の承認を得なければならない。この場合において、両議院の事後の承認が得られないときは、総務大臣は、直ちにその委員を罷免しなければならない。

Ⅳ　委員の任期は、３年とする。ただし、補欠の委員の任期は、前任者の残任期間とする。

Ⅴ　委員は、再任されることができる。

Ⅵ　委員の任期が満了したときは、当該委員は、後任者が任命されるまで引き続きその職務を行うものとする。

Ⅶ　総務大臣は、委員が心身の故障のために職務の執行ができないと認める場合又は委員に職務上の義務違反その他委員たるに適しない非行があると認める場合には、両議院の同意を得て、その委員を罷免することができる。

Ⅷ　委員は、職務上知ることができた秘密を漏らしてはならない。その職を退いた後も同様とする。

Ⅸ　委員は、在任中、政党その他の政治的団体の役員となり、又は積極的に政治運動をしてはならない。

Ⅹ　常勤の委員は、在任中、総務大臣の許可がある場合を除き、報酬を得て他の職務に従事し、又は営利事業を営み、その他金銭上の利益を目的とする業務を行ってはならない。

Ⅺ　委員の給与は、別に法律で定める。

第７０条　（会長）

Ⅰ　審査会に、会長を置き、委員の互選により選任する。

Ⅱ　会長は、会務を総理し、審査会を代表する。

Ⅲ　会長に事故があるときは、あらかじめその指名する委員が、その職務を代理する。

第７１条　（専門委員）

Ⅰ　審査会に、専門の事項を調査させるため、専門委員を置くことができる。

Ⅱ　専門委員は、学識経験のある者のうちから、総務大臣が任命する。

Ⅲ　専門委員は、その者の任命に係る当該専門の事項に関する調査が終了したときは、解任されるものとする。

Ⅳ　専門委員は、非常勤とする。

第７２条　（合議体）

Ⅰ　審査会は、委員のうちから、審査会が指名する者３人をもって構成する合議体で、審査請求に係る事件について調査審議する。

Ⅱ　前項の規定にかかわらず、審査会が定める場合においては、委員の全員をもって構成する合議体で、審査請求に係る事件について調査審議する。

第７３条　（事務局）

Ⅰ　審査会の事務を処理させるため、審査会に事務局を置く。

Ⅱ　事務局に、事務局長のほか、所要の職員を置く。

Ⅲ　事務局長は、会長の命を受けて、局務を掌理する。

第２目　審査会の調査審議の手続（行審２款）

第７４条　（審査会の調査権限）

審査会は、必要があると認める場合には、審査請求に係る事件に関し、審査請求人、参加人又は第43条第１項の規定により審査会に諮問をした審査庁（以下この款において「審査関係人」という。）にその主張を記載した書面（以下この款において「主張書面」という。）又は資料の提出を求めること、適当と認める者にその知っている事実の陳述又は鑑定を求めることその他必要な調査をすることができる。

［趣旨］行政不服審査会は、審査庁から送付された諮問書に添付されている審理員意見書及び事件記録（審査請求書、弁明書その他審査請求に係る事件に関する書類その他の物件のうち政令で定めるものをいう。41 Ⅲ参照）の写し等を基本的な審査資料（43 Ⅱ）として、審理員による事実認定・法令解釈に誤りがないかを審査するところ、これらの資料では調査審議を行うのに不十分な場合があるため、独自の調査を行うことができることとされた。

《注　釈》

・「その他必要な調査」とは、処分庁等の関係行政機関に資料の作成・提出を求めることや、説明や意見陳述を求めること等である。

第７５条　（意見の陳述）

Ⅰ　審査会は、審査関係人の申立てがあった場合には、当該審査関係人に口頭で意見を述べる機会を与えなければならない。ただし、審査会が、その必要がないと認める場合には、この限りでない。

Ⅱ　前項本文の場合において、審査請求人又は参加人は、審査会の許可を得て、補佐人とともに出頭することができる。

《注　釈》

◆　意見の陳述

１「審査関係人」とは、審査請求人、参加人及び諮問をした審査庁である（74）。

→処分庁等は「審理関係人」（28）には含まれるが、「審査関係人」には含まれない

２　審理員による審理手続における口頭意見陳述権は、審査請求人及び参加人にのみ認められていたが（31 Ⅰ）、行政不服審査会における口頭意見陳述権は、審査請求人、参加人に加えて、審査庁にも認められている（75 Ⅰ本文）。

ただし、審理員による審理手続における口頭意見陳述では全ての審査関係人を招集して行う必要があるが（31 Ⅱ）、行政不服審査会における口頭意見陳述ではその必要はない。また、審査請求人や参加人は、審査庁に対する質問権

を保障されていない（31Ⅴ参照）。

3　審理員による審理手続における口頭意見陳述では、「当該申立人の所在その他の事情により当該意見を述べる機会を与えることが困難であると認められる場合」（31Ⅰただし書）でなければその機会を与えなければならないが、行政不服審査会における口頭意見陳述では、審査会が「その必要がないと認める場合」（75Ⅰただし書）には、その機会を与えなくてもよいとされている。

→「その必要がないと認める場合」としては、①行政不服審査会が審査請求人の主張を全部認め、参加人も反対の意思を表明していない場合や、②同種の事案において、過去に行政不服審査会が答申を出し、当該答申が確立してその射程が及ぶような場合

<口頭意見陳述の機会の差異>

	審理員による審理手続	行政不服審査会
関係人	審査請求人・参加人、処分庁等（28）	審査請求人・参加人、諮問をした審査庁（74）
口頭意見陳述権	審査請求人・参加人	審査請求人・参加人、諮問をした審査庁
職権による機会の付与の可否	不可（31 Ⅰ本文）	不可（75 Ⅰ本文）
全ての関係人の招集の要否	必要（31 Ⅱ）	不要
質問権の保障	あり（31 Ⅴ）	なし
口頭意見陳述の機会を保障しない場合	当該申立人の所在その他の事情により当該意見を述べる機会を与えることが困難であると認められる場合（31 Ⅰただし書）	審査会が、その必要がないと認める場合（75 Ⅰただし書）
補佐人との出頭	審理員の許可を得て出頭可能（31 Ⅲ）	審査会の許可を得て出頭可能（75 Ⅱ） →審査庁は不可

第７６条　（主張書面等の提出）

審査関係人は、審査会に対し、主張書面又は資料を提出することができる。この場合において、審査会が、主張書面又は資料を提出すべき相当の期間を定めたときは、その期間内にこれを提出しなければならない。

[趣旨]32条に規定する証拠書類等の提出と同様の規定である。

第７７条　（委員による調査手続）

審査会は、必要があると認める場合には、その指名する委員に、第74条の規定による調査をさせ、又は第75条第1項本文の規定による審査関係人の意見の陳述を聴かせることができる。

第７８条　（提出資料の閲覧等）

Ⅰ　審査関係人は、審査会に対し、審査会に提出された主張書面若しくは資料の閲覧（電磁的記録にあっては、記録された事項を審査会が定める方法により表示したものの閲覧）又は当該主張書面若しくは当該資料の写し若しくは当該電磁的記録に記録された事項を記載した書面の交付を求めることができる。この場合において、審査会は、第三者の利益を害するおそれがあると認めるとき、その他正当な理由があるときでなければ、その閲覧又は交付を拒むことができない。

Ⅱ　審査会は、前項の規定による閲覧をさせ、又は同項の規定による交付をしようとするときは、当該閲覧又は交付に係る主張書面又は資料の提出人の意見を聴かなければならない。ただし、審査会が、その必要がないと認めるときは、この限りでない。

Ⅲ　審査会は、第1項の規定による閲覧について、日時及び場所を指定することができる。

Ⅳ　第1項の規定による交付を受ける審査請求人又は参加人は、政令で定めるところにより、実費の範囲内において政令で定める額の手数料を納めなければならない。

Ⅴ　審査会は、経済的困難その他特別の理由があると認めるときは、政令で定めるところにより、前項の手数料を減額し、又は免除することができる。

［趣旨］38条に規定する提出書類等の閲覧等と同様の規定である。

第７９条　（答申書の送付等）

審査会は、諮問に対する答申をしたときは、答申書の写しを審査請求人及び参加人に送付するとともに、答申の内容を公表するものとする。

《注　釈》

◆「答申の内容を公表するものとする」

答申書には個人情報等が含まれているため、答申書そのものではなく、答申の内容の公表が義務付けられている。公表の方法については特に定めがなく、インターネット等を利用した公表が想定されている。

∵　行政不服審査会の説明責任を確保するとともに、実際上、諮問した審査庁が答申を尊重するようにするため

→審査庁は、裁決書の主文が行政不服審査会の答申書と異なる内容である場合には、異なることとなった理由を裁決書に記載しなければならない（50Ⅰ④）

第３目　雑則（行審３款）

第８０条　（政令への委任）

この法律に定めるもののほか、審査会に関し必要な事項は、政令で定める。

第２款　地方公共団体に置かれる機関（行審２節）

第８１条

Ⅰ　地方公共団体に、執行機関の附属機関として、この法律の規定によりその権限に属させられた事項を処理するための機関を置く。

Ⅱ　前項の規定にかかわらず、地方公共団体は、当該地方公共団体における不服申立ての状況等に鑑み同項の機関を置くことが不適当又は困難であるときは、条例で定めるところにより、事件ごとに、執行機関の附属機関として、この法律の規定によりその権限に属させられた事項を処理するための機関を置くこととすることができる。

Ⅲ　前節第２款の規定は、前２項の機関について準用する。この場合において、第78条第４項及び第５項中「政令」とあるのは、「条例」と読み替えるものとする。

Ⅳ　前３項に定めるもののほか、第１項又は第２項の機関の組織及び運営に関し必要な事項は、当該機関を置く地方公共団体の条例（地方自治法第252条の７第１項の規定により共同設置する機関にあっては、同項の規約）で定める。

［趣旨］本法は、適用除外されるもの（7）を除き、全ての処分を適用対象としており、地方公共団体の機関が行う処分についても本法が適用される。これは、国民がどの地方公共団体に居住していても、本法による手続保障を享受し、権利利益の救済の途が確保されていなければならないという考え方が根底にある。このような考え方から、地方公共団体にも行政不服審査会に相当する諮問機関を設置するよう原則として義務付けることとした。

《注　釈》

一　諮問機関の常設（Ⅰ）

1　「執行機関」（81Ⅰ）とは、地方公共団体の長、法律の定めるところにより置かれる委員会又は委員をいう（地自138の4Ⅰ）。

2　「附属機関」（81Ⅰ）とは、法律又は条例の定めるところにより、執行機関に置かれる調停・審査・諮問又は調査のための機関をいう（地自138の4Ⅲ本

文)。

3 「この法律の規定によりその権限に属させられた事項を処理するための機関」(81 I) とは、行政不服審査会に相当する諮問機関を意味する。上記趣旨から、地方公共団体は、原則として行政不服審査会に相当する諮問機関を常設する義務を負う。

二　事件ごとの諮問機関の設置（Ⅱ）

当該地方公共団体における不服申立ての状況等に鑑み同項の機関を置くことが不適当又は困難であるときには、条例で定めるところにより、事件ごとに、諮問機関を設置することができる (81 Ⅱ)。

→「当該地方公共団体における不服申立ての状況等に鑑み同項の機関を置くことが不適当又は困難であるとき」とは、すでに設置されている情報公開条例に基づく審査会とは別に諮問機関を常設することが費用対効果の観点から合理性が認められない場合や、委員の適任者が得がたい場合等である

三　行政不服審査会の調査審議の手続の準用（Ⅲ前段）

常設される執行機関の附属機関としての諮問機関 (81 I) と、事件ごとに設置される執行機関の附属機関としての諮問機関 (同Ⅱ) については、行政不服審査会の調査審議の手続に関する「前節第2款の規定」(74〜79) が準用される。

∵　行政不服審査における手続保障の国レベルの水準を地方レベルでも確保するため

■第6節　補則（行審6章）

第82条　(不服申立てをすべき行政庁等の教示)

Ⅰ　行政庁は、審査請求若しくは再調査の請求又は他の法令に基づく不服申立て(以下この条において「不服申立て」と総称する。) をすることができる処分をする場合には、処分の相手方に対し、当該処分につき不服申立てをすることができる旨並びに不服申立てをすべき行政庁及び不服申立てをすることができる期間を書面で教示しなければならない。ただし、当該処分を口頭でする場合は、この限りでない。

Ⅱ　行政庁は、利害関係人から、当該処分が不服申立てをすることができる処分であるかどうか並びに当該処分が不服申立てをすることができるものである場合における不服申立てをすべき行政庁及び不服申立てをすることができる期間につき教示を求められたときは、当該事項を教示しなければならない。

Ⅲ　前項の場合において、教示を求めた者が書面による教示を求めたときは、当該教示は、書面でしなければならない。

[趣旨] 国民の不服申立ての権利を形骸化させないようにするため、審査請求・再調査の請求・他の法令に基づく不服申立てをすることができる処分について、処分

の相手方に対し、不服申立制度の存在・不服申立てをすべき行政庁・不服申立期間の教示を義務付けた。

《注　釈》

◆　**不服申立てをすべき行政庁等の教示**

1　本条は、審査請求（2、3）・再調査の請求（5）のみならず、他の法令に基づく不服申立ても対象とした一般的教示規定である。

→再審査請求（6）ができる処分は対象外である

∵　再審査請求についての教示は、審査庁が裁決書に記載して行う（50 Ⅲ）

2　処分の相手方に教示すべき内容は、①当該処分について不服申立てをすることができる旨、②不服申立てをすべき行政庁、③不服申立てをすることができる期間の3つであり、かつ書面で教示しなければならない（82 Ⅰ本文）。

→当該処分を口頭でする場合、行政庁に教示義務はない（同Ⅰただし書）

∵　重要な処分を口頭で行うことはない

3　行政庁は、処分の相手方以外の利害関係人に対して、原則として教示義務を負わない。利害関係人から教示を求められたときは、口頭で教示すれば足りる（同Ⅱ）。もっとも、教示を求めた者が書面による教示を求めたときは、当該教示は、書面でしなければならない（同Ⅲ）。

4　国の機関又は地方公共団体その他の公共団体若しくはその機関に対する処分で、これらの機関又は団体がその固有の資格において当該処分の相手方となるものについては、教示はなされない（7 Ⅱ）。　⇒ p.235 以下

第83条　（教示をしなかった場合の不服申立て）

Ⅰ　行政庁が前条の規定による教示をしなかった場合には、当該処分について不服がある者は、当該処分庁に不服申立書を提出することができる。

Ⅱ　第19条（第5項第1号及び第2号を除く。）の規定は、前項の不服申立書について準用する。

Ⅲ　第1項の規定により不服申立書の提出があった場合において、当該処分が処分庁以外の行政庁に対し審査請求をすることができる処分であるときは、処分庁は、速やかに、当該不服申立書を当該行政庁に送付しなければならない。当該処分が他の法令に基づき、処分庁以外の行政庁に不服申立てをすることができる処分であるときも、同様とする。

Ⅳ　前項の規定により不服申立書が送付されたときは、初めから当該行政庁に審査請求又は当該法令に基づく不服申立てがされたものとみなす。

Ⅴ　第3項の場合を除くほか、第1項の規定により不服申立書が提出されたときは、初めから当該処分庁に審査請求又は当該法令に基づく不服申立てがされたものとみなす。

［趣旨］国民の権利救済を徹底させるために、一般的教示に係る救済規定を定める。

《注　釈》

一　はじめに

本条は、「教示しなかった」場合に限って規定している。誤って審査請求先などを「教示した」場合は22条が規定している。

行政庁が82条による教示をしなかった場合、当該処分に不服がある者は、当該処分庁に不服申立書を提出すれば救済される（83Ⅰ）。

二「行政庁が前条の規定による教示をしなかった場合」（Ⅰ）

これには、不服申立てができる旨は教示したものの、不服申立てをすべき行政庁を教示しなかった場合や、教示が不明瞭で不適切な記載である場合等も含む。

三「当該処分庁に不服申立書を提出することができる」（Ⅰ）

「不服申立書」とは、不服申立人が不服申立てのために、行政庁に提出する書面をいう。処分庁に提出された不服申立書は、本条4項・5項により、審査請求書又は他の法令に基づく不服申立ての書面とみなされる。

四　効果（ⅣⅤ）

不服申立書が送付されたとき、又は不服申立書が提出されたときに、初めから審査請求又は当該法令に基づく不服申立てがされたものとみなす（83ⅣⅤ）。

第84条　（情報の提供）

審査請求、再調査の請求若しくは再審査請求又は他の法令に基づく不服申立て（以下この条及び次条において「不服申立て」と総称する。）につき裁決、決定その他の処分（同条において「裁決等」という。）をする権限を有する行政庁は、不服申立てをしようとする者又は不服申立てをした者の求めに応じ、不服申立書の記載に関する事項その他の不服申立てに必要な情報の提供に努めなければならない。

［趣旨］裁決等をする権限を有する行政庁に対して、不服申立てをしようとする者等の求めに応じた不服申立てに関する情報提供の努力義務を課すことで、不服申立制度についての国民の利便性を向上する趣旨である。

第85条　（公表）

不服申立てにつき裁決等をする権限を有する行政庁は、当該行政庁がした裁決等の内容その他当該行政庁における不服申立ての処理状況について公表するよう努めなければならない。

［趣旨］裁決等をする権限を有する行政庁に対して、裁決等の内容その他当該行政庁における不服申立ての処理状況について公表するよう努力義務を課すことで、不服申立てに係る国民の予測可能性を向上させるとともに、行政庁の説明責任を果たさせる趣旨である。

第８６条　（政令への委任）

この法律に定めるもののほか、この法律の実施のために必要な事項は、政令で定める。

第８７条　（罰則）

第69条第８項の規定に違反して秘密を漏らした者は、１年以下の懲役又は50万円以下の罰金に処する。

・第２章・【行政事件訴訟法】

第１節　行政訴訟の類型

第１条　（この法律の趣旨） 同

行政事件訴訟については、他の法律に特別の定めがある場合を除くほか、この法律の定めるところによる。

《注　釈》

一　意義

本条は、他の法律に特別の定めがある場合を除き本法が適用されるとすることによって、行政訴訟全般に関する統一的基本法であることを明確にした。

二　「特別の定め」

「特別の定め」とは、行政訴訟に関する個別法の定めをいい、民事訴訟関連の法律は含まれない。７条で本法に「定めのない事項」について、「民事訴訟の例による」としており、民事訴訟法、民事執行法及び民事保全法が準用される。

三　法律上の争訟 同

１　意義

行政訴訟も裁判の対象である以上、「法律上の争訟」（裁３Ⅰ）でなければならない。「法律上の争訟」とは、①当事者間の具体的な権利義務ないし法律関係の存否に関する紛争であって、②法令の適用によって終局的に解決できるものをいう。

⑴　①の要件に関する判例

▼　警察予備隊違憲訴訟（最大判昭 27.10.8・百選 137 事件）

事案：　日本社会党党首Ｘは、警察予備隊の設置・維持に関する一切の行為の無効確認を求め、最高裁判所に直接提訴した。

判旨：　「司法権が発動するためには具体的な争訟事件が提起されることを必要とする。我が裁判所は具体的な争訟事件が提起されないのに将来を予想して憲法及びその他の法律命令等の解釈に対し存在する疑義論争に関し抽象的な判断を下すごとき権限を行い得るものではない。」

▼ 最高裁判所規則と司法審査（最判平 3.4.19）

事案： 最高裁判所規則の改正により廃止されることとなる支部の管轄地域に居住する住民Ｘは、本件改正規則のうち同支部を廃止する部分の取消しを求めた。

判旨： 本件訴えは「裁判所に対して抽象的に最高裁判所規則が憲法に適合するかしないかの判断を求めるものに帰し、裁判所法３条１項にいう『法律上の争訟』に当たらない」と判示した。

(2) ②の要件に関する判例

▼ 国家試験と司法審査（最判昭 41.2.8・百選 139 事件）

事案： 国家試験である技術士試験に不合格となったＸは、その不合格処分の取消しを求めた。

判旨： 「法令の適用によって解決するに適さない単なる政治的または経済的問題や技術上または学術上に関する争は、裁判所の裁判を受けうべき事柄ではない」。「国家試験における合格、不合格の判定も学問または技術上の知識、能力、意見等の優劣、当否の判断を内容とする行為であるから、その試験実施機関の最終判断に委せられるべきものであって、その判断の当否を審査し具体的に法令を適用して、その争を解決調整できるものとはいえない。」

2 国又は地方公共団体が提起する訴訟

▼ 宝塚市パチンコ店規制条例事件（最判平 14.7.9・百選 106 事件）〈司共予

事案： 宝塚市の市長は、パチンコ店の建築工事に着手したＹに対して、宝塚市の条例に基づき当該工事中止命令を発したが、Ｙは当該工事を続行した。そこで、宝塚市は、Ｙに対して、当該建築工事の続行禁止を求める民事訴訟を提起した。

判旨： 「国又は地方公共団体が提起した訴訟であって、財産権の主体として自己の財産上の権利利益の保護救済を求めるような場合には、法律上の争訟に当たるというべきであるが、国又は地方公共団体が専ら行政権の主体として国民に対して行政上の義務の履行を求める訴訟は、法規の適用の適正ないし一般公益の保護を目的とするものであって、自己の権利利益の保護救済を目的とするものということはできないから、法律上の争訟として当然に裁判所の審判の対象となるものではなく、法律に特別の規定がある場合に限り、提起することが許される」。

3　統治行為論・部分社会の法理

(1)　統治行為論

「統治行為」とは、一般に、直接国家統治の基本に関する高度に政治性のある国家行為で、法律上の争訟として裁判所による法律的な判断が理論的には可能ではあるが、事柄の性質上、司法審査の対象から除外される行為をいう。

統治行為論をほぼ純粋に認めた判例は苫米地事件判決であるが、砂川事件判決も統治行為論に関する判例とされる。

▼　苫米地事件（最大判昭 35.6.8・憲法百選 190 事件）

事案：　内閣の一方的な衆議院の抜き打ち解散により、衆議院議員の身分を喪失したX（苫米地氏）は、衆議院の解散の違憲無効を理由として議員資格の確認及び歳費の支払を求めた。

判旨：「直接国家統治の基本に関する高度に政治性のある国家行為のごときはたとえそれが法律上の争訟となり、これに対する有効無効の判断が法律上可能である場合であっても、かかる国家行為は裁判所の審査権の外にあり、その判断は主権者たる国民に対して政治的責任を負うところの政府、国会等の政治部門の判断に委され、最終的には国民の政治判断に委ねられているものと解すべきである。この司法権に対する制約は、結局、三権分立の原理に由来し、当該国家行為の高度の政治性、裁判所の司法機関としての性格、裁判に必然的に随伴する手続上の制約等にかんがみ、特定の明文による規定はないけれども、司法権の憲法上の本質に内在する制約と理解すべきものである」。

「衆議院の解散は、極めて政治性の高い国家統治の基本に関する行為であって、かくのごとき行為について、その法律上の有効無効を審査することは司法裁判所の権限の外にありと解すべき」であり、「この理は、本件のごとく、当該衆議院の解散が訴訟の前提問題として主張されている場合においても同様であって、ひとしく裁判所の審査権の外にありといわなければならない」。

▼　砂川事件（最大判昭 34.12.16・百選〔第６版〕150 事件）

事案：　砂川町にあるアメリカ空軍基地内に侵入したデモ隊員Xは、日米安保条約に基づく刑事特別法違反に問われ、起訴された。その際、日米安保条約の合憲性が争われた。

判旨：　日米安保条約は、「主権国としてのわが国の存立の基礎に極めて重大な関係をもつ高度の政治性を有するものというべきであって、その内容が違憲なりや否やの法的判断は、その条約を締結した内閣およびこれを承認した国会の高度の政治的ないし自由裁量的判断と表裏をなす点がすくなくない。それ故、右違憲なりや否やの法的判断は、純司法的機能をその使命とする司法裁判所の審査には、原則としてなじまない性質のものであり、従って、一見極めて明白に違憲無効であると認められない限りは、裁判所の司法審査権の範囲外のものであって、それは第一次的には、右条約の締結権を有する内閣およびこれに対して承認権を有する国会の判断に従うべく、終局的には、主権を有する国民の政治的批判に委ねられるべきものである」。

⑵　部分社会の法理

部分社会の法理とは、自律的な法規範をもつ社会ないし団体内部の紛争に関しては、その内部規律の問題にとどまる限りその自治的措置に任せ、それについては司法審査が及ばないという考え方である。

「部分社会」には、多種多様な性質をもつ団体が含まれるから、その内部問題に司法審査が及ぶかどうかは、当該団体の目的・性質・機能、紛争や争われている権利の性質などを個別具体的に検討して決定すべきである。

(a)　地方議会

▼　愛知県議会発言取消命令事件（最判平 30.4.26）

事案：　Ｙ県議会議員であるＸは、地方自治法 129 条１項に基づき、議会における発言の一部を取り消すよう命令されたため、本件命令の取消しを求めて訴えを提起した。

判旨：　地方自治法は、「議員の議事における発言に関しては、議長に当該発言の取消しを命ずるなどの権限を認め、もって議会が当該発言をめぐる議場における秩序の維持等に関する係争を自主的、自律的に解決することを前提としている」。そして、「取消しを命じられた発言が配布用会議録に掲載されないことをもって、当該発言の取消命令の適否が一般市民法秩序と直接の関係を有するものと認めることはできず、その適否は県議会における内部的な問題としてその自主的、自律的な解決に委ねられるべきものというべきである」。

「以上によれば、県議会議長の県議会議員に対する発言の取消命令の適否は、司法審査の対象とはならない」。

▼　市議会議員に対する出席停止の懲罰と司法審査（最大判令 2.11.25・百選 140 事件）

事案：　市議会議員であるＸは、市議会から科された 23 日間の出席停止の懲罰が違憲・違法であるとして、当該処分の取消しなどを求めた。

判旨：　「普通地方公共団体の議会は、地方自治法並びに会議規則及び委員会に関する条例に違反した議員に対し、議決により懲罰を科することができる（同法 134 条１項）ところ、懲罰の種類及び手続は法定されている（同法 135 条）。これらの規定等に照らすと、出席停止の懲罰を科された議員がその取消しを求める訴えは、法令の規定に基づく処分の取消しを求めるものであって、その性質上、法令の適用によって終局的に解決し得るものというべきである。」

憲法は、「住民自治の原則を採用しており、普通地方公共団体の議会は、憲法にその設置の根拠を有する議事機関として、……所定の重要事項について当該地方公共団体の意思を決定するなどの権能を有する。そして、議会の運営に関する事項については、議事機関としての自主的かつ円滑な運営を確保すべく、その性質上、議会の自律的な権能が尊重されるべきであるところ、議員に対する懲罰は、会議体としての議会内の秩序を保持し、もってその運営を円滑にすることを目的として科されるものであり、その権能は上記の自律的な権能の一内容を構成する。」

他方、「議員は、憲法上の住民自治の原則を具現化するため、……議事に参与し、議決に加わるなどして、住民の代表としてその意思を当該普通地方公共団体の意思決定に反映させるべく活動する責務を負う」ところ、「出席停止の懲罰……が科されると、当該議員はその期間、会議及び委員会への出席が停止され、議事に参与して議決に加わるなどの議員としての中核的な活動をすることができず、住民の負託を受けた議員としての責務を十分に果たすことができなくなる。このような出席停止の懲罰の性質や議員活動に対する制約の程度に照らすと、これが議員の権利行使の一時的制限にすぎないものとして、その適否が専ら議会の自主的、自律的な解決に委ねられるべきであるということはできない。」

そうすると、「出席停止の懲罰は、議会の自律的な権能に基づいてされたものとして、議会に一定の裁量が認められるべきであるものの、裁判所は、常にその適否を判断することができるというべきである」。したがって、「普通地方公共団体の議会の議員に対する出席停止の懲罰の適否は、司法審査の対象となるというべきである」。

評釈：　本判決により、「自律的な法規範をもつ社会ないしは団体に在っては、当該規範の実現を内部規律の問題として自治的措置に任せ、必ずしも、裁判にまつを適当としないものがある……本件における出席停止の如き懲罰はまさにそれに該当する」としたかつての判例（最大判昭35.10.19・百選〔第7版〕144事件）は変更された。

本判決は、「部分社会の法理」を完全に放棄したものと解されている。

(b)　大学

▼　富山大学単位不認定事件（最判昭52.3.15・百選141事件）

事案：　富山大学経済学部の学生Xらは、Aの担当する授業を履修していたところ、経済学部長Yは、Aに不正行為があったとして、Aに対し授業担当停止の措置をとるとともに、Xらを含めた学生に代替授業を受講するよう指示した。しかし、Aは授業を継続し、Xらも引き続きこれに出席し続けて試験を受験し、Aより合格との判定を得た。これに対し、大学側はAの授業及び試験は正規のものではないとして、Xらの単位取得を認めなかった。そこで、Xらは、単位授与・不授与決定の不作為違法確認などを求めた。

判旨：「一般市民社会の中にあってこれとは別個に自律的な法規範を有する特殊な部分社会における法律上の係争のごときは、それが一般市民法秩序と直接の関係を有しない内部的な問題にとどまる限り、その自主的、自律的な解決に委ねるのを適当とし、裁判所の司法審査の対象にはならない」。

「大学は、国公立であると私立であるとを問わず、学生の教育と学術の研究とを目的とする教育研究施設であって、その設置目的を達成するために必要な諸事項については、法令に格別の規定がない場合でも、学則等によりこれを規定し、実施することのできる自律的、包括的な権能を有し、一般市民社会とは異なる特殊な部分社会を形成しているのであるから、このような特殊な部分社会である大学における法律上の係争のすべてが当然に裁判所の司法審査の対象になるものではなく、一般市民法秩序と直接の関係を有しない内部的な問題は右司法審査の対象から除かれるべきものである」。

大学の単位の授与（認定）行為は、「学生が当該授業科目を履修し試験に合格したことを確認する教育上の措置であり、卒業の要件をなすものではあるが、当然に一般市民法秩序と直接の関係を有するものでないことは明らかである。それゆえ、単位授与（認定）行為は、他にそれが一般市民法秩序と直接の関係を有するものであることを肯認するに足りる特段の事情のない限り、純然たる大学内部の問題として大学の自主的、自律的な判断に委ねられるべきものであって、裁判所の司法審査の対象にはならない」。もっとも、「特定の授業科目の単位の取得それ自体が一般市民法上一種の資格要件とされる場合」については、「その限りにおいて単位授与（認定）行為が一般市民法秩序と直接の関係を有することは否定できない」。

(c) 宗教団体

▼ 板まんだら事件（最判昭56.4.7・憲法百選184事件）

事案：宗教団体Yの会員であったXらは、Yが「板まんだら」を安置する正本堂を建設するなどの理由で寄付を募ったため、これに寄付したが、後に「板まんだら」が偽物であることが判明したなどの理由で、当該寄付金の返還を求めた。

判旨：「本件訴訟は、具体的な権利義務ないし法律関係に関する紛争の形式をとっており、その結果信仰の対象の価値又は宗教上の教義に関する判断は請求の当否を決するについての前提問題であるにとどまるものとされてはいるが、本件訴訟の帰すうを左右する必要不可欠のものと認められ、また、……本件訴訟の争点及び当事者の主張立証も右の判断に関するものがその核心となっていると認められることからすれば、結局本件訴訟は、その実質において法令の適用による終局的な解決の不可能なものであって、……法律上の争訟に当たらないものといわなければならない。」

第２条　（行政事件訴訟）

この法律において「行政事件訴訟」とは、抗告訴訟、当事者訴訟、民衆訴訟及び機関訴訟をいう。

《注　釈》

一　行政事件訴訟の類型

<訴訟類型>

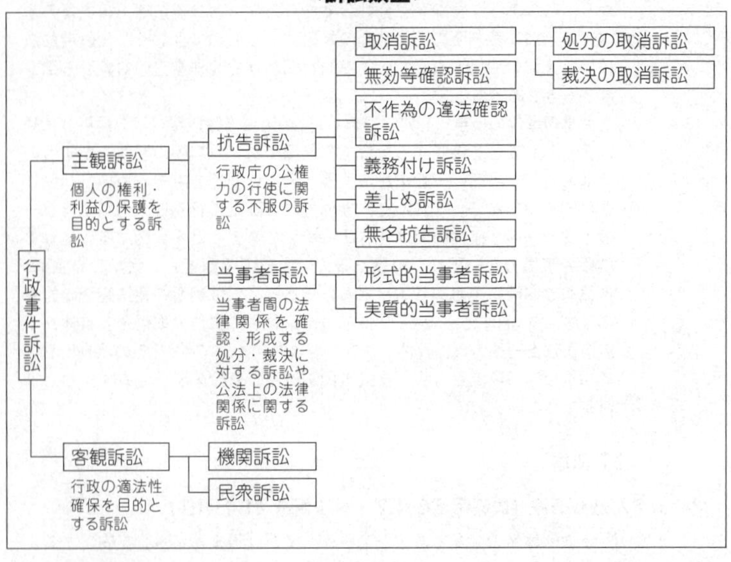

二　主観訴訟

主観訴訟とは、国民の権利・利益の保護を目的とする訴訟をいう。抗告訴訟と当事者訴訟がこれに含まれる。

1　抗告訴訟

(1)　抗告訴訟とは、行政庁の公権力の行使に関する不服の訴訟をいう（３Ｉ）。行政行為その他の行政庁の公権力の行使に関わる作為又は不作為により権利・利益を侵害された者が、その作為・不作為の適否を争う訴訟である。

(2) 抗告訴訟は、①取消訴訟、②無効等確認訴訟、③不作為の違法確認訴訟、④義務付け訴訟、⑤差止訴訟（３Ⅱ～Ⅶ）、及び⑥無名抗告訴訟（法定外抗告訴訟）に分類される〈司〉。

2　当事者訴訟

当事者訴訟とは、次の①②の訴訟をいう（４）。

① 当事者間の法律関係を確認し又は形成する処分又は裁決に関する訴訟で、法令の規定によりその法律関係の当事者の一方を被告とするもの（形式的当事者訴訟）

② 公法上の法律関係に関する確認の訴えその他の公法上の法律関係に関する訴訟（実質的当事者訴訟）

(1) 形式的当事者訴訟

形式的当事者訴訟は、本質的には行政庁の処分又は裁決の効力を争う訴訟であり、抗告訴訟としての実質をもつ。

しかし、むしろ当事者間で争わせた方が妥当ともいえる形態の紛争もあり、立法政策上、形式的に対等な当事者間の訴訟で争うべきことが法定されているものである。

① 原処分自体が当該法律関係に関する当事者間の紛争の審理を経て行われたものである場合

ex. 特許無効審判の確定審決に対する訴え（特許179ただし書）〈司〉

② 紛争の実体が当事者間の財産上のものであり、公益に直接関係ない場合

ex. 収用補償額に関する訴え（土地収用133Ⅲ）〈予〉 ⇒p.331

∵ 本来不服があるのは収用委員会が行った裁決処分であるが、収用処分自体に不満があるのではなく、むしろ補償額が少ないことが不満なのであるから、法律上、裁決の取消しを求めるのではなく、相手方(起業者又は被収用者）を被告に補償額について争う訴訟の方が抜本的解決になる

(2) 実質的当事者訴訟　⇒p.331

行政主体と私人による対等の当事者間の訴訟である点で民事訴訟と共通するが、訴訟物が「公法上の法律関係」であることで民事訴訟と区別される。

ex. 公務員の免職処分無効確認訴訟、在外邦人の選挙権確認訴訟、国籍確認訴訟〈司〉

三　客観訴訟

客観訴訟とは、個人の権利・利益とは別に、行政活動の適法性の確保、及び客観的な法秩序の維持を目的とする訴訟をいう。民衆訴訟、機関訴訟がこれに含ま

れる。

行政訴訟も民事訴訟と同様、第一の目的は個人の権利・利益の保護にあり、主観訴訟がその原則的形態である。しかし、これに加えて、行政活動の適法性の確保、及び客観的な法秩序の維持を図るため、政策的に客観訴訟が認められている。

そこで、民衆訴訟及び機関訴訟は、法律に定める場合において、法律に定める者だけが提起することが許される（42）予。

1　民衆訴訟

民衆訴訟とは、国又は公共団体の機関の法規に適合しない行為の是正を求める訴訟で、選挙人たる資格その他自己の法律上の利益にかかわらない資格で提起するものをいう（5）。

ex.1　地方自治法の定める住民訴訟（地自242の２Ⅰ）

ex.2　公職選挙法の定める選挙又は当選の効力に関する訴訟（公選203以下）予

⑴　住民訴訟（地自242の２Ⅰ）　⇒p.485

地方公共団体の長等の違法な行為等について、地方公共団体の財政の公正を確保する見地から、当該地方公共団体の住民が訴訟を提起することを認めたものである。

⑵　公職選挙法の定める選挙又は当選の効力に関する訴訟（公選203以下）

選挙が違法に行われ、又は正当に当選者たりえない者が当選者として決定した場合に、選挙の公正を保障し、正当な当選者を確保するために、候補者及び選挙人一般から、訴訟を提起することを認めたものである。

2　機関訴訟予

機関訴訟とは、国又は公共団体の機関相互間における権限の存否又はその行使に関する紛争についての訴訟をいう（6）。

このような紛争は元来行政権内部における紛争であるから、原則として行政庁が自ら決すべき問題であって、いわゆる「法律上の争訟」（裁３Ⅰ）に該当しないが、特に公平な第三者の判断を求めることを適当として、法律上、裁判所に出訴して、その判断を求めることができるものとしている場合がある。

第３条　（抗告訴訟）

Ⅰ　この法律において「抗告訴訟」とは、行政庁の公権力の行使に関する不服の訴訟をいう。

Ⅱ　この法律において「処分の取消しの訴え」とは、行政庁の処分その他公権力の行使に当たる行為（次項に規定する裁決、決定その他の行為を除く。以下単に「処分」という。）の取消しを求める訴訟をいう。

Ⅲ　この法律において「裁決の取消しの訴え」とは、審査請求その他の不服申立て（以下単に「審査請求」という。）に対する行政庁の裁決、決定その他の行為（以下単に「裁決」という。）の取消しを求める訴訟をいう。
Ⅳ　この法律において「無効等確認の訴え」とは、処分若しくは裁決の存否又はその効力の有無の確認を求める訴訟をいう。
Ⅴ　この法律において「不作為の違法確認の訴え」とは、行政庁が法令に基づく申請に対し、相当の期間内に何らかの処分又は裁決をすべきであるにかかわらず、これをしないことについての違法の確認を求める訴訟をいう〈共〈司R2。
Ⅵ　この法律において「義務付けの訴え」とは、次に掲げる場合において、行政庁がその処分又は裁決をすべき旨を命ずることを求める訴訟をいう。
①　行政庁が一定の処分をすべきであるにかかわらずこれがされないとき（次号に掲げる場合を除く。）。
②　行政庁に対し一定の処分又は裁決を求める旨の法令に基づく申請又は審査請求がされた場合において、当該行政庁がその処分又は裁決をすべきであるにかかわらずこれがされないとき。
Ⅶ　この法律において「差止めの訴え」とは、行政庁が一定の処分又は裁決をすべきでないにかかわらずこれがされようとしている場合において、行政庁がその処分又は裁決をしてはならない旨を命ずることを求める訴訟をいう。

《注　釈》

一　処分の取消しの訴え（Ⅱ）

1　取消訴訟の機能

(1)　原状回復機能

行政処分が取り消されると、当該処分はもともとなかった状態に帰することになる。

(2)　適法性維持機能

取消訴訟は、原告の主観的利益保護に奉仕すると同時に、客観的な法秩序の維持にも奉仕する機能を有する。

(3)　法律関係合一確定機能

処分の取消訴訟においては、原告以外にも利害関係人が存在することがあるので、原告の権利救済の観点から、行訴法は取消判決の効力を第三者にも及ぼすこととした（32Ⅰ）。

(4)　差止機能

ある行政処分が取り消されると、さらに次の行政処分に進むことができなくなる。

(5)　再度考慮機能

行訴法は、取消判決は関係行政庁を拘束する（33）という定めを置いて、行政庁が取消判決の趣旨に従って行動することを図っている。

(6) 処分反復防止機能

取消判決については、同一理由に基づく同一処分ができないとする反復禁止効があるとされている。

2 取消訴訟の性質

取消訴訟の性質につき、民事訴訟の確認訴訟（特定の権利関係の存否の確認をする訴訟）、形成訴訟（裁判所の判決によって権利変動がなされる訴訟）であるか争いがあるも、通説は形成訴訟であるとする。

3 「行政庁の処分その他公権力の公使に当たる行為」

(1) 取消訴訟の対象〈同

(a) 取消訴訟の対象は「行政庁の処分その他公権力の行使に当たる行為」（3Ⅱ）である。これを処分性という。行政庁の処分とは、①公権力の主体たる国又は公共団体が行う行為のうち、②その行為によって、直接国民の権利義務を形成しあるいはその範囲を確定することが法律上認められている場合（最判昭39.10.29・百選143事件）をいう〈同。

∵ 取消訴訟制度は、行政行為の公定力を排除するために審査を行う手続であるから、公定力をもつ行政行為のみがその対象とされるべき

(b) 国又は地方公共団体を名宛人とする行為であっても、「行政庁の処分その他公権力の行使に当たる行為」に当たりうる〈同。

(c) 取消しの範囲については、原告の救済に足りるなら一部取消しが認められる場合がある。

▼ 固定資産評価審査決定の取消訴訟における取消しの範囲（最判平17.7.11・百選〔第7版〕203事件）

事案： 土地の登録価格を不服として行った固定資産評価委員会に対する審査の申出が棄却されたため、その棄却決定の取消しを求めた。

判旨： 固定資産評価審査決定取消訴訟においては、納税者が全部取消しを求めているか一部取消しを求めているかにかかわらず、紛争の早期解決のため、当該審査決定のうちその適正な時価等を超える部分に限り取り消せば足りる。

(2) 処分性の意義

判例（最判昭39.10.29・百選143事件）が示した処分性の意義①「公権力の主体たる国又は公共団体が行う行為」には、訴訟類型（抗告訴訟又は民事訴訟・当事者訴訟）を選別する機能がある。

また、処分性の意義②「その行為によって、直接国民の権利義務を形成しまたはその範囲を確定することが法律上認められているもの」には、裁判所が審判するに値する紛争であるか否か（紛争の成熟性の有無）を選別する機能がある。なお、紛争の成熟性が問題となった判例としては、土地区画整理

事業計画の決定について処分性を認めた最大判平20.9.10・百選147事件（⇒p.317）等がある。

⑶　処分性の判断基準〈司H19 司H20 司H25 司H29 司R2 司R3 予H30 予R2

判例（最判昭39.10.29・百選143事件）によれば、「行政庁の処分」とは、「公権力の主体たる国または公共団体が行う行為のうち、その行為によって、直接国民の権利義務を形成しまたはその範囲を確定することが法律上認められているもの」をいう。

そして、上記の判例の定義によれば、処分性は、①公権力性、②国民の権利義務に対する直接具体的な法的効果の発生という観点から判断される。すなわち、処分性が認められるためには、①行政庁が公権力を行使して国民の権利義務を一方的に変動させる法的効果を伴う行為であること、②公権力の行使によって特定の国民に対し直接・具体的な法的効果を発生させる行為であることが必要となる。

①については、私法上の行為の処分性が争われることが多い。また、②については、⒜「直接」性、⒝「国民」（＝外部性）、⒞「権利義務を形成しまたはその範囲を確定する」（＝法効果性）、⒟「法律上認められる」という4つの要素に区別することができる。

⒜「直接」性は、当該行政行為による法的効果の直接性・個別具体性を意味し、条例や一般処分といった一般的・抽象的な法的効果を発生させる規範定立行為や、行政計画等のような中間的行為の処分性が争われる場合に重要な要素となる。

⒝「国民」（＝外部性）は、行政主体との対比において位置付けられる「国民」の法的地位を変動させることを意味し、通達や同意といった行政組織の内部的行為の処分性が争われる場合に着目される。

⒞「権利義務を形成しまたはその範囲を確定する」（＝法効果性）は、法律的見解を表示する行為や行政指導等の事実行為の処分性が争われる場合に重要な要素となる。

⒟「法律上認められる」という要素は、行政庁の権限行使が「法律上認められる」ことを意味し、要綱等のみに基づいて行われる行政行為の処分性を判断する際に問題となる。

もっとも、この要素は、上記①公権力性の判断に関する着眼点と考えることもできる。

＊　上記⒜～⒟の各要素については、根拠法令の仕組みを解釈することによって判断する。

∵　処分性の有無は、行政庁の行為に関する根拠法令の仕組みを解釈することによって判断するものであるため

→根拠法令が行政庁の行為を処分とみなしている場合には、上記処分性

の判断基準に当てはめる必要はない

ex.　根拠法令が当該行為に係る行政不服申立てを法定している場合や、取消訴訟の提起を認めている場合

∵　立法者が当該行為を処分として扱うことを前提としていると解釈できるため

＊　判例（最判昭 39.10.29・百選 143 事件）が示した処分性の定式を厳格に適用すれば処分性を認めることが難しい行為であっても、実効的な権利救済を図るために他に争うべき適当な行為がない場合には、処分性を緩やかに認める判例が存在する。

(4)　処分性が認められる行為の典型例

処分性が認められる行為の典型例としては、命令（違法建築物の除却命令など）、営業許可及びその取消し（撤回を含む〈予）、許認可等の申請に対する応諾行為（申請の認容や拒否）などの行政行為である。

4　公権力性が問題となるもの

私法上の行為（契約など）は、行政と私人が対等の関係で行われるため、公権力性がない。したがって、処分性は認められないのが原則である（国有財産の売払いにつき最判昭 35.7.12・百選〔第７版〕146 事件、ごみ焼却場設置行為につき最判昭 39.10.29・百選 143 事件、事業者選考応募者に対する通知につき最判平 23.6.14・平 23 重判 6 事件）〈司。

▼　物納許可によって国有に帰した財産の売払い（最判昭 35.7.12・百選〔第7版〕146 事件）〈共予

事案：　物納によって国の所有になった土地の売払行為の取消訴訟において、売払行為の処分性の有無が争われた。

判旨：　「国有普通財産の払下は私法上の売買と解すべきであって、右払下が売渡申請書の提出、これに対する払下許可の形式をとっているからといって、右払下行為の法律上の性質に影響を及ぼすものではない」ため、処分性を有しない。

▼　ごみ焼却場設置行為（最判昭 39.10.29・百選 143 事件）

事案：　Y（東京都）は、建設会社と請負契約を締結することによってごみ焼却場の設置行為をした。近隣住民Xらは、設置行為により保健衛生上及び経済上の不利益を被ったとして、設置行為の無効を求め提訴した。

判旨：　「仮にごみ焼却場設置行為によってXらが所論のごとき不利益を被ることがあるとしても、右設置行為は、Yが公権力の行使により直接Xらの権利義務を形成し、またはその範囲を確定することを法律上認められている場合に該当するものということはできない」ため、処分性を有しない。

▼ 事業者選考応募者に対する通知（最判平 23.6.14・平 23 重判６事件）〈回

事案：　Ｙ市は、市営の老人福祉施設の運営を民間事業者に移管するため、事業者の公募をしたが、唯一の応募者であったＸらに対し、「決定に至らなかった」旨の通知をした。そこで、Ｘらは、本件通知が処分性を有することを前提に、取消訴訟を提起した。

判旨：　本件民間移管は、Ｙ市が「受託事業者に対し本件建物等を無償で譲渡し本件土地を貸し付け、受託事業者が移管条件に従い当該施設を老人福祉施設として経営することを約する旨の契約……を締結することにより行うことが予定されていたもの」で、「本件民間移管に適する事業者を契約の相手方として選考するための手法として行ったものである」。したがって、本件通知は、「応募した者に対し、その者を相手方として当該契約を締結しないこととした事実を告知するものにすぎず」、処分性を有しない。

しかし、個別法の解釈において、行政庁の行為に公権力性を認め、処分性を認める場合がある（供託金取戻請求の却下につき最大判昭 45.7.15・百選 142 事件、労災就学援護費の不支給決定につき最判平 15.9.4・百選 152 事件）。

▼ 供託金取戻請求の却下（最大判昭 45.7.15・百選 142 事件）〈予

事案：　Ａからの土地賃借人Ｘが法務局に賃料の弁済供託をしたが、ＡＸ間の紛争に和解が成立したため、Ｘが供託官Ｙに供託金の返還を求めた。しかし、Ｙは消滅時効が完成したとして供託物取戻請求の却下処分をした。そこで、Ｘは却下処分の取消訴訟を提起し、却下の処分性が争われた。

判旨：「供託官が弁済者から供託物取戻の請求を受けた場合において、その請求を理由がないと認めるときは、これを却下しなければならず（供託規則 38 条）、右却下処分を不当とする者は監督法務局または地方法務局の長に審査請求をすることができ、右の長は、審査請求を理由ありとするときは供託官に相当の処分を命ずることを要する（供託法１条の３ないし６）と定められており、実定法は、供託官の右行為につき、とくに、「却下」および「処分」という字句を用い、さらに、供託官の却下処分に対しては特別の不服審査手続をもうけている」。

「弁済供託は、……民法上の寄託契約の性質を有するものであるが、……金銭債務の弁済供託事務が大量で、しかも、確実かつ迅速な処理を要する関係上、法律秩序の維持、安定を期するという公益上の目的から、法は、……供託官が弁済者から供託物取戻の請求を受けたときには、単に、民法上の寄託契約の当事者的地位にとどまらず、行政機関としての立場から右請求につき理由があるかどうかを判断する権限を供託官に与えたものと解するのが相当である。」

したがって、「供託官が供託物取戻請求を理由がないと認めて却下した行為は行政処分であり、弁済者は右却下行為が権限のある機関によって取り消されるまでは供託物を取り戻すことができないものといわなければならず、供託関係が民法上の寄託関係であるからといって、供託官の右却下行為が民法上の履行拒絶にすぎないものということは到底でき」ず、処分性を有する。

▼　労災就学援護費の不支給決定（最判平 15.9.4・百選 152 事件）予

事案：　労災保険法に基づく遺族補償年金受給者Xは、子の労災就学援護費を受給してきた。しかし、子が外国の大学に進んだところ、外国の大学は学校教育法にいう「学校」ではないとして、援護費の不支給決定がなされた。そこで、Xは、本件決定が処分性を有することを前提に、取消訴訟を提起した。

この点、労災就学援護費の支給・不支給決定については、処分性を認定する手がかりとなるような法令上の具体的な仕組みが何ら定められておらず、支給決定の仕組みを直接定めるのが通達のみであるため、労災就学援護費の支給・不支給決定に処分性は認められないのではないかが争点となった。

判旨：「労働省労働基準局長通達……は、その別添『労災就学等援護費支給要綱』において、労災就学援護費の支給対象者、支給額、支給期間、欠格事由、支給手続等を定めており、所定の要件を具備する者に対し、所定額の労災就学援護費を支給すること、労災就学援護費の支給を受けようとする者は、労災就学等援護費支給申請書を……労働基準監督署長に提出しなければならず、同署長は、同申請書を受け取ったときは、支給、不支給等を決定し、その旨を申請者に通知しなければならないこととされている。」

「このような労災就学援護費に関する制度の仕組みにかんがみれば、法は、労働者が業務災害等を被った場合に、政府が、……保険給付を補完するために、労働福祉事業として、保険給付と同様の手続により、被災労働者又はその遺族に対して労災就学援護費を支給することができる旨を規定している」。「そして、被災労働者又はその遺族は、……所定の支給要件を具備するときは所定額の労災就学援護費の支給を受けることができるという抽象的な地位を与えられているが、具体的に支給を受けるためには、労働基準監督署長に申請し、所定の支給要件を具備していることの確認を受けなければならず、労働基準監督署長の支給決定によって初めて具体的な労災就学援護費の支給請求権を取得する」。

「そうすると、労働基準監督署長の行う労災就学援護費の支給又は不支給の決定は、法を根拠とする優越的地位に基づいて一方的に行う公権力の行使であり」、処分性を有する。

評釈：　処分性を肯定するためには、少なくとも法律に根拠があることが必要であるところ、本判決は、法律に明示の根拠がなくても、柔軟な解釈により処分性を認めた判例と解されている。繰り返しになるが、労災就学援護費の支給・不支給決定については、処分性を認定する手がかりとなるような法令上の具体的な仕組みが何ら定められておらず、支給決定の仕組みを直接定めるのが通達のみであったところ、本判決は、労災就学援護費に関する制度の仕組みを、通達も含めて全体として労災保険法が規定したものと解した上で、処分性が認められる保険給付と同様の手続により労災就学援護費が支給されることに着目し、労災就学援護費の支給・不支給決定に処分性を認めたものと評されている。

▼　健康保険組合による被扶養者非該当通知（最判令4.12.13・令5重判4事件）

事案：　Xは、A健康保険組合（本件組合）の組合員である。本件組合は、Xの妻を「被扶養者」として扱ってきたところ、平成27年9月10日付けで、その収入が本件組合の定める基準を満たさなくなったとして、Xに対し、Xの妻は「被扶養者」に該当しない旨の通知をした。Xは、本件通知の取消しを求めて訴えを提起した。

この点、「被保険者」の資格の確認については、健康保険法が審査請求・再審査請求について規定していること等から、処分性が当然に認められるものと解されている一方、「被扶養者」の資格の確認については、上記のような法律上の仕組みが一切ないことから、「被扶養者」に該当しない旨の通知の処分性が争点となった。

判旨：　「被扶養者が保険医療機関等からいわゆる保険診療……を受けようとする場合には、被保険者が保険医療機関等から保険診療（療養の給付）を受けようとする場合と同様に、やむを得ない理由がない限り、被保険者証を当該保険医療機関等に提出しなければならない……。いわゆる国民皆保険制度が採用されている我が国においては、健康保険等を利用しないで医療機関を受診する者はほとんどないため、健康保険組合から、被保険者の親族等が被扶養者には該当しないと判断され、被扶養者に係る被保険者証が交付されない場合には、当該親族等については、国民健康保険の被保険者の資格の取得につき届出をしない限り、適時に適切な診療を受けられないおそれがある」。

「被扶養者に係る保険給付に関する法律関係は、事柄の性質上、多数の者について生じ得るところ、……健康保険制度を含む医療保険制度全体の仕組みの下においては、被保険者の親族等が被扶養者に該当することは被扶養者に係る保険給付が行われるための資格としての性質を有し、その該当性の有無によって当該親族等に適用される医療保険の種類が決せられるものということができる。また、被扶養者に係る被保険者証が交付されない場合には、被保険者の親族等に生活上の相当の不利益が生ずることとなる。こうした点に照らすと、上記該当性についての健康保険組合の判断は、被保険者及びその判断の対象となった親族等の法律上の地位を規律するものであり、被保険者の資格の得喪について健康保険組合による確認という処分をもって早期に確定させるものとされている……のと同様に、上記判断を早期に確定させ、適正公平な保険給付の実現や実効的な権利救済等を図る必要性が高いものということができる。法は、以上のような点に鑑み、健康保険組合が管掌する健康保険の被保険者が被扶養者を有するかどうかについては、健康保険組合においてその認定判断をし、その結果を被保険者に通知することを当然に予定しているものと解される。……そうすると、上記の通知は処分に該当すると解するのが相当である」。

評釈：　本判決も、労災就学援護費の不支給決定に関する判例（最判平15.9.4・百選152事件）と同じく、法律に明示の根拠がなくても、柔軟な解釈により処分性を認めた判例の１つとして位置づけられている。本判決は、「被保険者」と「被扶養者」の同質性に着目し、「被保険者」の資格の確認に処分性が認められるのであれば、「被扶養者」の資格の確認についても同様に処分性が認められるという論理を採用しているものと評されている（上記労災就学援護費の不支給決定に関する判例も、処分性が認められる保険給付と同様の手続により労災就学援護費が支給されることに着目しており、その論理構造に類似性がある）。

5　直接性が問題となるもの

(1)　一般処分

一般処分とは、一般的な法規範の定立とは異なり、具体的な事実に関わるものであって、名宛人が個別具体的ではなく不特定の場合である行政行為を指す。

ex.　特定の道路の通行禁止

不特定多数の者を名宛人とする行為は、一般的には個々人の個別具体的な権利侵害を伴うとはいえないため、直接性が認められない結果、処分性は否定される（都市計画法上の用途地域指定につき最判昭57.4.22・百選148事件）。

▼ 都市計画法上の用途地域指定（最判昭57.4.22・百選148事件） 予

司R２ 予H27

事案：　県知事Ｙの工業地域指定によって、当該地域で病院を経営するＸは、施設の拡張が困難になり、かつ、工場の建設による周辺環境の悪化を懸念した。そのため、Ｙによる指定の取消訴訟を提起した。

判旨：　「都市計画区域内において工業地域を指定する決定……が告示されて効

力を生ずると、当該地域内においては、建築物の用途、容積率、建ぺい率等につき従前と異なる基準が適用され（建築基準法48条７項、52条１項３号、53条１項２号等)、……右決定が、当該地域内の土地所有者等に建築基準法上新たな制約を課し、その限度で一定の法状態の変動を生ぜしめるものであることは否定できないが、かかる効果は、あたかも新たに右のような制約を課する法令が制定された場合におけると同様の当該地域内の不特定多数の者に対する一般的抽象的なそれにすぎ」ない。したがって、指定する決定は処分性を有しない。

「なお、右地域内の土地上に現実に前記のような建築の制限を超える建物の建築をしようとしてそれが妨げられている者が存する場合には、…右建築の実現を阻止する行政庁の具体的処分をとらえ、前記の地域指定が違法であることを主張して右処分の取消を求めることにより権利救済の目的を達する途が残されていると解されるから、前記のような解釈をとっても格別の不都合は生じない」。

しかし、事案によっては、形式的な名宛人が存在しなくても、個々人の個別具体的な権利侵害を伴う場合があり、かかる場合には直接性が認められ、処分性が肯定される（２項道路の一括指定につき最判平14.1.17・百選149事件)。

▼ ２項道路の一括指定（最判平14.1.17・百選149事件）予

事案：　県知事Ｙは、２項道路の指定を告示による一括指定の方法で行った。Ｘは、自己が所有する本件通路部分は２項道路の要件を満たさないとして、指定処分が存在しないことの確認を求めて提訴した。その際、一括指定の処分性の有無が争われた。

原審（大阪高判平10.6.17）は、本件告示は「本件通路部分等特定の土地について個別具体的にこれを指定するものではなく、不特定多数の者に対して一般的抽象的な基準を定立するものにすぎないのであって、これによって直ちに建築制限等の私権制限が生じるものでない」として、処分性を否定した。

判旨：　「本件告示によって２項道路の指定の効果が生じるものと解する以上、このような指定の効果が及ぶ個々の道は２項道路とされ、その敷地所有者は当該道路につき道路内の建築等が制限され（法44条)、私道の変更又は廃止が制限される（法45条）等の具体的な私権の制限を受けることになるのである。そうすると、特定行政庁による２項道路の指定は、それが一括指定の方法でされた場合であっても、個別の土地についてその本来的な効果として具体的な私権制限を発生させるものであり、個人の権利義務に対して直接影響を与えるものということができる」から、処分性を有する。

(2) 規範定立行為

規範定立行為とは、地方公共団体による条例・規則の制定行為や、行政庁による法規命令の定立行為を指す。

判例上、規範定立行為がされた段階と、その規範に基づく執行行為の段階は区別されている。定立行為の段階では、国民に対する法的拘束力は発生するものの、個々人の個別具体的な権利義務には影響を及ぼさない。他方、執行行為の段階では、名宛人となった者の個別具体的な権利義務に影響を及ぼすため、直接性が認められると解される。

したがって、規範定立行為には直接性が認められず、処分性も否定されるのが原則である（公立小学校を統廃合する条例につき最判平14.4.25、水道条例を定める条例につき最判平18.7.14・百選150事件）。

▼ 公立小学校を統廃合する条例（最判平14.4.25）

事案： Ｙ区は、全ての区立小学校を統廃合する内容の条例を制定した。Ｘらは、統廃合前に通学する利益が侵害されたとして、取消訴訟を提起した。その際、条例制定行為の処分性の有無が争われた。

判旨：「Ｘらは、Ｙ区が社会生活上通学可能な範囲内に設置する小学校においてその子らに法定年限の普通教育を受けさせる権利ないし法的利益を有するが、具体的に特定の区立小学校で教育を受けさせる権利ないし法的利益を有するとはいえない」から、本件条例の制定行為は、処分性を有しない。

▼ 水道料金を定める条例（最判平18.7.14・百選150事件） 回

事案： 水道料金を変更する内容の改正条例制定行為の処分性が争われた。

判旨：「本件改正条例は、旧高根町が営む簡易水道事業の水道料金を一般的に改定するものであって、そもそも限られた特定の者に対してのみ適用されるものではなく、本件改正条例の制定行為をもって行政庁が法の執行として行う処分と実質的に同視することはできない」から、本件改正条例の制定行為は、処分性を有しない。

しかし、執行の段階まで待たずとも、規範が限られた特定の者に対して適用され、定立行為が執行行為と実質的に同視でき、訴訟で争うことに合理性がある場合には、直接性が認められ、処分性が肯定される（保育所を廃止する条例につき最判平21.11.26・百選197事件）。

▼ 保育所を廃止する条例制定行為の処分性（最判平21.11.26・百選197事件） 共予

事案： Ｙ市は、市営保育所の一部を廃止する条例を制定した。廃止された保育所で保育を受けていたＸらは、選択した保育所で保育を受ける権利が違法に侵害されたとして、取消訴訟を提起した。その際、条例制定行為の処分性の有無が争われた。

判旨：　児童福祉法が、児童の保護者から入所を希望する保育所等を記載した申込書を提出しての申込みがあったときは、当該保育所において保育しなければならないとする仕組みを採用したのは、「多様なサービスの提供が必要となった状況を踏まえ、その保育所の受入れ能力がある限り、希望どおりの入所を図らなければならないこととして、保護者の選択を制度上保障したものと解される。そして、……Ｙにおける保育所の利用関係は、保護者の選択に基づき、保育所及び保育の実施期間を定めて設定される」。「そうすると、特定の保育所で現に保育を受けている児童及びその保護者は、保育の実施期間が満了するまでの間は当該保育所における保育を受けることを期待し得る法的地位を有する」。

「本件改正条例は、本件各保育所の廃止のみを内容とするものであって、他に行政庁の処分を待つことなく、その施行により各保育所廃止の効果を発生させ、当該保育所に現に入所中の児童及びその保護者という限られた特定の者らに対して、直接、当該保育所において保育を受けることを期待し得る上記の法的地位を奪う結果を生じさせるものであるから、その制定行為は、行政庁の処分と実質的に同視し得る」。

また、当事者訴訟や民事訴訟は「訴訟の当事者である当該児童又はその保護者と当該市町村との間でのみ効力を生ずるにすぎない」ため、「処分の取消判決や執行停止の決定に第三者効（行政事件訴訟法32条）が認められている取消訴訟において当該条例の制定行為の適法性を争い得るとすることには合理性がある。」

したがって、本件改正条例の制定行為は処分性を有する。

(3)　中間的行為 司H24 司R3

行政計画には、複数の行政の行為を予定し、１つの行為だけでは完結しない非完結型（事業型）計画がある。非完結型計画の場合、ある特定の行為（中間的行為）に対して取消訴訟を提起しても、一連の行政過程を構成する行政庁の行為については、当事者の権利義務を最終的に決定する終局段階の行為でなければ、紛争の成熟性を欠き処分性は認められない。

かつて判例は、土地区画整理事業の事業計画決定について、①事業計画の一般的抽象的性質（青写真性）、②事業計画に基づく効果が公告の付随的効果にすぎないこと（付随的効果論）、及び③紛争の未成熟性を理由に処分性を否定していた（青写真判決、最大判昭41.2.23）司。

しかし、事業計画決定より後続処分を待っていたのでは、既成事実が積み重なって事情判決（行訴31Ⅰ）がなされ実質上救済が得られなくなる場合があり、国民が十分な救済を受けられない可能性もある。判例は、事業計画決定（中間的行為）でも、法的地位に直接的な影響が生じる場合には、処分性を認める場合がある（市町村営土地改良事業施行認可につき最判昭61.2.13、第二種市街地再開発の事業計画決定につき最判平4.11.26、土地区画整理事業計画決定につき青写真判決を判例変更した最大判平20.9.10・百選147事件）。

cf. 非完結型（事業型）計画に対し、計画の決定自体によって計画の目的が完結する計画である完結型（非事業型）計画（都市計画法上の用途地域指定につき最判昭57.4.22・百選148事件）には、平成20年最大判の射程は及ばないと解される

なお、判例は、行政計画の決定行為について、非完結型（事業型）計画と完結型（非事業型）計画に分類して処分性の有無を決していると考えられている〈同

▼ 市町村営土地改良事業施行認可（最判昭61.2.13）

事案：　Y県知事が、土地改良法に基づき町営土地改良事業の施行認可処分をしたため、本件事業計画地内の土地所有者Xが、本件認可処分の取消しを求めた。

判旨：　土地改良法が、国営又は都道府県営の土地改良事業につき農林水産大臣又は知事が決定した事業計画の決定は公告すべきものとし、公告後に行われた土地の形質の変更や工作物の新築等についての損失は補償しなくてもよいとし、異議申立手続を経て事業計画が確定すれば工事が着手されるとしていることに照らせば、上記事業計画の決定は、行政処分としての性格を有する。同法は、事業計画の決定を行政処分として行政不服審査法による異議申立ての対象や取消訴訟の対象となり得ることを当然の前提として、裁決主義を採用している。

そして、土地改良事業は、国営又は都道府県営か市町村営かによって特別その性格を異にせず、市町村営の土地改良事業における事業施行の認可は、処分性を有する。

▼ 第二種市街地再開発の事業計画決定（最判平4.11.26）

事案：　Y市が第二種市街地再開発事業（地区内の土地・用地を収用し、建物建設後に譲渡希望者に区画所有権を販売する方法）の事業計画の公告をした。そこで、計画内の土地所有者Xが取消訴訟を提起した。

判旨：　都市再開発法による「再開発事業計画の決定は、その公告の日から、土地収用法上の事業の認定と同一の法律効果を生ずるものであるから……、市町村は、右決定の公告により、同法に基づく収用権限を取得するとともに、その結果として、施行地区内の土地の所有者等は、特段の事情のない限り、自己の所有地等が収用されるべき地位に立たされることとなる。しかも、この場合、……公告があった日から起算して30日以内に、その対償の払渡しを受けることとするか又はこれに代えて建築施

設の部分の譲受け希望の申出をするかの選択を余儀なくされるのである」。

したがって、「公告された再開発事業計画の決定は、施行地区内の土地の所有者等の法的地位に直接的な影響を及ぼすもの」であるから、処分性を有する。

▼ 土地区画整理事業計画決定（最大判平20.9.10・百選147事件）予 司H24

事案：　Y市は、本件土地区画整理事業を計画し、事業計画の決定・公告をした。そこで、計画内の土地所有者Xらが取消訴訟を提起した。

判旨：　土地区画整理事業の事業計画決定の公告がされると、換地処分の公告がある日まで、施行地区内において、原状回復命令及び刑罰により担保された建築行為等の制限等が課される。

また、土地区画整理事業の「事業計画が決定されると、当該土地区画整理事業の施行によって施行地区内の宅地所有者等の権利にいかなる影響が及ぶかについて、一定の限度で具体的に予測することが可能になるのである。そして、土地区画整理事業の事業計画については、いったんその決定がされると、特段の事情のない限り、その事業計画に定められたところに従って具体的な事業がそのまま進められ、その後の手続として、施行地区内の宅地について換地処分が当然に行われることになる。前記の建築行為等の制限は、このような事業計画の決定に基づく具体的な事業の施行の障害となるおそれのある事態が生ずることを防ぐために法的強制力を伴って設けられているのであり、しかも、施行地区内の宅地所有者等は、換地処分の公告がある日まで、その制限を継続的に課され続ける」。

「そうすると、施行地区内の宅地所有者等は、事業計画の決定がされることによって、前記のような規制を伴う土地区画整理事業の手続に従って換地処分を受けるべき地位に立たされるものということができ、その意味で、その法的地位に直接的な影響が生ずるものというべきであり、事業計画の決定に伴う法的効果が一般的、抽象的なものにすぎないということはできない。」

「換地処分等の取消訴訟において、宅地所有者等が事業計画の違法を主張し、その主張が認められたとしても、当該換地処分等を取り消すことは公共の福祉に適合しないとして事情判決（行政事件訴訟法31条1項）がされる可能性が相当程度あるのであり、換地処分等がされた段階でこれを対象として取消訴訟を提起することができるとしても、宅地所有者等の被る権利侵害に対する救済が十分に果たされるとはいい難い。そうすると、事業計画の適否が争われる場合、実効的な権利救済を図るためには、事業計画の決定がされた段階で、これを対象とした取消訴訟の提起を認めることに合理性がある」。

したがって、事業計画の決定は処分性を有する。

6　外部性が問題となるもの〈司H25

行政機関相互の内部的行為は、直接国民に対して行われるものではないので、国民の権利義務関係を変動することはない（外部性がない）。したがって、行政機関相互の内部的行為の処分性は否定される（消防長の同意につき最判昭34.1.29・百選16事件、墓地埋葬に関する通達につき最判昭43.12.24・百選52事件、日本鉄道建設公団に対する認可につき最判昭53.12.8・百選２事件）。

国民が行政機関相互の行為を争う場合は、後続する処分の取消訴訟を提起し、そこで処分の違法事由として、前提となった行政機関相互の行為の違法性を主張することが考えられる。

▼　消防長の同意（最判昭34.1.29・百選16事件）

事案：　知事が建築許可をする際に必要とされている消防長の同意（消防法７条）に対する取消訴訟において、同意の処分性が争われた。

判旨：「本件消防長の同意は、知事に対する行政機関相互間の行為であって、これにより対国民との直接の関係においてその権利義務を形成し又はその範囲を確定する行為とは認められないから」処分性を有しない。

▼　墓地埋葬に関する通達（最判昭43.12.24・百選52事件）

事案：　墓地、埋葬等に関する法律13条に関する解釈、運用について厚生省（当時）が発した本件通達に対し、墓地経営者Xは、取消訴訟を提起した。

判旨：「通達は、原則として、法規の性質をもつものではなく、上級行政機関が関係下級行政機関および職員に対してその職務権限の行使を指揮し、職務に関して命令するために発するものであり、このような通達は右機関および職員に対する行政組織内部における命令にすぎないから、これらのものがその通達に拘束されることはあっても、一般の国民は直接これに拘束されるものではな」い。

したがって、本件通達に国民は直接拘束されることはなく、Xの「墓地経営権、管理権を侵害したり、新たに埋葬の受忍義務を課したりするものとはいいえない」ため、処分性を有しない。

▼　日本鉄道建設公団に対する認可（最判昭53.12.8・百選２事件）〈司

事案：　運輸大臣は、日本鉄道建設公団に対し、工事実施計画を認可した。そこで、工事実施地域内に土地を所有するXらが認可の取消訴訟を提起した。

判旨：「本件認可は、いわば上級行政機関としての運輸大臣が下級行政機関としての日本鉄道建設公団に対しその作成した本件工事実施計画の整備計画との整合性等を審査してなす監督手段としての承認の性質を有するもので、行政機関相互の行為と同視すべきもの」であるから、処分性を有しない。

7　法効果性が問題となるもの

法効果性があるものとは、実体法上ないし手続法上の権利義務の変動をもたらすものをいう。他方、実質上は国民の利害に重要な影響を及ぼす行為であっても、法的効果を伴わない行為は、事実行為に過ぎないものとして、処分性は認められない（具体的な判例は下記(1)～(6)参照）。

ex.1　法令に基づく申請（行手2③）を拒否する行為は、これによって実体法上の権利義務は変動しないが、申請権という手続法上の権利を侵害するものであるので、法的効果の発生が認められ、処分性が肯定される 予 司R2 司R3 予H23

ex.2　行政庁の行う公表（情報提供としての公表、指示・勧告等の行政指導に従わなかった場合等に用いられる制裁的公表（⇒ p.97）については、原則として処分性は認められない 司H20 予H30

∵　いずれの公表も、一定の事実ないし名前を公表するという行為にすぎず、国民に義務を課し、又は権利を剥奪するものとはいえないので、具体的な法効果性を欠く（なお、制裁的公表については、これを権力的事実行為と捉えて処分性を認めるという考えもあり得るが、一般的ではないと解されている）

ex.3　行政指導は国民の実生活を社会的に強く規制するが、法律上は国民に何らの義務を課し、若しくは権利行使を妨げるものではないので、原則として処分性は認められない（ただし、病院開設中止勧告につき最判平17.7.15・百選154事件）司R5

(1)　申請に対する応答

▼　住民票の記載をしない旨の応答（最判平21.4.17・百選61事件） 共予

事案：　X1の父母であるX2・X3は、Y区長に対して、X1の「父母との続き柄」欄を空欄にして出生届を提出したため、Y区長は、出生届を受理しなかった。その後、X3はX1につき住民票の記載の申出をしたが、Y区長は出生届が受理されていないことを理由に、住民票の記載をしない旨の応答をした。そこで、Xらは、本件応答の取消訴訟を提起した。

判旨：　住民基本台帳法によれば、X3の申出について、Y区長には、「申出に対する応答義務が課されておらず、住民票の記載に係る職権の発動を促す法14条2項所定の申出とみるほかないものである。したがって、本件応答は、法令に根拠のない事実上の応答にすぎず、これによりX1又はX3の権利義務ないし法律上の地位に直接影響を及ぼすものではない」。したがって、本件応答は処分性を有しない。

⑵ 事実上の確認行為

▼ 市長による道路判定（最判平 30.7.17・平 30 重判３事件）

事案： Ｙ市長が、Ｘ所有の土地に接する街路について、建築基準法 42 条１項３号所定の道路（３号道路）に該当する旨の道路判定をした上で、前提に土地の価格を決定した。Ｘは、かかる価格の不服審査の申出をしたが、棄却決定がなされたため、同決定の取消訴訟を提起した。その際、３号道路の道路判定の処分性が問題になった。

判旨： 「建築基準法 42 条１項３号は、同法第３章の規定が適用されるに至った際現に存在する道で、幅員４m以上のものを道路とする旨定めている。これは、客観的にこれらの要件を満たす道については、そのことのみをもって当然に 42 条道路とする趣旨であると解される。そして、ある道が３号道路に該当するか否かについて、市町村長等がその判定をする法令上の根拠も見当たらない」。

「そうすると、３号道路該当性に関するＹ市長の道路判定は、事実上の確認行為にすぎないというべきであり、当該道が３号道路に該当し、又は該当しないことを確定する効果を持」たない。したがって、処分性を有しない。

⑶ 公共施設管理者の同意

法制度の仕組みからして、元々国民には開発行為を自由に行いうる権利はないから、公共施設管理者の不同意を理由に開発ができないとしても、法的権利が侵害されることはないと解されている。

▼ 公共施設管理者の同意（最判平 7.3.23・百選 151 事件） 司予

事案： Ｘは、開発行為（都市計画 29）をするために、市長Ｙの同意（同 32）を求めたが、Ｙが不同意の旨の回答をしたため、不同意の取消訴訟を提起した。

判旨： 「同意が得られなければ、公共施設に影響を与える開発行為を適法に行うことはできないが、これは、法が……要件を満たす場合に限ってこのような開発行為を行うことを認めた結果にほかならないのであって、右の同意を拒否する行為それ自体は、開発行為を禁止又は制限する効果をもつものとはいえない。したがって、開発行為を行おうとする者が、右の同意を得ることができず、開発行為を行うことができなくなったとしても、その権利ないし法的地位が侵害されたものとはいえない」。したがって、右の同意を拒否する行為は処分性を有しない。

⑷ 公証行為

公証行為とは、公の権威をもってある事実を証明することをいい、法効果性はない。

▼　住民票への続柄の記載（最判平 11.1.21）〈同〉

事案：　市長Ｙが、住民基本台帳事務処理要領（当時）に基づいて、Ｘらの非嫡出子について、嫡出子のように住民票の続柄記載を「長男」「二女」などとされずに「子」と記載したため、Ｘらが続柄の記載の取消訴訟を提起した。

判旨：　市町村長が住民基本台帳法７条に基づき住民票に特定の氏名等を記載する行為は「いわゆる公証行為であり、それ自体によって新たに国民の権利義務を形成し、又はその範囲を確定する法的効果を有するものではない。」もっとも、公職選挙法によれば、「住民票に特定の住民の氏名等を記載する行為は、その者が当該市町村の選挙人名簿に登録されるか否かを決定付けるものであって、その者は選挙人名簿に登録されない限り原則として投票をすることができない（同法 42 条１項）のであるから、これに法的効果が与えられているということができる。しかし、住民票に特定の住民と世帯主との続柄がどのように記載されるかは、その者が選挙人名簿に登録されるか否かには何らの影響も及ぼさないことが明らかであり、住民票に右続柄を記載する行為が何らかの法的効果を有すると解すべき根拠はない」。ゆえに、かかる行為は処分性を有しない。

(5)　法的見解の表示行為

▼　採用内定通知の取消し（最判昭 57.5.27）

事案：　東京都Ｙの採用内定を受けたＸが、Ｙから内定通知の取消しを受けたため、その取消訴訟を提起した。

判旨：　「本件採用内定の通知は、単に採用発令の手続を支障なく行うための準備手続としてされる事実上の行為にすぎず、ＹとＸとの間で、Ｙを東京都職員（地方公務員）として採用し、東京都職員としての地位を取得させることを目的とする確定的な意思表示ないしは始期付又は条件付採用行為と目すべきものではな」いとし、通知は処分性を有しないとした。

▼　海難審判庁の裁決（最大判昭 36.3.15・百選〔第７版〕158 事件）

事案：　船ＡＢの衝突についての海難審判において、高等海難審判庁Ｙは、造船会社Ｘに答弁・弁解・証拠提出の機会を与えず、造船会社Ｘの業務上の過失が事故原因であるとの裁決を示した。そこで、Ｘが本件裁決の取消しを求めた。

判旨：　原因解明裁決は、法律上「裁決」という文言が用いられているが、海難の原因を明らかにする裁決であり、Ｘに何らかの義務を課すものではないこと、また、裁決はＸの過失を推定するものでもなく、仮に後にＸに対する損害賠償請求がなされてもＸが改めて攻撃防御することは妨げられないことを根拠に、原因解明裁決は処分性を有しないとした。

▼ 反則金納付通告（最判昭 57.7.15・百選 146 事件）〈司予

事案：　Ｘは、駐車違反を理由に逮捕され、翌日反則金を仮納付し釈放され、その後、大阪府警察本部長Ｙから反則金納付通告を受けた。そこでＸは、駐車違反者の誤認があることを理由に反則金通告処分の取消訴訟を提起した。

判旨：　反則金の納付の通告を受けた者に反則金を納付する法律上の義務は生じず、ただその者が任意に反則金を納付したときは公訴が提起されないということにとどまる。したがって、通告の理由となった反則行為の不成立を主張して通告に対する取消訴訟を提起して通告効果の覆滅を図ることは許されない。したがって、通告は処分性を有しない。

▼ 納税告知（最判昭 45.12.24・百選 60 事件）〈予

判旨：　源泉徴収による所得税についての納税の告知は確定した税額がいくばくであるかについての税務署長の意見が初めて公にされるものであるから、支払者がこれと意見を異にするときは、当該税額による所得税の徴収を防止するため、異議申立てまたは審査請求のほか、抗告訴訟をもなしうる。

評釈：　本判決は、納税告知自体は納税義務の存否や範囲を確定するような実体法上の効果を有しないものの、納税者の側から徴収を防止するという手続的観点から納税告知に処分性を有するとしたと解される。

▼ 輸入禁制品該当の通知（最判昭 54.12.25）〈司

事案：　Ｘが女性ヌード写真集を米国から輸入しようとして、横浜税関長Ｙに輸入申告をしたところ、ＹはＸに対し、右写真集が輸入禁制品に当たる旨の通知を行った。Ｘはこれに対し、異議の申し出をし、Ｙはこれを棄却する決定をした。そこで、Ｘは、本件通知・決定の取消しを求めて訴訟を提起した。

判旨：　関税定率法による通知等は、観念の通知であるとはいうものの、もともと法律の規定に準拠してされたものであり、かつ、これによりＸに対し申告にかかる本件貨物を適法に輸入することができなくなるという法律上の効果を及ぼすものというべきであるから、処分性を有する。

▼ 食品衛生法違反通知・冷凍スモークマグロ事件（最判平 16.4.26・平 16 重判４事件）〈司

食品衛生法 16 条に基づく同法違反通知書による本件通知により、Ｘは、本件食品について、関税法 70 条２項の「検査の完了又は条件の具備」を税関に証明し、その確認を受けることができなくなり、その結果、同法 70 条３項により輸入の許可も受けられなくなるのであり、上記関税法基本通達に基づく通関実務の下で、輸入申告書を提出しても受理されずに返却されることとなるのである。したがって、本件通知は、上記のような法的効力を有するから、処分性を有する。

▼ **登録免許税法に基づく還付通知請求に対する拒否通知（最判平 17.4.14・百選 155 事件）**〈共予

事案：　登記機関に対し納付済みの登録免許税を還付するよう税務署長に通知することを求める登録免許税法 31 条２項に基づく還付通知請求に対してなされた拒否通知の取消しを求めた。

判旨：　当該拒否通知は、登記等を受けた者に対して簡易迅速に還付を受ける手続を利用することができる地位を否定する法的効果を有するから処分性を有する。

▼ **有害物質使用特定施設使用廃止通知（最判平 24.2.3・平 24 重判４事件）**

事案：　訴外Ａは、Ｘから賃借した土地上に土壌汚染対策法３条１項所定の有害物質使用特定施設を設置・使用していたが、これを廃止した。そのため、Ｙ市の市長は、本件土地の所有者であるＸに対して、同法３条２項に基づく通知をした。そこで、Ｘは、Ｙ市に対して、同通知の取消訴訟を提起した。

判旨：　通知を受けた当該土地の所有者等は、当該通知を受けると、当該土地の土壌の特定有害物質による汚染の状況について、所定の方法により調査させて、都道府県知事に報告書を提出してその結果を報告する義務を負う。「これらの法令の規定によれば、法３条２項による通知は、通知を受けた当該土地の所有者等に上記の調査及び報告の義務を生じさせ、その法的地位に直接的な影響を及ぼすものというべきである。」「そうすると、実効的な権利救済を図るという観点から見ても、同条２項による通知がされた段階で、これを対象とする取消訴訟の提起が制限されるべき理由はない。」ゆえに、当該通知は処分性を有する。

(6)　指導・勧告〈司R５

▼ **病院開設中止勧告（最判平 17.7.15・百選 154 事件）**〈司予〈司R５

＊　最判平 17.10.25・平 17 重判６②事件も同趣旨の事案

事案：　Ｘは県知事Ｙに対して病院開設の申請を行ったが、Ｙは病床数が必要数に達していることを理由にＸに対して開設を中止するよう勧告を行った。Ｘが勧告を拒否したところ、Ｙは開設許可処分をするとともに、中止勧告に従わず開設した場合、厚生省通知において保険医療機関の指定の拒否をすることとされている旨の通告をした。そこで、Ｘは勧告の取消しを求めて訴訟を提起した。

判旨：　医療法 30 条の７に基づく病院開設中止の勧告は、医療法上は当該勧告を受けた者が任意にこれに従うことを期待してされる行政指導として定められているが、当該勧告を受けた者に対し、これに従わない場合には、相当程度の確実さをもって、病院を開設しても保険医療機関の指定を受けることができなくなるという結果をもたらす。そして、国民皆保険制度が採用されている我が国において、「保険医療機関の指定を受けることができない場合には、実際上病院の開設自体を断念せざるを得ないことになる。」このような「病院開設中止の勧告の保険医療機関の指定に及ぼす効果及び病院経営における保険医療機関の指定の持つ意義を併せ考えると」勧告は処分性を有する。後に保険医療機関の指定拒否処分の効力を抗告訴訟によって争うことができるとしても、結論を左右するものではない。

<処分性の肯否>

	判例	肯否	理由
公権力性が問題となるもの	物納許可によって国有に帰した財産の売払い（最判昭35.7.12・百選〔第7版〕146事件）	×	物納財産売払行為は、国が買受人と全く同等の立場においてなす私法上の売買契約であり、公権力性がない。
	ごみ焼却場設置行為（最判昭39.10.29・百選143事件）	×	「公権力の行使」に当たる行為がない。
	事業者選考応募者に対する通知（最判平23.6.14・平23重判6事件）	×	当該通知は契約締結に関する事実を告知するものにすぎず、公権力の行使に当たる行為ではない。
	供託金取戻請求の却下（最大判昭45.7.15・百選142事件）	○	供託法は「却下」及び「処分」という字句を用い、供託官の却下処分に対しては特別の不服審査手続を設けており、弁済者は請求却下行為が権限ある機関によって取り消されるまでは供託物を取り戻すことができない。
	労災就学援護費の不支給決定（最判平15.9.4・百選152事件）	○	保険給付と同様の手続により支給する旨が規定されていると解され、支給決定によって初めて具体的な支給請求権が発生する。

		判例	肯否	理由
公権力性が問題となるもの		健康保険組合による被扶養者非該当通知（最判令4.12.13・令５重判４事件）	○	被保険者の親族等が「被扶養者」に該当することについての健康保険組合の判断は、被保険者やその親族等の法律上の地位を規律するものであり、被扶養者の資格の得喪についての判断を早期に確定させ、適正公平な保険給付の実現や実効的な権利救済等を図る必要性が高い。
直接性が問題となるもの	一般処分	用途地域指定（最判昭57.4.22・百選148事件）	×	当該指定は、法令の制定と同様の、不特定多数者に対する一般的抽象的な制約にすぎない。
		２項道路の一括指定（最判平14.1.17・百選149事件）	○	指定の効果の及ぶ個々の道は２項道路とされ、その敷地所有者は具体的な私権制限を受ける。
	規範定立行為	公立小学校を統廃合する条例（最判平14.4.25）	×	具体的に特定の小学校で教育を受けさせる権利ないし法的利益はない。
		水道料金を定める条例（最判平18.7.14・百選150事件）	×	限られた特定の者に対してのみ適用されるものではない。
		保育所を廃止する条例（最判平21.11.26・百選197事件）	○	限られた特定の者らに対して、直接、当該保育所において保育を受けることを期待しうる法的地位を奪う。
	中間的行為	市町村営土地改良事業施行認可（最判昭61.2.13）	○	性格を同じくする国営又は都道府県営の土地改良事業計画の決定について、行政上の不服申立ての対象とされている。

		判例	肯否	理由
直接性が問題となるもの	**中間的行為**	第二種市街地再開発事業の事業計画決定（最判平4.11.26）	○	計画の決定は、その公告の日から、土地収用法上の事業の認定と同一の法律効果を生ずるものであるから、市町村は、当該計画決定の公告により土地収用法に基づく収用権限を取得し、その結果、施行地区内の土地の所有者等は、特段の事情のない限り、自己の所有地等が収用されるべき地位に立たされることとなる。
		土地区画整理事業計画決定（最大判平20.9.10・百選147事件）	○	建築規制を伴う事業手続に従って換地処分を受けるべき地位に立たされ、法的地位に直接的な影響が生じること、及び実効的な権利救済の観点から。
外部性が問題となるもの		消防長の同意（最判昭34.1.29・百選16事件）	×	行政機関相互の行為である。
		墓地埋葬に関する通達（最判昭43.12.24・百選52事件）	×	行政機関相互の行為である。
		日本鉄道建設公団に対する認可（最判昭53.12.8・百選2事件）	×	行政機関相互の行為と同視される。
法効果性が問題となるもの	**申請に対する応答**	住民票に記載しない旨の応答（最判平21.4.17・百選61事件）	×	本件応答は、法令に根拠のない事実上の応答にすぎず、権利義務ないし法律上の地位に直接影響を及ぼすものではない。
	事実上の確認行為	市長による道路判定（最判平30.7.17・平30重判3事件）	×	市長の道路判定は、事実上の確認行為にすぎない。

		判例	肯否	理由
法効果性が問題となるもの	**公共施設管理者の同意**	公共施設管理者の同意（最判平 7.3.23・百選 151 事件）	×	都市計画法は、同意がある場合に限って開発行為を認めており、同意を拒否する行為自体は権利ないし法的地位を侵害するものではなく、また、同意に関する手続、基準・要件等が法定されていない。
	公証行為	住民票への続柄の記載（最判平 11.1.21）	×	住民票に続柄を記載する行為が何らかの法的効果を有すると解すべき根拠はない。
	法的見解の表示行為	採用内定通知の取消し（最判昭 57.5.27）	×	採用内定通知は、採用の準備手続としてされる事実上の行為にすぎない。
		海難審判庁の裁決（最判昭 36.3.15・百選〔第 7 版〕158 事件）	×	当該裁決は海難の原因を明らかにするものであって、権利義務に何らの影響を及ぼさない。
		反則金納付通告（最判昭 57.7.15・百選 146 事件）	×	当該通告は、反則金の納付義務を課すものではなく、また、反則行為に関する争いは専ら刑事手続によることが道交法上予定されている。
		納税告知（最判昭 45.12.24・百選 60 事件）	○	納税告知は、それ自体として課税処分たる性質を有しないが、確定した税額がいくばくであるかについての税務署長の意見が初めて公にされるものである。
		輸入禁制品該当の通知（最判昭 54.12.25）	○	当該通知は観念の通知であるが、法律の規定に準拠し、かつ、貨物を適法に輸入できなくなるという法律上の効果を及ぼす。

		判例	肯否	理由
法効果性が問題となるもの	法的見解の表示行為	食品衛生法違反通知（最判平16.4.26・平16重判４事件）	○	法律の趣旨に適った行政実務の下で、輸入許可が受けられないという法的効果を有する。
		登録免許税還付通知請求に対する拒否通知（最判平17.4.14・百選155事件）	○	当該通知は、簡易迅速に還付を受けることができる手続上の地位を否定する法的効果を有する。
		有害物質使用特定施設使用廃止通知（最判平24.2.3・平24重判４事件）	○	土地所有者等に調査報告義務を生じさせ、その法的地位に直接的な影響を及ぼす。
	指導・勧告	病院開設中止勧告（最判平17.7.15・百選154事件）	○	当該勧告は、医療法上は行政指導であるが、勧告不服従により、相当程度確実に保険医療機関の指定が拒否され、病院開設を断念せざるを得なくなる。

二　無名抗告訴訟（法定外抗告訴訟）

無名抗告訴訟とは、行政庁の公権力の行使に関する不服の訴訟（３Ⅰ）で、法定抗告訴訟（３Ⅱ～Ⅶ）以外のものをいう。

かつては、義務付け訴訟と差止訴訟が無名抗告訴訟の典型例とされていたが、これらの訴訟は、平成16年行訴法改正によって法定抗告訴訟とされた（３Ⅵ Ⅶ）。なお、改正後の行訴法は、抗告訴訟を法定されたものに限定する趣旨ではなく、無名抗告訴訟が認められる可能性はある（最判平24.2.9・百選200事件、最判令元.7.22・百選201事件参照）。

無名抗告訴訟は、行訴法38条１項の「取消訴訟以外の抗告訴訟」であるから、同項に列挙された諸規定が準用される。

▼　国歌斉唱等の職務命令に基づく公的義務の不存在確認訴訟（最判平24.2.9・百選200事件） ⇒ p.333

事案：　都立学校の教職員・元職員Ｘらのうち、在職者である教職員らが、各所属校の卒業式や入学式等の式典における国歌斉唱の際に、国旗に向かって起立し国歌を斉唱する義務・ピアノ伴奏をする義務のないことの確認を求め、提訴した。

＊　本件は、処分の差止訴訟と公的義務の不存在確認訴訟がともに提起された事案である。

判旨：　無名抗告訴訟としてのXらに対する職務命令に基づく義務の不存在の確認を求める訴えは、「将来の不利益処分たる懲戒処分の予防を目的とする無名抗告訴訟として位置付けられるべきものと解するのが相当であり、実質的には、本件職務命令の違反を理由とする懲戒処分の差止めの訴えを本件職務命令に基づく公的義務の存否に係る確認の訴えの形式に引き直したものということができる。抗告訴訟については、……将来の不利益処分の予防を目的とする事前救済の争訟方法として法定された差止めの訴えについて『その損害を避けるため他に適当な方法があるとき』ではないこと、すなわち補充性の要件が訴訟要件として定められていること（37条の4第1項ただし書）等に鑑みると、職務命令の違反を理由とする不利益処分の予防を目的とする無名抗告訴訟としての当該職務命令に基づく公的義務の不存在の確認を求める訴えについても、上記と同様に補充性の要件を満たすことが必要となり、特に法定抗告訴訟である差止めの訴えとの関係で事前救済の争訟方法としての補充性の要件を満たすか否かが問題となるものと解するのが相当である」。

本件においては、「法定抗告訴訟として本件職務命令の違反を理由としてされる蓋然性のある懲戒処分の差止めの訴えを適法に提起することができ、その本案において本件職務命令に基づく公的義務の存否が判断の対象となる以上、本件職務命令に基づく公的義務の不存在の確認を求める本件確認の訴えは、上記懲戒処分の予防を目的とする無名抗告訴訟としては、法定抗告訴訟である差止めの訴えとの関係で事前救済の争訟方法としての補充性の要件を欠き、他に適当な争訟方法があるものとして、不適法というべきである」。

行政事件訴訟法

▼　将来の不利益処分の予防を目的とする公的義務の不存在確認訴訟（最判令元.7.22・百選201事件）予

事案：　自衛隊法76条1項には、防衛出動命令が発令されうる事態が定められていたが、平成27年の法改正により、同項に新たに2号（存立危機事態）が追加された。そこで、陸上自衛官であるXは、存立危機事態に際して内閣総理大臣が自衛隊の出動を命ずること（以下「本件防衛出動命令」という。）ができるとする同法76条1項2号が違憲であるとして、国を相手に、Xが本件防衛出動命令に服従する義務がないことの確認を求めて出訴した。

＊　本件は、公的義務の不存在確認訴訟だけが提起され、処分の差止訴訟は提起されていない事案である。

判旨：「本件訴えは、本件職務命令への不服従を理由とする懲戒処分の予防を目的として、本件職務命令に基づく公的義務の不存在確認を求める無名抗告訴訟であると解されるところ、このような将来の不利益処分の予防を目的として当該処分の前提となる公的義務の不存在確認を求める無名抗告訴訟は、当該処分に係る差止めの訴えと目的が同じであり、請求が認容されたときには行政庁が当該処分をすることが許されなくなるという点でも、差止めの訴えと異ならない」。また、「上記無名抗告訴訟は、確認の訴えの形式で、差止めの訴えに係る本案要件の該当性を審理の対象とするものということができる」。そうすると、行訴法の下において、「上記無名抗告訴訟につき、差止めの訴えよりも緩やかな訴訟要件により、これが許容されているものとは解されない。そして、差止めの訴えの訴訟要件については、救済の必要性を基礎付ける前提として、一定の処分がされようとしていること（同法３条７項）、すなわち、行政庁によって一定の処分がされる蓋然性があることとの要件（以下「蓋然性の要件」という。）を満たすことが必要とされている」。

「したがって、将来の不利益処分の予防を目的として当該処分の前提となる公的義務の不存在確認を求める無名抗告訴訟は、蓋然性の要件を満たさない場合には不適法というべきである」。

第４条　（当事者訴訟）

この法律において「当事者訴訟」とは、当事者間の法律関係を確認し又は形成する処分又は裁決に関する訴訟で法令の規定によりその法律関係の当事者の一方を被告とするもの及び公法上の法律関係に関する確認の訴えその他の公法上の法律関係に関する訴訟をいう。

第５条　（民衆訴訟）

この法律において「民衆訴訟」とは、国又は公共団体の機関の法規に適合しない行為の是正を求める訴訟で、選挙人たる資格その他自己の法律上の利益にかかわらない資格で提起するものをいう。

《注　釈》

一　当事者訴訟

1　「当事者間の法律関係を確認し又は形成する処分又は裁決に関する訴訟で法令の規定によりその法律関係の当事者の一方を被告とするもの」

→形式的当事者訴訟

2　「公法上の法律関係に関する確認の訴えその他の公法上の法律関係に関する訴訟」

→実質的当事者訴訟

二　形式的当事者訴訟

形式的当事者訴訟は、本質的には行政庁の処分又は裁決の効力を争う訴訟であり、抗告訴訟としての実質をもつ。

しかし、たとえば処分の効力にさして影響のない補償額などに関する争いは、むしろ当事者間で争わせた方が妥当ともいえる。そこで立法政策上、形式的に対等な当事者間の訴訟で争うべきことが法定されている。

＜形式的当事者訴訟の立法例＞

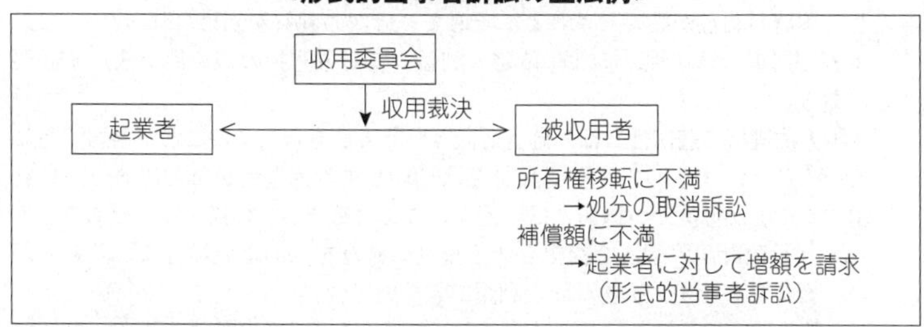

▼ 収用補償額に関する訴訟（最判平 9.1.28・百選 203 事件） 共予

事案：　X所有の土地につき、Yの申請に基づいて、収用委員会による収用裁決がなされた。被収用者Xは、裁決所定の補償額に不服があるとして、土地収用法 133 条３項に基づき、起業者Yを被告として、損失補償額の増額変更及び差額の支払を求める訴え（形式的当事者訴訟）を提起した。

判旨：　土地収用法上の「補償金の額は、『相当な価格』（同法 71 条参照）等の不確定概念をもって定められているものではあるが、通常人の経験則及び社会通念に従って、客観的に認定され得るものであり、かつ、認定すべきものであって、補償の範囲及びその額……の決定につき収用委員会に裁量権が認められるものと解することはできない」。したがって、裁判所は、「収用委員会の補償に関する認定判断に裁量権の逸脱濫用があるかどうかを審理判断するものではなく、証拠に基づき裁決時点における正当な補償額を客観的に認定し、……正当な補償額を確定すべきである」。

土地収用法 133 条の訴訟においては、権利取得の時期までに支払われるべきであった正当な補償額が確定され、しかも、被収用者は右の時期に収用土地に関する権利を失う反面、起業者は権利を取得してこれを利用できるのであるから、被収用者は正当な補償額と裁決所定のそれとの差額のみならず、権利取得の時期以降の遅延損害金を請求できる。

三　実質的当事者訴訟 司H18 司H23

1　意義

実質的当事者訴訟とは、公法上の法律関係に関する確認の訴え（公法上の確認訴訟）その他の公法上の法律関係に関する訴訟をいう（４後段）。

ex.1　公務員の無効な免職処分を争う地位確認訴訟（公法上の確認訴訟）

ex.2　公務員の給与等の公法上の金銭債権の支払請求訴訟 司

ex.3　損失補償の請求訴訟等の給付訴訟

行政事件訴訟法

2　確認の利益

実質的当事者訴訟のうち、公法上の確認訴訟については、訴訟の適法要件として確認の利益が必要とされる。そして、確認の利益が認められるためには、①方法選択の適切性、②即時確定の利益、③対象選択の適切性を満たす必要がある。

①方法選択の適切性とは、確認訴訟という方法を選択することが適切であるということ、すなわち、取消訴訟をはじめとする抗告訴訟など他の方法を利用することが可能かつ適切とはいえないこと（確認訴訟の補充性）である。

ex.　行政計画の違法を前提とする権利の確認を求めたい場合など、処分が全く存在せず、抗告訴訟が利用できない場合

②即時確定の利益とは、現時点において確認を求める必要性があること、すなわち、現在、原告の権利ないし法律関係に対して危険や不安が現実的に存在していること（紛争の成熟性）である。この要件の判断に当たっては、対象となる権利・利益の重要性や性質が考慮される。

③対象選択の適切性とは、確認訴訟で裁判所の審理を求めるのに適切な対象が選択されていること、すなわち、有効適切な紛争解決に資する対象が選択されていることである。

→行政計画の違法を前提とする場合も、計画自体の違法確認を求めるより、現在において計画が定める義務を原告が負わないことの確認を求める方が有効適切といえる。もっとも、複数の行為が連鎖して進行する行政過程において生じた紛争を適切に解決するという観点からは、過去の行為である行政計画を直接に確認対象とする方が紛争の抜本的解決に資する場合もある

3　実質的当事者訴訟の活用

▼　薬局開設に関する確認の利益（最判昭 41.7.20） 〈司

判旨：　薬剤師による薬局開設を登録制から許可制に改める薬事法改正が違憲・無効であるとして、旧法下で登録を受けて薬局を開設していた者が、許可の更新を受けなくても薬局の開設ができることの確認を求める訴えは適法である。

▼　在外邦人の選挙権に関する確認の利益（最大判平 17.9.14・百選 202 事件） 〈司共予

事案：　平成8年10月20日に施行された衆議院議員の総選挙当時、公職選挙法は、国外に居住していて国内の市町村の区域内に住所を有していない日本国民が国政選挙において投票をするのを全く認めていなかった（後に改正があり比例代表に限定して認めた）。平成8年10月20日当時在外邦人であったXらは、改正前公職選挙法、改正後公職選挙法の違憲・違法確認をするとともに、衆議院議員の小選挙区における選挙、参議院

議員の選挙区における選挙において選挙権を行使する権利を有することの確認を求めて訴えを提起した。

判旨：　まず、公職選挙法の違憲・違法確認についてはいずれも訴えの利益を欠くとして却下した。

そして、国外に居住していて国内の市町村の区域内に住所を有していない日本国民である原告が両院の選挙区選出議員の選挙において選挙権を有することの確認を求める訴えは、公法上の法律関係に関する確認の訴えであり、公職選挙法につき所要の改正が行われない限り、今後直近に実施される国政選挙の選挙区選出議員の選挙において投票できず、選挙権を侵害されることとなるので、そのような事態となることを防止するため、同項が違憲無効であるとして、当該各選挙につき選挙権を行使する権利を有することの確認をあらかじめ求める訴えである。

選挙権は、侵害された後に争うことによっては権利行使の実質を回復できない性質のものであるから、その権利の重要性にかんがみると、具体的な選挙につき、選挙権を行使する権利の有無につき争いがある場合にこれを有することの確認を求める訴えについては、それが有効適切な手段であると認められる限り、確認の利益を肯定すべきものである。そして、本件の訴えは、公法上の法律関係に関する確認の訴えとして、確認の利益を肯定することができる。

▼ 国歌斉唱等の職務命令に基づく公的義務不存在確認訴訟（最判平 24.2.9・百選 200 事件）〈共予

事案：　都立学校の教職員・元職員Xらのうち、在職者である教職員らが、各所属校の卒業式や入学式等の式典における国歌斉唱の際に、国旗に向かって起立し国歌を斉唱する義務・ピアノ伴奏をする義務のないことの確認を求め提訴した。

判旨：　本件職務命令は、「教育公務員としての職務の遂行の在り方に関する校長の上司としての職務上の指示を内容とするものであって、教職員個人の身分や勤務条件に係る権利義務に直接影響を及ぼすものではないから、抗告訴訟の対象となる行政処分には当たらない」。以上を前提に、公法上の当事者訴訟としての訴えの適法性について検討する。

本件職務命令に基づく公的義務の存在は、その違反が懲戒処分の処分事由との評価を受けることに伴い、勤務成績の評価を通じた昇給等に係る不利益という行政処分以外の処遇上の不利益が発生する危険の観点からも、都立学校の教職員の法的地位に現実の危険を及ぼし得るものといえるので、このような行政処分以外の処遇上の不利益の予防を目的とする訴訟として構成する場合には、公法上の当事者訴訟の一類型である公法上の法律関係に関する確認の訴え（行訴法４条）として位置付けることができる。

処遇上の不利益が反復継続的かつ累積加重的に発生し拡大する危険が現に存在する状況の下では、処遇上の不利益が反復継続的かつ累積加重的に発生し拡大していくと事後的な損害の回復が著しく困難になることを考慮すると、本件職務命令に基づく公的義務の不存在の確認を求める本件確認の訴えは、行政処分以外の処遇上の不利益の予防を目的とする公法上の法律関係に関する確認の訴えとしては、その目的に即した有効適切な争訟方法であるということができ、確認の利益を肯定することができる。

▼ 在外邦人国民審査権訴訟違憲判決（最大判令4.5.25・令４重判９事件）

事案：　最高裁判所裁判官国民審査法は、在外国民の審査権行使を認めておらず、Xらは平成29年の国民審査の際に審査権を行使できなかった。そこで、Xらは、Y（国）に対し、Xらに次回の国民審査において審査権の行使をさせないことが憲法15条1項、79条2項、3項等に違反して違法であることの確認を求めた（以下、「本件違法確認の訴え」という）。

⇒なお、国家賠償請求については、p.429参照

判旨：　79条2項、3項、4項等の規定からすれば、国民に保障された審査権の基本的な内容等が憲法上一義的に定められていることが明らかである。そのため、「国民審査法が在外国民に審査権の行使を全く認めていないことによって、在外国民につき、具体的な国民審査の機会に審査権を行使することができないという事態が生ずる場合には、……個々の在外国民が有する憲法上の権利に係る法的地位に現実の危険が生じているということができる」。

また、審査権は、選挙権と同様「国民主権の原理に基づくものであり、具体的な国民審査の機会にこれを行使することができなければ意味がな」く、「侵害を受けた後に争うことによっては権利行使の実質を回復することができない性質のものである」。加えて、「国が個々の在外国民に対して次回の国民審査の機会に審査権の行使をさせないことが違法……であることを確認する判決が確定したときには、国会において、裁判所がした上記の違憲である旨の判断が尊重されるものと解されること（憲法81条、99条参照）も踏まえると、当該確認判決を求める訴えは、上記の争いを解決するために有効適切な手段であると認められる」。

したがって、「現に在外国民であるXに係る本件違法確認の訴えは、公法上の法律関係に関する確認の訴えとして適法」であり、「国民審査法が在外国民に審査権の行使を全く認めていないことは違憲であるから、……本件違法確認の訴えに係る請求は理由があり、これを認容すべきものである」。

第６条（機関訴訟）

この法律において「機関訴訟」とは、国又は公共団体の機関相互間における権限の存否又はその行使に関する紛争についての訴訟をいう。

第７条（この法律に定めがない事項）

行政事件訴訟に関し、この法律に定めがない事項については、民事訴訟の例による。

《注　釈》

◆　民事訴訟と行政事件訴訟

1　総論

(1)　行訴法は、行政訴訟についての一般法であり、民事訴訟の単なる特別法ではない。もっとも、訴訟手続すべてを規律するような自己完結的な法律ではないので、行訴法に定めのない場合には、民事訴訟に関する規定を準用することとした。

(2)「この法律に定めがない事項については」とは、本法に定めがない一切の事項という意味ではなく、行政訴訟の性質に反しない限り、という趣旨である。

2　民事訴訟上の原則の適用

(1)　処分権主義

訴えの取下げは、訴訟開始が当事者に委ねられる以上、処分権主義の適用が認められる〈司。しかし、請求の放棄・認諾、訴訟上の和解については、行政処分の要件・手続・効果が法定されているため行政庁が自由に処分できるものとはいえず、適用が否定又は限定されるべきと考えられている。

(2)　弁論主義・自白

行訴法23条の２、24条以外に特則はない。よって、本条から、弁論主義・自白に関する諸原則は行政訴訟でも採られていると考えられる〈司。

■第２節　取消訴訟

《概　説》

一　取消訴訟の法的性質

取消訴訟の性質につき、民事訴訟の確認判決（特定の権利関係の存否の確認をする訴訟）か、形成訴訟（裁判所の判決によって権利変動がなされる訴訟）かで争いがあるも、通説は形成訴訟であるとする。

二　取消訴訟の訴訟物

取消訴訟の性質を形成訴訟と解すると、形成要件の存否が訴訟物となるので、訴訟物を当該行政処分の違法性全般と考えることになる。

三　取消訴訟における主張立証責任

1　意義

立証責任とは、当事者が主張した事実の存否について、証拠により確定できなかったときに不利益を負う責任をいう。民事訴訟においては、法律要件分類説が通説であるが、行政訴訟においても同様の考え方が妥当するかが問題となる。

2　判例

▼　主張立証責任の所在・伊方原発訴訟（最判平 4.10.29・百選 74 事件）

事案：　YはAに対して原子炉設置許可をしたが、これに対し周辺住民Xらが当該許可処分の取消訴訟を提起した。

判旨：　被告行政庁がした右判断に不合理な点があることの主張、立証責任は、本来、Xが負うべきものと解されるが、当該原子炉施設の安全審査に関する資料を全て被告行政庁の側が保持していることなどの点を考慮すると、被告行政庁の側において、まず、その依拠した前記の具体的審査基準並びに調査審議及び判断の過程等、被告行政庁の判断に不合理な点のないことを相当の根拠、資料に基づき主張、立証する必要があり、被告行政庁が右主張、立証を尽くさない場合には、被告行政庁がした右判断に不合理な点があることが事実上推認されるものというべきである。

▼　不開示決定の取消訴訟における主張立証責任（最判平 26.7.14・百選 187 事件）予

事案：　Xらは、情報公開法4条1項に基づく開示請求を行ったところ、保有していない（不存在）として不開示決定を受けたため、Y（国）に対し、本件決定の取消し等を求めた。不開示決定時における開示請求の対象とされた行政文書の保有の有無について、主張立証責任を負うのは誰かが主たる争点とされた。

判旨：　情報公開法における開示請求権は、「当該行政機関が保有する行政文書をその対象とするものとされ（3条）、当該行政機関が当該行政文書を保有していることがその開示請求権の成立要件とされていることからすれば、開示請求の対象とされた行政文書を行政機関が保有していないことを理由とする不開示決定の取消訴訟においては、その取消しを求める者が、当該不開示決定時に当該行政機関が当該行政文書を保有していたことについて主張立証責任を負う」。

四　違法の主張の制限

1　原告側における違法の主張の制限　⇒ p.368

2　行政側における違法の主張の制限（理由の差替え）

取消訴訟において、行政庁が当初挙げていた処分理由を口頭弁論終結時までに差替えることができるかが問題となることがある。

▼ 青色申告更正処分と理由差替え（最判昭 56.7.14・百選 179 事件）〈予〉

事案：　税務署長Ｙは、Ｘの不動産取得・譲渡価格について、取得価格が青色申告より低額であることを理由に更正処分をした。その処分の取消訴訟中で、Ｙが今度は譲渡価格がＸの申告より高額であると主張した。

判旨：　追加主張の提出を許しても、右更正処分を争うにつき被処分者たるＸに格別の不利益を与えるものではないから、一般的に青色申告書による申告についてした更正処分の取消訴訟において、更正の理由（不動産の取得価格が申告額より低いこと）とは異なるいかなる事実をも主張することができると解すべきかどうかはともかく、Ｙが本件追加主張（販売価格が申告額より多いこと）を提出することは妨げない。

判例（最判昭 50.6.12）は、「いわゆる白色申告に対する更正処分の取消訴訟において、右処分の正当性を維持する理由として、更正の段階において考慮されなかつた事実を新たに主張することも、許されると解するのが相当であ」るとしている〈司〉。

▼ 情報公開と理由差替え（最判平 11.11.19・百選 180 事件）〈司予〉

事案：　争訟の方針に関する行政執行情報（逗子市情報公開条例５条(2)ウ）に該当することを理由に、逗子市監査委員Ｙがなした情報公開条例に基づく住民監査請求に関する資料の不開示決定に対し、住民Ｘが取消訴訟を提起した。訴訟中にＹは意思決定過程における行政執行情報（同条例５条(2)ア）に該当するとの主張を追加した。

判旨：　理由付記の趣旨は、判断の慎重と公正妥当を担保してその恣意を抑制するとともに、公開請求者の不服申立ての便宜を与えることを目的とする。ひとたび通知書に理由を付記した以上この目的は実現されるから、実施機関が当該理由以外の理由を非公開決定処分の取消訴訟において主張することは許される。

その他、労災保険給付の申請について、申請に係る疾病が労働者災害補償保険法の適用対象である疾病に当たらないとの理由で不支給決定がされたのちに、その取消訴訟において、被告が、同疾病が仮に同法の適用対象であるとしても当該疾病に業務起因性がないと主張して争うことは、当該申請については、第一次的には労働基準監督署長にその判断の権限が与えられていることから許されないとした判例（最判平 5.2.16・百選 181 事件）がある〈予〉。

3　公務員に対する懲戒処分と差替え

公務員に対する懲戒処分の場合、事前に「処分の事由を記載した説明書」の交付が要求される（国公 89 Ⅰ、地公 49 Ⅰ）。そして、懲戒処分は個別具体の非違行為に対してなされるため、別の理由に差し替えることは異なる処分をするに等しいと考えられるので、理由の差替えは原則として認められないが、社会通念からして処分理由説明書に記載された事実と基本的に同一の事実であると認められる事実であって、処分時に処分権者がその存在を認識し、処分の理由とする意思を有していた事実については、それが処分理由説明書に記載されていない場合であっても、処分権者が、処分の取消訴訟の段階で、これを処分の理由として主張することは許される（東京高判昭59.1.31）〈同〉。

4　行政審判にかかる訴訟の主張制限

▼　特許審決取消訴訟における審理範囲（最大判昭51.3.10・百選182事件）

事案：　YはXの特許無効審判を請求し、特許を無効とする旨の審決を得た。これを不服としてXは抗告審判を申し出たが、公知の事実〈A〉の存在を理由にXの請求は成り立たないとする審決が示された。これに対してXが、①〈A〉の不存在、②反対事実〈B〉の存在をそれぞれ理由として抗告審判の審決の取消しを高等裁判所に求めた。裁判所は（ⅰ）〈A〉の不存在を認めつつ、（ⅱ）〈B〉の事実については審決を経ていないので裁判所は判断できないとして、Xの請求を認容した。Yは（ⅱ）の論旨の判例違反を理由に上告した。

判旨：　特許無効の抗告審判における取消の訴えにおいて、その判断の違法が争われる場合には、その審判対象は現実に争われ、かつ、審理判断された特定の無効原因に関するもののみが審理の対象となる。審決の取消訴訟においては、抗告審判の手続において審理判断されなかった公知事実との対比における無効原因は、審決の適法性を争う理由としてこれを主張することはできない。

五　その他

▼　取消訴訟の訴額の算定（最決平12.10.13・百選207事件）

事案：　県知事Yがした、地域森林計画の対象となっている民有林の開発許可処分に対し、周辺住民Xら245名がその開発許可処分に対して取消訴訟を提起した。その際、訴額の算定について、Xは水利権、人格権、不動産所有権などを主張し、かつ、それらの主張する利益は共通したものであるとして、全員で95万円（平成15年改正前民訴費4Ⅱ）と主張した。

決旨：　開発行為により侵害される利益は水利権、人格権、不動産所有権の一部であり、価格を具体的に算定することは極めて困難であり、民訴費法4条2項に基づき訴額は95万円で算定されるが、この利益はその性質に照らし、各原告がそれぞれ有するものであり、各原告の主張する利益によって算定される額を合算すべきものである。

第８条　（処分の取消しの訴えと審査請求との関係）

Ⅰ　処分の取消しの訴えは、当該処分につき法令の規定により審査請求をすることができる場合においても、直ちに提起することを妨げない。ただし、法律に当該処分についての審査請求に対する裁決を経た後でなければ処分の取消しの訴えを提起することができない旨の定めがあるときは、この限りでない。

Ⅱ　前項ただし書の場合においても、次の各号の一に該当するときは、裁決を経ないで、処分の取消しの訴えを提起することができる。

①　審査請求があつた日から３箇月を経過しても裁決がないとき。

②　処分、処分の執行又は手続の続行により生ずる著しい損害を避けるため緊急の必要があるとき。

③　その他裁決を経ないことにつき正当な理由があるとき。

Ⅲ　第１項本文の場合において、当該処分につき審査請求がされているときは、裁判所は、その審査請求に対する裁決があるまで（審査請求があつた日から３箇月を経過しても裁決がないときは、その期間を経過するまで）、訴訟手続を中止することができる〈予。

《注　釈》

一　自由選択主義と審査請求前置主義

1　自由選択主義の採用（Ⅰ本文）〈司共予

⑴　自由選択主義

行政処分に対して不服がある場合に、①審査請求等の行政不服申立てをする、②行政不服申立てをせずに直ちに取消訴訟を提起する、③両者を同時に行う、という３つの方法のうち、いずれの方法をとることも認めるものである。

⑵　出訴期間

取消訴訟ではなく、審査請求を選択した場合には、裁決を得る前に取消訴訟の出訴期間が経過してしまうことがありうる。このような場合に取消訴訟が提起できないとすれば、自由選択主義を採用したことと矛盾するため、このような場合には、裁決があるまでは出訴期間が進行せず、裁決があったことを知った日から出訴期間が進行する（14Ⅲ）。

2　審査請求前置主義（Ⅰただし書）〈共

⑴　行訴法は自由選択主義を原則としているが、例外として、個々の法律によって、審査請求を先に経なければならない旨の規定がある場合には、それを経なければならない。これを審査請求前置主義という。

「前置」とは適法な審査請求を経ることをいい、審査請求が却下された場合には、この要件が充足されたとはいえない。また、審査請求が不適法なものである場合において、裁決庁が誤って実体審理のうえ審査請求を棄却する旨の裁決をしたとしても、審査請求前置の要件を満たしたことにはならない（最判昭48.6.21）〈予。

以上に対し、適法な審査請求をしたにもかかわらず、審査庁が誤って不適法却下した場合には審査請求を経たものとして取り扱われる（最判昭36.7.21・百選177事件）。

(2) 審査請求前置主義の根拠

① 大量に行われる処分であって、裁決により行政の統一を図る必要がある。
ex. 国税通則115

② 専門技術的審査が必要である。
ex. 核原料物質、核燃料物質及び原子炉の規制に関する法律70条

③ 第三者機関によって裁決がなされる。
ex. 国公92の2

▼ 不服申立前置の意義（最判昭36.7.21・百選177事件） 司

事案： 税務署長Yに対しXが確定申告をしたところ、Yは更正処分をなし、過少申告加算税額を決定し、Xに通知した。そこでXは、Yに東京国税局長A宛の審査請求書と題する書面を提出したところ、Y、AともXに対し不当に追加書類を提出するよう補正を命じ、これに応じないXに対しAは審査請求を却下する旨の決定をなし、その旨Xに通知した。そこでXはYのなした右更正処分は違法があるとして、その取消しを求めて訴えたので、却下裁決でも不服申立前置をみたすか争われた。

判旨： 本訴のXの請求は更正処分の取消しであるから所得税法51条により原則として再調査決定、審査決定を経なければ提起できないのであるが、国税庁長官又は国税局長が誤ってこれを不適法として却下した場合には本来行政庁は処分について再審理の機会が与えられていたのであるから、却下の決定であってもこれを前記規定にいう審査の決定にあたる。

3 審査請求前置主義の例外（Ⅱ） 司共

審査請求前置の定めがある場合であっても、以下の場合には、審査請求を経由しなくても直ちに取消訴訟を提起できる。

(1) 審査請求があってから3か月を経過しても裁決がない場合（①）
→行政庁（審査庁）の手続の遅延によって裁判所への出訴が妨げられ、処分の相手方の救済が遅れることを防ぐ

(2) 処分、処分の執行又は手続の続行により生ずる著しい損害を避けるため緊急の必要があるとき（②） 予
→執行停止は本案の訴えが提起されていることを必要とするが、審査請求に対する裁決が遅延すると、その間執行停止を申し立てることができず、結局著しい損害の発生を避けることができなくなる。そこで、このような場合にはそもそも審査請求を経ずとも訴訟提起することを可能にした

(3)　その他裁決を経ないことにつき正当な理由があるとき（③）
→１号、２号が個別的救済規定であるのに対し、３号は一般的救済規定である
ex.　建築確認処分に対し審査請求をしてもその裁決期間内に当該建築が完成されることが予想され、また、行政当局関係者が適法との見解を堅持しているような場合には、８条２項２号及び３号に該当し、裁決を経ないで処分の取消訴訟を提起することができる（横浜地判昭40.8.16）

二　訴訟手続の中止（Ⅲ）

1　自由選択主義により審査請求と取消訴訟の提起が並行してなされる場合が生じうるが、このような事態により、同一の処分につき裁判所と審査庁の判断が矛盾するおそれが生じる。そこで、裁判所は、このような場合に、審査請求に対する裁決があるまで、訴訟手続を中止することができるとした。

2　裁判所が訴訟手続を中止しているうちに、審査請求に対する裁決で当該処分が取り消されたときは、処分の取消訴訟は、訴えの利益を欠くものとして却下されることになる。

また、裁判所が訴訟手続の中止をしないで審理を進め、その処分取消しの判決が確定したときは、取消判決の形成力が生じ、関係行政庁はこれに拘束される（32Ⅰ、33Ⅰ）。

第９条　（原告適格） 同 司H21 司H23 司H26 司H28 司H29 司H30 司R４ 予H25 予H29 予R元

Ⅰ　処分の取消しの訴え及び裁決の取消しの訴え（以下「取消訴訟」という。）は、当該処分又は裁決の取消しを求めるにつき法律上の利益を有する者（処分又は裁決の効果が期間の経過その他の理由によりなくなつた後においてもなお処分又は裁決の取消しによつて回復すべき法律上の利益を有する者を含む。）に限り、提起することができる。

Ⅱ　裁判所は、処分又は裁決の相手方以外の者について前項に規定する法律上の利益の有無を判断するに当たつては、当該処分又は裁決の根拠となる法令の規定の文言のみによることなく、当該法令の趣旨及び目的並びに当該処分において考慮されるべき利益の内容及び性質を考慮するものとする。この場合において、当該法令の趣旨及び目的を考慮するに当たつては、当該法令と目的を共通にする関係法令があるときはその趣旨及び目的をも参酌するものとし、当該利益の内容及び性質を考慮するに当たつては、当該処分又は裁決がその根拠となる法令に違反してされた場合に害されることとなる利益の内容及び性質並びにこれが害される態様及び程度をも勘案するものとする。

《注　釈》

一　意義 共

取消訴訟は、当該処分又は裁決の取消しを求めるにつき「法律上の利益」があ

る者のみが提起できる（9Ⅰ）。このような取消訴訟における訴えの利益の主観的要件を原告適格という。

→我が国の抗告訴訟は、行政活動の客観的適法性一般の維持を直接に目的とする客観訴訟ではなく、被害者に具体的な救済を与えることのみを目的とする、いわゆる主観訴訟である

二　原告適格が認められる者の範囲

1　処分の名宛人

処分の名宛人は、直接自己の権利・利益を侵害された者であり、「法律上の利益」（9Ⅰ）がある者として一般に原告適格が認められる。

2　処分の名宛人ではないが、処分の法的効果による権利の制限を受ける者（準名宛人）〈司R5

処分の名宛人以外の者であっても、当該処分の法的効果により権利を制限される場合には、名宛人に準じて原告適格が認められる（「準名宛人」ともいわれる）。

判例（最判平25.7.12・平25重判3事件）は、「処分の名宛人以外の者が処分の法的効果による権利の制限を受ける場合には、その者は、処分の名宛人として権利の制限を受ける者と同様に、当該処分により自己の権利を侵害され又は必然的に侵害されるおそれのある者として、当該処分の取消しを求めるにつき法律上の利益を有する者に当たり、その取消訴訟における原告適格を有する」としている。

→準名宛人は、行訴法9条1項にいう「法律上の利益を有する者」に当たるため、「法律上保護された利益」に当たるかどうかを行訴法9条2項により判断するまでもないと解されている

上記判例は、滞納者と他の者との共有不動産につき滞納者の持分が国税徴収法に基づいて差し押さえられた場合、「滞納者の持分と使用収益上の不可分一体をなす持分を有する他の共有者についても当該不動産に係る用益権設定等の処分が制約を受け、その処分の権利が制限されることとなる」から、当該「他の共有者は、その差押処分の法的効果による権利の制限を受けるものであって、当該処分により自己の権利を侵害され又は必然的に侵害されるおそれのある者として、その差押処分の取消しを求めるにつき法律上の利益を有する者に当たり、その取消訴訟における原告適格を有する」とした。

→同様の判断枠組みを採用したものとして、第2次納税義務者の不服申立適格に関する最判平18.1.19・百選129事件がある　⇒ p.228

3　処分の名宛人以外の第三者

処分の名宛人以外の第三者が、処分によって不利益を受けたと考える場合、どのような要件を満たせば原告適格が認められるか。

⑴「法律上保護された利益」説（判例・通説）

行政法規には、一定の私人の個別的利益を保護するものと、より広く一般的公益を保護するものとがあり、前者によって保護された利益が、取消訴訟の原告適格として要求される「法律上の利益」であるとする。

→公益一般の利益を保護する行政法規によって保護される私人の利益は、あくまで事実上のものにすぎず（これを反射的利益という）、「法律上の利益」に当たらない

∵①「法律上の利益」の解釈について個々の裁判官の裁量的判断に委ねるべきでなく、立法者にある程度の授権が必要である

②　実定法の規定が判断の基準になるから客観的な認定が可能である

③　原告適格の範囲を過度に広げることは取消訴訟が客観訴訟化する危険がある

▼　小田急高架訴訟大法廷判決（最大判平 17.12.7・百選 159 事件）

判旨：「法律上の利益を有する者」とは、当該処分により自己の権利若しくは法律上保護された利益を侵害され、又は必然的に侵害されるおそれのある者をいうのであり、当該処分を定めた行政法規が、不特定多数者の具体的利益を専ら一般的公益の中に吸収解消させるにとどめず、それが帰属する個々人の個別的利益としてもこれを保護すべきものとする趣旨を含むと解される場合には、このような利益もここにいう法律上保護された利益に当たり、当該処分によりこれを侵害され又は必然的に侵害されるおそれのある者は、当該処分の取消訴訟における原告適格を有する。

⑵「法律上保護に値する利益」説

現に原告が受けた不利益が裁判によって排除されるに値するほど重大である場合に「法律上の利益」が認められるとする。

→法の趣旨ではなく、原告が現実に受ける不利益の質、程度などの利害の実態に着眼し、個別具体的に訴えの利益の有無を判定する

∵　現代社会における紛争が多様化していることを考えると、利益救済の理念と適法性の保障の理念により個別具体的に原告適格の有無を判断していくべきである

三　原告適格の判断要素〈予

原告適格の判断要素について平成 16 年改正行政事件訴訟法は、考慮されるべき利益の内容・性質などを明文化し、原告適格を実質的に拡大したといわれる（９Ⅱ）。

同条項によれば、法律上の利益の有無の判断においては①当該法令の趣旨及び目的、並びに②当該処分において考慮されるべき利益の内容及び性質を考慮すべきものとされている。

行政事件訴訟法

そして、①を考慮するに当たっては、③当該法令と目的を共通にする関係法令の趣旨及び目的をも参酌し、②を考慮するに当たっては、④当該処分又は裁決がその根拠となる法令に違反してされた場合に害されることとなる利益の内容及び性質並びにこれが侵害される態様及び程度を勘案すべきものとされている。

これらの考慮事項はもんじゅ訴訟（最判平4.9.22・百選156事件）、新潟空港事件（最判平元.2.17・百選183事件）などの判例において展開されてきた基準を踏襲するものである。

なお、審査基準は、法規たる性質をもたない行政規則にすぎず、「法令」（法律・政省令）ではないため、審査基準それ自体が行政事件訴訟法９条２項の「関係法令」として考慮の対象となることはない予。

＊ 法律の委任に基づかない政令・省令については、これによって、国民の権利利益を左右することはできないものの、これらの規定が、処分の運用方針や運用の実態、行政庁の法解釈を示す場合も少なくないことから、根拠法令の解釈の参考とすることができる。

また、下級行政機関の法令の解釈を統一するために出される解釈基準としての通達も、法や規則の合理的な解釈を前提として発出されているものである限り、根拠法令の解釈の参考とすることができる。

四 原告適格の思考プロセス

原告適格の有無を判断する場合、一般的に、①原告の利益が当該処分に関する個別行政法令により保護される利益の範囲に含まれるか（保護範囲要件）、②その利益が一般的公益にとどまらず個々人の個別的利益としても保護されているか（個別保護要件）、③原告適格が認められる人的範囲の線引き（保護範囲の画定）という３段階の思考プロセスを経る。

③の思考プロセスについては、あくまで訴訟要件である原告適格の判断であるから、個別的利益の侵害を受けるおそれのある者の範囲を抽象的に画定した上で、その範囲に含まれる者かどうかを検討すれば足り、当該第三者の利益が害されるかどうかについて具体的な結論を出す必要はない（かかる認定は本案審理に他ならない）。

＜原告適格のまとめ＞

根拠法	処分	原告	原告適格	判例
公衆浴場法	営業許可	既存業者	○	最判昭37.1.19・百選164事件
電波法	放送免許	競願関係にある者	○	最判昭43.12.24・百選166事件
森林法	保安林指定解除	地域住民	○	最判昭57.9.9・百選171事件

根拠法	処分	原告	原告適格	判例
航空法	定期航空運送事業許可	空港周辺住民	○	最判平元.2.17・百選183事件
原子炉等規制法	原子炉の設置許可	周辺住民	○	最判平4.9.22・百選156事件
建築基準法	総合設計許可	近隣住民	○	最判平14.1.22・百選158事件 最判平14.3.28
たばこ事業法	新規の事業許可	既存業者	○	熊本地判平23.12.14・平24重判7事件
鉄道事業法	旅客運賃変更認可処分	日常的に鉄道を利用している者	○	東京地判平25.3.26・平25重判4事件
墓地埋葬法・市規則	納骨堂の経営等の許可	周辺住民	○	最判令5.5.9・令5重判5事件
景表法	ジュースの表示認定	一般消費者	×	最判昭53.3.14・百選128事件
公有水面埋立法	埋立免許	漁業権者	×	最判昭60.12.17
地方鉄道法	特急料金改定の許可	特急利用者	×	最判平元.4.13・百選162事件
文化財保護法	史跡指定解除	学術研究者	×	最判平元.6.20・百選163事件
風営法	営業許可	地域住民	×	最判平10.12.17・百選160事件
医療法	新規の病院設置許可	近隣同業者	×	最判平19.10.19・平19重判7事件
森林法	林地開発許可	開発行為区域内住民	○	最判平13.3.13・百選157事件
		区域内立木所有者	×	

根拠法	処分	原告	原告適格	判例
都市計画法	都市計画事業認可	都市計画事業の事業地の周辺住民	○	最大判平 17.12.7・百選 159 事件
	付属街路事業認可	都市計画事業の事業地の周辺住民（付属街路事業の事業地内の不動産につき権利を有しない者）	×	
自転車競走法	場外施設設置許可	近隣の医師	○	最判平 21.10.15・百選 161 事件
		住民	×	
		事業者	×	
廃棄物処理法	一般廃棄物処理業許可処分	既存業者	○	最判平 26.1.28・百選 165 事件
	産業廃棄物処理業許可処分	周辺住民（環境影響調査報告書の調査対象地域の居住者）	○	最判平 26.7.29・平 26 重判3事件
		周辺住民（環境影響調査報告書の調査対象地域の非居住者）	×	

▼ 公衆浴場経営者の地位（最判昭 37.1.19・百選 164 事件）予

事案：　京都府知事Ｙは、訴外Ａに対して公衆浴場の営業許可を与えたが、この公衆浴場とＢのすでに経営している浴場との距離は 208 メートルにすぎず、又、Ｘの経営する浴場とは 250 メートル以上離れているが、利用圏内の人口数が京都府内規所定の人数を割ることとなった。そこで、ＢとＸは、重大な損害を蒙ることになったとして、ＹのＡに対する営業許可の無効確認を求めて訴訟を提起した。

判旨：　公衆浴場法が許可制を採用したのは、「国民保健及び環境衛生」という公共の福祉の見地のみならず、他面、同時に、無用の競争により経営が不合理化することのないように濫立を防止することが公共の福祉のため必要であるとの見地から、被許可者を濫立による経営の不合理化から守ろうとする意図をも有するものであることは否定し得ない。適正な許可制度の運用によって保護される業者の営業上の利益は、単なる事実上の反射的利益というにとどまらず公衆浴場法によって保護される法的利益である。

▼ 放送局免許拒否処分と広義の訴えの利益（東京12チャンネル事件、最判昭43.12.24・百選166事件）予 司R3 予R5

事案：　Xは、テレビ放送局を開設するため、郵政大臣（当時）に免許申請したところ、5者の競願となった。郵政大臣は、審査の結果、Aに予備免許を与え、他の者の申請を拒否した。Xは、自己に対する免許拒否処分などの取消しを求めて異議申立てをなしたが、郵政大臣はこれを棄却したので、さらに右棄却決定の取消しを求めて出訴した。

判旨：　AとXとは、係争の同一周波をめぐって競願関係にあり、Xに対する拒否処分とAに対する免許付与とは、表裏の関係にある。すなわち、再審査の結果によっては、Aに対する免許を取り消し、Xに対し免許を付与するということもありうる。したがって、本件棄却決定の取消しが当然にAに対する免許の取消しを招来するものでないことを理由に、本件訴えの利益を否定することはできない（原告適格肯定）。

なお、「期間満了後再免許が付与されず、免許が完全に失効した場合は格別として、期間満了後ただちに再免許が与えられ、継続して事業が維持されている場合に、これを……免許失効の場合と同視して、訴えの利益を否定することは相当でない」。なぜなら、「競願者に対する免許処分の取消しを訴求する場合はもちろん、自己に対する拒否処分の取消しを訴求する場合においても、当初の免許期間の満了と再免許は、たんなる形式にすぎず、免許期間の更新とその実質において異なるところはない」からである（訴えの利益肯定）。

▼ 保安林指定解除と原告適格・長沼ナイキ訴訟（最判昭57.9.9・百選171事件）

事案：　⇒p.362

判旨：　保安林指定解除処分は、「一般的公益の保護を目的とする処分」であるとしつつ、森林法が保安林の指定・解除につき「直接の利害関係を有する者」に申請及び意見書提出の資格を認め、また意見書についての公開の聴聞の実施を定めていること等を理由として、森林法上処分への手続的関与が認められた者や、法の沿革上手続的関与が認められていた者について原告適格を肯定した。

行政事件訴訟法

▼ 定期航空運送事業免許取消訴訟の原告適格・新潟空港事件（最判平元.2.17・百選 183 事件）〈司予

事案：　日本航空が、新潟・ソウル間の定期航空運送事業免許を申請し、運輸大臣（当時）はこれを許可した。そこで、空港周辺の住民であるＸは、騒音により健康ないし生活上の利益が害されると主張し、許可処分の取消しを求めた。

判旨：　取消訴訟の原告適格について規定する行政事件訴訟法９条にいう当該処分の取消しを求めるにつき「法律上の利益を有する者」とは、当該処分により自己の権利若しくは法律上保護された利益を侵害されまたは必然的に侵害されるおそれのある者をいうのであるが、当該処分を定めた行政法規が、不特定多数者の具体的利益をもっぱら一般的公益の中に吸収解消させるにとどめず、それが帰属する個々人の個別的利益としてもこれを保護すべきものとする趣旨を含むと解される場合には、かかる利益も右にいう法律上保護された利益に当たる。右の判断は、当該行政法規及びそれと目的を共通する関連法規の関係規定によって形成される法体系の中において、当該処分の根拠規定が、当該処分を通して右のような個々人の個別的利益をも保護すべきものとして位置付けられているとみることができるかどうかによって決すべきである（この基準に照らすと、本件では周辺住民に原告適格が認められる。）。

▼ もんじゅ訴訟①周辺住民の原告適格（最判平 4.9.22・百選 156 事件）

事案：　旧動力炉・核燃料開発事業団は、高速増殖炉「もんじゅ」の建設、運転を計画し、内閣総理大臣から、規制法に基づく原子炉設置許可を受けた。これに対して、周辺住民が、「もんじゅ」の設置・稼働により生命・身体を損傷される等重大な被害を受けるとして、内閣総理大臣を被告とする右設置許可の無効確認訴訟を提起した。

判旨：　規制法（＊核原料物質、核燃料物質及び原子炉の規制に関する法律）24 条 1 項各号は、公衆の生命、身体の安全、環境上の利益を一般的公益として保護するだけでなく、右事故等により直接的かつ重大な被害を受けることが想定される範囲の住民の生命、身体の安全等を個々人の個別的利益としても保護する趣旨を含むと解する。

▼ 高層ビル近隣住民の原告適格（最判平 14.1.22・百選 158 事件）〈共予

事案：　建築基準 59 条の２に基づく高層ビルの総合設計許可処分及び建築確認処分に関し、近隣住民Ｘが都知事Ｙにこれらの処分の取消しを求めた。

判旨：　建築基準法は日照・通風・採光等にあわせて、火災時の延焼防止も目的とする。よって、建物の倒壊・延焼の被害が直接に及ぶことが想定される周辺の居住者の生命・身体・財産も個々人の個別的利益として保護する趣旨を含む。

▼　総合設計許可に係る建築物の周辺住民の原告適格（最判平 14.3.28） 同予

判旨：　建築基準法 59 条の２第１項は、総合設計許可に係る建築物により日照を阻害される周辺の他の建築物に居住する者の健康を個々人の個別的利益として保護すべきものとする趣旨を含む。総合設計許可に係る建築物により日照を阻害される周辺の他の建築物に居住する者は、取消訴訟の原告適格を有する。

▼　たばこ事業の近隣同業者の原告適格（熊本地判平 23.12.14・平 24 重判７事件）

事案：　九州財務局長がＡにした製造たばこ小売販売業の許可処分について、近隣で製造たばこ販売業を営むＸが、Ｙ（国）に対し、距離規制に違反して許可処分がされたとして、本件処分の取消し等を求めた。

判旨：　距離規制は、既存の小売販売業者に対し、一定の距離の範囲内での独占的な地位を保障することによって、経営の安定化を図り、その経済的利益を保護するものである。本件許可制は、既存の小売販売業者の経済的利益を個々人の個別的利益としても保護する趣旨を含むものというべきであって、たばこ事業法１条の目的は、このような既存の小売販売業者の利益を保護する趣旨をも含む。本件処分において考慮されるべき利益には、既存の小売販売業者の経済的利益が含まれ、これは、生命、身体の安全等の利益と比べれば要保護性が低いものであるが、単なる反射的利益ではなく、個々人の個別的利益として保護されたものである。距離規制の範囲内において、既に製造たばこ小売販売業の許可を受けている既存の小売販売業者は、「法律上の利益を有する者」に当たる。

▼　旅客運賃変更認可処分と第三者の原告適格（東京地判平 25.3.26・平 25 重判４事件）

事案：　北総線の沿線住民であるＸらは、北総鉄道の旅客運賃が異常に高くなっている等として、北総鉄道に対する（改正前）鉄道事業法 16 条１項による旅客運賃変更認可処分の無効確認等を求めて出訴した。

判旨：　鉄道事業法１条は、「利用者の利益の保護」は当然の前提として確保されなければならないことを示し、法 16 条１項は、鉄道利用者の利益の保護のために旅客運賃等について国土交通大臣の認可を経なければならないこととし、また、法の関係法令も、鉄道利用者が特別の利害関係を有していることを前提として、鉄道利用者が利害関係人として意見聴取の対象となりうるとしている。「このような法令の仕組みからすれば、……およそいかなる鉄道利用者であっても、その違法性を一切争うことはできないものとしたと解さなければならない合理的理由はない」。そして、少なくとも「日々の通勤や通学等の手段として反復継続して日常的に鉄道を利用している者については、違法な旅客運賃認可処分が行われ、違法に高額な旅客運賃設定がされるならば、……経済的負担能力いかんによっては、……日常生活の基盤を揺るがすような重大な損害が生じかねない」。したがって、「鉄道事業法16条1項は、これらの者の具体的利益を、専ら一般的公益の中に吸収解消させるにとどめず、それが帰属する個々人の個別的利益としてもこれを保護すべきものとする趣旨を含んで」おり、「日々の通勤や通学等の手段として反復継続して日常的に鉄道を利用している者が有する利益は、『法律上保護された利益』に該当する」。

▼ 納骨堂の経営等の許可と周辺住民の原告適格（最判令5.5.9・令5重判5事件）

事案：　Y市長は、宗教法人Aに対し、墓地埋葬法10条に基づき、納骨堂（鉄筋コンクリート造り地上6階建て）の経営等の許可（本件各許可）を行ったところ、当該土地から100メートル以内に所在する建物に居住する周辺住民Xらは、本件各許可の取消しを求めて訴えを提起した。

墓地埋葬法は、本件各許可の要件について何ら定めていないところ、Y市長が定めた細則（Y市規則）8条は、「市長は、法第10条の規定による許可の申請があった場合において、当該申請に係る墓地等の所在地が、学校、病院及び人家の敷地からおおむね300メートル以内の場所にあるときは、当該許可を行わないものとする。ただし、市長が当該墓地等の付近の生活環境を著しく損なうおそれがないと認めるときは、この限りでない」と定めている。

判旨：　法10条は、「その許可の要件を特に規定しておらず、それ自体が墓地等の周辺に居住する者個々人の個別的利益をも保護することを目的としているものとは解し難い」（最判平12.3.17参照）。

もっとも、法10条が上記許可の要件を特に規定していないのは、墓地等の経営が、高度の公益性を有するとともに、一律的な基準による規制になじみ難いことに鑑み、墓地経営等に係る許否の判断については、都道府県知事の広範な裁量に委ね、地域の特性に応じた自主的な処理を図る趣旨に出たものと解される。そうすると、「同条は、法の目的に適合する限り、墓地経営等の許可の具体的な要件が、都道府県（市又は特別区にあっては、市又は特別区）の条例又は規則により補完され得ることを当然の前提としている」。

「そして、本件細則8条は、法の目的に沿って、Y市長が行う法10条の規定による墓地経営等の許可の要件を具体的に規定するものであるから、Xらが本件各許可の取消しを求める原告適格を有するか否かの判断に当たっては、その根拠となる法令として本件細則8条の趣旨及び目的を考慮すべきである」。

「本件細則8条本文は、墓地等の設置場所に関し、墓地等が死体を葬るための施設であり（法2条）、その存在が人の死を想起させるものであることに鑑み、良好な生活環境を保全する必要がある施設として、学校、病院及び人家という特定の類型の施設に特に着目し、その周囲おおむね300m以内の場所における墓地経営等については、これらの施設に係る生活環境を損なうおそれがあるものとみて、これを原則として禁止する規定であると解される。そして、本件細則8条ただし書は、墓地等が国民の生活にとって必要なものであることにも配慮し、上記場所における墓地経営等であっても、個別具体的な事情の下で、上記生活環境に係る利益を著しく損なうおそれがないと判断される場合には、例外的に許可し得ることとした規定であると解される」。

「そうすると、本件細則8条は、墓地等の所在地からおおむね300m以内の場所に敷地がある人家については、これに居住する者が平穏に日常生活を送る利益を個々の居住者の個別的利益として保護する趣旨を含む規定である」。

したがって、法10条の規定によりY市長がした本件各許可について、「当該納骨堂の所在地からおおむね300m以内の場所に敷地がある人家に居住する者は、その取消しを求める原告適格を有する」。

評釈：　本判決は、「平穏に日常生活を送る利益」（心理的・精神的な要因による生活環境の悪化に対する保護を受けられる利益）を一般住民の個別的利益として保護することを認めた初めての最高裁判例であり、画期的な意義があるとされる。

本判決が「平穏に日常生活を送る利益」を一般住民の個別的利益として認めた際に重視したものが、本件細則8条である（なお、法には墓地等の経営許可の要件の定めを条例や規則に委任する旨の規定はないので、本件細則8条は委任条例や委任命令には当たらない）。本件細則8条の位置付けについて、これを「関係法令」（行訴9Ⅱ）とした場合、本件各許可の根拠規定はあくまでも法10条自体となるので、周辺住民の原告適格を認めるには、後述する平成12年判決の変更が必須となる一方、本判決のように、本件細則8条の規定を「根拠となる法令」（行訴9Ⅱ）とした場合には、本件各許可の根拠規定は法10条と本件細則8条を一体的に捉えたものと解することになり、平成12年判決の射程は及ばなくなるものと説明される。

なお、本判決に先立つ墓地経営許可の取消訴訟に関する判例（最判平12.3.17）は、墓地の周辺住民の原告適格を否定していた。平成12年判決の事案では、条例が「住宅、学校、病院、事務所、店舗その他これらに類する施設の敷地から三百メートル以上離れていること。ただし、知事が公衆衛生その他公共の福祉の見地から支障がないと認めるときは、この限りでない」と規定していたところ、同判決は、条例が「その周辺に墓地及び火葬場を設置することが制限されるべき施設を住宅、事務所、店舗を含めて広く規定しており、その制限の解除は専ら公益的見地から行われるものとされていることにかんがみれば、同号がある特定の施設に着目して当該施設の設置者の個別的利益を特に保護しようとする趣旨を含むものとは解し難い」としていた。

一方、本判決は、「平成12年判決は、周辺に墓地及び火葬場を設置することが制限される施設の類型や当該制限を解除する要件につき、条例中に本件細則８条とは異なる内容の規定が設けられている場合に関するものであって、事案を異にし、本件に適切でない」として、判例変更をすることなく、周辺住民の原告適格を肯定した。

▼ 主婦連ジュース事件（最判昭53.3.14・百選128事件）

事案：　⇒p.227

判旨：　処分について不服がある者とは、当該処分について不服申立てをする法律上の利益がある者、すなわち、当該処分により自己の権利若しくは法律上保護された利益を侵害され又は必然的に侵害されるおそれのある者をいう。景表法の規定により一般消費者が受ける利益は、同法の規定の目的である公益の保護の結果として生ずる反射的な利益ないし事実上の利益であって、法律上保護された利益とはいえない。仮に、Ｙによる公正競争規約の認定が正当にされなかったとしても、一般消費者としては、景表法の規定の適正な運用によって得られるべき反射的な利益ないし事実上の利益が得られなかったにとどまり、その本来有する法律上の地位には、なんら消長はない。単に一般消費者であるというだけでは、不服申立てをする法律上の利益をもつ者であるということはできない。

▼ 公有水面埋立免許と第三者の原告適格・伊達火力発電所事件（最判昭60.12.17）〈回

事案：　公有水面に近接する水面に漁業権を有する漁業組合員らが、電力会社に対する火力発電所の新設工事に伴う施設の用地造成のための公有水面埋立法（昭和48年改正前）に基づく埋立免許処分及び埋立工事竣功認可処分の取消しを求めた。

判旨：　本件漁業組合員は、本件公有水面の周辺の水面において漁業権を有する者にすぎず、本件埋立免許及び本件竣功認可が右の権利に対し直接の影響を与えるものではない。また、旧埋立法には、当該公有水面の周辺の水面において漁業を営む者の権利を保護することを目的として埋立免許権又は竣功認可権の行使に制約を課している明文の規定はなく、また、同法の解釈からかかる制約を導くことも困難である。以上より、本件漁業組合員は埋立免許及び竣功認可の取消しを求める原告適格を有しない。

▼ 特急料金認可と第三者の原告適格・近鉄特急料金訴訟（最判平元.4.13・百選162事件）同

事案：　通勤定期券を購入して日常的に近鉄（近畿日本鉄道株式会社）を利用し特急に乗車していたXらが、近鉄に対する地方鉄道法21条による特別急行料金改定の認可処分の取消しを求めた。

判旨：　地方鉄道法21条に基づく認可処分そのものは、本来、当該地方鉄道の利用者の契約上の地位に直接影響を及ぼすものではなく、このことは、その利用形態のいかんにより差異を生ずるものではない。また、同条の趣旨は、もっぱら公共の利益を確保することにあるのであって、当該地方鉄道の利用者の個別的な権利利益を保護することにあるのではなく、他に同条が当該地方鉄道の利用者の個別的な権利利益を保護することを目的として認可権の行使に制約を課していると解すべき根拠はない。そうすると、たとえXらが路線の周辺に居住する者であって通勤定期券を購入するなどしたうえ、日常同社が運行している特急列車を利用しているとしても、本件認可処分の取消しを求める原告適格を有しない。

▼ 史跡指定解除処分取消訴訟の原告適格・伊場遺跡訴訟（最判平元.6.20・百選163事件）同

事案：　静岡県教育委員会は、浜松市の「伊場遺跡」につき、駅前再開発などのために、文化財保護法および同県文化財保護条例による史跡指定を解除する処分を行った。そこで、同遺跡を研究対象としてきた学者Xらは、この指定解除処分の取消しを求めて出訴した。

判旨：　本件条例及び法の他の規定中に、県民あるいは国民が史跡等の文化財の保存・活用から受ける利益をそれら個々人の個別的利益として保護すべきものとする趣旨を明記しているものはなく、本件条例及び法において、文化財の学術研究者の学問研究上の利益の保護について特段の配慮をしていると解しうる規定を見出すことはできない。したがって、Xらは、本件史跡指定解除処分の取消しを求めるにつき法律上の利益を有せず、本件訴訟における原告適格を有しないといわざるをえない。

▼ 風俗営業店近隣住民の原告適格（最判平10.12.17・百選160事件）共予

事案：　公安委員長Yがパチンコ屋Aにした風営法上の営業許可について、地域住民Xが、本件許可は第一種住居専用地域内にある許可基準違反の違法な風俗営業許可であるとして取消訴訟を提起した。

判旨：　旧行訴法（平成16年改正前のもの）9条にいう「法律上の利益」の有無について、風俗営業の許可基準の規程は良好な風俗環境の保全という公益的見地から風俗営業地域指定を行うことを予定しているのであって、

行政事件訴訟法

居住者個々人の個別的利益を保護することを目的としているとは解しがたいとして、近隣住民の原告適格を否定した。

▼　近隣同業者の原告適格（最判平19.10.19・平19重判7事件）司

事案：　ある地域の医師会Ｘが、都知事Ｙがある医療法人に対してした病院開設許可処分の取消しを求めた。

判旨：　医療法は、病院開設許可の際に当該病院の開設地の付近で医療施設を開設している者等の利益を考慮することは予定していないのでＸに原告適格はない。Ａの病床数等といった医療計画上の問題は、Ｙの行政指導の理由にすぎず不許可にすべき理由ではないし、他施設開設者の利益を保護するものでもない。

▼　ゴルフ場周辺住民等の原告適格（最判平13.3.13・百選157事件）

予　司R４

事案：　Ａ社のゴルフ場建設のためにＹ県知事がした森林法上の林地開発許可について、開発行為区域の周辺住民Ｘ１、区域内又はその周辺の土地に立木等を所有するＸ２、区域を水源とする河川から取水し農業を営むＸ３が許可の取消しを求めた。

判旨：　（もんじゅ事件第一次最高裁判決で示された法律上保護された利益説を前提に）森林法の災害防止機能という公益機能のみならず、開発区域に近接する一定範囲の地域に居住する住民の生命身体の安全も個別的利益として保護すべきものと解し、Ｘ１は土砂の流出・崩壊・水害等の災害に直接影響を受けることが予想される地域に居住する者として原告適格を認めた。一方、周辺土地の所有権等の財産権までを個々人の個別的利益として保護する趣旨までも含むものではないとしてＸ２、Ｘ３の原告適格を否定した。

▼　小田急高架訴訟大法廷判決（最大判平17.12.7・百選159事件）予

事案：　事業区域内の土地に所有権等を有しない沿線住民が、鉄道の高架化事業実施のための都市計画事業認可及び関連付属街路事業認可の取消しを求めた。

判旨：１　都市計画事業認可について

（行訴法９条２項及び都市計画法・東京都環境影響評価条例の規定に言及した後に）都市計画事業の認可に関する同法の規定は、その趣旨および目的にかんがみれば、事業地の周辺地域に居住する住民に対し、違法な事業に起因する騒音、振動などによってこのような健康または生活環境に係る著しい被害を受けないという具体的利益を保護しようとするものと解されるところ、前記のような被害の内容、性質、程度などに照らせば、この具体的利益は、一般的公益の中に吸収解消させ

行政事件訴訟法

ることが困難なものといわざるを得ない。以上のような都市計画事業の認可に関する都市計画法の規定の趣旨及び目的、これらの規定が都市計画事業の認可の制度を通して保護しようとしている利益の内容および性質などを考慮すれば、同法は、これらの規定を通じて、都市の健全な発展と秩序ある整備を図るなどの公益的見地から都市計画施設の整備に関する事業を規制するとともに、騒音、振動などによって健康または生活環境に係る著しい被害を直接的に受けるおそれのある個々の住民に対して、そのような被害を受けないという利益を個々人の個別的利益としても保護すべきものとする趣旨を含むと解するのが相当である。したがって、都市計画事業の事業地の周辺に居住する住民のうち当該事業が実施されることにより騒音、振動などによる健康または生活環境に係る著しい被害を直接的に受けるおそれのある者は、当該事業の認可の取消しを求めるにつき法律上の利益を有する者として、その取消訴訟における原告適格を有するものといわなければならない。

2　付属街路事業認可について

付属街路事業は鉄道事業とは別個の独立した都市計画事業であり、付属街路事業の事業地内の不動産につき権利を有しない者は、付属街路事業認可の取消しを求める原告適格を有しない。

▼ 場外車券発売施設の周辺一般住民及び医療施設開設者の原告適格（最判平21.10.15・百選161事件）共予 司H23 司H30

事案：経済産業大臣が行った場外車券発売施設の設置許可に対し、①周辺地域に居住し又は事業を営む者及び②施設敷地から120mないし800mの地点において病院又は診療所を開設する医師が、その取消しを求めた。

判旨：①の原告適格について

「位置基準は、場外施設が医療施設等から相当の距離を有し、……文教上又は保健衛生上著しい支障を来すおそれがないことを、その設置許可要件の一つとして定めるものである。……上記の支障は、基本的には、その周辺に所在する医療施設等を利用する児童、生徒、患者等の不特定多数者に生じ得るものであって、かつ、それらの支障を除去することは、心身共に健康な青少年の育成や公衆衛生の向上及び増進といった公益的な理念ないし要請と強くかかわるものである」。

「法及び規則が位置基準によって保護しようとしているのは、第一次的には、上記のような不特定多数者の利益であるところ、それは、性質上、一般的公益に属する利益であ」る。「したがって、場外施設の周辺において居住し又は事業（医療施設等に係る事業を除く。）を営むにすぎない者、医療施設等の利用者は、位置基準を根拠として場外施設の設置許可の取消しを求める原告適格を有しないものと解される」。

②の原告適格について
「位置基準は、……業務上の支障が具体的に生ずるおそれのある医療施設等の開設者において、健全で静穏な環境の下で円滑に業務を行うことのできる利益を、個々の開設者の個別的利益として保護する趣旨をも含む規定であるというべきであるから、当該場外施設の設置、運営に伴い著しい業務上の支障が生ずるおそれがあると位置的に認められる区域に医療施設等を開設する者は、位置基準を根拠として当該場外施設の設置許可の取消しを求める原告適格を有する」（約800m離れた場所に医療施設を開設する者については原告適格を否定）。

▼ 一般廃棄物処理業の許可処分と競業者の原告適格（最判平26.1.28・百選165事件） 予 予R5

事案： Ｘは、Ｙ市長から一般廃棄物収集運搬業の許可処分を受けた既存業者であるところ、Ｙ市長は、訴外Ａ等に一般廃棄物収集運搬業・処分業等（以下、合わせて「一般廃棄物処理業」という。）の許可更新処分をした。そこで、Ｘは、Ｙ市に対し、本件処分の取消し等を求めて提訴した。

判旨： 一般廃棄物処理業の許可等の許否の判断に当たっては、市町村長に一定の裁量が与えられていると解されるところ、一般廃棄物処理業は、市町村の住民の生活に必要不可欠な公共性の高い事業であり、一般廃棄物は人口等に応じておおむねその発生量が想定され、その業務量には一定の限界がある。そのため、廃棄物処理法は、許可業者の濫立により需給の均衡が損なわれ、その経営が悪化して事業の適正な運営が害され、これにより当該区域の衛生や環境が悪化する事態を避けるため、需給状況の調整に係る規制の仕組みを設けており、一般廃棄物処理業が専ら自由競争に委ねられるべき性格の事業とはいえないことからすれば、「市町村長の判断に当たっては、その申請に係る区域における一般廃棄物処理業の適正な運営が継続的かつ安定的に確保されるように、当該区域における需給の均衡及びその変動による既存の許可業者の事業への影響を適切に考慮することが求められる」。

以上のことから、廃棄物処理法は、「他の者からの一般廃棄物処理業の許可又はその更新の申請に対して市町村長が上記のように既存の許可業者の事業への影響を考慮してその許否を判断することを通じて、当該区域の衛生や環境を保持する上でその基礎となるものとして、その事業に係る営業上の利益を個々の既存の許可業者の個別的利益としても保護すべきものとする趣旨を含む」。したがって、市町村長から一定の区域につき既に一般廃棄物処理業の許可等を受けている者は、「当該区域を対象として他の者に対してされた一般廃棄物処理業の許可処分又は許可更新処分について、その取消しを求めるにつき法律上の利益を有する者として、その取消訴訟における原告適格を有する」。

▼ 産業廃棄物処理業許可処分と第三者の原告適格（最判平26.7.29・平26重判3事件） 予H29

事案：　訴外Aは、Y県知事から、産業廃棄物処理施設（本件処分場）の設置許可を受け、これを設置した。本件処分場は、産業廃棄物の最終処分場であり、有害な物質を含む産業廃棄物等の埋立処分を行う施設である。Aは、上記許可の申請の際、本件処分場の設置によりその周辺地域の生活環境に及ぼす影響についての調査結果を記載した「環境影響調査報告書」を添付書類として提出していた。

Y県知事は、Aに対し、廃棄物処理法に基づき、産業廃棄物処分業の許可処分等をした。そこで、本件処分場の周辺住民Xらは、本件許可処分の無効等確認訴訟等を提起した。なお、Xらのうち、X1の居住地は本件処分場の中心地点から20km以上離れた地点にあり、環境影響調査報告書の調査対象地域に含まれていないが、それ以外のXらの居住地は、本件処分場の中心地点から約1.8kmの範囲内の地域にあり、調査対象地域に含まれていた。

判旨：　廃棄物処理法は、「公衆衛生の向上を図るなどの公益的見地から産業廃棄物等処分業を規制するとともに、産業廃棄物の最終処分場からの有害な物質の排出に起因する大気や土壌の汚染、水質の汚濁、悪臭等によって健康又は生活環境に係る著しい被害を直接的に受けるおそれのある個々の住民に対して、そのような被害を受けないという利益を個々人の個別的利益としても保護すべきものとする趣旨を含む」。したがって、「産業廃棄物の最終処分場の周辺に居住する住民のうち、当該最終処分場から有害な物質が排出された場合にこれに起因する大気や土壌の汚染、水質の汚濁、悪臭等による健康又は生活環境に係る著しい被害を直接的に受けるおそれのある者」は、本件訴訟の原告適格を有する。

「X1を除くその余のXらは、いずれも本件処分場の中心地点から約1.8kmの範囲内の地域に居住する者であって、本件環境影響調査報告書において調査の対象とされた地域にその居住地が含まれて」いることなどを考慮すると、「著しい被害を直接的に受けるおそれのある者に当たると認められ」、原告適格を有する。

これに対し、「X1の居住地は、本件処分場の中心地点から少なくとも20km以上離れており、本件環境影響調査報告書において調査の対象とされた地域にも含まれて」いないことに照らせば、X1は原告適格を有しない。

五　狭義の訴えの利益（訴えの客観的利益） 司H21 司R4 予H28 予R5

1　総説

狭義の訴えの利益とは、訴訟を維持する客観的な事情・実益をいう。これに対して、原告適格を含めた概念を「広義の訴えの利益」と呼ぶ。

訴訟は当事者に現実的な救済を与えることを目的とするものであり、判決により侵害されていた権利や地位が回復されるようなものでなければ、訴えの利益を欠くのが原則である。

そのため、処分が原告の法律上の地位に不利益を与えるものでなければ、その取消しを求める訴えの利益は認められない。判例（最判昭61.10.23）は、市立中学校教諭に対する同一市内中学校間の転任処分について、教諭の身分、俸給等に異動を生ぜしめず、その勤務場所、勤務内容等に何らの不利益を伴わない場合には、取消しを求める法律上の利益がないとして、当該転任処分の訴えの利益を否定した〈司。

なお、原状回復が社会通念上不可能となった場合であっても、そのことから当然に処分の取消しを求める訴えの利益がなくなるわけではない。

この点、判例（最判平4.1.24・百選172事件）は、土地改良事業の施行の結果、社会通念上原状回復がもはや不可能と考えられる事態となった場合でも、事業の施行認可の取消しを求める訴えの利益は消滅しないとする。

▼ 土地改良事業と訴えの利益（最判平4.1.24・百選172事件）〈共予

事案：　知事Ｙによる土地改良事業施行の認可処分に基づき、Ａ町による換地処分を受けたＸが、本件認可処分の取消しを求めて出訴した。

判旨：「本件認可処分後に行われる換地処分等の一連の手続及び処分は、本件認可処分が有効に存在することを前提とするものであるから、本件訴訟において本件認可処分が取り消されるとすれば、これにより右換地処分等の法的効力が影響を受けることは明らかである。そして、本件訴訟において、本件認可処分が取り消された場合に、本件事業施行地域を本件事業施行以前の原状に回復することが、本件訴訟係属中に本件事業計画に係る工事及び換地処分がすべて完了したため、社会的、経済的損失の観点からみて、社会通念上、不可能であるとしても、右のような事情は、行政事件訴訟法31条の適用に関して考慮されるべき事柄であって、本件認可処分の取消しを求めるＸの法律上の利益を消滅させるものではない」。

▼ 優良運転者である旨の記載と訴えの利益（最判平21.2.27・平21重判8事件）〈司予

事案：　Ｘは、神奈川県公安委員会から運転免許証の有効期間の更新を受けたが、その際、道交法違反があったとして「優良運転者」である旨の記載のない免許証を交付されたため、違反行為はなかったとして免許証のうち一般運転者とする部分の取消しを求めて出訴した。

判旨：「道路交通法は、優良運転者の実績を賞揚し、優良な運転へと免許証保有者を誘導して交通事故の防止を図る目的で、優良運転者であることを免許証に記載して公に明らかにすることとするとともに、優良運転者に対し更新手続上の優遇措置を講じている」。「同法は、客観的に優良運転者の要件を満たす者に対しては優良運転者である旨の記載のある免許証を交付して更新処分を行うということを、単なる事実上の措置にとどめず、その者の法律上の地位として保障するとの立法政策を、交通事故の防止を図るという制度の目的を全うするため、特に採用したものと解するのが相当である」。

「確かに、免許証の更新処分において交付される免許証が優良運転者である旨の記載のある免許証であるかそれのないものであるかによって、当該免許証の有効期間等が左右されるものではない」。しかし、「客観的に優良運転者の要件を満たす者であれば優良運転者である旨の記載のある免許証を交付して行う更新処分を受ける法律上の地位を有することが肯定される以上、一般運転者として扱われ上記記載のない免許証を交付されて免許証の更新処分を受けた者は、上記の法律上の地位を否定されたことを理由として、これを回復するため、同更新処分の取消しを求める訴えの利益を有する」。

行政事件訴訟法

2　訴えの利益の消滅が問題となる場合（判例）

(1)　処分の効果が完了してしまった場合

①建築確認の取消しを求める訴えの利益は建築工事の完了により失われるとしたもの（最判昭59.10.26・百選170事件）、②都市計画法に基づく開発許可の取消しを求める訴えの利益は工事が完了し検査済証が交付された場合には消滅するとしたもの（最判平5.9.10）共がある。③建築違法物に対する除却命令が出され、除却命令及び代執行令書発付処分の取消訴訟が提起されて、その係属中に代執行による除却工事が完了した場合にも、訴えの利益は失われる（最判昭48.3.6）司。

これらの場合、救済方法としては国家賠償によることとなる。

▼　建築確認と訴えの利益（最判昭59.10.26・百選170事件） 司共予 司R4

事案：本件は、確認処分の対象建築物の工事が完了したのちも近隣居住者がなお右処分の取消訴訟を提起する利益を有するかどうかが争われた。

判旨：工事が完了した後における建築主事等の検査は、当該建築物及びその敷地が関係規定に適合しているかどうかを基準とし、同じく特定行政庁の違反是正命令に基づく命令は、当該建築物及びその敷地が建築基準法並びにこれに基づく命令及び条例の規定に適合しているかどうかを基準とし、いずれも当該建築物及びその敷地が建築確認に係る計画どおりのものであるかどうかを基準とするものではない上、違反是正命令を発するかどうかは、特定行政庁の裁量に委ねられているから、建築確認の存在は、検査済証の交付を拒否し又は違反是正命令を発する上において法的障害となるものではなく、また、たとえ建築確認が違法であるとして判決で取り消されたとしても、検査済証の交付を拒否し又は違反是正命令を発すべき法的拘束力が生ずるものではない。したがって、建築確認は、それを受けなければ右工事をすることができないという法的効果を付与されているにすぎないものというべきであるから、当該工事が完了した場合においては、建築確認の取消しを求める訴えの利益は失われる。

▼ 開発許可（市街化区域内）と訴えの利益（最判平 5.9.10）予

事案： Y市長は、市街化区域内の開発行為に関する訴外Aの許可申請について、開発許可をした。これに対して、周辺住民Xらは、本件開発許可の取消訴訟を提起したが、その間、開発工事は完了し、Y市長は、検査済証を交付した。

判旨： 開発許可は、申請に係る開発行為が都市計画法33条所定の「要件に適合しているかどうかを公権的に判断する行為であって、これを受けなければ適法に開発行為を行うことができないという法的効果を有するものであるが、許可に係る開発行為に関する工事が完了したときは、開発許可の有する右の法的効果は消滅する」。「そこで、このような場合にも、なお開発許可の取消しを求める法律上の利益があるか否かについて検討するのに、……開発許可の存在は、違反是正命令を発する上において法的障害となるものではなく、また、たとえ開発許可が違法であるとして判決で取り消されたとしても、違反是正命令を発すべき法的拘束力を生ずるものでもない……。そうすると、開発行為に関する工事が完了し、検査済証の交付もされた後においては、開発許可が有する……本来の効果は既に消滅しており、他にその取消しを求める法律上の利益を基礎付ける理由も存しないことになるから、開発許可の取消しを求める訴えは、その利益を欠く」。

評釈： 上記の判例法理は、開発区域内における予定建築物についていまだ建築確認がされていない場合においても妥当する（最判平 11.10.26）予。その理由として、同判例は、開発許可の存在は建築確認の要件ではないことを挙げている。

もっとも、上記②の判例（最判平 5.9.10）の射程を限定したものとして、下記の判例（最判平 27.12.14・平 28 重判 3 事件）がある。

▼ 開発許可（市街化調整区域内）と訴えの利益（最判平 27.12.14・平28 重判3事件）

事案： Y市長は、市街化調整区域内の開発行為に関する訴外Aの許可申請について、開発許可をした。これに対して、周辺住民Xらは、本件開発許可の取消訴訟を提起したが、その間、開発工事は完了し、Ｙ市長は、検査済証を交付した。

判旨：　上記②の判例（最判平 5.9.10）を引用した上で、「市街化調整区域のうち、開発許可を受けた開発区域以外の区域においては、都市計画法 43 条１項により、原則として知事等の許可を受けない限り建築物の建築等が制限されるのに対し、開発許可を受けた開発区域においては、同法 42 条１項により、開発行為に関する工事が完了し、検査済証が交付されて工事完了公告がされた後は、当該開発許可に係る予定建築物等以外の建築物の建築等が原則として制限されるものの、予定建築物等の建築等についてはこれが可能となる。そうすると、市街化調整区域においては、開発許可がされ、その効力を前提とする検査済証が交付されて工事完了公告がされることにより、予定建築物等の建築等が可能となるという法的効果が生ずるものということができる。」

「したがって、市街化調整区域内にある土地を開発区域とする開発行為ひいては当該開発行為に係る予定建築物等の建築等が制限されるべきであるとして開発許可の取消しを求める者は、当該開発行為に関する工事が完了し、当該工事の検査済証が交付された後においても、当該開発許可の取消しによって、その効力を前提とする上記予定建築物等の建築等が可能となるという法的効果を排除することができる。」

「以上によれば、市街化調整区域内にある土地を開発区域とする開発許可に関する工事が完了し、当該工事の検査済証が交付された後においても、当該開発許可の取消しを求める訴えの利益は失われない」。

所論引用の判例（最判平 5.9.10）は、「市街化区域内における土地を開発区域とする開発許可に関するものであるところ、市街化区域においては、開発許可を取り消しても、用途地域等における建築物の制限……に従う限り、自由に建築物の建築等を行うことが可能であり、市街化調整区域における場合とは開発許可の取消しにより排除し得る法的効果が異なるから、本件に適切でない。」

(2)　期間の経過

メーデー（５月１日）開催のための皇居外苑使用許可申請に対する不許可処分の取消しを求める訴えの利益は、５月１日の経過により消滅するとしたもの（最大判昭 28.12.23・百選 63 事件）がある。

ただ、本事例の場合には、行政事件訴訟法 31 条に定める事情判決によるべきであったとする見解もある。

▼　皇居外苑の使用許可（最大判昭 28.12.23・百選 63 事件） ⇒ p.499

▼ **最判平21.11.26・百選197事件**〈予〉

事案： Y市は、市営保育園の一部を廃止する条例を制定した（本件改正条例）。廃止された保育所で保育を受けていたXらは、選択した保育所で保育を受ける権利が違法に侵害されたとして、取消訴訟を提起した。ここでは、保育の実施期間が満了したことにより、Xらの訴えの利益がなくなったのではないかという点が問題となった。

判旨： 保育の実施期間がすべて満了している場合、本件改正条例の制定行為の取消しを求める訴えの利益は失われたものというべきである。

(3) 行政処分が撤回等の事情でその効力を失った場合

税務署長の更正処分に対して取消訴訟を提起している間に、増額再更正処分があった場合には、増額再更正処分は更正処分を取り消したうえでなされる新たな処分であるという仕組みがとられていることから、更正処分の取消しを求める訴えの利益は消滅するとしたもの（最判昭55.11.20）がある。

他方、減額再更正処分があった場合には、減額再更正処分は当初の更正処分とは別個独立の課税処分ではなく、その実質は当初の更正処分の変更であり、税額の一部取消しという納税者に有利な効果をもたらす処分であるから、減額再更正処分の取消しを求める訴えの利益はないとしたもの（最判昭56.4.24）がある〈司〉。

(4) 取消判決によっても原状回復が事実上不可能な場合

代替施設の設置により洪水・渇水の危険が解消されれば、保安林指定解除処分を争う訴えの利益は失われるとしたもの（長沼ナイキ訴訟、最判昭57.9.9・百選171事件）がある。

▼ **保安林指定解除と訴えの利益・長沼ナイキ訴訟（最判昭57.9.9・百選171事件）**〈予〉

事案： 農林水産大臣は、北海道夕張郡長沼町所在の保安林（洪水を防ぐための水源涵養林）につき、航空自衛隊ナイキミサイル基地などの用地にするとの理由でその指定を解除した。同町の住民Xらは、保安林指定解除処分の違法性を主張し、その取消しを求めて出訴した。その際、保安林にかわる代替施設が整備されたことにより、Xらの訴えの利益がなくなったのではないかという点等が問題となった。

判旨：「Xらの原告適格の基礎は、本件保安林指定解除処分に基づく立木竹の伐採に伴う理水機能の低下の影響を直接受ける点において右保安林の存在による洪水や渇水の防止上の利益を侵害されているところにあるのであるから、本件におけるいわゆる代替施設の設置によって右の洪水や渇水の危険が解消され、その防止上からは本件保安林の存続の必要性がなくなったと認められるに至ったときは、……Xらにおいて右指定解除処分の取消しを求める訴えの利益は失われる」。

(5)　原告の死亡に際し訴訟承継が認められなかった場合

生活保護法に基づく保護変更決定の取消しを求める利益は、被受給者の死亡により消滅するとしたもの（朝日訴訟、最大判昭42.5.24・百選〔第７版〕16事件　⇒p.10）がある。

cf.　なお、じん肺管理区分決定処分取消訴訟の係属中に原告が死亡した事案において、労災保険法11条1項所定の遺族は労災保険給付請求権を承継するとして、取消訴訟の訴えの利益は失われないとしたもの（最判平29.4.6・平29重判4事件）がある

(6)　付随的効果

運転免許停止処分の取消しを求める訴えの利益は、処分後1年間を無違反無処分で経過した時点で失われるとしたもの（最判昭55.11.25・百選168事件）がある。本判例は、当該処分の付随的効果としての名誉権の侵害は処分の本体たる効果消滅後の訴えの利益を認める根拠とはならないとしている。

→受刑者に対する懲罰処分として10日間の閉居罰が執行され、これが終了した場合には、当該受刑者の仮出所の決定に当たって当該懲罰処分を受けたことが事実上考慮される余地があるとしても、その取消しを求める訴えの利益は失われる〈司

▼　運転免許停止処分と訴えの利益（最判昭55.11.25・百選168事件）
〈司予

事案：　Xは、義務違反点数が累積し、運転免許停止処分を受けた。Xは、審査請求を経たうえで、処分の取消しを求めて出訴した。その際、すでに運転免許停止期間は経過しており、また処分後１年間を無違反無処分で経過したことにより前歴のない者とみなされることになるため、訴えの利益の存否が問題となった。

判旨：　Xは、原処分の日から１年間、無処分無違反で経過したのであるから、その経過により原処分の効果は一切消滅しており、Xは本件原処分及び本件裁決の取消によって回復すべき法律上の利益を有しないというべきである。名誉・感情・信用等を損なう可能性の存在が認められるとしても、それは本件原処分がもたらす事実上の効果にすぎないものであり、これをもってXが本件裁決取消の訴によって回復すべき法律上の利益を有することの根拠とするのは相当でない。

(7)　その他

▼　再入国不許可処分と訴えの利益（最判平10.4.10・百選〔第7版〕179事件）〈司予

事案：　わが国で出生した永住資格を有するXは、再入国許可申請を行ったところ、法務大臣は再入国不許可処分を行った。そこで、Xはその不許可

処分に対して取消訴訟を提起したが、再入国の許可を得ないまま米国に出国したので、永住資格を失ったものとされた。このため、永住資格を前提とする再入国許可処分を受けることができないのであるから、訴えの利益が消滅するのではないかが問題となった。

判旨： 再入国許可申請に対し不許可処分を受け、同処分取消訴訟を提起している外国人が、再入国の許可を受けずに出国した場合、同人のそれまで有していた在留資格はこれにより消滅することとなり、たとえ再入国不許可処分が取り消されても、従前の在留資格のままで再入国することを認める余地はなくなるので、同人の再入国不許可処分取消訴訟によって回復すべき法律上の利益はなくなる。

3　9条1項かっこ書

「処分又は裁決の効果が期間の経過その他の理由によりなくなつた後においてもなお処分又は裁決の取消しによつて回復すべき法律上の利益を有する者」（9Ⅰかっこ書）については、訴えの利益は失われない。

ex.1　公務員が公職の候補者に立候補した後も、免職処分の取消しを求める訴えの利益は失われない（最大判昭40.4.28）

ex.2　運転免許取消処分の取消しを求める訴えの利益は、当該免許の有効期間が経過しても失われない（最判昭40.8.2）

ex.3　外国籍である者が、出入国管理及び難民認定法51条の定める退去強制令書発付処分の取消訴訟の係属中に、当該退去強制令書に基づき国外へ強制送還された場合、本邦から退去強制された者は、その期間内は退去強制令書発付処分の取消しを求める訴えの利益を失わない（最判平8.7.12）〈共

行政事件訴訟法

▼ 免職処分の取消しを求める訴えの利益（最大判昭40.4.28）〈司予

事案： Xは郵政省（当時）職員であったが、免職処分を受けた。Xはこれを不服とし、免職処分の取消訴訟を提起したが、訴訟係属中に市会議員に立候補した。この場合、公職選挙法90条（公務員が公職の候補者に立候補した場合は、立候補の届出の日に当該公務員の地位を辞職したとみなされる）との関係で、なおXに訴えの利益が認められるかが問題となった。

判旨： 免職処分を受けた公務員が公職の候補者に立候補した場合、公職選挙法90条によりもはや公務員に復職することはできないが、免職処分が取り消されれば、本来有するはずであった給料請求権その他の権利利益を回復することができるから、処分の取消しを求める利益を有する。

▼ 運転免許取消処分の取消しを求める訴えの利益（最判昭 40.8.2）〈同

判旨：　運転免許取消処分の取消しを求めて訴訟を提起したが、訴訟係属中に当該免許の有効期間が経過した場合でも、処分が取り消されれば、免許の更新手続により免許を維持することができるから、訴えの利益は存続する。

▼ 公文書不開示決定取消訴訟の訴えの利益（最判平 14.2.28）〈同予

事案：　Ｘは愛知県知事Ｙに対して愛知県公文書条例に基づき知事交際費の使途を記載した一切の公文書の公開を請求した。Ｙは一部を非公開としたため、Ｘは非公開部分についても公開すべきであると主張して、非公開決定処分の取消訴訟を提起した。その際、Ｙは、文書の一部を書証として公開したことによりＸは公開請求の目的を達したのであるから、Ｘは訴えの利益を欠くと主張した。

判旨：　本件条例（愛知県公文書公開条例）には、請求者が請求に係る公文書の内容を知り、又はその写しを取得している場合に当該公文書の公開を制限する趣旨の規定は存在しない。請求権者は本件条例に基づき公文書の公開を請求して、所定の手続により請求に係る公文書を閲覧し、又は写しの交付を求める法律上の利益を有するというべきであるから、当該公文書が書証として提出されたとしても、法律上の訴えの利益は失われない。

▼ 不当労働行為救済命令取消訴訟における訴えの利益（最判平 24.4.27・平 24 重判６事件）

事案：　株式会社Ｘは、中国船員地方労働委員会から、産業別労働組合であるＡの団体交渉の申入れへの応諾、Ｘの従業員でありＡの組合員であるＢ・Ｃへの特別手当の支払等を内容とする救済命令を受けた。そこで、Ｘは、各命令の取消訴訟を提起したところ、Ｂ及びＣが退職したため、Ｘに雇用されたＡの組合員はいなくなったことから、原審は訴えの利益が失われたとしてＸの訴えを却下した。

判旨：　本件救済命令に基づいてＸに命じられた義務は、事柄の性質上、いずれもＸによる履行が客観的に不可能であるとはいえないものである上、（Ｘは船舶の運航事業を営む会社として存続し、Ａも多数の船員等を組合員とする産業別労働組合として存続しているという）上記のような事実関係の下では、上記発令後の事情変更の後においても、その履行が救済の手段方法としての意味を失ったとまでいうことはできないから、本件救済命令が当然にその効力を失ったということはできない。したがって、本件救済命令の取消しを求める訴えの利益は、上記発令後の事情変更によっても、失われていない。

▼ 行政手続法12条1項の処分基準と訴えの利益（最判平27.3.3・百選167事件）予 予H28

事案：　⇒p.60

判旨：　行政手続法12条1項に基づいて定められ公にされている処分基準がある場合は、「行政庁の後行の処分における裁量権は当該処分基準に従って行使されるべきことがき束されており、先行の処分を受けた者が後行の処分の対象となるときは、上記特段の事情がない限り当該処分基準の定めにより所定の量定の加重がされることになる」。

「以上に鑑みると、行政手続法12条1項の規定により定められ公にされている処分基準において、先行の処分を受けたことを理由として後行の処分に係る量定を加重する旨の不利益な取扱いの定めがある場合には、上記先行の処分に当たる処分を受けた者は、将来において上記後行の処分に当たる処分の対象となり得るときは、上記先行の処分に当たる処分の効果が期間の経過によりなくなった後においても、当該処分基準の定めにより上記の不利益な取扱いを受けるべき期間内はなお当該処分の取消しによって回復すべき法律上の利益を有する」。

▼ 地方議会議員の失職決定の効力停止と訴えの利益（最決平29.12.19・平30重判9事件）

事案：　Y村議会議員であるXは、同議会から地方自治法127条1項に基づく失職決定（以下「本件決定」という。）を受けた。その後、Xは本件決定の取消訴訟及び効力停止の申立てをした。これに対し、Y村は、本件決定後になされた補欠選挙によって既にX以外の者が当選しており、同選挙につき異議申立てもなされなかったとして、Xが本件決定の取消しを求める利益は消滅したと主張した。

決旨：　「公職選挙法に定める選挙又は当選の効力は、同法所定の争訟の結果無効となる場合のほか、原則として当然無効となるものではない」。そして、「普通地方公共団体の議会の議員の選挙及びその当選の効力に関し不服がある選挙人又は公職の候補者は、同法所定の期間内に異議の申出をすることができるところ、本件の事実経過に照らせば、Xは、本件補欠選挙について、原々決定がされたことによりY村議会の議員に欠員が生じていないこととなったにもかかわらず行われた無効なものであるとして、異議の申出をすることができたというべきである。しかし、上記期間内に異議の申出はされなかったというのであるから、本件補欠選挙及び同選挙における当選の効力は、もはやこれを争い得ないこととなり、このことと、Xが本件決定を取り消す旨の判決を得ることによって上記議員の地位を回復し得るとすることとは、相容れないものというほかない。」

したがって、Ｘは、「本件決定を取り消す旨の判決を得ても、上記議員の地位を回復することはできない」から、「本件決定の効力の停止を求める利益はない」。

<狭義の訴えの利益のまとめ>

取消しを求める処分	処分後の事情	訴えの利益	判例
皇居外苑使用の不許可（メーデー使用のため）	期日の経過	×（消滅）	最大判昭28.12.23・百選63事件
生活保護の変更決定	受給者の死亡	×（消滅）	最大判昭42.5.24・百選〔第７版〕16事件
運転免許停止	無違反無処分で１年経過	×（消滅）	最判昭55.11.25・百選168事件
保安林指定の解除	代替施設の整備	×（消滅）	最判昭57.9.9・百選171事件
建築確認	建築工事の完了	×（消滅）	最判昭59.10.26・百選170事件
開発許可	工事の完了・検査済証の交付	×（消滅）	最判平5.9.10
再入国不許可		×（消滅）	最判平10.4.10・百選〔第７版〕179事件
地方議会議員の失職決定	補欠選挙	×（消滅）	最決平29.12.19・平30重判９事件
公務員の免職	公職の候補者への立候補	○（存続）	最大判昭40.4.28
運転免許取消	免許の有効期間の経過	○（存続）	最判昭40.8.2
土地改良事業の認可処分	工事及び換地処分がすべて完了	○（存続）	最判平4.1.24・百選172事件
公文書公開条例に基づく公文書の非公開決定	開示請求対象文書を書証として提出	○（存続）	最判平14.2.28
労働組合の団体交渉の申入れへの応諾を内容とする救済命令	当該労働組合の組合員の退職	○（存続）	最判平24.4.27・平24重判６事件

第10条（取消しの理由の制限）〈司H21 司H30

Ⅰ　取消訴訟においては、自己の法律上の利益に関係のない違法を理由として取消しを求めることができない〈共。

Ⅱ　処分の取消しの訴えとその処分についての審査請求を棄却した裁決の取消しの訴えとを提起することができる場合には、裁決の取消しの訴えにおいては、処分の違法を理由として取消しを求めることができない〈予。

《注　釈》

一「自己の法律上の利益に関係のない違法」（Ⅰ）

取消訴訟は、行政活動の客観的適法性一般の維持を直接に目的とする客観訴訟ではなく、被害者に具体的な救済を与えることのみを目的とする主観訴訟であるから、本案において主張できる違法理由は、自己の権利利益に関係のある違法に限られる。すなわち、自己の権利利益に関係のない違法については主張することができないとされている。

この規定は、取消訴訟の原告適格（9Ⅰ）が認められたことを前提に、原告の違法事由の主張制限をするものであり、原告適格が訴訟要件に関する規定であるのに対して、同条は本案審理に関する規定である。そのため、原告が同条に触れる主張のみを行っている場合には、訴え却下判決ではなく、請求棄却判決がなされる〈司。

1　第三者の利益のみにかかわる違法

第三者の利益のみにかかわる違法を取消理由として主張できないことについては、学説・判例で争いはない。

ex.　滞納処分たる公売処分の取消訴訟において、公売物件の担保権者に対する通知が時期を失した場合であっても、そのことは、第三者たる担保権者を保護するための規定への違反にすぎず、原告（滞納者）は当該違反を取消理由として主張することはできない（東京地判昭28.8.10）

2　不利益処分の名宛人

不利益処分の名宛人が、もっぱら第三者の利益にかかわる違法を除き、公益の保護・実現を目的とする規定違反をも主張することができることについて、争いはない。

ex.　土地収用裁決の被処分者は、土地収用20条3号4号違反を主張しうる
3号「事業計画が土地の適正且つ合理的な利用に寄与するものであること」
4号「土地を収用し、又は使用する公益上の必要があるものであること」

3　授益的行政処分の第三者

(1)　授益的行政処分の第三者であっても、処分の本来の法的効果により権利利益を制限され又は義務を課される者については、不利益処分の名宛人と同様と解することができる。

ex.　公有水面埋立法に基づく埋立免許の対象である公有水面の漁業権を

有する者

(2)　判例では、空港周辺で騒音被害を受けている住民が定期航空運送事業免許の取消しを求める場合（新潟空港事件、最判平元.2.17・百選183事件）につき、いかなる違法事由を主張できるか問題となった。

新潟空港事件では、最高裁は、定期航空運送事業免許の取消訴訟について周辺住民の原告適格を肯定した（⇒p.348）が、本案審理においては、騒音とは無関係な違法事由（免許基準不適合）の主張を認めなかった。

▼　主張制限（新潟空港事件、最判平元.2.17・百選183事件）

事案：　日本航空が、新潟・ソウル間の定期航空運送事業免許を申請し、運輸大臣（当時）はこれを許可した。そこで、空港周辺の住民であるXは、騒音により健康ないし生活上の利益が害されると主張し、許可処分の取消しを求めた。

判旨：　Xが本件各免許の違法事由として具体的に主張するところは、本件各免許は航空法101条1項2号3号の免許基準に適合しない、というものであるから、Xの右違法事由の主張がいずれも自己の法律上の利益に関係のない違法をいうものであることは明らかである。そうすると、本件請求は、Xが本件各免許の取消しを訴求する原告適格を有するとしても、行政事件訴訟法10条1項によりその主張自体失当として棄却を免れない。

▼　法適合組合ではない組合への救済命令（最判昭32.12.24・百選〔第6版〕200事件）

事案：　A労働組合はY県地方労働委員会に使用者Xの不当労働行為からの救済を求め、Yは救済命令を発した。Aが法適合組合ではなかったので、Xは、救済命令の要件を欠くとして、本件救済命令に対する取消訴訟を提起した。

判旨：　労組法が労働組合の成立要件を定めるのは、組合に当該要件の具備を促進する目的であり、労働委員会は要件を満たさない組合の申立てを拒否すべきである。しかしこの義務は、労働委員会が直接国家に対して負う義務であり、使用者に対して負う義務ではない。よって、仮に資格審査の方法ないし手続に瑕疵がありもしくは審査の結果に誤りがあるとしても、使用者は、単に審査の方法ないし手続に瑕疵があることもしくは審査の結果に誤りがあることのみを理由として救済命令の取消しを求めることはできない。

二　原処分主義（Ⅱ）司 司H19

1　趣旨

2項は、ある処分を不服として審査請求したところ棄却裁決が出された場合に、これに対する取消訴訟を提起するに当たって、原処分の取消しを求めるのか、棄却裁決の取消しを求めるのかを調整した規定である。

2　原処分主義の採用

(1)　原処分主義〈予

原処分の取消訴訟と裁決の取消訴訟の両方が提起できる場合、裁決の取消訴訟においては、裁決手続の瑕疵等、裁決固有の瑕疵のみを違法事由として主張することができる。これを原処分主義といい、２項は原処分主義を採用している。

原処分主義が採用されたのは、①仮に裁決の取消訴訟において原処分の違法も争うことができるとすると、裁決の取消判決が原処分の取消しの効果をも有するかについて疑義があること、②原処分の取消訴訟と裁決の取消訴訟がともに提起され、その双方において原処分の違法が争われた場合、いずれを先に審理すべきかを決定することが困難であること、③裁決の取消訴訟において原処分の執行停止を命ずることができるかについて疑義があること、といった問題があったためとされている。

→原処分それ自体に不服がある場合には、原処分の取消訴訟を提起して原処分の違法事由を主張することになる

(2)　裁決主義〈共

原処分に対する出訴を許さず、処分に対する審査請求の裁決に対してのみ取消訴訟を提起できるという建前を裁決主義という。個別法において、裁決主義が採られる場合、２項の原処分主義は適用されず、裁決の取消訴訟において原処分の違法を主張することができる。

ex.　弁護士16Ⅲ・61Ⅱ、特許178Ⅵ

(3)　変更裁決の場合

ある処分に対して被処分者が審査請求をなしたところ、裁決により当該処分が変更された場合には、原処分の取消訴訟と裁決の取消訴訟といずれを提起すべきかが原処分主義との関係で問題となる。

この点、変更裁決が当該原処分を消滅させ、新たな処分をしたものであるときには、原処分は存在しないことになるから、裁決取消訴訟を提起しなければならないが、変更裁決の実質が原処分の一部取消しにすぎない場合には、原処分主義が適用されることになると考えられる。

▼　懲戒処分と人事院の修正裁決（最判昭62.4.21・百選134事件）〈同

事案：　郵便局に勤務する郵政事務官であったＸは、郵便局長Ｙにより停職６か月の懲戒処分を受けた。Ｘは、国家公務員法90条１項に基づき人事院に審査請求をしたところ、人事院は、本件懲戒処分を６か月間俸給月額10分の１減給処分に修正する旨の裁決をした。Ｘはなおも処分事由の不存在を主張し、Ｙを被告とする本件懲戒処分の取消訴訟と、人事院を被告とする本件裁決の取消訴訟を併合提起した。

判旨：　懲戒処分につき人事院の修正裁決があった場合に、それにより懲戒権者のとった懲戒処分（以下「原処分」という。）が一体として取り消されて消滅し、人事院において新たな内容の懲戒処分をしたものと解するのは相当でなく、修正裁決は、原処分の法律効果の内容を一定の限度のものに変更する効果を生ぜしめるにすぎない。原処分は、当初から修正裁決による修正どおりの法律効果を伴う懲戒処分として存在していたものとみなされる。本件修正裁決により、本件懲戒処分は、Yの懲戒権の発動に基づく懲戒処分としてなお存在するものであるから、被処分者たるXは、本件懲戒処分の違法を理由としてその取消しを求める訴えの利益を失わない。

第11条（被告適格等）

Ⅰ　処分又は裁決をした行政庁（処分又は裁決があつた後に当該行政庁の権限が他の行政庁に承継されたときは、当該他の行政庁。以下同じ。）が国又は公共団体に所属する場合には、取消訴訟は、次の各号に掲げる訴えの区分に応じてそれぞれ当該各号に定める者を被告として提起しなければならない。

①　処分の取消しの訴え　当該処分をした行政庁の所属する国又は公共団体〈同

②　裁決の取消しの訴え　当該裁決をした行政庁の所属する国又は公共団体

Ⅱ　処分又は裁決をした行政庁が国又は公共団体に所属しない場合には、取消訴訟は、当該行政庁を被告として提起しなければならない〈同。

Ⅲ　前2項の規定により被告とすべき国若しくは公共団体又は行政庁がない場合には、取消訴訟は、当該処分又は裁決に係る事務の帰属する国又は公共団体を被告として提起しなければならない。

Ⅳ　第1項又は前項の規定により国又は公共団体を被告として取消訴訟を提起する場合には、訴状には、民事訴訟の例により記載すべき事項のほか、次の各号に掲げる訴えの区分に応じてそれぞれ当該各号に定める行政庁を記載するものとする。

①　処分の取消しの訴え　当該処分をした行政庁

②　裁決の取消しの訴え　当該裁決をした行政庁

Ⅴ　第1項又は第3項の規定により国又は公共団体を被告として取消訴訟が提起された場合には、被告は、遅滞なく、裁判所に対し、前項各号に掲げる訴えの区分に応じてそれぞれ当該各号に定める行政庁を明らかにしなければならない。

Ⅵ　処分又は裁決をした行政庁は、当該処分又は裁決に係る第1項の規定による国又は公共団体を被告とする訴訟について、裁判上の一切の行為をする権限を有する。

《注　釈》

一　取消訴訟の被告適格～国又は公共団体（Ⅰ）

取消訴訟における被告は、原則として国又は公共団体である（行政主体主義）。1項において、処分又は裁決をした行政庁が国又は公共団体に所属する場合には、行政庁の属する国又は公共団体が被告となることを定める。

∵　原告が被告行政庁を特定しなければならないという負担を軽減する。また、被告適格を行政主体とすることにより、取消訴訟、当事者訴訟、民事訴訟が全体として同一の構造を有することとし、取消訴訟から当事者訴訟・民事訴訟への訴えの変更、訴えの併合などの手続を容易にさせる

二　例外 同

1　処分庁・裁決庁が国又は公共団体に属しない場合（Ⅱ）
→被告適格はその行政庁にある
ex.　処分権限を委任された指定機関（例として計量106の定める指定検定機関等）が処分をした場合には、その指定機関が行政庁 共

2　被告とすべき行政主体又は行政庁がない場合（Ⅲ）
→被告適格は処分・裁決にかかわる事務の帰属する国又は公共団体
ex.　処分庁・裁決庁が廃止されてその権限を承継する行政庁がない場合

三　訴状への記載（ⅣⅤ）

1　4項は、国・公共団体を被告とする場合には原告は訴状に処分庁・裁決庁を記載することを定める。
∵　被告の迅速な訴訟対応を促す

2　5項は、処分庁・裁決庁の特定の負担を原告のみでなく、被告である国・公共団体にも負わせることを定める。
∵　処分庁・裁決庁がどこであるかにつき、より正確に判断しうるのは国・公共団体である

第１２条　（管轄）

Ⅰ　取消訴訟は、被告の普通裁判籍の所在地を管轄する裁判所又は処分若しくは裁決をした行政庁の所在地を管轄する裁判所の管轄に属する。

Ⅱ　土地の収用、鉱業権の設定その他不動産又は特定の場所に係る処分又は裁決についての取消訴訟は、その不動産又は場所の所在地の裁判所にも、提起することができる。

Ⅲ　取消訴訟は、当該処分又は裁決に関し事案の処理に当たつた下級行政機関の所在地の裁判所にも、提起することができる。

Ⅳ　国又は独立行政法人通則法（平成11年法律第103号）第２条第１項に規定する独立行政法人若しくは別表に掲げる法人を被告とする取消訴訟は、原告の普通裁判籍の所在地を管轄する高等裁判所の所在地を管轄する地方裁判所（次項において「特定管轄裁判所」という。）にも、提起することができる。

Ⅴ　前項の規定により特定管轄裁判所に同項の取消訴訟が提起された場合であつて、他の裁判所に事実上及び法律上同一の原因に基づいてされた処分又は裁決に係る抗告訴訟が係属している場合においては、当該特定管轄裁判所は、当事者の住所又は所在地、尋問を受けるべき証人の住所、争点又は証拠の共通性その他の事情を考慮して、相当と認めるときは、申立てにより又は職権で、訴訟の全部又は一部について、当該他の裁判所又は第１項から第３項までに定める裁判所に移送することができる。

《注　釈》

一　裁判管轄～被告行政庁の所在地の地方裁判所（Ⅰ）

1　原則

被告行政庁の所在地の地方裁判所が扱う（12Ⅰ、裁24①、同33Ⅰ①かっこ書）。

2　特別管轄

(1)　土地の収用、鉱業権の設定その他不動産又は特定の場所にかかる処分又は裁決についての取消訴訟は、その不動産又は場所の所在地の裁判所にも提起することができる（Ⅱ）。

(2)　取消訴訟は、当該処分又は裁決に関し事案の処理に当たった下級行政機関の所在地の裁判所にも提起することができる（Ⅲ）。「事案の処理に当たった下級行政機関」とは、当該処分等に関し事案の処理そのものに実質的に関与した下級行政機関をいう（最決平13.2.27）。

∵　国民の出訴を容易にし、証拠調べ等の便宜や審理の円滑な遂行に資する

▼　行政機関以外の組織と「事案の処理に当たった下級行政機関」（最決平26.9.25・平26重判5事件）

決旨：「処分行政庁を補助して処分に関わる事務を行った組織は、それが行政組織法上の行政機関ではなく、法令に基づき処分行政庁の監督の下で所定の事務を行う特殊法人等又はその下部組織であっても、法令に基づき当該特殊法人等が委任又は委託を受けた当該処分に関わる事務につき処分行政庁を補助してこれを行う機関であるといえる場合において、当該処分に関し事案の処理そのものに実質的に関与したと評価することができるときは……『事案の処理に当たった下級行政機関』に該当する」。

二　特定管轄裁判所（Ⅳ）同

平成16年改正によって、国を被告とする取消訴訟においては、原告の普通裁判籍の所在地を管轄する高裁所在地を管轄する地方裁判所にも訴えを提起することができることとなった（Ⅳ）。

たとえば、秋田県に住む原告が国を被告とする場合、従来は東京地方裁判所に提起する必要があったが、改正後は仙台地方裁判所に提起することもできる。

第13条　（関連請求に係る訴訟の移送）

取消訴訟と次の各号の一に該当する請求（以下「関連請求」という。）に係る訴訟とが各別の裁判所に係属する場合において、相当と認めるときは、関連請求に係る訴訟の係属する裁判所は、申立てにより又は職権で、その訴訟を取消訴訟の係属する裁判所に移送することができる。ただし、取消訴訟又は関連請求に係る訴訟の係属する裁判所が高等裁判所であるときは、この限りでない。

①　当該処分又は裁決に関連する原状回復又は損害賠償の請求

② 当該処分とともに1個の手続を構成する他の処分の取消しの請求
③ 当該処分に係る裁決の取消しの請求
④ 当該裁決に係る処分の取消しの請求〈予
⑤ 当該処分又は裁決の取消しを求める他の請求
⑥ その他当該処分又は裁決の取消しの請求と関連する請求

[趣旨] 取消訴訟の対象となっている処分に関連する請求は、当該取消訴訟と争点や証拠が共通するので、訴訟経済の効率化の観点から、なるべくまとめて審理することとした。

▼ 行訴法13条6号の関連請求（最決平17.3.29・百選189事件）〈予

事案： 1つのリゾートホテルを構成する21棟の建物の固定資産課税台帳の登録価格に関してなした審査申出が固定資産評価審査委員会に棄却されたため、その棄却決定の取消しを求めた。

決旨： 本件決定の個数は21であり、訴えの個数は21であるが、各請求の基礎となる社会的事実は密接に関連しており、争点も同一であるから、互いに行政事件訴訟法13条6号所定の関連請求に当たり、同法16条1項により併合提起することができる。

行政事件訴訟法

第14条 （出訴期間）

Ⅰ 取消訴訟は、処分又は裁決があつたことを知つた日から6箇月を経過したときは、提起することができない。ただし、正当な理由があるときは、この限りでない〈共。

Ⅱ 取消訴訟は、処分又は裁決の日から1年を経過したときは、提起することができない。ただし、正当な理由があるときは、この限りでない。

Ⅲ 処分又は裁決につき審査請求をすることができる場合又は行政庁が誤つて審査請求をすることができる旨を教示した場合において、審査請求があつたときは、処分又は裁決に係る取消訴訟は、その審査請求をした者については、前2項の規定にかかわらず、これに対する裁決があつたことを知つた日から6箇月を経過したとき又は当該裁決の日から1年を経過したときは、提起することができない。ただし、正当な理由があるときは、この限りでない。

[趣旨] 取消訴訟の対象である処分又は裁決の効力を長期間未確定の状態に置くことは、行政上の法律関係の安定を図る見地からいって妥当でない。そこで、法は出訴期間の制限を定め、その期間経過後は、もはや争うことはできないとしている。

《注 釈》

一 出訴期間の制限

1 取消訴訟は、処分又は裁決があったことを知った日から6か月以内に提起しなければならない（Ⅰ）〈司。

処分がその名宛人に個別に通知される場合において、「処分……があつたことを知つた日」とは、その者が処分のあったことを現実に知った日のことをいい（最判昭27.11.20・百選〔第6版〕188事件）、当該処分の内容の詳細や不利益性等の認識までを要するものではない（最判平28.3.10・百選56事件）。

ただし、正当な理由があるときは、この限りでない共。

2　原告の知・不知にかかわらず、処分又は裁決の日から1年を経過したときは、提起することができない（Ⅱ）。ただし、正当な理由があるときは、この限りでない（Ⅱただし書）司。

3　前述の6か月及び1年の期間は、①審査請求をすることができる場合、又は②行政庁が誤って審査請求することができる旨を教示した場合に審査請求があったときは、その審査請求をした者につき、これに対する裁決があったことを知った日又は裁決があった日から起算する（Ⅲ）共。

∵　適法な審査請求があった場合に、審査請求をしたために不利益を受けることを避ける

▼　収用委員会の裁決に関する取消訴訟の出訴期間（最判平24.11.20・百選175事件）

事案：　Xらは、土地区画整理事業に関する損失補償裁決（以下「本件原処分」という。）を不服とし、国土交通大臣に対して審査請求をしたところ、同大臣は、当該審査請求を棄却する旨の裁決（以下「本件裁決」という。）をし、本件裁決の裁決書の謄本がXらに送達された。そこで、Xらは、送達がされた日から3か月を超え6か月以内の日において、本件裁決の取消訴訟を提起し、訴訟係属後、行訴法19条1項に基づき、本件原処分の取消訴訟を併合提起した。

土地収用法は、本件原処分の取消訴訟について、短期の出訴期間の特則を定めているが（土地収用133Ⅰ）、本件原処分について審査請求をし、その裁決を経た後に本件原処分の取消訴訟を提起する場合において、当該取消訴訟にかかわる出訴期間につき特例を設けていない。そのため、本件原処分の取消訴訟の出訴期間が3か月（土地収用133Ⅰ）となるのか、6か月（行訴14Ⅲ）となるのかが問題となった。

判旨：「国民が行政事件訴訟による権利利益の救済を受ける機会を適切に確保する」という行訴法14条の改正の趣旨に照らすと、「収用委員会の裁決につき審査請求をすることができる場合において、審査請求がされたときは、収用委員会の裁決の取消訴訟の出訴期間については、土地収用法の特例規定（133条1項）が適用されるものではなく、他に同法に別段の特例規定が存しない以上、原則どおり行政事件訴訟法14条3項の一般規定が適用され、その審査請求に対する裁決があったことを知った日から6か月以内かつ当該裁決の日から1年以内となると解するのが相当である」。

二　出訴期間の起算日

1　出訴期間の起算日については、法律上特段の定めがない限りは初日を算入しないという一般原則（民140）がはたらくが、特別の定めがある場合として、本条の解釈が問題となる。

この点、審査請求をした者についての出訴期間について、裁決があったことを知った日又は裁決があった日を初日として、これを期間に算入すべきものとした判例がある（最判昭52.2.17参照）。

2　訴えの変更があった場合の出訴期間の起算日については、特段の事情がない限り訴え変更の時が基準となるとの判例がある（最判昭61.2.24・百選176事件）。

▼ 訴えの変更と出訴期間（最判昭61.2.24・百選176事件）予

事案：　Y（土地改良区）は、Xに対し、土地改良法53条の5第1項の規定に基づき一時利用地指定処分をした。これに対し、Xは、従前地と一時利用地とが照応していないと主張して、出訴期間内に適法に一時利用地指定処分の取消訴訟を提起した。この訴訟係属中に、Yは、Xに対し、一時利用地をそのまま換地とする内容の換地処分をしたが、Xが上記訴えを換地処分の取消訴訟に交換的に変更したのは、換地処分がされた1年以上後のことであった。

判旨：　訴えの変更は、変更後の新請求については新たな訴えの提起にほかならないから、右訴えにつき出訴期間の制限がある場合には、特別の規定のない限り、右出訴期間の遵守の有無は、変更前後の請求の間に訴訟物の同一性が認められるとき、又は両者の間に存する関係から、変更後の新請求に係る訴えを当初の訴えの提起の時に提起されたものと同視し、出訴期間の遵守において欠けるところがないと解すべき特段の事情があるときを除き、右訴えの変更の時を基準としてこれを決しなければならない。

第１５条　（被告を誤つた訴えの救済）

Ⅰ　取消訴訟において、原告が故意又は重大な過失によらないで被告とすべき者を誤つたときは、裁判所は、原告の申立てにより、決定をもつて、被告を変更することを許すことができる予。

Ⅱ　前項の決定は、書面でするものとし、その正本を新たな被告に送達しなければならない。

Ⅲ　第１項の決定があつたときは、出訴期間の遵守については、新たな被告に対する訴えは、最初に訴えを提起した時に提起されたものとみなす。

Ⅳ　第１項の決定があつたときは、従前の被告に対しては、訴えの取下げがあつたものとみなす。

Ⅴ　第１項の決定に対しては、不服を申し立てることができない。

Ⅵ　第１項の申立てを却下する決定に対しては、即時抗告をすることができる。

Ⅶ　上訴審において第１項の決定をしたときは、裁判所は、その訴訟を管轄裁判所に移送しなければならない。

［趣旨］平成16年改正により被告適格が行政庁の属する国又は公共団体となり（11Ⅰ参照）、被告の教示も義務化された（46Ⅰ①）ため、原告による被告特定の困難は軽減されたが、なお、個別法の定め等により、被告を誤る可能性が存在する。

それにもかかわらず訴えを却下すれば、再び訴訟を提起しようとしても出訴期間が経過しているおそれがあるため、原告が軽過失で被告とすべき者を誤った場合には被告の変更を認めることとした。

第16条　（請求の客観的併合）

Ⅰ　取消訴訟には、関連請求に係る訴えを併合することができる。

Ⅱ　前項の規定により訴えを併合する場合において、取消訴訟の第一審裁判所が高等裁判所であるときは、関連請求に係る訴えの被告の同意を得なければならない。被告が異議を述べないで、本案について弁論をし、又は弁論準備手続において申述をしたときは、同意したものとみなす。

第17条　（共同訴訟）

Ⅰ　数人は、その数人の請求又はその数人に対する請求が処分又は裁決の取消しの請求と関連請求とである場合に限り、共同訴訟人として訴え、又は訴えられることができる〈司〉。

Ⅱ　前項の場合には、前条第２項の規定を準用する。

第18条　（第三者による請求の追加的併合）

第三者は、取消訴訟の口頭弁論の終結に至るまで、その訴訟の当事者の一方を被告として、関連請求に係る訴えをこれに併合して提起することができる。この場合において、当該取消訴訟が高等裁判所に係属しているときは、第16条第２項の規定を準用する。

第19条　（原告による請求の追加的併合）

Ⅰ　原告は、取消訴訟の口頭弁論の終結に至るまで、関連請求に係る訴えをこれに併合して提起することができる〈司共予〉。この場合において、当該取消訴訟が高等裁判所に係属しているときは、第16条第２項の規定を準用する。

Ⅱ　前項の規定は、取消訴訟について民事訴訟法（平成８年法律第109号）第143条の規定の例によることを妨げない。

第20条

前条第１項前段の規定により、処分の取消しの訴えをその処分についての審査請求を棄却した裁決の取消しの訴えに併合して提起する場合には、同項後段において準用する第16条第２項の規定にかかわらず、処分の取消しの訴えの被告の同意を得ることを要せず、また、その提起があつたときは、出訴期間の遵守については、処分の取消しの訴えは、裁決の取消しの訴えを提起した時に提起されたものとみなす。

《注　釈》

一　請求の客観的併合（16）

16条は、請求の併合のうち、訴え提起の当初から1人の原告が1人の被告に対して数個の請求をする場合（原始的併合）について定める。

請求の客観的併合は審理の重複を回避し、矛盾した判決を防止するというメリットがある反面、不適切な併合はかえって審理を複雑化・長期化させるというデメリットがある。そこで、関連請求に係る訴えに限定して併合することを認めた。

ex.　取消訴訟と国家賠償請求訴訟

二　共同訴訟（17）

17条は、複数の原告が請求をする場合又は複数の被告に対して請求をする場合（原始的主観的併合）について定める。

その趣旨は16条と同様、審理の重複・判決の矛盾を防止しつつ、審理の複雑化・長期化を避けることにある。

三　請求の追加的併合（18、19）〈同

1　第三者による請求の追加的併合（18）

18条は、第三者が係属中の取消訴訟の当事者の一方を被告として、取消訴訟の関連請求に係る訴えを併合して提起することができることを定めており、第三者による主観的追加的併合を認めるものである。機能的には、第三者の訴訟参加の一態様といえる。

2　原告による請求の追加的併合（19）〈同

(1)　19条は、取消訴訟の原告が関連請求を追加的に併合できることを定めており、関連請求である限り、取消訴訟の被告に請求を追加してもよいし（客観的追加的併合）、新たに第三者に対して請求を追加してもよい（主観的追加的併合）。

(2)　処分に対する審査請求等の不服申立てを棄却した裁決の取消訴訟では、原処分の違法を主張できない（10Ⅱ）。そうすると、原告は原処分の違法を主張するために原処分の取消訴訟を提起するであろうが、その時点では出訴期間を徒過している可能性が高い。そこで、20条では、出訴期間につき裁決取消訴訟の提起時点で原処分の取消訴訟が提起されたものとみなすとともに、併合提起の要件を緩和した。

第２１条　（国又は公共団体に対する請求への訴えの変更）〈同

Ⅰ　裁判所は、取消訴訟の目的たる請求を当該処分又は裁決に係る事務の帰属する国又は公共団体に対する損害賠償その他の請求に変更することが相当であると認めるときは、請求の基礎に変更がない限り、口頭弁論の終結に至るまで、原告の申立てにより、決定をもつて、訴えの変更を許すことができる。

Ⅱ　前項の決定には、第15条第２項の規定を準用する。

Ⅲ　裁判所は、第１項の規定により訴えの変更を許す決定をするには、あらかじめ、当事者及び損害賠償その他の請求に係る訴えの被告の意見をきかなければならない。

Ⅳ　訴えの変更を許す決定に対しては、即時抗告をすることができる。
Ｖ　訴えの変更を許さない決定に対しては、不服を申し立てることができない。

［趣旨］取消訴訟の係属中に訴えの利益がなくなった場合、新たに国・公共団体に対する損害賠償請求等に訴えを変更することは、原告の負担を軽減し、訴訟経済にも資する。この場合、訴訟手続が行政事件訴訟から民事訴訟に変更されるが、民訴法143条（訴えの変更）では訴訟手続が異なるため許されない。
そこで、一定の要件の下に、取消訴訟の目的たる請求を損害賠償請求等に変更することができるよう、本条を定めた。

▼　事務の帰属する公共団体と指定確認検査機関（最決平17.6.24・百選5事件）〈司共予

事案：　指定確認検査機関（建築基準6の2Ⅰ）が行った建築確認に対し周辺住民が取消訴訟を提起したが、完了検査が終了したため行政事件訴訟法21条1項に基づき市に対する国家賠償訴訟への訴えの変更を申し立てた。

決旨：　指定確認検査機関の確認に係る建築物について確認をする権限を有する建築主事が置かれた地方公共団体は、指定確認検査機関の当該確認につき行政事件訴訟法21条1項所定の「当該処分又は裁決に係る事務の帰属する国又は公共団体」に当たる。

第22条　（第三者の訴訟参加）

Ⅰ　裁判所は、訴訟の結果により権利を害される第三者があるときは、当事者若しくはその第三者の申立てにより又は職権で、決定をもつて、その第三者を訴訟に参加させることができる〈予。
Ⅱ　裁判所は、前項の決定をするには、あらかじめ、当事者及び第三者の意見をきかなければならない。
Ⅲ　第1項の申立てをした第三者は、その申立てを却下する決定に対して即時抗告をすることができる。
Ⅳ　第1項の規定により訴訟に参加した第三者については、民事訴訟法第40条第1項から第3項までの規定を準用する。
Ｖ　第1項の規定により第三者が参加の申立てをした場合には、民事訴訟法第45条第3項及び第4項の規定を準用する。

第23条　（行政庁の訴訟参加）〈司共

Ⅰ　裁判所は、処分又は裁決をした行政庁以外の行政庁を訴訟に参加させることが必要であると認めるときは、当事者若しくはその行政庁の申立てにより又は職権で、決定をもつて、その行政庁を訴訟に参加させることができる〈予。

Ⅱ　裁判所は、前項の決定をするには、あらかじめ、当事者及び当該行政庁の意見をきかなければならない。
Ⅲ　第1項の規定により訴訟に参加した行政庁については、民事訴訟法第45条第1項及び第2項の規定を準用する。

《注　釈》

一　第三者の訴訟参加（22）司

裁判所は、訴訟の結果により権利を侵害される第三者があるときは、当事者若しくはその第三者の申立てにより、又は職権で、その第三者を訴訟に参加させることができる（22Ⅰ）。

取消判決の効力は第三者に対しても及び（第三者効、32Ⅰ）、訴訟の結果は第三者の権利・利益に重大な影響を及ぼす。そこで、このような第三者に主張・立証の機会を与えるために訴訟参加が認められた。

▼　産廃処理場の近隣住民の訴訟参加の可否（最決平15.1.24・百選190事件）

事案：　XのA町への産廃最終処分場設置許可申請に対し、県知事YはA町周辺住民の反対を理由に不許可処分にした。そこで、Xが本件不許可処分に対して取消訴訟を提起したところ、A町住民が水源汚濁を理由に、Yに民事訴訟法42条の補助参加を申し立てた。

決旨：　廃棄物処理法15条2項1号は、産業廃棄物処理施設設置許可につき、申請に係る産業廃棄物処理施設が厚生省令（当時）で定める技術上の基準に適合していることを要件としており、この規定は、周辺地域に災害が発生することを未然に防止する観点から上記基準に適合するかどうかの審査を行うことを定めていると解される。そして、人体に有害な物質を含む産業廃棄物処理施設たる管理型最終処分場については、設置許可処分における審査に過誤、欠落があり有害な物質が許容限度を超えて排出された場合には、その周辺住民の生命、身体に重大な危害を及ぼすなどの災害を引き起こすことがありうる。このような同条項の趣旨・目的及び上記災害による被害の内容・性質等を考慮すると、同項は、管理型最終処分場について、その周辺に居住し、当該施設から有害な物質が排出された場合に直接的かつ重大な被害を受けることが想定される範囲の住民の生命、身体の安全等を個々人の個別的利益としても保護すべきものとする趣旨を含むと解される。したがって、上記範囲の住民に当たる者は、民事訴訟法42条にいう「訴訟の結果について利害関係を有する第三者」に当たる。

二　行政庁の訴訟参加（23）

裁判所は、他の行政庁を訴訟に参加させることが必要であると認めるときは、当事者若しくはその行政庁の申立てにより、又は職権で、その行政庁を訴訟に参加させることができる（23Ⅰ）。

訴訟参加が認められた行政庁は、基本的に訴訟について一切の訴訟行為をすることができる（23Ⅲ、民訴45ⅠⅡ）。

∵　処分庁以外の行政庁を訴訟に参加させることにより、訴訟資料を充実させ、より適切な審理を実現する

<訴訟参加の例>

	第三者の訴訟参加	行政庁の訴訟参加
実体的要件	訴訟の結果により権利を害される第三者であること	処分庁・裁決庁以外の行政庁を訴訟に参加させることが必要であると認められること
申立権	当事者 当該第三者	当事者 当該行政庁
職権	○	○
意見聴取	当事者 及び 当該第三者	当事者 及び 当該行政庁
即時抗告	①　申立てをした第三者は、 ②　申立てを却下する決定に対して、可	不可
参加人の地位	必要的共同訴訟の共同訴訟人	補助参加人

第２３条の２　（釈明処分の特則）

Ⅰ　裁判所は、訴訟関係を明瞭にするため、必要があると認めるときは、次に掲げる処分をすることができる。

①　被告である国若しくは公共団体に所属する行政庁又は被告である行政庁に対し、処分又は裁決の内容、処分又は裁決の根拠となる法令の条項、処分又は裁決の原因となる事実その他処分又は裁決の理由を明らかにする資料（次項に規定する審査請求に係る事件の記録を除く。）であつて当該行政庁が保有するものの全部又は一部の提出を求めること〈共〉。

②　前号に規定する行政庁以外の行政庁に対し、同号に規定する資料であつて当該行政庁が保有するものの全部又は一部の送付を嘱託すること。

Ⅱ　裁判所は、処分についての審査請求に対する裁決を経た後に取消訴訟の提起があつたときは、次に掲げる処分をすることができる。

①　被告である国若しくは公共団体に所属する行政庁又は被告である行政庁に対し、当該審査請求に係る事件の記録であつて当該行政庁が保有するものの全部又は一部の提出を求めること。

② 前号に規定する行政庁以外の行政庁に対し、同号に規定する事件の記録であつて当該行政庁が保有するものの全部又は一部の送付を嘱託すること。

［趣旨］本条は、取消訴訟において、審理を充実させ、早期の段階で争点を明らかにして審理の促進を図るため、民訴法の釈明処分（民訴149、151参照）の特則として定められた。

《注　釈》

◆　**釈明処分の内容**

1　処分・裁決の理由を明らかにする資料の提出を求めること
→処分・裁決の直接の根拠に用いられた資料（一件記録）の他、処分・裁決の判断に際して参照された資料（通達、聴聞・弁明・公聴会等の事前手続の記録など）

2　資料送付の嘱託をすること

第24条　（職権証拠調べ）

裁判所は、必要があると認めるときは、職権で、証拠調べをすることができる。ただし、その証拠調べの結果について、当事者の意見をきかなければならない〈共予〉。

［趣旨］行政訴訟においては弁論主義が採られているが、行政訴訟は公益への影響が大きいため、審理の適正を図る必要がある。そこで職権による証拠調べを認め、当事者による立証活動を補完することとした。

《注　釈》

◆　**職権証拠調べ**

1　職権証拠調べ

裁判所は、当事者の主張する事実だけでは証拠が不十分で心証を得がたい場合には、職権で証拠調べをすることができる（本文）。これを職権証拠調べという。

「職権で」というのは、当事者が証拠を提出し証拠調べを請求しなくても、裁判所が自身の判断で証拠調べを行うことができるという意味である。

もっとも、その証拠調べの結果について、当事者の意見をきくことを要するものとし、裁判所の専断を避けることにしている（ただし書）。

2　弁論主義との比較

取消訴訟は「抗告訴訟」（３Ⅰ）の一種であり、「抗告訴訟」は国民の権利・利益の保護を目的とする主観訴訟にほかならない。そのため、取消訴訟も当事者の私的利益に関する紛争の解決を目的とするものといえ、民事訴訟と同様に弁論主義（判決の基礎をなす事実の確定に必要な裁判資料の収集・提出を当事者の権能かつ責任とする原則）が妥当する。

しかし、行政事件訴訟はその取扱いが公益にかかわり、証拠の収集を当事者に委ねることが適当でない場合もあるため、例外的に、職権証拠調べが認められている。ただし、あくまで弁論主義が原則であり、職権証拠調べは裁判所の義務ではなく必要と認めた場合に限り行えばよい（最判昭28.12.24・百選185事件）。

なお、職権証拠調べは裁判所が当事者の主張する事実についての証拠調べをするにとどまり、当事者が主張しない事実まで裁判所が職権で認定できるという職権探知主義を含むものではないとされ、この点で不服申立てと異なる〈予〉。

<職権探知・職権証拠調べ>

	職権探知	職権証拠調べ
不服申立て	○	○
行政事件訴訟	×	○

▼ 職権証拠調べ（最判昭28.12.24・百選185事件）

判旨：　行政事件訴訟特例法９条（現行行訴法24条に相当）は、証拠につき十分の心証を得られない場合、職権で、証拠を調べることのできる旨を規定したものであって、証拠につき十分の心証を得られる以上、職権によって更に証拠を調べる必要はない。

3　実質的証拠法則

実質的証拠法則とは、準司法手続により事実認定がなされた場合、裁判所は判断代置をせずに当該事実認定に合理性があれば裁判所はそれに拘束されるとするものである。この法則は、憲法32条及び憲法76条2項後段違反の問題が生ずるため、実質的証拠があるか否かについて裁判所の判断が及ぶものとされている。

ex.　電波99 Ⅱ

▼ 実質的証拠法則（最判昭37.4.12・百選186事件）

事案：　福岡通商産業局長Ａはセメント会社Ｂに石灰石試掘権設定の出願を許可した。ところが地元市Ｘが、水源の破壊などを理由に、鉱業法に基づいて土地調整委員会ＹへＡの許可取消しの裁定を申請した。その後、Ｙは、Ｘの上記申請を棄却する旨の裁決を行ったため、Ｘは、Ｙの裁定の取消しを求めて出訴した。

判旨：　鉱業権の実施が公共の福祉に反するものかどうかの委員会の判断も、実質的証拠に基づくことを要することはもちろん、専門的知識を持つ者の判断も、かかる実質的証拠に基いてこそ裁判所はこれを尊重しなければならない。しかし、本件の場合、水源の枯渇がないと断定しうるような資料に乏しく、それだけでは、裁定の認定した事実が実質的証拠に基づくとはいえない。したがって、土地調整委員会の裁定は実質的証拠に基づかないものと断じても支障はない。

第２５条（執行停止）

Ⅰ　処分の取消しの訴えの提起は、処分の効力、処分の執行又は手続の続行を妨げない。

Ⅱ　処分の取消しの訴えの提起があつた場合において、処分、処分の執行又は手続の続行により生ずる重大な損害を避けるため緊急の必要があるときは、裁判所は、申立てにより、決定をもつて、処分の効力、処分の執行又は手続の続行の全部又は一部の停止（以下「執行停止」という。）をすることができる〈予。ただし、処分の効力の停止は、処分の執行又は手続の続行の停止によつて目的を達することができる場合には、することができない〈共予。

Ⅲ　裁判所は、前項に規定する重大な損害を生ずるか否かを判断するに当たつては、損害の回復の困難の程度を考慮するものとし、損害の性質及び程度並びに処分の内容及び性質をも勘案するものとする〈司予。

Ⅳ　執行停止は、公共の福祉に重大な影響を及ぼすおそれがあるとき、又は本案について理由がないとみえるときは、することができない〈予。

Ⅴ　第２項の決定は、疎明に基づいてする〈司。

Ⅵ　第２項の決定は、口頭弁論を経ないですることができる。ただし、あらかじめ、当事者の意見をきかなければならない〈司予。

Ⅶ　第２項の申立てに対する決定に対しては、即時抗告をすることができる。

Ⅷ　第２項の決定に対する即時抗告は、その決定の執行を停止する効力を有しない〈予。

第２６条（事情変更による執行停止の取消し）〈司共

Ⅰ　執行停止の決定が確定した後に、その理由が消滅し、その他事情が変更したときは、裁判所は、相手方の申立てにより、決定をもつて、執行停止の決定を取り消すことができる〈予。

Ⅱ　前項の申立てに対する決定及びこれに対する不服については、前条第５項から第８項までの規定を準用する。

第２７条（内閣総理大臣の異議）

Ⅰ　第25条第２項の申立てがあつた場合には、内閣総理大臣は、裁判所に対し、異議を述べることができる。執行停止の決定があつた後においても、同様とする。

Ⅱ　前項の異議には、理由を附さなければならない。

Ⅲ　前項の異議の理由においては、内閣総理大臣は、処分の効力を存続し、処分を執行し、又は手続を続行しなければ、公共の福祉に重大な影響を及ぼすおそれのある事情を示すものとする。

Ⅳ　第１項の異議があつたときは、裁判所は、執行停止をすることができず、また、すでに執行停止の決定をしているときは、これを取り消さなければならない。

Ⅴ　第１項後段の異議は、執行停止の決定をした裁判所に対して述べなければならない。ただし、その決定に対する抗告が抗告裁判所に係属しているときは、抗告裁判所に対して述べなければならない。
Ⅵ　内閣総理大臣は、やむをえない場合でなければ、第１項の異議を述べてはならず、また、異議を述べたときは、次の常会において国会にこれを報告しなければならない。

第２８条　（執行停止等の管轄裁判所） 司 予

執行停止又はその決定の取消しの申立ての管轄裁判所は、本案の係属する裁判所とする。

第２９条　（執行停止に関する規定の準用）

前４条の規定は、裁決の取消しの訴えの提起があつた場合における執行停止に関する事項について準用する。

《注　釈》

一　執行不停止の原則（25Ⅰ） 司

1　意義

25条1項は、「処分の取消しの訴えの提起は、処分の効力、処分の執行又は手続の続行を妨げない」と定める。これを執行不停止の原則という。

∵　取消訴訟の提起により当然に処分の執行が停止されるとすると、十分な理由もないのにとりあえず訴訟を提起することで時間稼ぎを図るというケースが多発し、行政の円滑な運営が害され公益が損なわれるおそれがある

2　仮処分の排除

執行不停止原則と同様の趣旨から、行政庁の処分その他公権力の行使に当たる行為については、民事保全法に規定する仮処分をすることもできない（44）。

二　執行停止（25Ⅱ）

1　意義

執行停止が一切認められないとすれば、原告が最終的に勝訴しても、処分がすでに執行されてしまったことにより、原状回復が難しくなっている場合も生じうる。

そこで、法は、例外的に、「処分の取消しの訴えの提起があつた場合において、処分、処分の執行又は手続の続行により生ずる重大な損害を避けるため緊急の必要があるときは、裁判所は、申立てにより、決定をもつて、処分の効力、処分の執行又は手続の続行の全部又は一部の停止（以下「執行停止」という。）をすることができる」（25Ⅱ本文）とする。

<執行停止の類型>

	意義	対象処分の具体例
処分の効力の停止	処分の効力を暫定的に停止し、将来に向かって処分がなかった状態を復元する	営業停止命令 免職処分
処分の執行の停止	処分により課された義務の履行を確保するために強制処分をとることの停止	退去強制令書の発付 代執行への戒告
処分の手続の続行の停止	処分の存在を前提としてなされる後続処分が行われることを防止する	事業認定（その後の収用裁決のため）

2　執行停止の要件（25Ⅱ Ⅲ Ⅳ）司 司H19 司H21

(1) 本案の取消訴訟が係属していること（25Ⅱ本文）予

本案の取消訴訟が適法であることが必要と解されている司。

(2) 原告、利害関係を有する第三者からの申立てがあること（25Ⅱ本文）

裁判所の職権による執行停止は規定されていない司。この点で、行政不服審査法25条2項の執行停止と異なる。

(3) 重大な損害を避けるため緊急の必要があること（25Ⅱ本文）

(a) 平成16年改正法は、従来の「回復困難な損害」の部分を「重大な損害」に変更した。

さらに16年改正法では、「重大な損害」を生ずるか否かを判断する場合の解釈の指針を明文化し、裁判所は、損害の回復の困難の程度を考慮し、損害の性質・程度、処分の内容・性質をも勘案することとされた（25Ⅲ）。

また「重大な損害」が生ずるか否かの判断に当たっては、処分を受けた者の社会的信用の低下等を考慮することも否定されない。

▼ 弁護士に対する懲戒処分の執行停止（最決平19.12.18・百選192事件） 司 司R5

事案：　弁護士Xは、Xが所属する弁護士会から業務停止3か月の懲戒処分を受けた。Xは、Y（日本弁護士連合会）に審査請求をしたが、Yはこれを棄却する裁決をした。そこで、Xは、本件裁決の取消訴訟を提起するとともに、本件懲戒処分の執行停止（効力停止）の申立てをした。

判旨：「Xは、その所属する弁護士会から業務停止3月の懲戒処分を受けたが、当該業務停止期間中に期日が指定されているものだけで31件の訴訟案件を受任していたなど本件事実関係の下においては、行政事件訴訟法25条3項所定の事由を考慮し勘案して、上記懲戒処分によってXに生ずる社会的信用の低下、業務上の信頼関係の毀損等の損害が同条2項に規定する『重大な損害』に当たるものと認めた原審の判断は、正当として是認することができる」。

補足意見：「弁護士業務は、その性質上、高い信用の保持と業務の継続性が求められるところ、多数の訴訟案件、交渉案件を受任している弁護士が数か月間にわたる業務停止処分を受けた場合、その間、法廷活動、交渉活動、弁護活動はもちろんのこと、顧問先に係る業務を始めとして一切の法律相談活動はできず、業務停止処分により、従前の依頼者は他の弁護士に法律業務を依頼せざるを得なくなるが、進行中の事件の引継ぎは容易ではない。また、懲戒を受けた弁護士の信用は大きく失墜する。そして、業務停止期間が終了しても、いったん他の弁護士に依頼した元の依頼者が再度依頼するとは限らず、また、失墜した信用の回復は容易ではない」。「業務停止処分を受けた弁護士が受ける上記の状況によって生ずる有形無形の損害は、後にその処分が取り消された場合に、金銭賠償によっては容易に回復し得ないものである」。

評釈：　本決定は、当該弁護士の依頼者に生ずる損害の大きさを考慮したものではなく、その損害を当該弁護士の損害に引き直して考慮したものと評価するのが相当であるとされる（令和５年司法試験・公法系科目第２問採点実感参照）。

(b)　緊急の必要があること（積極要件）の疎明責任は原告側が負うと解されている〈司〉。

(4)　執行停止によって公共の福祉に重大な影響を及ぼすおそれのないこと（25Ⅳ）

(5)　本案について理由がないとみえないこと（25Ⅳ）

原告の主張に明らかに理由がないといえるような場合のみを排除する趣旨である。理由がないこと（消極要件）の疎明責任は行政庁側が負うと解されている〈司予〉。

なお、「処分の効力の停止」は処分の執行又は手続の続行の停止によって目的を達することができる場合にはすることができない（25Ⅱただし書）〈司〉。

3　執行停止の効果

執行停止の決定の確定により、処分の効力、処分の執行又は手続の続行の全部又は一部が停止される。この効果は将来に向かってのみ発生するが、第三者効は認められる（32Ⅱ）。

4　即時抗告

執行停止の申立てに対する決定に対し不服のある者は、原裁判所を管轄区域とする高等裁判所に即時抗告をすることができる（25Ⅶ）。ただし、即時抗告には決定の執行を停止する効力はない（25Ⅷ）。

5　執行停止の取消し

執行停止の決定が確定した後に、その理由が消滅し、その他事情が変更したときは、裁判所は、相手方（行政庁）の申立てにより、決定をもって、執行停止の決定を取り消すことができる（26Ⅰ）。なお、裁判所が職権でこれを取り消すことはできない予。

▼ 退去強制令書の執行と裁判を受ける権利（最決昭52.3.10・百選191事件）

事案： 退去強制令書の発付を受けた外国人Xが、右令書発付の取消しを求める訴えを提起するとともに、右令書の執行停止を求める申立てをしたものの、本案判決の言渡しに至るまで送還部分に限り右令書の執行を停止する決定がなされた。

決旨： Xが本国に強制送還され、わが国に在留しなくなれば、みずから訴訟を追行することは困難となるのを免れないことになるが、訴訟代理人によって訴訟を追行することは可能であり、また、訴訟の進行上当事者尋問などのためXが直接法廷に出頭することが必要となった場合には、その時点において、改めてわが国への上陸が認められないわけではない。それゆえ、本件令書が執行され、Xがその本国に強制送還されたとしても、それによってXの裁判を受ける権利が否定されることにはならない。

▼ 執行停止の効力（最判昭29.6.22・百選193事件）

事案： Xは、自己の所有地について立てられた農地買収計画に対して、取消訴訟を提起し、右計画の執行停止決定を得た。ところが、このときまでに、農地買収計画に基づく買収処分および売渡処分は完了しており、農地の売渡しを受けたYは、Xが耕作を妨害するとして、農地立入禁止の仮処分を得ていた。Xは、右の執行停止決定を得たことを理由に事情変更による仮処分の取消しを求めて訴訟を提起した。

判旨： 農地の元所有者が、その買収計画に対する行政処分取消の訴訟を提起し、その行政処分の執行停止決定を得たとしても債権者が右買収計画手続によって農地の所有権を取得したとし、その保全のために元所有者を相手方としてした仮処分決定はその理由を失ったものと解すべきではない。何故ならば右執行停止決定は単に農地買収計画に基づく買収手続の進行を停止する効力を有するだけであって、すでに執行されたその手続の効果を覆滅して元所有者の所有権を確定する効力を有するものと解すべきではなく、従って仮処分債権者の被保全権利は右の執行停止決定により直ちに失われたものとすることはできないからである。

三 内閣総理大臣の異議（27）同

1 執行停止の申立てがあったときは、内閣総理大臣は、裁判所に対し異議を述べることができる（Ⅰ前段）。異議は、執行停止の決定の後であっても述べることができる（Ⅰ後段）。

2 内閣総理大臣の異議があったときは、裁判所は、執行停止の決定前であれば、もはや執行停止をすることができず、すでに執行停止の決定をしているときは、これを取り消さなければならない（Ⅳ）。

3　内閣総理大臣は、やむを得ない場合でなければ異議を述べてはならないものとし（Ⅵ前段）、また、異議を述べる際には理由を付さなければならず（Ⅱ）、その理由においては、処分の効力を存続し、処分を執行し、又は手続を続行しなければ、公共の福祉に重大な影響を及ぼすおそれのある事情を示さなければならない（Ⅲ）。さらに異議を述べたときは、内閣総理大臣は次の常会において国会に報告しなければならない（Ⅵ後段）。

∵　内閣総理大臣の異議は、裁判所による執行停止を覆す強力な手段である

→この制度は、取消訴訟における仮の救済の最終的判断が一般的に行政権に留保されていることになり、その合憲性について制度の根拠と関連して争いがある

▼　内閣総理大臣の異議（最大決昭28.1.16・百選194事件）

事案：　青森県議会の除名処分を受けた議員Aが処分取消しを求め出訴し、同時に処分の執行停止を申請した。地裁がこれを認めると、内閣総理大臣は異議を述べたが、地裁は旧行訴特例法10条2項但書後段の理由の明示に足りる具体的記述に欠け無効な異議であるとして執行停止を取り消さない決定をした。青森県議会Yが特別上告した。

決旨：　行訴特例法10条1項においては、内閣総理大臣の異議は執行停止決定の前に出す必要があったとされた（現在は立法的に解決）。

第30条　（裁量処分の取消し） 予

行政庁の裁量処分については、裁量権の範囲をこえ又はその濫用があつた場合に限り、裁判所は、その処分を取り消すことができる。

［趣旨］行政庁の裁量に基づいてなされた処分につき、裁量権の範囲内として当不当の問題にとどまる限り司法審査の対象とならないが、裁量権の範囲を逸脱し又はその濫用があった場合は司法審査の対象となることを規定した。

《注　釈》

◆　行政裁量とその限界

1　行政裁量

本条により、自由裁量であっても裁量権の逸脱・濫用があれば裁量処分は取り消されるので、古典的な羈束裁量と自由裁量の区別は相対化しており、裁量を巡る問題の中心は裁判所の審査密度の問題へと移行している。

行政裁量の有無については、①事実認定の段階、②法律要件の解釈と認定事実のあてはめ段階（要件裁量）、③手続選択の段階、④行為選択の段階（効果裁量）、⑤処分をする時の選択（時の裁量）といった行政庁の判断過程の段階に応じて検討する方法がしばしば用いられている。　⇒p.43

2　行政裁量の限界

裁量権の逸脱とは、法の許容した裁量権の範囲を超えることをいう。また、裁量権の濫用とは、法の許容する範囲内であっても、恣意的に裁量権を行使することをいう。もっとも、判例は裁量権の逸脱・濫用を明確に区別せず、端的に裁量権の逸脱・濫用として扱うことが多い。

裁量権の逸脱・濫用の有無を判断する裁量審査の方法について、本条は明らかにしていないが、判例上その方法として、実体的審査、判断過程審査、及び手続的審査がある。 ⇒ p.51 以下

第31条 （特別の事情による請求の棄却） 〈同

Ⅰ 取消訴訟については、処分又は裁決が違法ではあるが、これを取り消すことにより公の利益に著しい障害を生ずる場合において、原告の受ける損害の程度、その損害の賠償又は防止の程度及び方法その他一切の事情を考慮したうえ、処分又は裁決を取り消すことが公共の福祉に適合しないと認めるときは、裁判所は、請求を棄却することができる。この場合には、当該判決の主文において、処分又は裁決が違法であることを宣言しなければならない。

Ⅱ 裁判所は、相当と認めるときは、終局判決前に、判決をもつて、処分又は裁決が違法であることを宣言することができる。

Ⅲ 終局判決に事実及び理由を記載するには、前項の判決を引用することができる。

［趣旨］取消訴訟で本案審理の結果、当該処分が違法である場合、裁判所はその処分を取り消すことになるのが原則である。しかし、行政行為を基礎として事実が積み重ねられている場合、この既成事実を取消判決によって覆滅されることが公共の福祉に適合しないことが起こりうる。

そこで、特別の事情を考慮して請求棄却を認める事情判決の制度を定めた。

《注 釈》

一 訴えの利益との関係

原状回復の実現が社会通念上困難になった場合には、原告にとって救済とならないことから、訴えの利益が否定されるとも考えられる。

しかし、判例（最判平 4.1.24・百選 172 事件）は、土地改良事業の施行の結果、社会通念上原状回復がもはや不可能と考えられる事態となった場合でも、事業の施行認可の取消しを求める訴えの利益は消滅しないとする。

▼ 土地改良事業と訴えの利益（最判平 4.1.24・百選 172 事件） 〈共予

⇒ p.358

二 内容

1 裁判所は、一定要件の下で、損害の程度、その損害の賠償又は損害の防止の程度等一切の事情を考慮して、処分又は裁決は違法であるが請求を棄却するこ

とができる。ただし、判決主文では処分又は裁決が違法であることを宣言しなければならない（Ⅰ）。当該判決が確定したときは、当該処分が違法であるとの当該判決における判断について既判力が生じる予。

2　また、裁判所は、相当と認めるときは、終局判決前に判決をもって、処分が違法であることを宣言することができる（中間違法宣言判決、Ⅱ）。

∵　被告が損害防止等の措置を適切に講じない場合には、被告に対して処分が取り消される可能性のあることを警告することで、紛争の解決を促進する

▼　事情判決（最判昭33.7.25・百選195事件）司

事案：　土地改良事業に対するY知事の認可について、事業計画書と定款の縦覧期間との不足という違法を主張して、改良区域内の土地所有者Xが認可取消しを求めた。

判旨：　土地改良区の事業実施の経過に照らし、Yの認可を取り消すことにより多数の農地、多数の人について生じた各種の法律関係及び事実状態を一気に覆滅し去ることは著しく公共の福祉に反するとして、事情判決を言い渡した。

▼　議員定数訴訟と事情判決（最大判昭51.4.14・百選206事件）司

事案：　選挙人Xが、衆議院議員選挙につき公選204条に基づきその無効判決を求めて訴訟を提起した。

判旨：　行政事件訴訟法31条1項前段には、行政処分の取消しの場合に限られない一般的な法の基本原則に基づくものと解すべき要素が含まれており、本件においてはその法理にしたがい違法である旨を判示するにとどめて選挙自体は無効とせず、請求を棄却するとともに判決主文で違法を宣言するのが相当である。

第３２条　（取消判決等の効力）司共

Ⅰ　処分又は裁決を取り消す判決は、第三者に対しても効力を有する。
Ⅱ　前項の規定は、執行停止の決定又はこれを取り消す決定に準用する。

第３３条　（拘束力）司

Ⅰ　処分又は裁決を取り消す判決は、その事件について、処分又は裁決をした行政庁その他の関係行政庁を拘束する。
Ⅱ　申請を却下し若しくは棄却した処分又は審査請求を却下し若しくは棄却した裁決が判決により取り消されたときは、その処分又は裁決をした行政庁は、判決の趣旨に従い、改めて申請に対する処分又は審査請求に対する裁決をしなければならない予。
Ⅲ　前項の規定は、申請に基づいてした処分又は審査請求を認容した裁決が判決により手続に違法があることを理由として取り消された場合に準用する。

Ⅳ　第１項の規定は、執行停止の決定に準用する。

《注　釈》

一　判決の効力

1　既判力

判決が確定すると、当該訴訟の当事者及び裁判所は、後の裁判において、同一事項につき、判決の内容と矛盾する主張や判断を行うことができない。これを既判力（実質的確定力）という。紛争の蒸し返しの防止や矛盾した裁判の防止という要請から、判決一般に認められる効力である。

(1)　請求認容判決

請求認容判決（取消判決）が確定すると、当該処分が違法であったことが既判力により確定される。この場合、処分の違法性を理由とする国家賠償請求訴訟において、被告である行政主体及び裁判所は、当該処分が適法である旨の主張や判断をなしえない。

(2)　請求棄却判決

請求棄却判決が確定した場合には、当該処分が適法であることが確定される。この場合、原告が国家賠償請求訴訟を提起して、当該処分の違法性を主張することは許されないとするのが通説である。

ただし、請求棄却判決があった処分を行政庁が職権で取り消すことは、国民に不利益とならず、妨げられない。

▼　裁決取消判決の効果（最判昭50.11.28・百選178事件）

判旨：　農地買収計画についての訴願を棄却した裁決が行政事件訴訟特例法に基づく裁決取消の訴訟において買収計画の違法を理由として取り消されたときは、右買収計画は効力を失うと解すべきである。

2　形成力〈共〈予R3

取消判決が確定すると、当該処分は、行政庁による取消しを待つまでもなく当然に効力を失い、当初からそれがなされなかったのと同じ状態をもたらす。これを形成力という。

3　第三者効（対世効）(32)

(1)　取消判決の形成力は、当該訴訟の原告と被告行政庁だけでなく、訴訟外の利害関係者たる第三者にも及ぶ（32Ⅰ）。これを第三者効という。

∵　処分に関する法律関係を画一的に規律する

ex.　行政庁に農地を買収された者が買収処分の取消訴訟を提起し、それが認容されたとき、判決の形成力は行政庁から農地の売渡しを受けた者にも及び、その者は農地を返還する義務を負う

(2)　厚生大臣（当時）が職権で健康保険医療費値上げを告示したために告示の

取消しを求めた事案において、利害関係者たる第三者の範囲につき、利益を共通する第三者はこれに含まれないとした裁判例（東京地決昭40.4.22）がある。

(3) 第三者効が認められる結果、第三者も訴訟の結果に大きな影響を受けることになる。そのため、事前的に第三者の訴訟参加（22Ⅰ）、事後的に再審の訴え（34）が認められている。

4 拘束力（33）〈司〈予R3

(1) 意義

取消判決の拘束力とは、行政庁に対し、処分又は裁決を違法とした判決の内容を尊重し、その事件について判決の趣旨に従って行動すべきことを義務付ける効力をいう。

∵ 取消訴訟の実効性を確保する

(2) 効果

(a) 行政庁は、取り消された行政処分と同一の事情の下で、同一理由、同一内容の処分を行うことが禁止される（反復禁止効）。しかし、事情、理由、内容のいずれかが異なれば、拘束力は及ばない〈司。

近畿陸運局長の個人タクシー値下げ請求再却下処分について、本件却下処分を違法と判断した理由は、同局長が考慮すべき諸事情を十分に斟酌しないで却下処分をしたことにあったのであるから、同局長が、前判決が考慮事項として挙げた事項を考慮した上で行った本件再却下処分は、前判決の拘束力に反するものではないとした裁判例（大阪高判平22.9.9・平23重判7事件）がある。

(b) さらに行政庁は、取消判決の趣旨に従って改めて措置をとるべき義務を負う。

すなわち、申請を却下・棄却した処分、又は審査請求を却下・棄却した裁決が判決により取り消されたときは、その処分又は裁決をした行政庁は、判決の趣旨に従い、改めて、申請に対する処分又は審査請求に対する裁決をやり直さなければならない（33Ⅱ）。

また、申請に基づいてした処分又は審査請求を認容した裁決が、手続に違法があることを理由として取り消された場合も同様である（33Ⅲ）。

判例（最判令3.6.24・百選196事件）は、「処分を取り消す判決が確定した場合には、その拘束力（行政事件訴訟法33条1項）により、処分をした行政庁等は、その事件につき当該判決における主文が導き出されるのに必要な事実認定及び法律判断に従って行動すべき義務を負うこととなるが、上記拘束力によっても、行政庁が法令上の根拠を欠く行動を義務付けられるものではないから、その義務の内容は、当該行政庁がそれを行う法令上の権限があるものに限られる」としている〈予。

なお、行政庁には、処分又は裁決のやり直しの他に、取り消された処分・裁決に直接関連して行われた違法状態を除去する義務が発生する。たとえば租税賦課処分が取り消された場合、行政庁には後行処分である差押処分を取り消す義務が発生する共。

一方、課税処分とそれを前提とする滞納処分とは、それぞれ目的及び効果を異にし、別個独立の行政処分であるため、課税処分が取り消されても、その取消前に完結した滞納処分の効力には影響がない司。

▼ 借地権者への処分と所有権者の関係（最判平5.12.17）

事案：　第一種市街地再開発事業の実施者であるＹ市が、訴外ＡらがＸら所有の事業施行地区内の宅地に借地権を有するとの認定を前提に、Ａらに対する権利変換処分とＸらに対する権利変換処分を行ったところ、ＸらがＡらの借地権は消滅しているとして両処分の取消訴訟を提起した。

判旨：　第一種市街地再開発事業施行地区内の宅地の所有者が当該宅地上の借地権の存在を争っている場合に、右借地権が存在することを前提として当該宅地の所有者及び借地権者に対してなされる権利変換に関する処分については、借地権者に対してされた処分が当該借地権が存在しないものとして取り消された場合には、施行者は、宅地の所有者に対する処分についても、これを取り消した上、改めてその上に借地権が存在しないことを前提とする処分をすべき関係にある（行訴33Ⅰ）。その意味で、この場合の借地権者に対する処分は、宅地の所有者の権利に対しても影響を及ぼすものといえる。したがって、宅地の所有者は、自己に対する処分の取消しを訴求するほか、借地権者に対する処分の取消しをも訴求する原告適格を有するものといえる。

二　違法判断の基準時司

行政処分がなされてから判決に至るまでの間に、当該処分の前提となっていた法令の内容に変更があることがある。そのような場合に、裁判所は、判決に際し、①処分当時の法令を前提として判決を行うべきか（処分時説）、②現在の法令を前提として判決を行うべきか（判決時説）、違法判断の基準時が問題となるが、判例・通説は処分時説を採る。

∵　取消訴訟は行政処分の事後審査であり、行われた行政行為が法律の定めるところに合致していたか否かを事後的に審査するところに取消訴訟制度の目的がある

▼ 違法判断の基準時（最判昭27.1.25・百選184事件）

事案：　県農地委員会は、自作農創設特別措置法（以下「自創法」という。）により、Ｘの土地につき買収計画を定めた。Ｘが訴願裁決の取消しを求める訴えを提起したところ、原審は自創法附則２項に基づき一定範囲で訴

行政事件訴訟法

願裁決を取り消した。これに対し、県農地委員会は、自創法附則２項が改正法によってすでに削除されているのにこれを適用した原審に違法があると主張した。

判旨：　行政処分の行われた後に法律が改正されたからといって、行政庁は改正法律によって行政処分をしたのではないから、裁判所が改正後の法律によって行政処分の当否を判断することはできない。

第３４条　（第三者の再審の訴え）

Ⅰ　処分又は裁決を取り消す判決により権利を害された第三者で、自己の責めに帰することができない理由により訴訟に参加することができなかつたため判決に影響を及ぼすべき攻撃又は防御の方法を提出することができなかつたものは、これを理由として、確定の終局判決に対し、再審の訴えをもつて、不服の申立てをすることができる〈予〉。

Ⅱ　前項の訴えは、確定判決を知つた日から30日以内に提起しなければならない。

Ⅲ　前項の期間は、不変期間とする。

Ⅳ　第１項の訴えは、判決が確定した日から１年を経過したときは、提起することができない。

［趣旨］法律関係の画一化の要請によって取消判決は第三者に対しても効力が及ぶので（32Ⅰ）、このような第三者に主張・立証の機会を与えるために事前的に訴訟参加が認められている（22）。もっとも、利害関係を有するすべての第三者が訴訟参加できるとは限らない。そこで、第三者の再審の訴えを認め、判決確定後であっても自己の権利を防御するために主張・立証の機会を与えることとした。

《注　釈》

一　権利を害された第三者（Ⅰ）

「権利を害された第三者」とは、22条1項の「訴訟の結果により権利を害される第三者」と同義であり、取消判決の形成力によって直接権利を害される者だけでなく、拘束力によって権利を害される者を含むと解されている。

二　再審理由

1　「自己の責めに帰することができない理由」（Ⅰ）の有無は、社会通念に従って判断される。

2　「攻撃又は防御の方法を提出することができなかった」（Ⅰ）場合については、訴訟に遅れて参加したため、判決に影響を及ぼすべき攻撃又は防御の方法を提出することができなかった場合も含むかどうかにつき、争いがある。

3　「確定判決を知った日」（Ⅱ）とは、判決が確定したことを現実に知った日のことである。

第３５条 （訴訟費用の裁判の効力）

国又は公共団体に所属する行政庁が当事者又は参加人である訴訟における確定した訴訟費用の裁判は、当該行政庁が所属する国又は公共団体に対し、又はそれらの者のために、効力を有する。

■第３節 その他の抗告訴訟

第３６条 （無効等確認の訴えの原告適格）

無効等確認の訴えは、当該処分又は裁決に続く処分により損害を受けるおそれのある者その他当該処分又は裁決の無効等の確認を求めるにつき法律上の利益を有する者で、当該処分若しくは裁決の存否又はその効力の有無を前提とする現在の法律関係に関する訴えによつて目的を達することができないものに限り、提起することができる。

[趣旨]無効確認訴訟が無限に広がらないよう、限定をかけている。

《注 釈》

一 無効等確認訴訟とは

1 定義

無効等確認訴訟とは、行政庁の処分若しくは裁決の存否又はその効力の有無の確認を求める訴訟（３Ⅳ）である。通常、重大かつ明白な瑕疵があり無効な行政行為について、その確認を求めるものであるが、条文上「存否」の確認の訴えだから、処分・裁決の存在確認を求める訴えも認められうる。

2 意義・特徴

(1) 無効確認訴訟にも、原則的に取消訴訟と同様の議論が妥当する（38Ⅰ参照)。しかし、個別法で審査請求前置が義務付けられている場合でも、無効確認訴訟においては審査請求を前置する必要はなく、また無効確認訴訟には取消訴訟のような出訴期間もない〈同〉。

(2) ①処分により損害を受けるおそれのある者が訴える訴訟（予防的無効確認訴訟という）と、②当該処分又は裁決の無効等の確認を求めるにつき法律上の利益を有する者が提起する訴え（補充的無効確認訴訟という）に分かれる。

ex. ① 予防的無効確認訴訟

・所有建物が違法建築だとして建築物除去命令を受けた者が主張する命令無効確認訴訟

・無効の課税処分を受けた者が滞納処分を予防するために主張する課税処分無効確認訴訟

② 補充的無効確認訴訟

・営業免許申請に対する拒否処分の無効確認訴訟

3　訴訟要件

⑴　原告適格（36）司

⑵　被告適格（38Ⅰ、11Ⅰ）→取消訴訟と同様である

二　要件①　原告適格（補充性）司H18 予R4

1　補充性に関する一元説と二元説

行訴法36条の解釈として「当該処分又は裁決に続く処分により損害を受けるおそれのある者」に原告適格があるか。それとも、このような者の中で「現在の法律関係に関する訴えによって目的を達することができない」（補充性）もののみが出訴を許されるのか。文言上の解釈が問題となる。

<補充性に関する見解>

<table>
<tr><th></th><th colspan="2">原告適格が認められる要件</th></tr>
<tr><td rowspan="2">一元説</td><td>当該処分又は裁決に続く処分により損害を受けるおそれのある者</td><td rowspan="2">当該処分若しくは裁決の存否又はその効力の有無を前提とする現在の法律関係に関する訴えによって目的を達することができないもの</td></tr>
<tr><td>その他当該処分又は裁決の無効等の確認を求めるにつき法律上の利益を有する者</td></tr>
<tr><td rowspan="2">二元説</td><td colspan="2">当該処分又は裁決に続く処分により損害を受けるおそれのある者</td></tr>
<tr><td colspan="2">その他当該処分又は裁決の無効等の確認を求めるにつき法律上の利益を有する者で、当該処分若しくは裁決の存否又はその効力の有無を前提とする現在の法律関係に関する訴えによって目的を達することができないもの</td></tr>
</table>

⑴　一元説

補充性の要件は前段にも要求される。つまり、「当該処分……により損害を受けるおそれのある者その他当該処分……の無効等の確認を求めるにつき法律上の利益を有する者」で、しかも、「当該処分……の存否又はその効力の有無を前提とする現在の法律関係に関する訴えによって目的を達することができないもの」でなければならない。

∵　36条の文理に則して考えるべき

⑵　二元説（判例）

補充性は前段には要求されない。つまり、無効等確認訴訟の原告適格は、第1に、「当該処分又は裁決に続く処分により損害を受けるおそれのある者」に認められる。第2に、「その他当該処分又は裁決の無効等の確認を求めるにつき法律上の利益を有する者で、当該処分若しくは裁決の存否又はその効力の有無を前提とする現在の法律関係に関する訴えによって目的を達することができないもの」に認められる。

∵　条文の立案担当時の想定。現行法の文言は立法上の単純ミス（「、」の打ち場所の間違い）にすぎない

2　補充性の内容

補充性の要件として、どの程度の内容が求められるか。補充性の要件が現在の法律関係の訴えとのメルクマールになるため、その区分が問題になる。

(1)　法律関係還元不能説

現在の法律関係の訴え（当事者訴訟（4）、争点訴訟（45））に還元することが不可能な場合に限る説。

(2)　目的達成不能説

現在の法律関係に関する訴えに還元することが不可能な場合、及び可能だがその訴えによって目的を達することができない場合に原告適格を認める説。

(3)　直截・適切基準説

補充性を満たすかどうか、つまり現在の法律関係の訴えによるか、無効等確認訴訟によるかは、いずれが当該紛争を解決するのにより直截的で適切であるかによって決する説。近時の判例がこの立場だといわれる。

ex.　課税処分を受けた納税者が、続く滞納処分を防ぐ目的で、課税処分無効確認を求める例

▼　換地処分の無効確認訴訟の訴えの利益（最判昭62.4.17・百選173事件）〈司予

事案：　土地改良区Yの土地改良事業施行地内に土地を所有するXが換地処分を受けたが、換地先の土地が不相当で、換地前の土地と換地後の土地が相応でなければならないとする照応の原則（土地改良53ⅠⅡ）違反を訴え換地処分無効確認を求めた。これに対して、Yは換地処分が無効であるならばXは換地前の土地の所有権を失っていないのだから、換地前の土地の現在の所有者とされている者に対して土地所有権の確認等の訴えを提起すればよいので、補充性を充足しないと主張した。

判旨：「土地改良事業の施行に伴い土地改良区から換地処分を受けた者が、右換地処分は照応の原則に違反し無効であると主張してこれを争おうとするときは、行政事件訴訟法36条により右換地処分の無効確認を求める訴えを提起することができる」。

なぜなら、①「換地処分は、土地改良事業の性質上必要があるときに当該土地改良事業の施行に係る地域につき換地計画を定めて行われるものであり、右施行地域内の土地所有者等多数の権利者に対して行われる換地処分は通常相互に連鎖し関連し合っているとみられるのであるから、このような換地処分の効力をめぐる紛争を私人間の法律関係に関する個別の訴えによって解決しなければならないとするのは右処分の性質に照らして必ずしも適当とはいい難」く、②「換地処分を受けた者が照応の原則に違反することを主張してこれを争う場合には、自己に対してより有利な換地が交付されるべきことを主張していることにほかならないのであって、換地処分がされる前の従前の土地に関する所有権等の権利の

保全確保を目的とするものではないのであるから、このような紛争の実態にかんがみると、当該換地処分の無効を前提とする従前の土地の所有権確認訴訟等の現在の法律関係に関する訴えは右紛争を解決するための争訟形態として適切なものとはいえず、むしろ当該換地処分の無効確認を求める訴えのほうがより直截的で適切な争訟形態というべきであり、結局、右のような場合には、当該換地処分の無効を前提とする現在の法律関係に関する訴えによってはその目的を達することができない」からである。

▼ もんじゅ訴訟②補充性の意義と民事差止め訴訟の可否（最判平4.9.22・百選174事件）司共予 司R元 予R4

事案：　動燃のもんじゅ建設・運転計画について内閣総理大臣Yの出した原子炉設置許可に対し、周辺住民Xが無効確認訴訟と動燃への原子炉施設の建設・運転の民事差止訴訟を併合提起した。このため、民事差止訴訟との関係で補充性を満たすかが問題となった。

判旨：　「処分の無効確認訴訟を提起し得るための要件の一つである、……当該処分の効力の有無を前提とする現在の法律関係に関する訴えによって目的を達することができない場合とは、当該処分に基づいて生ずる法律関係に関し、処分の無効を前提とする当事者訴訟又は民事訴訟によっては、その処分のため被っている不利益を排除することができない場合はもとより、当該処分に起因する紛争を解決するための争訟形態として、当該処分の無効を前提とする当事者訴訟又は民事訴訟との比較において、当該処分の無効確認を求める訴えのほうがより直截的で適切な争訟形態であるとみるべき場合をも意味する」。

Xは、「人格権等に基づき本件原子炉の建設ないし運転の差止めを求める民事訴訟を提起しているが、右民事訴訟は、行政事件訴訟法36条にいう当該処分の効力の有無を前提とする現在の法律関係に関する訴えに該当するものとみることはできず、また、本件無効確認訴訟と比較して、本件設置許可処分に起因する本件紛争を解決するための争訟形態としてより直截的で適切なものであるともいえないから、Xにおいて右民事訴訟の提起が可能であって現にこれを提起していることは、本件無効確認訴訟が同条所定の前記要件を欠くことの根拠とはなり得ない」。

三　要件②「法律上の利益」 ⇒p.341以下

判例・通説は取消訴訟の原告適格の場合と同様に解している（9参照）。

四　審理

1　主張立証責任 予

無効等確認訴訟において、裁量権の逸脱・濫用に当たる具体的事実及びこの違法が重大かつ明白であることの立証責任は原告にある。そして、処分が無効であることを主張する原告は、当該処分に重大かつ明白な瑕疵がある旨を抽象的に主張するのでは足りず、当該処分が無効であることを基礎付ける具体的な事実を主張立証しなければならない。

▼ 無効確認訴訟の主張・立証責任（最判昭42.4.7・百選188事件）予

事案：　Xが戦前に陸軍飛行場誘致のために国に寄付した土地を、戦後に県知事Yが自作農創設特別措置法に基づきA村農協らに売渡処分した。Xらは軍飛行場利用しない場合には国が寄付者に返還するとの特約があったとして売渡処分の無効確認を求めた。

判旨：　「行政庁の裁量に任された行政処分の無効確認を求める訴訟においては、その無効確認を求める者において、行政庁が右行政処分をするにあたってした裁量権の行使がその範囲をこえまたは濫用にわたり、したがって、右行政処分が違法であり、かつ、その違法が重大かつ明白であることを主張および立証することを要する」。

2　審理手続

原則として取消訴訟と同様である。具体的には、38条1項、3項で、被告適格（11)、管轄（12)、関連請求に係る訴訟の移送（13)、請求の客観的併合(16)、共同訴訟（17)、第三者による請求の追加的併合（18)、原告による請求の追加的併合（19)、訴えの変更（21)、第三者の訴訟参加（22)、行政庁の訴訟参加（23)、釈明処分の特則（23の2)、職権証拠調べ（24)、執行停止関係(25、26、28、29、32Ⅱ)、内閣総理大臣の異議（27)、判決の拘束力（33)、訴訟費用の裁判の効力（35）が準用される。また、処分と審査請求の訴えを併せて提起するときには、原処分主義（10Ⅱ）と原告による請求の追加的併合の特則（20）が適用される（38Ⅱ)。

五　判決の効果

1　条文上、第三者効の規定（32）は準用されていない。無効であることの確認訴訟であるので、第三者効があることは当然であるからだとされる。

2　事情判決（31）の規定の準用はないが、学説には無効確認訴訟が時機に後れた取消訴訟であるとの位置付けを重視し、一定の場合に準用を認めるべきとの異論がある。

第37条　（不作為の違法確認の訴えの原告適格）予

不作為の違法確認の訴えは、処分又は裁決についての申請をした者に限り、提起することができる。

［趣旨］法令に基づく申請をしたのに、行政庁が何らの応答をしない場合、その不応答が違法であることの確認を求める訴えである。

《注　釈》

一　不作為の違法確認訴訟とは 予

不作為の違法確認訴訟とは、「行政庁が法令に基づく申請に対し、相当の期間内に何らかの処分又は裁決をすべきであるにかかわらず、これをしないことについての違法の確認を求める訴訟」である（3Ｖ）。不作為の違法を確認するにすぎず、勝訴しても行政庁には応答義務しか生じないことから、訴えを提起した者が満足できる処分を受けられるとは限らない。そのため、義務付け訴訟を併合提起する場合が多い。

二　要件 司R2

1　原告適格（申請の存在）

⑴　処分又は裁決について、少なくとも現実に申請をしていることが必要である。

⑵　その申請が「法令に基づく申請」（3Ｖ）である必要があるか。法令に基づく申請とは、法律・命令・条例・規則等に明文上、又は明文がなくともその趣旨から、私人に行政庁に対して申請する権利を認めているものをいう。

この点について、①法令に基づく申請をした者のみに原告適格があるとする説（訴訟要件説）がある一方、②37条上は「法令に基づく」とはしていないため、単に申請があれば原告適格はあり、法令に基づく申請は本案勝訴要件であるとする説（本案説）がある。

もっとも、いずれの説からも、原告が法令に基づく申請をしていない場合、訴訟要件説からは却下、本案説からは請求棄却になるのであり、勝訴できないことに変わりはない。

⑶　その申請が適法である必要はない。違法な申請でもよい。

∵　不適法な申請でも行政庁に拒否処分をする義務がある

2　実体要件（申請から相当期間の経過、3Ｖ）

⑴　「相当の期間」とは、その処分をなすのに通常必要な期間をいう。ただし、期間の経過を正当化する事情がある場合は違法とならない。

一方、相当期間を未だ経過していなくとも、処分をいつなすか全くの未定であり、処分に至るまでに相当期間が経過することが明らかな場合には、違法となりうる。

⑵　相当期間は、標準処理期間（行手6）とは必ずしも一致しない。

⑶　不作為の違法確認の訴えは、申請の「握りつぶし」を排除し、行政庁に何らかの応答をさせるための制度であるから、不作為の違法性は判決時を基準として判断される 予。すなわち、訴訟提起の時点で相当期間が経過していなくても、判決時（口頭弁論終結時）までに相当期間が経過すれば不作為が違法と判断されるし、逆に、訴訟中に行政庁が申請に対する何らかの処分をした場合は、訴えの利益がなくなり却下される。

▼ **公取委が措置をしないことの違法確認（最判昭47.11.16・百選119事件）**

事案： Xの取引相手の組織する団体Aが独禁法に違反して不当な取引制限をした。そこでXは、公正取引委員会Yに対し独占禁止法45条1項に基づき適当な措置をとるべきことを求めたが、Yが何らの処分もしないので、Yが何らかの決定その他の行為をしないことの違法確認を求めて訴訟を提起した。

判旨： 独占禁止法45条1項は、公正取引委員会の審査手続開始の職権発動を促す端緒に関する規定であるにとどまり、報告者に対して、公正取引委員会に適当な措置をとることを要求する具体的請求権を付与したものであるとは解されない。よって、独占禁止法45条1項に基づく報告、措置要求は法令に基づく申請権の行使であるとはいいえないのであるから、本件異議申立てに対する不作為の違法確認の訴えを不適法とした原審の判断も、結局正当である。

三 審理

1 原則として取消訴訟と同様である。

2 準用される条文

38条1項で、被告適格（11）、管轄（12）、関連請求に係る訴訟の移送（13）、請求の客観的併合（16）、共同訴訟（17）、第三者による請求の追加的併合（18）、原告による請求の追加的併合（19）、訴えの変更（21）、第三者の訴訟参加（22）、行政庁の訴訟参加（23）、職権証拠調べ（24）、判決の拘束力（33）、訴訟費用の裁判の効力（35）が準用される。また、38条4項で、審査請求との関係（8）と原処分主義（10Ⅱ）が準用される。もっとも、8条のうち、不服申立前置主義を定める規定はないので、8条は1項本文と3項のみ準用される。

3 準用されない条文

(1) 原告適格（9）予

∵ 37条

(2) 出訴期間（14）

∵ 不作為状態の継続する限り、出訴させるべき

(3) 執行停止（25～29）、裁量処分の取消し（30）、事情判決（31）

∵ 不作為の執行・取消しはありえない

第37条の2（義務付けの訴えの要件等）

Ⅰ 第3条第6項第1号に掲げる場合において、義務付けの訴えは、一定の処分がされないことにより重大な損害を生ずるおそれがあり、かつ、その損害を避けるため他に適当な方法がないときに限り、提起することができる。

Ⅱ　裁判所は、前項に規定する重大な損害を生ずるか否かを判断するに当たつては、損害の回復の困難の程度を考慮するものとし、損害の性質及び程度並びに処分の内容及び性質をも勘案するものとする。
Ⅲ　第1項の義務付けの訴えは、行政庁が一定の処分をすべき旨を命ずることを求めるにつき法律上の利益を有する者に限り、提起することができる。
Ⅳ　前項に規定する法律上の利益の有無の判断については、第9条第2項の規定を準用する。
Ⅴ　義務付けの訴えが第1項及び第3項に規定する要件に該当する場合において、その義務付けの訴えに係る処分につき、行政庁がその処分をすべきであることがその処分の根拠となる法令の規定から明らかであると認められ又は行政庁がその処分をしないことがその裁量権の範囲を超え若しくはその濫用となると認められるときは、裁判所は、行政庁がその処分をすべき旨を命ずる判決をする〈司。

［趣旨］申請がない場合の直接型の義務付け訴訟を定める。

《注　釈》

一　非申請型義務付け訴訟の意義〈司共

非申請型で、行政庁が一定の処分をすべきであるにかかわらずこれがされないときに、行政庁がその処分をすべき旨を命ずることを求める訴訟をいう（3Ⅵ①)。申請型（37の3）と区別を要する。

二　要件

1　手続要件〈司H26 司H29 予H25

(1)　損害要件（「一定の処分がなされないことにより重大な損害を生じるおそれ」）〈予

(a)　裁判所の判断を可能にする程度に特定すれば、処分内容を具体的一義的に特定する必要はない。その意味で「一定の処分」と規定されている。

(b)　回復の困難の程度、損害・処分の性質・内容を検討する（Ⅱ)。これは執行停止や差止めの際に考慮される要素と同様である（25Ⅲ、37の4Ⅱ)。

▼　産廃処分場に対する措置命令と非申請型義務付け訴訟の認容可能性（福岡高判平23.2.7・平23重判8事件）

事案：　産業廃棄物処分場（以下「本件処分場」という。）の周辺地域に居住するXらが、廃棄物の処理及び清掃に関する法律所定の産業廃棄物処理基準に適合しない産業廃棄物の処分が行われ、生活環境の保全上支障が生じ、又は生ずるおそれがあるとして、Y県に対し、Y県知事が事業者に支障の除去等の措置を講ずべき旨命ずること（本件措置命令）等を求めた。

判旨：　重大な損害の要件について「本件処分場は……、遮断型最終処分場のような外周仕切設備……が設けられているとは考え難く、……地下に浸透した鉛が地下水を汚染して本件処分場の外に流出する可能性は高い」。これに加えて、Xらは「井戸水を飲料水及び生活水として利用している」。そうであれば、Xらを含む「本件処分場の周辺住民の生命、健康に損害を生ずるおそれがあるものと認められる。そして、生命、健康に生じる損害は、その性質上回復が著しく困難であるから、……本件措置命令がされないことにより『重大な損害』が生ずるおそれがあるというべきである」。

(2) 補充性要件（「その損害を避けるため他に適当な方法がない」）

(a) 私人に協力を求めることで容易に損害を回避しうる場合はこれに当たる。

(b) 単に私人に民事訴訟を提起しうるだけで補充性を満たすとは限らない。補充性の要件を満たすのは、他の救済手続が個別法で法定されているような場合や、処分の取消訴訟を提起することで損害を避けることができる場合に限定して解釈されるべきであると解されている。

(3) 原告適格（ⅢⅣ）司H26 司H29 予H25

法律上の利益（9）がある者に限る予。 ⇒p.341

なお、原告が自己に対する利益処分を求めるような場合であっても、申請の仕組みを前提としないときには、非申請型義務付け訴訟を提起することも可能と解されている予。

2 実体要件（Ⅴ）

(1) 処分について、裁量がないにもかかわらず処分しない場合（Ⅴ前段）

(2) 裁量権の範囲を逸脱、濫用している場合（Ⅴ後段）

三 審理

1 原則として取消訴訟と同様である。

2 準用

38条1項で、被告適格（11）、管轄（12）、関連請求に係る訴訟の移送（13）、請求の客観的併合（16）、共同訴訟（17）、第三者による請求の追加的併合（18）、原告による請求の追加的併合（19）、訴えの変更（21）、第三者の訴訟参加（22）、行政庁の訴訟参加（23）、職権証拠調べ（24）、判決の拘束力（33）、訴訟費用の裁判の効力（35）が準用される。しかし、判決に第三者効はない（32参照）。結果として、第三者への義務付け処分を求める訴えには、義務付けられる処分の相手方に訴訟告知等をする必要があるし、第三者が義務付け訴訟中にその差止訴訟を併合提起することもできる。

3 仮の救済 ⇒p.411

第37条の3

Ⅰ 第3条第6項第2号に掲げる場合において、義務付けの訴えは、次の各号に掲げる要件のいずれかに該当するときに限り、提起することができる。

① 当該法令に基づく申請又は審査請求に対し相当の期間内に何らの処分又は裁決がされないこと。

②　当該法令に基づく申請又は審査請求を却下し又は棄却する旨の処分又は裁決がされた場合において、当該処分又は裁決が取り消されるべきものであり、又は無効若しくは不存在であること。

Ⅱ　前項の義務付けの訴えは、同項各号に規定する法令に基づく申請又は審査請求をした者に限り、提起することができる。

Ⅲ　第1項の義務付けの訴えを提起するときは、次の各号に掲げる区分に応じてそれぞれ当該各号に定める訴えをその義務付けの訴えに併合して提起しなければならない。この場合において、当該各号に定める訴えに係る訴訟の管轄について他の法律に特別の定めがあるときは、当該義務付けの訴えに係る訴訟の管轄は、第38条第1項において準用する第12条の規定にかかわらず、その定めに従う〈司。

①　第1項第1号に掲げる要件に該当する場合　同号に規定する処分又は裁決に係る不作為の違法確認の訴え

②　第1項第2号に掲げる要件に該当する場合　同号に規定する処分又は裁決に係る取消訴訟又は無効等確認の訴え〈共

Ⅳ　前項の規定により併合して提起された義務付けの訴え及び同項各号に定める訴えに係る弁論及び裁判は、分離しないでしなければならない。

Ⅴ　義務付けの訴えが第1項から第3項までに規定する要件に該当する場合において、同項各号に定める訴えに係る請求に理由があると認められ、かつ、その義務付けの訴えに係る処分又は裁決につき、行政庁がその処分若しくは裁決をすべきであることがその処分若しくは裁決の根拠となる法令の規定から明らかであると認められ又は行政庁がその処分若しくは裁決をしないことがその裁量権の範囲を超え若しくはその濫用となると認められるときは、裁判所は、その義務付けの訴えに係る処分又は裁決をすべき旨を命ずる判決をする〈司予。

Ⅵ　第4項の規定にかかわらず、裁判所は、審理の状況その他の事情を考慮して、第3項各号に定める訴えについてのみ終局判決をすることがより迅速な争訟の解決に資すると認めるときは、当該訴えについてのみ終局判決をすることができる。この場合において、裁判所は、当該訴えについてのみ終局判決をしたときは、当事者の意見を聴いて、当該訴えに係る訴訟手続が完結するまでの間、義務付けの訴えに係る訴訟手続を中止することができる〈共。

Ⅶ　第1項の義務付けの訴えのうち、行政庁が一定の裁決をすべき旨を命ずることを求めるものは、処分についての審査請求がされた場合において、当該処分に係る処分の取消しの訴え又は無効等確認の訴えを提起することができないときに限り、提起することができる。

[趣旨] 申請不応答・拒否処分型の義務付け訴訟を定めている。

《注　釈》

一　申請型義務付け訴訟の意義〈司

行政庁に対し、一定の処分又は裁決を求める旨の法令に基づく申請又は審査請求がされた場合において、当該行政庁がその処分又は裁決をすべきであるにもかかわらずこれがされないとき（不応答（Ⅰ①））、及び当該申請又は審査請求を却下・棄却する旨の処分・裁決がされた場合に当該処分・裁決が取り消されるべきものであるか、無効又は不存在であるとき（拒否処分（Ⅰ②））に、その処分又は裁決をすべき旨を命ずることを求める訴訟をいう。

二　要件

1　手続要件〈予H23

⑴　法令に基づく申請（Ⅱ）をした者であること〈司予

⑵　申請・裁決への不応答又は拒否処分〈予

→裁決へは裁決主義が採られているときのみ

⑶　併合提起要件（ⅢⅣⅥ）〈司

(a)　不応答へは不作為の違法確認と、拒否処分へは取消・無効確認訴訟との併合が必要である〈司予。

∵　合理的・効率的紛争解決。義務付けまでは認められなくとも違法（無効）確認だけは認めるという解決方法を許す

→もっとも、この要件の欠缺は追完可能である

(b)　違法確認、取消・無効確認だけ、先に判決を言い渡すことは可能であり、そのために義務付け訴訟を中止することも許される。逆に、義務付け訴訟についてだけ先に判決を言い渡すことはできない。

⑷　損害要件・補充性要件は課されていない〈司予

2　実体要件（Ⅴ）

⑴　併合提起された違法確認、取消・無効確認に理由がある。

なお、併合提起された訴えに係る請求が認容されることについて、これを義務付け訴訟の訴訟要件とする見解（最判平21.12.17・百選199事件参照）と、本案勝訴要件とする見解がある。訴訟要件とする見解は、行訴法37条の3第1項2号の規定を重視するものであるが、この見解からすれば、併合提起された訴えにつき請求が棄却される場合、義務付け訴訟は不適法として却下される〈予。他方、本案勝訴要件とする見解は、行訴法37条の3第5項の規定を重視するものであるところ、この見解からすると、併合提起された訴えにつき請求が棄却される場合、義務付け訴訟は棄却される。

⑵　不応答・拒否処分が羈束裁量違反、又は裁量権の逸脱・濫用がある。

三　審理

1　原則として取消訴訟と同様である。

2　準用

38条1項で、被告適格（11）、管轄（12）、関連請求に係る訴訟の移送（13）、請求の客観的併合（16）、共同訴訟（17）、第三者による請求の追加的併合（18）、原告による請求の追加的併合（19）、訴えの変更（21）、第三者の訴訟参加（22）、行政庁の訴訟参加（23）、職権証拠調べ（24）、判決の拘束力

(33)、訴訟費用の裁判の効力（35）が準用される。しかし、判決に第三者効はない（32参照）。

3　仮の救済　⇒p.411

第37条の4　（差止めの訴えの要件）

Ⅰ　差止めの訴えは、一定の処分又は裁決がされることにより重大な損害を生ずるおそれがある場合に限り、提起することができる。ただし、その損害を避けるため他に適当な方法があるときは、この限りでない。

Ⅱ　裁判所は、前項に規定する重大な損害を生ずるか否かを判断するに当たつては、損害の回復の困難の程度を考慮するものとし、損害の性質及び程度並びに処分又は裁決の内容及び性質をも勘案するものとする。

Ⅲ　差止めの訴えは、行政庁が一定の処分又は裁決をしてはならない旨を命ずることを求めるにつき法律上の利益を有する者に限り、提起することができる〈共。

Ⅳ　前項に規定する法律上の利益の有無の判断については、第9条第2項の規定を準用する。

Ⅴ　差止めの訴えが第1項及び第3項に規定する要件に該当する場合において、その差止めの訴えに係る処分又は裁決につき、行政庁がその処分若しくは裁決をすべきでないことがその処分若しくは裁決の根拠となる法令の規定から明らかであると認められ又は行政庁がその処分若しくは裁決をすることがその裁量権の範囲を超え若しくはその濫用となると認められるときは、裁判所は、行政庁がその処分又は裁決をしてはならない旨を命ずる判決をする〈司。

［趣旨］処分がなされる前に、その処分がなされると甚大な損害を受けるおそれがある者が提起する差止訴訟を定める。

《注　釈》

一　差止訴訟の意義

「行政庁が一定の処分又は裁決をすべきでないにかかわらずこれがされようとしている場合において、行政庁がその処分又は裁決をしてはならない旨を命ずることを求める訴訟」をいう（3Ⅶ）。

二　要件

1　手続要件〈司予〈司H23 司H27

(1)　一定の処分又は裁決がされようとしている場合（3Ⅶ、37の4Ⅰ）であること

差止訴訟は、行われようとしている処分又は裁決を対象とするため、処分性の存在が要件となる。

また、「一定の処分又は裁決」という文言から、裁判所の判断が可能な程度に処分又は裁決が特定されていなければならない。もっとも、処分又は裁決の内容が具体的・一義的に確定されることまでは必要ではない。

さらに、救済の必要性を基礎付ける前提として、一定の処分又は裁決がさ

れる蓋然性があることが必要となる（最判平24.2.9・百選200事件参照）。

(2) 損害要件（「一定の処分又は裁決がされることにより重大な損害を生ずるおそれ」）予

差止めの対象である処分又は裁決が行われた後に当該処分の取消訴訟等を提起して執行停止（25 II）の決定を受けることによって、原告の権利利益の救済を図ることができる場合には、「重大な損害」は認められない（最判平24.2.9・百選200事件参照）。

∵ 差止訴訟が事前審査型訴訟である以上、行政と司法の適切な役割分担の観点から、事後審査型訴訟である取消訴訟によって十分な救済を受けられない場合にはじめて事前救済の必要性が認められる

＊ 処分がされた後の取消訴訟及び執行停止では実効的な救済を図ることが困難かという観点は、補充性要件ではなく、損害要件で考慮される。

なお、重大な損害を生じるか否かを判断に当たっては、裁判所は、損害の回復の困難の程度を考慮し、損害の性質及び程度並びに処分の内容及び性質をも勘案するものとされる（37の4 II）。

(3) 補充性要件（「その損害を避けるため他に適当な方法」がないこと）予

「その損害を避けるため他に適当な方法」とは、差止めを求める処分の前提となる処分（先行処分）があり、その前提となる処分の取消訴訟等を提起すれば、当然に後続する差止めを求めようとする処分（後行処分）をすることができないことが法令上定められている場合を指す。

ex. 国税徴収法90条3項（滞納処分（先行処分）につき訴えが提起されたときは、その訴訟が係属する間は換価処分（後行処分）ができない）

→換価処分の差止めに関しては、その前提となる滞納処分の取消訴訟等の提起によって損害の回避が可能

もっとも、先行処分の取消訴訟等の出訴期間を徒過した場合は、「その損害を避けるため他に適当な方法」がないといえ、後行処分の差止訴訟を適法に提起することができると解されている予。

(4) 原告適格（III IV）司予

2 実体要件（V）

処分・裁決をすることが羈束裁量違反又は裁量権の逸脱・濫用に当たると認められるとき。

三 **審理**

1 原則として取消訴訟と同様である。たとえば、当然には執行停止しない司。

2 準用

38条1項で、被告適格（11）、管轄（12）、関連請求に係る訴訟の移送（13）、請求の客観的併合（16）、共同訴訟（17）、第三者による請求の追加的併合（18）、原告による請求の追加的併合（19）、訴えの変更（21）、第三者の訴

訟参加（22）、行政庁の訴訟参加（23）、職権証拠調べ（24）、判決の拘束力（33）、訴訟費用の裁判の効力（35）が準用される。

四　判例

判決に第三者効はない（32参照）司。

▼　長野勤評事件（最判昭47.11.30）

事案：　長野県の教育委員会は、県立学校の職員が勤務評定書に自己評価を記入すべき旨の規則を公布施行した。県立高校の教諭であるXらは、記入の義務付けは憲法などに反するとして、記入義務の不存在確認を求めて訴訟を提起した（ただし、平成16年行訴法改正前の事案）。

判旨：　（旧制度の下では）義務違反の結果として将来何らかの不利益処分を受けるおそれがあるというだけで、その処分の発動を差し止めるため、事前に右義務の存否の確定を求めることが当然許されるわけではなく、当該義務の履行によって侵害を受ける権利の性質およびその侵害の程度、違反に対する制裁としての不利益処分の確実性およびその内容または性質などに照らし、右処分を受けてからこれに関する訴訟の中で事後的に義務の存否を争ったのでは回復し難い重大な損害を被るおそれがあるなど、事前の救済を認めないことを著しく不相当とする特段の事情がある場合は格別、そうでない限り、あらかじめ右のような義務の存否の確定を求める法律上の利益を認めることはできないものと解すべきである。

▼　国歌斉唱等の職務命令違反に基づく懲戒処分の差止訴訟（最判平24.2.9・百選200事件）共予 司H27

事案：　都立学校の教職員・元職員Xらのうち、在職者である教職員らが、各所属校の卒業式や入学式等の式典における国歌斉唱の際に、国旗に向かって起立しないこと若しくは斉唱しないこと又はピアノ伴奏をしないことを理由とする懲戒処分の差止めを求め提訴した。

判旨：　「差止めの訴えの訴訟要件については、まず、一定の処分がされようとしていること（行訴法3条7項）、すなわち、行政庁によって一定の処分がされる蓋然性があることが、救済の必要性を基礎付ける前提として必要となる」。

本件差止めの訴えに係る請求は、「免職、停職、減給又は戒告の各処分の差止めを求める請求を内容とするものである。そして、本件では、……免職処分以外の懲戒処分（停職、減給又は戒告の各処分）がされる蓋然性があると認められる一方で、免職処分がされる蓋然性があるとは認められない。そうすると、本件差止めの訴えのうち免職処分の差止めを求める訴えは、当該処分がされる蓋然性を欠き、不適法というべきである」。

「行政庁が処分をする前に裁判所が事前にその適法性を判断して差止めを命ずるのは、国民の権利利益の実効的な救済及び司法と行政の権能の適切な均衡の双方の観点から、そのような判断と措置を事前に行わなければならないだけの救済の必要性がある場合であることを要するものと解される。したがって、……『重大な損害を生ずるおそれ』があると認められるためには、処分がされることにより生ずるおそれのある損害が、処分がされた後に取消訴訟等を提起して執行停止の決定を受けることなどにより容易に救済を受けることができるものではなく、処分がされる前に差止めを命ずる方法によるのでなければ救済を受けることが困難なものであることを要する」。

本件では、懲戒処分が反復継続的かつ累積加重的にされていくと事後的な損害の回復が著しく困難になることから、「重大な損害を生ずるおそれ」がある。

判例（最判平5.2.25・百選〔第6版〕158事件）は、自衛隊の航空機の離着陸の民事差止の可否につき、必然的に防衛庁長官に委ねられた自衛隊機の運航に関する権限の公使の取消変更ないしその発動を求める請求を包含することになることを理由として不適法としていたが、厚木基地第4次訴訟（最判平28.12.8・百選145事件）は、自衛隊機の運航について法定差止訴訟が可能であることを明らかにした。

▼ 厚木基地第4次訴訟（最判平28.12.8・百選145事件）

事案：　X（厚木基地周辺住民）らは、自衛隊機の発する騒音により精神的・身体的被害を受けていると主張し、行訴法に基づき、Y（国）を相手方として、自衛隊機の運航の差止めを求め提訴した。

判旨：　「重大な損害を生ずるおそれ」（37の4Ⅰ）とは、「処分がされることにより生ずるおそれのある損害が、処分がされた後に取消訴訟等を提起して執行停止の決定を受けることなどにより容易に救済を受けることができるものではなく、処分がされる前に差止めを命ずる方法によるのでなければ救済を受けることが困難なものであることを要する」（最判平24.2.9・百選200事件）。

Xらは、自衛隊機の離着陸に伴う騒音により、「睡眠妨害、聴取妨害及び精神的作業の妨害や、不快感、健康被害への不安等を始めとする精神的苦痛を反復継続的に受けており」、その程度は軽視し難い。また、その都度生じる損害は、「反復継続的に受けることにより蓄積していくおそれのあるものであるから、……事後的にその違法性を争う取消訴訟等による救済になじまない性質のもの」である。

以上によれば、「自衛隊機の運航により生ずるおそれのある損害は、処分がされた後に取消訴訟等を提起することなどにより容易に救済を受けることができるものとはいえず、……『重大な損害を生ずるおそれ』があると認められる」。

第３７条の５　（仮の義務付け及び仮の差止め）〈予

Ⅰ　義務付けの訴えの提起があつた場合において、その義務付けの訴えに係る処分又は裁決がされないことにより生ずる償うことのできない損害を避けるため緊急の必要があり、かつ、本案について理由があるとみえるときは、裁判所は、申立てにより、決定をもつて、仮に行政庁がその処分又は裁決をすべき旨を命ずること（以下この条において「仮の義務付け」という。）ができる〈予。

Ⅱ　差止めの訴えの提起があつた場合において、その差止めの訴えに係る処分又は裁決がされることにより生ずる償うことのできない損害を避けるため緊急の必要があり、かつ、本案について理由があるとみえるときは、裁判所は、申立てにより、決定をもつて、仮に行政庁がその処分又は裁決をしてはならない旨を命ずること（以下この条において「仮の差止め」という。）ができる〈予。

Ⅲ　仮の義務付け又は仮の差止めは、公共の福祉に重大な影響を及ぼすおそれがあるときは、することができない〈予。

Ⅳ　第25条第5項から第8項まで、第26条から第28条まで及び第33条第1項の規定は、仮の義務付け又は仮の差止めに関する事項について準用する〈予。

Ⅴ　前項において準用する第25条第7項の即時抗告についての裁判又は前項において準用する第26条第1項の決定により仮の義務付けの決定が取り消されたときは、当該行政庁は、当該仮の義務付けの決定に基づいてした処分又は裁決を取り消さなければならない。

［趣旨］義務付け訴訟、差止訴訟が提起されても、これによって行政庁の活動は制限されない。とりわけ差止訴訟は、訴訟中に処分がなされると訴えの利益を喪失してしまう。そこで、仮の救済を認めたのが本条である。

《注　釈》

一　仮の義務付け及び仮の差止めの意義

義務付け・差止訴訟の提起があった場合において、本案の判断がなされる前に、暫定的に、裁判所が行政庁に対して、行政庁がその処分又は裁決をし又はしてはならない旨を命ずるもの（ⅠⅡ）である〈予。申請に対する不許可処分がなされることを予防するために、申請者が申し立てることは想定されていない〈司。

二　要件

1　手続要件〈予H25

(1)　義務付け又は差止訴訟の提起〈司予

なお、申請型の義務付け訴訟を提起するためには、取消・無効確認訴訟（申請拒否処分がされた場合）又は不作為の違法確認訴訟（不応答の場合）との併合提起が必要であるため（37の3）、申請型義務付け訴訟の仮の義務付けの申立てをするには、①取消・無効確認訴訟又は不作為の違法確認訴訟の提起、②義務付け訴訟の提起、③仮の義務付けの申立ての3つをなすことを要する〈予。

(2)　当事者の申立て

当事者の申立て、疎明を要する（Ⅳ、25Ⅴ準用）。口頭弁論を経ない場合は、当事者の意見を聴取しなければならない（同25Ⅵただし書）〈予。行政庁は、仮の義務付け又は差止めの申立てがされた場合でも、仮の差止めを命ずる決定がされるまでは、対象とされる処分をすることができる〈司共。

2　実体要件

(1)　償うことのできない損害（ⅠⅡ）〈予

金銭賠償のみによって損害を甘受させることが社会通念上著しく不合理と評価される程度の損害をいう。

(2)　緊急の必要（ⅠⅡ）

(3)　本案について理由があるとみえるとき（ⅠⅡ）

積極要件であり、一応の理由の主張・疎明責任を申立人に課している。

(4)　公共の福祉に重大な影響を及ぼさないこと（Ⅲ）

3　具体例

①　障害を理由に町立幼稚園の入園を拒否された幼児が入園許可を求めた事案（徳島地決平17.6.7）

②　市立保育園の入園を拒否された幼児が入園許可を求めた事案（東京地決平18.1.25）

③　県営ホールの使用について県が右翼団体などの街宣活動を恐れて使用不許可処分をした事案（岡山地決平19.10.15・平20重判6事件）

三　行政機関からの対抗

1　即時抗告

行政機関は即時抗告できる（Ⅳ、25Ⅶ準用）が、仮の差止め、義務付けの決定の執行を停止する効力はない（Ⅳ、25Ⅷ準用）。

2　決定を取り消す決定〈司予

事情変更により、行政機関の申立てで、裁判所は決定を取り消すことができる（Ⅳ、26準用）。その場合、行政機関は仮の義務付けに基づいてした処分を必要的に取り消す（Ⅴ）。

3　内閣総理大臣の異議（Ⅳ、27準用）〈司予。

四　対世効

仮の義務付け及び仮の差止めの決定については、執行停止を認める決定（32Ⅱ参照）と異なり、対世効に関する規定が準用されていないため（37の5Ⅳ参照）、対世効は認められない〈予。

第３８条（取消訴訟に関する規定の準用）

Ⅰ　第11条から第13条まで、第16条から第19条まで、第21条から第23条まで、第24条、第33条及び第35条の規定は、取消訴訟以外の抗告訴訟について準用する予。

Ⅱ　第10条第２項の規定は、処分の無効等確認の訴えとその処分についての審査請求を棄却した裁決に係る抗告訴訟とを提起することができる場合に、第20条の規定は、処分の無効等確認の訴えをその処分についての審査請求を棄却した裁決に係る抗告訴訟に併合して提起する場合に準用する。

Ⅲ　第23条の2、第25条から第29条まで及び第32条第２項の規定は、無効等確認の訴えについて準用する。

Ⅳ　第８条及び第10条第２項の規定は、不作為の違法確認の訴えに準用する。

＜取消訴訟に関する規定の準用＞共

	無効等確認訴訟＊	不作為の違法確認訴訟	義務付け訴訟	差止訴訟	備考
自由選択主義（8）	×	○	×	×	38 Ⅳ
原処分主義（10 Ⅱ）	△	○	×	×	
被告適格等（11）	○	○	○	○	38 Ⅰ
管轄（12）	○	○	○	○	
関連請求に係る訴訟の移送（13）	○	○	○	○	
請求の客観的併合（16）	○	○	○	○	
共同訴訟（17）	○	○	○	○	
第三者による請求の追加的併合（18）	○	○	○	○	38 Ⅰ
原告による請求の追加的併合（19）共	○	○	○	○	
国又は公共団体に対する請求への訴えの変更（21）	○	○	○	○	
第三者の訴訟参加（22）	○	○	○	○	
行政庁の訴訟参加（23）	○	○	○	○	

	無効等確認訴訟＊	不作為の違法確認訴訟	義務付け訴訟	差止訴訟	備考
釈明処分の特則（23の2）	○	×	×	×	38Ⅲ
職権証拠調べ（24）	○	○	○	○	38Ⅰ
執行停止（25～29）共予	○	×	×	×	38Ⅲ
執行停止の決定又はこれを取り消す決定の第三者効（32Ⅱ）司	○	×	×	×	
拘束力（33）	○	○	○	○	38Ⅰ
訴訟費用の裁判の効力（35）	○	○	○	○	

＊　処分の無効等確認訴訟と、その処分についての審査請求を棄却した裁決にかかわる抗告訴訟とを提起することができる場合には、10条2項（原処分主義）が準用される。また、処分の無効等確認訴訟を、その処分についての審査請求を棄却した裁決にかかわる抗告訴訟に併合して提起する場合には、20条（原告による処分取消訴訟と裁決取消訴訟との追加的併合の場合における被告の同意の要否及び出訴期間の起算点についての特則）が準用される。
　38条1項・3項は、31条1項（事情判決）、32条1項（第三者効）を準用していない共予。

<抗告訴訟のまとめ>

	種類	訴訟要件	仮の救済要件
取消訴訟	処分・裁決の取消しを求める訴訟	・原告適格 ・出訴期間 ・不服申立前置	（執行停止） ・本案訴訟の提起 ・重大な損害を避けるため緊急の必要があるとき ・公共の福祉に重大な影響を及ぼすおそれがあるとき ・本案について理由がないとみえるとき
無効等確認訴訟	処分の存否又はその効力の有無の確認を求める訴訟	・原告適格 ・補充性	
不作為の違法確認訴訟	法令に基づく申請に対して相当の期間内に何らかの処分をすべきであるにもかかわらずこれをしないことの違法の確認を求める訴訟	・原告適格	

<table>
<tr><th></th><th>種類</th><th>訴訟要件</th><th>仮の救済要件</th></tr>
<tr><td rowspan="2">義務付け訴訟</td><td>法令に基づく申請に対して処分をすべきであるにもかかわらずこれがされないときの訴訟（申請型）</td><td>・原告適格
・取消訴訟等の併合提起</td><td rowspan="2">（仮の義務付け・仮の差止め）
・本案訴訟の提起
・償うことのできない損害を避けるため緊急の必要があるとき
・本案について理由があるとみえるとき</td></tr>
<tr><td>一定の処分をすべきであるにかかわらずこれがされないときの訴訟（非申請型）</td><td>・損害の重大性
・補充性
・原告適格</td></tr>
<tr><td>差止訴訟</td><td>一定の処分をすべきでないにかかわらずこれがされようとしている場合に、処分をしてはならない旨を命ずることを求める訴訟</td><td>・損害の重大性
・補充性（消極要件）
・原告適格</td><td>・公共の福祉に重大な影響を及ぼすおそれがあるとき</td></tr>
</table>

■第４節　当事者訴訟

《概　説》

◆　**当事者訴訟の意義**　⇒ p.330

なお、現在の法律関係を争う手段として、当事者訴訟の他に争点訴訟（45）があることにも注意。

第３９条　（出訴の通知） 予

当事者間の法律関係を確認し又は形成する処分又は裁決に関する訴訟で、法令の規定によりその法律関係の当事者の一方を被告とするものが提起されたときは、裁判所は、当該処分又は裁決をした行政庁にその旨を通知するものとする。

[趣旨]形式的当事者訴訟においては処分又は裁決をした行政庁は当事者とはならないが、①判決効が及ぶ（41Ⅰ、33Ⅰ準用）し、②訴訟資料を豊富に有するので、訴訟参加の機会を与えるため、及び訴訟資料の充実のために設けられた規定である。

《注　釈》

◆　**内容**

形式的当事者訴訟が提起された場合に、その旨を処分庁に通知することを裁判所に求める訓示規定である。

第４０条　（出訴期間の定めがある当事者訴訟）

Ⅰ　法令に出訴期間の定めがある当事者訴訟は、その法令に別段の定めがある場合を除き、正当な理由があるときは、その期間を経過した後であつても、これを提起することができる。

Ⅱ　第15条の規定は、法令に出訴期間の定めがある当事者訴訟について準用する。

[趣旨]形式的当事者訴訟の出訴期間は、抗告訴訟同様、不変期間ではないことを示している（Ⅰ）。また、被告を誤った場合の救済についても定められている

（Ⅱ）。

第４１条（抗告訴訟に関する規定の準用）

Ⅰ　第23条、第24条、第33条第１項及び第35条の規定は当事者訴訟について、第23条の２の規定は当事者訴訟における処分又は裁決の理由を明らかにする資料の提出について準用する。

Ⅱ　第13条の規定は、当事者訴訟とその目的たる請求と関連請求の関係にある請求に係る訴訟とが各別の裁判所に係属する場合における移送に、第16条から第19条までの規定は、これらの訴えの併合について準用する。

《注　釈》

◆　準用

1　行政庁の訴訟参加（23）、職権証拠調べ（24）、判決の拘束力（33Ⅰ）、訴訟費用の裁判の効力（35）、そして訴訟資料について釈明処分の特則（23の２）について準用する予。

2　移送（13）、訴えの併合（16～19）も同様である。

3　執行停止（25）は準用されておらず、執行停止の申立てをすることはできない予。なお、当事者訴訟における仮の救済については、民事保全法による。

■第５節　民衆訴訟及び機関訴訟

第４２条（訴えの提起） 司

民衆訴訟及び機関訴訟は、法律に定める場合において、法律に定める者に限り、提起することができる。

《注　釈》

◆　民衆訴訟及び機関訴訟の意義　⇒ p.304

▼　衆議院議員選挙に関する内閣の「助言と承認」の差止め（最決平24.11.30・平25重判６事件）

事案：　衆議院議員総選挙の選挙人であるＸらは、憲法の投票価値の平等に違反する選挙が行われることを回避するため、民衆訴訟として、差止訴訟（３Ⅶ）の趣旨を類推し、内閣の天皇に対する本件選挙施行の公示に係る「助言と承認」の差止め等を求めた。

決旨：「民衆訴訟は、……『法律に定める場合において、法律に定める者に限り、提起することができる』ものとされており（行政事件訴訟法42条）、……上記のような民衆訴訟の性質等に照らせば、民衆訴訟として法律の定めを欠く訴訟類型及びこれを本案とする仮の救済方法が、法律上の争訟である抗告訴訟及びこれを本案とする仮の救済方法に関する法律の規定又はその趣旨の類推により創設的に認められると解することはできないから（このことは、法定の訴訟類型である選挙無効訴訟において無効原因として主張し得る事由の範囲の解釈とは事柄の性質を異にするものである。）、現行の法制度の下において、本件本案の訴えは不適法であり、本件申立ても不適法である」。

▼ 議員たる地位に基づく訴えの可否（最判昭28.6.12・百選205事件）予

事案：　建設許可がなかなか下りない映画館の建設について、市議会で多数派を占める与党議員及び市長の思惑によって、公会堂建設と偽って許可をし、後に映画館に変更させたとして、市議会議員Ｘが市民の利益のために、市、市長に対して議決の不存在の確認等を求めた。

判旨：　市議会の議決は法人格を有する市の内部的意思決定にすぎないのであって、市の行為としての効力を有するものではなく、従って市を被告として不存在又は無効確認を求めることは全く無意味である。機関相互間の権限の争は法律上の争として当然に訴訟の対象となるものではなく、法律が特に訴の提起を許している場合にのみ、訴訟の対象となるものと解すべきである。

▼ 那覇市情報公開決定処分取消請求事件（最判平13.7.13・百選138事件）予

事案：　市民が条例に基づき海上自衛隊第５航空群司令部庁舎（以下「本件建物」という。）の設計図面を含む文書（以下「本件文書」という。）の公開請求をしたところ、Ｙ（那覇市長）は開示決定をした。これに対し、Ｘ（国）が取消訴訟を提起した。原審は、Ｙの条例に基づく行政権限の行使とＸの防衛行政権限の行使との間に抵触が生じ、これをめぐって両当事者間に権限の行使に関する紛争が発生しているのであるから、本件訴えは法律上の争訟（裁３Ⅰ）に当たらないと判断し、本件訴えを却下すべきであるとした。

判旨：「本件文書は、建築基準法18条２項に基づき那覇市建築主事に提出された建築工事計画通知書及びこれに添付された本件建物の設計図面等であり、Ｘは、本件文書の公開によって国有財産である本件建物の内部構造等が明らかになると、警備上の支障が生じるほか、外部からの攻撃に対応する機能の減殺により本件建物の安全性が低減するなど、本件建物の所有者として有する固有の利益が侵害されることをも理由として、本件各処分の取消しを求めていると理解することができる。そうすると、本件訴えは、法律上の争訟に当たる」。

第４３条　（抗告訴訟又は当事者訴訟に関する規定の準用）

Ⅰ　民衆訴訟又は機関訴訟で、処分又は裁決の取消しを求めるものについては、第９条及び第10条第１項の規定を除き、取消訴訟に関する規定を準用する 回。

行政事件訴訟法

Ⅱ　民衆訴訟又は機関訴訟で、処分又は裁決の無効の確認を求めるものについては、第36条の規定を除き、無効等確認の訴えに関する規定を準用する。
Ⅲ　民衆訴訟又は機関訴訟で、前２項に規定する訴訟以外のものについては、第39条及び第40条第１項の規定を除き、当事者訴訟に関する規定を準用する。

《注　釈》

◆　除外規定

1　原告適格（9）、取消訴訟の主張制限（10Ⅰ）〈同〉
2　無効等確認訴訟の原告適格（36）
3　出訴の通知（39）、出訴期間の制限（40）

■第６節　仮処分の排除

第４４条　（仮処分の排除）

行政庁の処分その他公権力の行使に当たる行為については、民事保全法（平成元年法律第91号）に規定する仮処分をすることができない〈共〉。

［趣旨］抗告訴訟における仮の救済は執行停止・仮の義務付け・仮の差止めに任せ、訴訟類型・事件の種類を問わず、民事保全法の仮処分を認めないことにした。結果、立担保（民保14Ⅱ）なども認めない。
一方、当事者訴訟、争点訴訟、民衆訴訟では仮処分が認められるか争いがある。

■第７節　争点訴訟

第４５条　（処分の効力等を争点とする訴訟）

Ⅰ　私法上の法律関係に関する訴訟において、処分若しくは裁決の存否又はその効力の有無が争われている場合には、第23条第１項及び第２項並びに第39条の規定を準用する。
Ⅱ　前項の規定により行政庁が訴訟に参加した場合には、民事訴訟法第45条第１項及び第２項の規定を準用する。ただし、攻撃又は防御の方法は、当該処分若しくは裁決の存否又はその効力の有無に関するものに限り、提出することができる。
Ⅲ　第１項の規定により行政庁が訴訟に参加した後において、処分若しくは裁決の存否又はその効力の有無に関する争いがなくなつたときは、裁判所は、参加の決定を取り消すことができる。
Ⅳ　第１項の場合には、当該争点について第23条の２及び第24条の規定を、訴訟費用の裁判について第35条の規定を準用する。

［趣旨］現在の法律関係を争う行政訴訟（４）と異なり、私法上の法律関係に関する訴訟において、処分若しくは裁決の存在又はその効力を争う（45）ための民事訴訟をいう。公法私法二元論をもとに当事者訴訟と区別することを想定して作られた。

《注　釈》

一　争点訴訟の意義

私法上の法律関係に関する訴訟において、処分若しくは裁決の存否又はその効力の有無が争われている場合をいう。

ex.1　農地買収処分の無効を前提に、売渡処分の相手方を被告にした農地所有権確認訴訟

ex.2　土地収用法に基づく収用委員会の権利取得裁決が無効であることを前提として、従前の土地所有者が起業者を被告として提起する、当該土地の所有権を有することの確認を求める訴訟〈司予

二　審理

1　総論

釈明処分の特則（23の2）、職権証拠調べ（24）、行政庁が参加したときの訴訟費用の負担（35）の規定が準用される。

2　行政庁の訴訟参加

行政庁に、出訴の通知がなされ（Ⅰ、39準用）行政庁の訴訟参加（Ⅰ、23ⅠⅡ準用）が期待される。もっとも、39条は訓示規定であるから通知がなくても違法にはならない。参加があると、行政庁は補助参加人（民訴45）に準じて攻撃防御方法の提出をすることができる（Ⅱ）。また、当事者が処分の効果を争う旨の主張を撤回したときは、裁判所は行政庁の訴訟参加の決定を取り消すことができる（Ⅲ）。

3　効果、仮の救済

⑴　拘束力（41Ⅰ、33Ⅰ）は準用されていない。

⑵　明文上、執行停止の規定は準用されていない。行政事件訴訟法には、当事者訴訟について、44条の規定の適用を排除する定めはない〈司。仮処分の可否には争いがある（44参照）〈司。

<抗告訴訟以外の訴訟のまとめ>

	種類		具体例
主観訴訟	形式的当事者訴訟	実質的には行政庁の処分を争うものであるが、個別の法律で被告となるものを定めているもの	土地収用133条2項 特許179条ただし書
	実質的当事者訴訟	公権力の行使に関する不服の訴え（抗告訴訟）以外の公法上の権利関係に関する訴訟	過誤納税金の不当利得返還訴訟 選挙権を有することの確認訴訟

	種類		具体例
客観訴訟	民衆訴訟	国又は公共団体の機関の法規に適合しない行為の是正を求める訴訟	地自242条の2 公選203条
	機関訴訟	国又は公共団体の機関相互における権限の存否又はその行使に関する紛争に関する訴訟	地自176条7項 地自251条の5

■第８節　教示

第４６条　（取消訴訟等の提起に関する事項の教示）

Ⅰ　行政庁は、取消訴訟を提起することができる処分又は裁決をする場合には、当該処分又は裁決の相手方に対し、次に掲げる事項を書面で教示しなければならない。ただし、当該処分を口頭でする場合は、この限りでない。

①　当該処分又は裁決に係る取消訴訟の被告とすべき者

②　当該処分又は裁決に係る取消訴訟の出訴期間

③　法律に当該処分についての審査請求に対する裁決を経た後でなければ処分の取消しの訴えを提起することができない旨の定めがあるときは、その旨

Ⅱ　行政庁は、法律に処分についての審査請求に対する裁決に対してのみ取消訴訟を提起することができる旨の定めがある場合において、当該処分をするときは、当該処分の相手方に対し、法律にその定めがある旨を書面で教示しなければならない。ただし、当該処分を口頭でする場合は、この限りでない。

Ⅲ　行政庁は、当事者間の法律関係を確認し又は形成する処分又は裁決に関する訴訟で法令の規定によりその法律関係の当事者の一方を被告とするものを提起することができる処分又は裁決をする場合には、当該処分又は裁決の相手方に対し、次に掲げる事項を書面で教示しなければならない。ただし、当該処分を口頭でする場合は、この限りでない。

①　当該訴訟の被告とすべき者

②　当該訴訟の出訴期間

［趣旨］行審法に合わせて、教示制度が整備された。

《注　釈》

一　総論

1　制度概容

①口頭による処分の場合を除き、②処分・裁決の相手方に、③書面で、以下の内容を教示しなければならない。原告適格が問題となる第三者へは教示がなされない（行審82Ⅱ参照）。

2　教示を誤った場合の救済

教示をしなかった場合、誤った教示をした場合とも、当然に処分が無効にな

るわけではない。しかし、出訴期間（14）の正当理由、被告を誤った訴え（15Ⅰ）の救済を考える際に原告の重過失の有無の指標になる。

二　教示すべき内容

1　取消訴訟を提起できる処分（Ⅰ）
被告、出訴期間、不服申立前置主義の有無

2　裁決主義が採られた処分（Ⅱ）
審査請求に対する裁決に対してのみ取消訴訟を提起できる旨

3　形式的当事者訴訟（Ⅲ）
被告及び出訴期間

・第３章・【国家賠償法】

■第１節　公権力責任

第１条〔公権力の行使に基づく賠償責任、求償権〕

Ⅰ　国又は公共団体の公権力の行使に当る公務員が、その職務を行うについて、故意又は過失によつて違法に他人に損害を加えたときは、国又は公共団体が、これを賠償する責に任ずる。

Ⅱ　前項の場合において、公務員に故意又は重大な過失があつたときは、国又は公共団体は、その公務員に対して求償権を有する。

国家賠償法

［趣旨］憲法17条を具体化し、国家無答責の原則を否定するものである。

《注　釈》

一　戦前の国家賠償制度（国家無答責の原則）

1　国家無答責の原則
国家無答責の原則とは、公権力の行使について国家が責任を負うことはないという原則をいう。戦前の日本では官吏の責任すら否定していた。

2　もっとも戦前でも、最低限度の救済は存在した。

⑴　行政裁判所による恩恵的な性格の賠償は存在した。

⑵　司法裁判所でも、国の私法上の活動による損害・公物の設置管理の瑕疵に起因する損害については不法行為規定を適用して救済するという判例法理が成立していた。

二　国家賠償責任の根拠

条文上、国家が違法な公権力行使による損害の賠償責任を負いうることは明らかだが、その責任の根拠が問題となる。なお、判例（最判昭30.4.19・百選228事件）は、公務員個人に対する直接請求を否定しており、代位責任説を採っているといわれるが、異論もある。

1　代位責任説
国家賠償責任は、本来加害者である公務員が負うべき責任を国・公共団体が代わって負うものであるとする。

∵① 要件に加害公務員の故意・過失という主観的責任要件が要求されている（１Ⅰ）

② 故意又は重過失ある加害公務員に対する求償権が認められている（１Ⅱ）

③ 使用者の選任監督責任に触れていない

２ 自己責任説

行政活動には常に国民に損害を与える危険が伴っており、この危険の発現による損害に対し、国・公共団体が直接負う責任である。

∵① 故意・過失は、公務員個人の責任とはかかわりない

② 「公務員に代わって」という明示的文言を用いず、むしろ「国又は公共団体が、これを賠償する責に任ずる」という規定の文言からして、国家賠償責任は国の自己責任を定めたものと解すべきである

▼ 公務員個人の責任（最判昭 30.4.19・百選 228 事件）司予

事案： 県知事Ｙが下した農地委員会の解散命令を不服とする農地委員会委員長Ｘらが、Ｙを被告として解散処分の無効確認を求め、さらにＹらに慰謝料を求めた。

判旨： 公務員の職務行為を理由とする国家賠償請求については、国または公共団体が賠償の責に任ずるのであって、公務員が行政機関としての地位において賠償の責任を負うものではなく、また公務員個人もその責任を負うものではない。

<国賠法１条の構造>

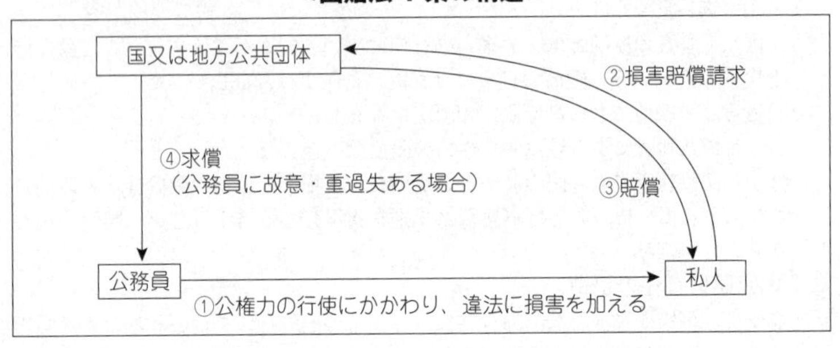

<国賠法1条と民法715条の比較>

	国賠法1条	民法715条
免責規定の有無	なし	あり
求償権行使の要件	公務員の故意・重過失	被用者の故意・過失
不法行為者個人に対する請求の可否	不可（判例）	可（判例）

三　成立要件〈司H18

1　国又は公共団体

(1)　国

公務員のうちでも、裁判官、検察官、国会議員など、司法作用・立法作用にかかわる特殊な公務員の行為についても、国賠法1条1項の適用対象となる。もっとも、これらに対する損害賠償請求権が認められる場合は極めて限定される。

▼　検察官の公訴提起と国家賠償責任（最判昭53.10.20・百選222事件） ⇒p.430

▼　裁判官の訴訟指揮と国家賠償責任（最判昭57.3.12・百選221事件）
〈司　⇒p.428

▼　在宅投票制度廃止事件（最判昭60.11.21・百選〔第6版〕233事件）〈司
⇒p.428

▼　立法不作為（最大判平17.9.14・百選220事件） ⇒p.428

(2)　公共団体

地方公共団体の他、特殊法人・弁護士に懲戒権を有する弁護士会なども含む。

▼　都道府県警察官の交通犯罪捜査（最判昭54.7.10・百選225事件）〈共

事案：　自動車事故を起こし即死したAの両親が、本件事故に関する実況見分調書に虚偽の記載がなされ、それが報道機関に発表されたため精神的損害を被ったとして国及び東京都に対して損害賠償を請求した。

判旨：　都道府県警察の警察官がいわゆる交通犯罪の捜査を行うにつき故意又は過失によって違法に他人に損害を加えた場合において国家賠償法1条1項によりその損害の賠償の責めに任ずるのは、原則として当該都道府県であり、国は原則としてその責めを負うものではない、と解するのが相当である。公権力を違法に行使した警察官が警視正以上の階級にあるものではない場合、その者の任免及びその者に対する指揮監督の権限が国家公安委員会によって任免され法制上国家公務員の身分を有する者によって行使されるものであるからといって、都道府県の処理すべき事務にかかる警察の事務を都道府県警察の警察官において執行すること自体までが国の公権力の公使に当たることになると解すべきではない。

2　公権力の行使に当たる公務員の行為

(1)　公権力の行使の意義

民法上の不法行為法と国家賠償法の適用場面を区別する概念である。

(2)　範囲

国又は公共団体の作用のうち、純粋な私経済作用と国賠法２条の対象となる営造物の設置管理作用を除く全ての作用をいう（広義説）。この他、純粋な私経済作用を含むとする最広義説、権力作用に限るとする狭義説がある。

<「公権力の行使」の意義に関する見解>

全行政活動			
権力的行政行為 ア	非権力的行政行為 イ	私経済活動 ウ	公の営造物に関する瑕疵 エ

・狭義説　＝アのみ（イ＋ウ＝民法709条以下・エ＝国賠法２条１項）
・広義説　＝ア＋イ（ウ＝民法709条以下・エ＝国賠法２条１項）
・最広義説＝ア＋イ＋ウ（エ＝国賠法２条１項）

▼　公立学校における教師の教育活動と公権力行使（最判昭 62.2.6・百選 209 事件）予

事案：　市立中学校の体育授業中、担当教諭の指示に従い、プールに飛び込みをしたところ事故に遭い障害を負ったＸらが、Ｙ市を相手取り損害賠償を請求した。

判旨：　国家賠償法１条１項にいう「公権力の行使」には、公立学校における教師の教育活動も含まれる。

▼　基地供用の差止め（最判平 5.2.25・百選〔第６版〕158 事件）

事案：　厚木基地周辺住民Ｘが国Ｙに、環境権および人格権に基づき、将来の損害賠償請求をした。

判旨：　自衛隊機の運航に伴う騒音等の影響は飛行場周辺に広く及ぶことが不可避であるから、自衛隊機の運航に関する防衛庁長官（当時）の権限の行使は、その運航に必然的に伴う騒音等について周辺住民の受忍を義務づけるものといわなければならない。そうすると、右権限の行使は、右騒音等により影響を受ける周辺住民との関係において、公権力の行使に当たる行為というべきである。

(3) 不作為との関係

公務員が作為義務があるのに権限を行使しない場合にも「公権力の行使に当る公務員の行為」に当たる。

(4) 公務員

(a) 公権力の行使を委ねられた者が「公務員」である。公務員は国家公務員や地方公務員に限られるわけではないし、国家公務員や地方公務員であってもその行為が全て公権力の行使になるわけではない。

(b) 国賠請求に被害者が加害公務員を特定する必要があるかについて、判例は、複数の公務員が関与した一連の職務上の行為の過程で被害が発生した場合について、一連の行為のうちのいずれかに、行為者の故意又は過失によるのでなければ被害が生ずることがなかったことが認められればよく、特定がなくとも損害賠償責任を認めることができるとしている。

▼ 加害公務員の特定（最判昭 57.4.1・百選 224 事件）〈同予

事案：　A 保健所の定期健康診断において、X は容易に発見可能であった結核を見逃され、その結果、症状が悪化し、長期療養を余儀なくされた。X は国に長期療養費用について国賠請求した。裁判では、担当医師のレントゲン写真の読影・結果報告に過失があったのか、医師の報告の伝達過程に過誤があったのかなどにつき明らかにならなかった。

判旨：　①公務員による一連の職務上の行為の過程において他人に被害を生ぜしめた場合において、それが具体的にどの公務員のどのような違法行為によるものであるかを特定することができなくても、右の一連の行為のうちのいずれかに行為者の故意又は過失による違法行為があったのでなければ右の被害が生ずることはなかったであろうと認められ、かつ、それがどの行為であるにせよこれによる被害につき行為者の属する国又は公共団体が法律上賠償の責任を負うべき関係が存在するときは、国又は公共団体は損害賠償責任を免れることができない。

②しかしながら、この法理が肯定されるのは、それら一連の行為を組織する各行為のいずれもが国又は同一の公共団体の公務員の職務上の行為にあたる場合に限られ、一部にこれに該当しない行為が含まれている場合には、もとよりこの法理は妥当しない。

▼ 施設管理者の不法行為責任（最判平 19.1.25・百選 226 事件）〈共予

事案：　Ｙ１県の入所措置により民間団体Ｙ２が設置・運営する民間児童養護施設に入所し、その施設内で別の児童から暴行を受け重度の障害を負ったＸが、施設設置者Ｙ２に対する使用者責任に基づく損害賠償（民 715 Ⅰ）とＹ１に対する国賠請求をした。

判旨：１　公務員該当性の要件について

児童福祉法（以下「法」という。）は、保護者による児童の養育監護について、国又は地方公共団体が後見的な責任を負うことを前提に、要保護児童に対して都道府県が有する権限及び責務を具体的に規定する一方で、児童養護施設の長が入所児童に対して監護、教育及び懲戒に関しその児童の福祉のため必要な措置を採ることを認めている。上記のような法の規定及び趣旨に照らせば、３号措置（法 27 条１項３号に基づく入所措置のこと）に基づき児童養護施設に入所した児童に対する関係では、入所後の施設における養育監護は本来都道府県が行うべき事務であり、このような児童の養育監護に当たる児童養護施設の長は、３号措置に伴い、本来都道府県が有する公的な権限を委譲されてこれを都道府県のために行使するものと解される。したがって、都道府県による３号措置に基づき社会福祉法人の設置運営する児童養護施設に入所した児童に対する当該施設の職員等による養育監護行為は、都道府県の公権力の行使に当たる公務員の職務行為と解する。

２　民法 715 条との関係

国家賠償法１条１項は、国又は公共団体の公権力の行使に当たる公務員が、その職務を行うについて、故意又は過失によって違法に他人に損害を与えた場合には、国等がその被害者に対して賠償の責めに任ずることとし、公務員個人は民事上の損害賠償責任を負わないこととした。この趣旨からすれば、国等以外の者の被用者が第三者に損害を加えた場合であっても、当該被用者の行為が国等の公権力の行使に当たるとして国等が被害者に対して同項に基づく損害賠償責任を負う場合には、被用者個人が民法 709 条に基づく損害賠償責任を負わないのみならず、使用者も同法 715 条に基づく損害賠償責任を負わないと解する。

３　「職務を行うについて」の意義（職務行為関連性）

民法 715 条などでは、その範囲について、実際には職務上行われたのではなくても、職務の外形を備えている場合には職務行為関連性を認める説（外形標準説）が採られているといわれている。国賠請求において公務の種類にかかわらずこれが当然に妥当するかどうかは争いがあるが、最判昭 31.11.30・百選 223 事件は外形標準説を採っている。

なお、外形標準説は公務員であることを前提とするため、私人が公務員を装っても、適用があるわけではない。

▼ 公務員の職務行為の範囲（最判昭 31.11.30・百選 223 事件） 〈司予

事案： 警視庁の巡査が非番の日に、制服制帽を着用のうえ、職務執行を装って通行人を呼び止め、現金などを取り上げた後、同人を射殺した。被害者の遺族Ｘが東京都Ｙに損害賠償を請求した。その際、職務行為該当性が争われた。

判旨： 国家賠償法１条は、公務員が主観的に権限行使の意思をもってする場合にかぎらず、自己の利を図る意図をもってする場合でも、客観的に職務執行の外形を備える行為をしてこれによって、他人に損害を加えた場合には、国又は公共団体に損害賠償の責を負わしめて、ひろく国民の権益を擁護することを趣旨とするとして、Ｙに損害賠償責任を負わせた。

4 加害行為の違法性

(1) 違法性の判断基準

違法性の判断基準に関して、下記のような対立がある。

(a) 被害者救済を重視して、結果的に法益が侵害されたら国賠法上違法とする説（結果不法説）

(b) 違法行為抑止を重視して、侵害行為の様態によって判断する説（行為不法説）

→行為不法説の下でも、「不法」の意義について争いがある

ア 公権力発動要件を欠くこと（公権力発動要件欠如説）

イ 公務員として職務上尽くすべき注意義務を懈怠すること（職務行為基準説、判例）

(2) 違法過失一元的判断・二元的判断

公権力発動要件欠如説からは、違法の内容を取消訴訟と国家賠償訴訟で同一に考える。つまり、取消訴訟と国家賠償請求とで違法の判断が異なることはない。反面、違法と故意・過失を別に検討する必要がある（違法過失二元的判断）。

一方、職務行為基準説・結果不法説は、違法の内容を取消訴訟と国家賠償訴訟で別異に考える。つまり、ある行政機関の行為が、取消訴訟では違法になり、国賠訴訟では違法性を否定されることもありうることになる。

そして、職務行為基準説は、違法性判断に、単に公権力発動要件を充足するかのみならず、過失の要件となる公務員の予見可能性なども読み込むため、故意・過失と一元的判断をする考え方に親しみやすい傾向がある（違法過失一元的判断）。

(3) 各論

(a) 裁判の違法

裁判官がその付与された権限の趣旨に明らかに背いてこれを行使したと認められるような特段の事情があることが必要である。

▼ 裁判官の訴訟指揮と国家賠償責任（最判昭 57.3.12・百選 221 事件）〈共予

事案：　裁判官の過誤により、本来適用されるべき商法 521 条が適用されずに判決が言い渡され、確定し、損害を被った X が国賠請求をした。

判旨：　裁判官がした争訟の裁判に上訴等によって是正されるべき瑕疵が存在したとしても、これによって当然に国の損害賠償責任の問題が発生するわけのものではなく、当該裁判官が違法又は不当な目的をもって裁判をしたなど、裁判官がその付与された権限の趣旨に明らかに背いてこれを行使したものと認めうるような特別な事情があることを必要とする。

(b) 立法の違法

ex.　立法不作為

▼ 在宅投票制度廃止事件（最判昭 60.11.21・百選〔第６版〕233 事件）

事案：　公選法改正により在宅投票制度が廃止され、その後も復活することがなかったので、これにより数回の選挙に投票できなかった X が精神的損害等を理由に国賠請求した。

判旨：　国会議員の立法行為は、立法の内容が憲法の一義的な文言に違反しているにもかかわらず国会があえて当該行為を行うというごとき、容易に想定し難いような例外的な場合でない限り、国家賠償法１条１項の規定の適用上、違法の評価を受けない。

▼ 立法不作為（最大判平 17.9.14・百選 220 事件）〈司予

事案：　在外邦人の投票を全く認めていなかった公選法の下、衆議院議員総選挙で投票できなかった在外邦人 X らが、国会が公選法の改正を怠ったことにより投票をすることができなかったとして、国賠請求した。

判旨：　国会議員の立法不作為は、その立法の内容又は立法不作為が国民に憲法上保障されている権利を違法に侵害するものであることが明白な場合や、国民に憲法上保障されている権利行使の機会を確保するために所要の立法措置を執ることが必要不可欠であり、それが明白であるにもかかわらず、国会が正当な理由なく長期にわたってこれを怠る場合などには、例外的に違法の評価を受ける。在外邦人の選挙権行使の機会を確保するためには立法措置を執ることが必要不可欠であったのに、10 年以上の長きにわたって立法措置を執らなかったことは、国賠法上違法の評価を受けるものというべきである。

▼ **在外邦人国民審査権訴訟違憲判決（最大判令 4.5.25・令４重判９事件）**

事案： 最高裁判所裁判官国民審査法は、在外国民の審査権行使を認めておらず、Ｘらは平成 29 年の国民審査の際に審査権を行使できなかった。そこで、Ｘらは、審査権を行使できなかったことにより精神的苦痛を被ったとして、国家賠償法１条１項に基づく損害賠償等を求めた。 ⇒なお、違法確認請求については、p.334 参照

判旨： 国会議員の立法行為又は立法不作為が国家賠償法１条１項の適用上違法となるかどうかは、「国会議員の立法過程における行動が個々の国民に対して負う職務上の法的義務に違反したかどうかの問題であり、立法の内容の違憲性の問題とは区別されるべきものである。そして、上記行動についての評価は原則として国民の政治的判断に委ねられるべき事柄であって、仮に当該立法の内容が憲法の規定に違反するものであるとしても、そのゆえに国会議員の立法行為又は立法不作為が直ちに同項の適用上違法の評価を受けるものではない。もっとも、法律の規定が憲法上保障され又は保護されている権利利益を合理的な理由なく制約するものとして憲法の規定に違反するものであることが明白であるにもかかわらず、国会が正当な理由なく長期にわたってその改廃等の立法措置を怠る場合などにおいては、国会議員の立法過程における行動が上記職務上の法的義務に違反したものとして、例外的に、その立法不作為は、同項の適用上違法の評価を受けることがあるというべきである。そして、国民に憲法上保障されている権利行使の機会を確保するための立法措置をとることが必要不可欠であり、それが明白であるにもかかわらず、国会が正当な理由なく長期にわたってこれを怠るときは、上記の例外的な場合に当たるものと解するのが相当である」（最判昭 60.11.21・百選〔第６版〕233 事件、最大判平 17.9.14・百選 220 事件参照）。

「遅くとも平成 29 年国民審査の当時においては、在外審査制度を創設する立法措置をとることが必要不可欠であり、それが明白であるにもかかわらず、国会が正当な理由なく長期にわたってこれを怠ったものといえ……本件立法不作為は、平成 29 年国民審査の当時において、国家賠償法１条１項の適用上違法の評価を受ける」。

(c) 事実行為

▼ **パトカー追跡による損害（最判昭 61.2.27・百選 210 事件）** 〈司予

事案： パトカーで速度違反車を追跡中、この違反車が他の車に衝突し、その乗員らを死傷させた。

判旨： 警察官がパトカーで追跡する職務の執行中に、逃走車両の走行により第三者が損害を被った場合において、右追跡行為が違法であるというためには、右追跡が不必要であるか、逃走車両の逃走の態様及び道路交通状況等から予測される被害発生の具体的危険性の有無及び内容に照らし、

追跡の開始・継続若しくは追跡の方法が不相当であることを要するものと解すべきである。

▼　被爆者の健康管理手当と国賠請求（最判平 19.11.1・百選 214 事件）

事案：　原爆被爆者が健康管理手当の受給権取得後に外国に移住した場合には、その受給権を失うとの通達（402 号通達）の違法性を争った。そこで違法な通達の発出について国賠請求できるかが問題となった。

判旨：　402 号通達を違法とし、職務行為基準説を採りつつも、通達発出時において、上級行政機関である国が法律の解釈及び運用が法の客観的解釈として正当なものといえるか否かを検討し、職務上通常尽くすべき注意義務を尽くしていれば、違法性を当然に認識することが可能であったとして通達の発出に対する国賠請求を認めた。

⇒類似判例として、最判平 19.2.6・百選 23 事件参照（p.5）

▼　小学校職員が教育的指導として行う有形力の行使（最判平 21.4.28・平 21 重判 12 事件）

事案：　X は、A 市立小学校２年生に在学していた男子生徒であるが、３年生のクラス担任を務めていた B から休み時間に注意を受けたことにより、通学に支障を来すようになり、病院で PTSD との診断を受けたため、Y 市（本件の後、A 市と合併した）に対して国賠請求した。

判旨：　B の本件行為は、児童の身体に対する有形力の行使ではあるが、他人を蹴るという X の一連の悪ふざけについて、これからはそのような悪ふざけをしないように指導するために行われたものであり、罰として肉体的苦痛を与えるためのものではないことは明らかである。本件行為にやや穏当を欠くところがなかったとはいえないとしても、その目的、態様、継続時間等から判断して教育的指導の範囲を逸脱するものではなく、学校教育法 11 条但書にいう体罰に該当するものではないというべきであり、本件行為に違法性は認められない。

(d)　刑事司法作用

ex.　起訴、逮捕

▼　検察官の公訴提起と国家賠償責任（最判昭 53.10.20・百選 222 事件）〈共予〉

事案：　無罪判決を受けた A の遺族 X が国賠請求した。

判旨：　起訴時あるいは公訴追行時における検察官の心証は、その性質上、起訴時あるいは公訴追行時における各種の証拠資料を総合勘案して合理的な判断過程により有罪と認められる嫌疑があれば足りるものと解するのが相当であるから、刑事事件において無罪の判決が確定したというだけで直ちに起訴前の逮捕・勾留、公訴の提起・追行、起訴後の勾留が違法となるということはない。

▼ **最判平 2.2.20** 〈共

事案：　犯罪の被害者は、検察官の不起訴処分の違法を理由として、国家賠償法に基づき損害賠償請求をすることができるかが争われた。

判旨：「被害者又は告訴人が捜査又は公訴提起によって受ける利益は、公益上の見地に立って行われる捜査又は公訴の提起によって反射的にもたらされる事実上の利益にすぎず、法律上保護された利益ではないというべきである。したがって、被害者ないし告訴人は、捜査機関による捜査が適正を欠くこと又は検察官の不起訴処分の違法を理由として、国家賠償法の規定に基づく損害賠償請求をすることはできない」。

(e)　規制権限不行使

ア　そもそも規制権限不行使が違法となりうるか。　⇒ p.49
（違法二元論からもこの議論は妥当する）

イ　申請に対する不作為の違法（お待たせ賃）　⇒ p.439

申請に対する応答の遅延について、手続上必要と考えられる期間内に処分できず、更に長期間にわたり遅延が続き、処分庁がこれを回避する努力を怠ったといえる場合には国賠請求を認めるとする判例がある。

▼ **宅建業規制権限の不行使と国賠請求・誠和住研事件（最判平元.11.24・百選 216 事件）** 〈司共

事案：　宅地建物取引業者の不正行為により損害を受けた者が、知事が業務停止処分等の規制権限の行使を懈怠したことが違法である等と主張し、国家賠償請求訴訟を提起した。

判旨：　知事等に監督処分権限が付与された趣旨・目的に照らし、その不行使が著しく不合理と認められるときでない限り、右権限の不行使は、当該取引関係者に対する関係で国家賠償法１条１項の適用上違法の評価を受けるものではないといわなければならない。

▼ **クロロキン事件（最判平 7.6.23・百選 217 事件）**

事案：　クロロキン製剤を服用していて、その副作用によりクロロキン網膜症に罹患したＸらが、国Ｙ等に対して損害賠償を請求した。

判旨：１　厚生大臣がクロロキン製造の承認の取消し等の規制権限を有するかについて

確かに、薬事法上、昭和 54 年改正後の薬事法 74 条の２のような厚生大臣（当時、以下同じ。）の製造の承認の取消しに関する明文の規定はない。しかし、医薬品の品質面における安全性のみならず、副作用を含めた安全性の確保をはかる薬事法の目的並びに医薬品の日本薬局方への収載及び製造の承認に当たっての厚生大臣の安全性に関する審査権限に照らすと、厚生大臣は、薬事法上、上記の承認取消権限を有するものと解する。

2　国賠法上、違法となるかについて

厚生大臣の薬事法上の権限の行使についての性質などを考慮すると、医薬品の副作用による被害が発生した場合であっても、厚生大臣が当該医薬品の副作用による被害の発生を防止するために自己の各権限を行使しなかったことが直ちに国家賠償法1条1項の適用上違法と評価されるものではなく、副作用を含めた当該医薬品に関するその時点における医学的、薬学的知見の下において、上記のような薬事法の目的及び厚生大臣に付与された権限の性質等に照らし、上記権限の不行使がその許容される限度を逸脱して著しく合理性を欠くと認められるときは、その不行使は、副作用による被害を受けた者との関係において、同項の適用上違法となる。

▼ じん肺予防と国賠請求（最判平16.4.27・百選〔第6版〕231事件）

司予

事案：　炭鉱で粉じん作業に従事し、じん肺に罹患したXが、じん肺発生・増悪の防止のための鉱山保安法（通商産業大臣所管（当時））に基づく規制権限行使を国が怠ったことが違法であるとして損害の賠償を求めた。

判旨：　通商産業大臣の保安規制権限は、鉱山労働者の労働環境整備、生命・身体への危害防止、健康確保を主要目的として、できる限りすみやかに、技術の進歩や最新の医学的知見等に適合したものに改正すべく、適時に、かつ適切に行使されるべきものである。とすると、規制権限行使により被害拡大を相当程度防ぐことができた昭和35年4月以降、鉱山保安法に基づく規制権限を直ちに行使しなかったことは、その趣旨、目的に照らし、著しく合理性を欠くものとして、国家賠償法上違法となるとした。

＊　本判決は、省令の適時改正を求める判例とも評価される。

▼ 公害に対する規制権限の不行使（最判平16.10.15・百選219事件）

司

事案：　水俣病の患者であると主張する者が国及び県が水俣病の発生および被害拡大のための規制権限の行使を怠ったとして国家賠償請求をした。

判旨：　まず、本判決では、国又は公共団体の公務員による規制権限の不行使は、その権限を定めた法令の趣旨、目的や、その権限の性質に照らし、具体的事情の下において、その不行使が許容される限度を逸脱して著しく合理性を欠くと認められるときは、その不行使により被害を受けた者との関係において、国家賠償法1条1項の適用上違法となると判示した。そして、下記のように述べて、国、県の権限不行使につき国賠法上の違法性を肯定した。

1　国の責任について

主務大臣は、工場排水規制法７条、12条に基づき、特定施設から排出される工場排水等の水質が当該指定水域に係る水質基準に適合しないときに、その水質を保全するため、工場排水についての処理方法の改善、当該特定施設の使用の一時停止その他必要な措置を命ずる等の規制権限を行使する。この権限は、当該水域の水質の悪化にかかわりのある周辺住民の生命、健康の保護をその主要な目的の一つとして、適時にかつ適切に行使されるべきものである。そして、本件においては、チッソ水俣工場の排水によって周辺住民に極めて深刻な影響が生じていたのであり、しかも、周辺住民にはチッソの排水を止めるための有効な手段がなく、国による上記の権限行使の必要性やそれに対する期待も大きかったといえる。そのような事情の下では、水質二法に基づく上記権限を行使しなかったことは、上記規制権限を定めた水質二法の趣旨、目的や、その権限の性質等に照らし、著しく合理性を欠くものといえ、国賠法上違法である。

2　県の責任について

熊本県漁業調整規則32条は、何人も水産動植物の繁殖保護に有害な物を遺棄してはならず、これに違反する者があるときは、知事はその者に対して除害に必要な設備の措置を命ずることができるとしている。そして、同規則は、水産動植物の繁殖保護を直接の目的とするが、それを摂取する者の健康の保持等をもその究極の目的とする。これらの事情により、県の権限不行使についても、国家賠償法上違法であるとした。

▼　アスベスト関連疾患と国家賠償責任（最判平26.10.9・百選218事件）

事案：　Xらは、アスベスト（石綿）工場の元従業員等であり、アスベスト製品の製造作業等に従事したことによってアスベスト関連疾患に罹患したと主張し、Y（国）に対して、規制権限不行使を理由とする国家賠償を請求した。

判旨：　「国又は公共団体の公務員による規制権限の不行使は、その権限を定めた法令の趣旨、目的や、その権限の性質等に照らし、具体的事情の下において、その不行使が許容される限度を逸脱して著しく合理性を欠くと認められるときは、その不行使により被害を受けた者との関係において、国家賠償法１条１項の適用上違法となる」（最判平16.4.27・百選〔第６版〕231事件、最判平16.10.15・百選219事件参照）。

旧労働基準法及び労働安全衛生法の「主務大臣であった労働大臣の上記各法律に基づく規制権限は、粉じん作業等に従事する労働者の労働環境を整備し、その生命、身体に対する危害を防止し、その健康を確保することをその主要な目的として、できる限り速やかに、技術の進歩や最新の医学的知見等に適合したものに改正すべく、適時にかつ適切に行使されるべきものである」。

「労働大臣は、昭和33年5月26日には、旧労基法に基づく省令制定権限を行使して、罰則をもって石綿工場に局所排気装置を設置することを義務付けるべきであったのであり、……労働大臣が旧労基法に基づく上記省令制定権限を行使しなかったことは、旧労基法の趣旨、目的や、その権限の性質等に照らし、著しく合理性を欠くものであって、国家賠償法1条1項の適用上違法である」。

評釈： その後の判例（最判令4.6.17・令4重判10事件）は、「国又は公共団体の公務員による規制権限の不行使は、その権限を定めた法令の趣旨、目的や、その権限の性質等に照らし、具体的事情の下において、その不行使が許容される限度を逸脱して著しく合理性を欠くと認められるときは、その不行使により被害を受けた者との関係において、国家賠償法1条1項の適用上違法となる」との判示に続けて、「国又は公共団体が、上記公務員が規制権限を行使しなかったことを理由として同項に基づく損害賠償責任を負うというためには、上記公務員が規制権限を行使していれば上記の者が被害を受けることはなかったであろうという関係が認められなければならない」とした。

(f) その他

▼ 援助制度に関する市の職員の教示義務（大阪高判平26.11.27・平27重判5事件）

事案： Ｘらは、同人らの子Ａが脳腫瘍に罹患したため、重症を患って長期療養が必要となった児童の監護者に対する援助の制度の有無について、Ｙ市の窓口に相談した。これに対し、Ｙ市の職員が、特別児童扶養手当（以下「本件手当」という。）の制度が存在するにもかかわらず、援助制度はないと回答した。

そのためＸらは、本来受給できたはずの本件手当を受けられず、経済的な苦境に陥ったとして、国家賠償法1条1項に基づいて本件手当相当額の損害賠償等の支払を求めた。

判旨：「窓口の担当者においては、条理に基づき、来訪者が制度を具体的に特定してその受給の可否等について相談や質問をした場合はもちろんのこと、制度を特定しないで相談や質問をした場合であっても、具体的な相談等の内容に応じて何らかの手当てを受給できる可能性があると考えられるときは、受給資格者がその機会を失うことがないよう、相談内容等に関連すると思われる制度について適切な教示を行い、また、必要に応じ、不明な部分につき更に事情を聴取し、あるいは資料の追完を求めるなどして該当する制度の特定に努めるべき職務上の法的義務（教示義務）を負っているものと解するのが相当である。」

Ｙ市の窓口担当職員は、「本件手当に係る制度の対象となる可能性があることを教示」せず、またＡの症状についても聴取していない。担当者のこのような対応は、「教示義務に違反したものと認めざるを得ないのであり、窓口の担当者の裁量を逸脱したものというべきである。」

▼ **最判昭 57.2.23** 〈同予

判旨：「不動産の強制競売事件における執行裁判所の処分は、債権者の主張、登記簿の記載その他記載にあらわれた権利関係の外形に依拠して行われるものであり、その結果関係人間の実体的権利関係との不適合が生じることがありうるが、これについては執行手続の性質上、強制執行法に定める救済の手続により是正されることが予定されているものである。したがって、執行裁判所みずからその処分を是正すべき場合等特別の事情がある場合は格別、そうでない場合には権利者が右の手続による救済を求めることを怠ったため損害が発生しても、その賠償を国に対して請求することはできない」。

▼ **接見拒否（最判平 20.4.15・平 20 重判 11 事件）**

事案：受刑者から刑務所職員による暴行について救済申立てを受け、Ｘ（広島弁護士会）所属の弁護士は事実調査のために刑務所長に対して加害者の職員及び目撃者とされる受刑者との接見・面談を要請したが、拒否された。Ｘ及び弁護士は接見拒否の違法性を主張して国家賠償請求訴訟を提起した。

判旨：旧監獄法 45 条２項は、接見対象となる受刑者の利益と施設内の規律及び秩序の確保並びに適切な処遇の実現の要請との調和を図る趣旨であり、接見を求める者の固有の利益との調整を図る趣旨ではない。よって、同条項は刑務所長に対し、接見の諾否判断の際に接見を求める者の固有の利益に配慮すべき法的義務を課するものではない。また、Ｘらに強制的な調査権限は付与されていないことからも、刑務所長には接見の申入れに応ずべき法的義務はない。

▼ **公害調停の手続の運営・進行における調停委員会の裁量権の範囲（最判平 27.3.5・平 27 重判３事件）**

事案：Ｘらは、Ａ及びＢを被申請人として、徳島県知事に対し、公害紛争処理法 26 条１項に基づく公害調停（被申請人らがボーリング調査及び違法に処分された産業廃棄物の撤去を求めるもの）の申請をした。その後、Ｘは調停の運営に違法があったとして国家賠償法１条１項に基づき徳島県に対し損害賠償請求をした。

判旨：「公害調停は、当事者間の合意によって公害に係る紛争を解決する手続であり、当事者に手続への参加を求める方法、合意に向けた各当事者の意向の調整、法36条１項に基づく調停の打切りの選択等の手続の運営ないし進行については、手続を主宰する調停委員会が、当該紛争の性質や内容、調停の経過、当事者の意向等を踏まえ総合的に判断すべきものであって、その判断には調停委員会の広範な裁量が認められる」。

「当該産業廃棄物等に対する被申請人らの関与の態様や程度は様々である上、被申請人らはいずれも、本件委員会からの事前の意見聴取に対し、調停に応じない旨の意思を明確にしていたものである。また、本件委員会が被申請人らに送付した期日通知書に本件記載をしたのは、上記意思を明確にしていた被申請人らに対し、手続への参加を強制されたとの誤解を与えないようにとの配慮に基づくものというのである。そして、本件委員会は、上記紛争の性質や内容に加えて、本件調停の第１回調停期日に被申請人らがいずれも出席しなかったことをも踏まえ、上記紛争について当事者間に合意の成立の見込みがないと認めた結果……本件調停を打ち切ったものである。」

「このような事情の下においては、本件委員会が……本件調停を打ち切った措置は、その裁量権の範囲を逸脱したものとはいえず、国家賠償法１条１項の適用上違法であるということはできない。」

▼ 耐震偽装を看過した建築確認（最判平25.3.26・百選215事件）予

事案：　ホテルの建築主Ｘが、自らが委託した一級建築士が耐震偽装をなした建築確認申請につき、建築主事が耐震偽装の点を看過したことを理由として、行政主体Ｙに国家賠償請求した。

判旨：「建築確認制度の目的には、建築基準関係規定に違反する建築物の出現を未然に防止することを通じて得られる個別の国民の利益の保護が含まれており、建築主の利益の保護もこれに含まれているといえるのであって、建築士の設計に係る建築物の計画について確認をする建築主事は、その申請をする建築主との関係でも、違法な建築物の出現を防止すべく一定の職務上の法的義務を負う」。

「建築主事による当該計画に係る建築確認は、……建築主事が職務上通常払うべき注意をもって申請書類の記載を確認していればその記載から当該計画の建築基準関係規定への不適合を発見することができたにもかかわらずその注意を怠って漫然とその不適合を看過した結果当該計画につき建築確認を行ったと認められる場合に、国家賠償法１条１項の適用上違法となる」。

「建築主は自ら委託をした建築士の設計した建築物の計画につき建築基準関係規定に適合するものとして建築確認を求めて建築主事に対して申請をするものであることに鑑みると、その不適合に係る建築主の認識の有無又は帰責性の程度、その不適合によって建築主の受けた損害の性質及び内容、その不適合に係る建築主事の注意義務違反の程度又は認識の内容その他の諸般の事情に照らして、建築確認の申請者である建築主が自らの申請に応じて建築主事のした当該計画に係る建築確認の違法を主張することが信義則に反するなどと認められることにより、当該建築主が当該建築確認の違法を理由として国家賠償法１条１項に基づく損害賠償請求をすることができないものとされる場合があることは否定できない」。

本件では、建築主事が「注意を怠って漫然とその不適合を看過したものとは認められず、他にそのように認められるべき事情もうかがわれないから、本件建築確認が国家賠償法１条１項の適用上違法となるとはいえない」。

5　公務員の故意・過失〈司

(1)　過失とは

国家賠償法上の過失の意義につき、違法行為を行った特定の公務員の心理的要素をいうと考えると、国家責任が公務員の責任能力等の個人的要素で左右されることになり、被害者保護を欠き不公平である。そこで代位責任説からは、個々の公務員の心理面における過失（具体的過失）を問うことなく、公務員が職務上要求される標準的な注意義務に違反していると認められる場合には過失を認定すべきであると解する抽象的過失論が採られた（過失の客観化）。

▼　更正処分と国賠責任（最判平 5.3.11・百選 213 事件）〈司予

事案：　Ｘの確定申告に対し、税務署長ＡはＸの調査に入ったがＸは調査を拒否した。そのため、独自の調査に基づく収入額で所得を算定し、Ｘが申告した必要経費を控除した更正処分をした。Ｘは、収入が増加したならば必要経費も増加するはずであるとして国Ｙに国家賠償請求した。

判旨：　税務署長のする所得税の更正は、税務署長が職務上尽くすべき注意義務を尽くすことなく漫然と更正したと認め得るような事情がある場合に限り、国家賠償法上違法になる。本件はＸが調査を拒否した等の事情があり、税務署長が注意義務を尽くさなかったとはいえない。よって国家賠償法上違法にならない。

▼　公務員の法令解釈の誤りと国賠（最判平 16.1.15・百選 59 事件）〈司

事案：　韓国籍のＹ市住民Ｘに対し、Ｙ市は違法な厚生省の通知に従って、国民健康保険被保険者証の交付を拒否した。後に被保険者証は交付されたが、それまで過分に負担することになった治療費などを国家賠償請求した。

判旨：　法律解釈につき見解の対立や実務上の取扱いの差異があり、そのいずれをも相当の根拠が認められる場合に、公務員がその一方の見解を正当としてこれに従って公務を遂行したときは、後にこれが違法となったか

国家賠償法

らといって、直ちに公務員に過失があったものとすることはできないとして、Ｙの過失を否定した。

▼ 郵便局の責任軽減規定の合憲性（最大判平 14.9.11・百選 240 事件）予

事案： Ｘの債権差押命令の申立てにより、書記官がＡの銀行口座を差し押さえるため、Ｂ銀行へ差押命令を特別送達したところ、郵便局員が誤って局内にある私書箱に投函してしまい送達が遅れた。Ｘは国Ｙに国賠請求したが、国は旧郵便法（平成 14 年改正前）に基づく責任制限を主張した。Ｘは郵便法の責任制限規定は憲法 17 条違反であると主張した。

判旨： 国又は公共団体が損害賠償責任をいかなる要件で負うかについて、立法府の政策判断の要素があることを認めつつ、行為の様態、被侵害利益の種類、侵害の程度、免責又は制限責任の範囲・程度、目的の正当性及び手段の必要性合理性を総合考慮するべきであるとして、書留郵便の重過失の責任軽減、特別送達の軽過失の責任軽減について、目的達成に不可欠ではない、過大な保護であるとして違憲とした。

▼ 公立学校教育職員の時間外勤務と学校設置者の国家賠償責任（最判平 23.7.12・平 23 重判 11 事件）

事案： Ｙ市立の小学校又は中学校の教諭であるＸらが、平成 15 年４月から 12 月までの間（ただし、８月を除く。以下「本件期間」という。）、時間外勤務を行ったところ、これは、給特法及びこれに基づく給与条例の規定に違反する黙示の職務命令等によるものであり、また、設置者であるＹ市は時間外勤務を防止するよう配慮すべき義務に違反したなどと主張して、Ｙ市に対し、国家賠償法１条１項に基づく損害賠償等を請求した。

判旨： 「本件期間中、……勤務校の各校長がＸらに対して明示的に時間外勤務を命じてはいないことは明らかであるし、また、黙示的に時間外勤務を命じたと認めることもできず、他にこれを認めるに足りる事情もうかがわれない」。したがって、各校長の行為は、国家賠償法１条１項の適用上、給特法及び給与条例との関係で違法の評価を受けるものではない。

「使用者は、その雇用する労働者に従事させる業務を定めてこれを管理するに際し、業務の遂行に伴う疲労や心理的負荷等が過度に蓄積して労働者の心身の健康を損なうことがないよう注意する義務を負うと解するのが相当であり、使用者に代わって労働者に対し業務上の指揮監督を行う権限を有する者は、使用者の上記注意義務の内容に従ってその権限を行使すべきものである」。そして、「この理は、地方公共団体とその設置する学校に勤務する地方公務員との間においても別異に解すべき理由はない」。

本件においては、「本件期間中又はその後において、外部から認識し得る具体的な健康被害又はその徴候が被上告人らに生じていたとの事実は認定されておらず、……仮に……強度のストレスが健康状態の悪化につながり得るものであったとしても」、勤務校の各校長がXらについて「そのようなストレスによる健康状態の変化を認識し又は予見することは困難な状況にあった」。これらの事情に鑑みると、本件期間中、Xらの勤務校の上司である各校長において、Xらの心身の健康を損なうことがないよう注意すべき上記の義務に違反した過失があるということはできない。

(2) 組織的過失

公務員個人の過失ではなく、組織としての行政主体の公務運営上の欠陥をもって過失とするものである。判例には省庁全体の組織的過失を認めたものなどがあり、これを広く認めているといえる。

6 損害の発生

(1) 反射的利益論（違法性の問題として理解する場合もある）

取消訴訟の原告適格に関する法律上保護された利益説（⇒ p.343 以下）を前提に、規制権限の不行使によって損害を受けた場合などに、法律上保護された利益以外は反射的利益にすぎず、その損害は国賠訴訟の対象とはならないとする考えをいう。判例も、「反射的利益」という文言は使わないものの、事実上これを認める。

(2) 申請不応答によるお待たせ賃

▼ 水俣病認定お待たせ賃事件（最判平 3.4.26・百選 212 事件）共

事案： Xは法に基づき水俣病と認定すべき旨の申請を熊本県知事に対して行ったが知事の応答がなかったので、Xが、知事の処分遅延による精神的苦痛を被ったとして慰謝料等を国家賠償請求した。

判旨： 一般に、不当に長期間にわたって処分がされない場合には、早期の処分を期待していた申請者が不安感、焦燥感を抱かされ内心の静穏な感情を害されるに至るであろうことは容易に予測できることであるから、処分庁には、こうした結果を回避すべき条理上の作為義務があるということができる。そして、義務違反には、単に手続上必要な期間の超過だけでは足りず、その期間に比して更に長期間にわたり遅延が続き、かつ、その間、処分庁として通常期待される努力によって遅延を解消できたのに、これを回避するための努力を尽くさなかったことが必要である。

評釈： 水俣病患者認定申請に対する応答処分をしない行政庁の不作為の違法確認を求める訴訟における違法と、当該認定申請に対する行政庁の応答処分の遅延による慰謝料を求める国家賠償請求訴訟における違法は別のものであり、前者の訴訟に係る認容判決の既判力は、後者の訴訟の当事者・裁判所には及ばない。

四　加害公務員の求償

▼　加害公務員の求償（最判令2.7.14・百選229事件）予

事案：　県教育委員会の公務員Ａら３名は、教員採用試験受験者の得点を操作するなどの不正を行った。県は、これにより不合格となった受験者らに対し、和解に基づいて損害賠償金を支払ったが、その賠償金の大部分について、加害公務員Ａら３名に対して求償請求しなかった。県の住民Ｘらは、県知事Ｙに対し、Ａらに求償請求することを求めて住民訴訟を提起した。

判旨：「国又は公共団体の公権力の行使に当たる複数の公務員が、その職務を行うについて、共同して故意によって違法に他人に加えた損害につき、国又は公共団体がこれを賠償した場合においては、当該公務員らは、国又は公共団体に対し、連帯して国家賠償法１条２項による求償債務を負うものと解すべきである。なぜならば、上記の場合には、当該公務員らは、国又は公共団体に対する関係においても一体を成すものというべきであり、当該他人に対して支払われた損害賠償金に係る求償債務につき、当該公務員らのうち一部の者が無資力等により弁済することができないとしても、国又は公共団体と当該公務員らとの間では、当該公務員らにおいてその危険を負担すべきものとすることが公平の見地から相当であると解されるからである」。

五　国賠法１条と２条の関係司

国賠法１条と２条は両者並列的なものであり、双方の適用が可能な場合も多い。そこで、いずれの請求をするかについては原告の選択に委ねられる。

■第２節　営造物責任

第２条〔営造物の設置・管理の瑕疵に基づく賠償責任・求償権〕

Ⅰ　道路、河川その他の公の営造物の設置又は管理に瑕疵があつたために他人に損害を生じたときは、国又は公共団体は、これを賠償する責に任ずる。

Ⅱ　前項の場合において、他に損害の原因について責に任ずべき者があるときは、国又は公共団体は、これに対して求償権を有する。

［趣旨］公の営造物の設置・管理の瑕疵に基づく損害につき、判例は徳島小学校遊動円棒事件判決（大判大5.6.1）以来、国・公共団体の損害賠償責任（土地工作物責任、民717）を認めてきた。このように、民法の適用で処理することが可能であった損害賠償責任を、危険責任の法理の下、国又は公共団体が負うことを確認的に定めたのが国賠法２条１項である。

《注　釈》

一　責任の法的性質〈司〉

本条の国又は公共団体の責任は、１条と同様に過失責任か、それとも所有者の工作物責任を定めた民法717条１項と同様に無過失責任か。

この点、判例（最判昭45.8.20・百選230事件）は、過失の存在を必要としないとしている。

▼　高知落石事件（最判昭45.8.20・百選230事件） ⇒p.443

二　成立要件

1　公の営造物に関する損害であること

「公の営造物」とは、行政主体によって直接公の目的に供用される（いわゆる「公物」たる）有体物又は物的設備（神戸地伊丹支判昭45.1.12等参照）をいい、無体財産及び人的施設を含まない。国又は公共団体の所有物である必要はない。道路・河川は例示であり、およそ公の目的に供されている物は広く「公の営造物」に当たる。民法717条と異なり、土地の工作物である必要はない。通説は、警察犬、拳銃などの動産も、公の営造物に含まれるとする。他方、公の目的に供されない普通財産（国有林など）はこれに当たらない。

学説や下級審裁判例が２条１項の責任の範囲を拡大するのは、１条１項の責任が過失責任であるのに対して、２条１項の責任は無過失責任（通説）であるので、可能な限り２条１項の問題とした方が被害者の救済のためには有利である、という理由に基づく。

2　設置・管理の瑕疵に基づく損害であること

⑴「設置・管理」について〈司〉

営造物の設置・管理は、国・公共団体が事実上これをなす状態にあれば足り、必ずしも法令所定の権限に基づく必要はない。

判例（最判昭59.11.29）も、市が法令に基づかず事実上管理を行っていた河川における転落事故につき、当該河川を市が管理する「公の営造物」であるとした。

⑵「瑕疵」の意義

(a)　客観説

営造物自体に通常有すべき安全性を欠く、という客観的事実があればよいのであって、管理者が不注意に補修や管理を怠っていたかどうか、という管理者の主体的な事情は考慮されない。

(b)　主観説

営造物を安全に維持するという設置者又は管理者の損害回避義務を前提とし、この義務に違反のあった場合に行政主体の賠償責任を認める。

(c)　判例（最判昭53.7.4、大東水害訴訟（最判昭59.1.26・百選232事件））

「営造物が通常有すべき安全性を欠き、他人に危害を及ぼす危険性のある状態をいい」、「かかる瑕疵の存否については、当該営造物の構造、用法、場所的環境及び利用状況等諸般の事情を総合考慮して具体的個別的に判断すべきものである」とする。

無過失責任とはいっても、判例においては、営造物の設置・管理者にどの程度のことを予期・期待できたかという主観的な要素が考慮に入れられているといえる（最判平5.3.30・百選235事件参照）。

▼　校庭開放中に発生した事故（最判平5.3.30・百選235事件） 予

事案：　当時５歳10か月の幼児Ａが、町立中学校校庭内のテニスの審判台に昇り、左右の鉄パイプを両手で握り、その後部から降りようとしたところ、審判台が倒れＡが下敷きとなり死亡したため、Ａの親であるＸらが国家賠償法２条に基づき被告Ｙ町に損害賠償訴訟を提起した。

判旨：　審判台が通常有すべき安全性の有無は、本来の用法に従った使用を前提としたうえで、何らかの危険発生の可能性があるか否かによって決せられる。本件審判台は、本来の用法に従ってこれを使用する限り転倒の危険を有する構造のものでなく、本件事故時のＡの行動は極めて異常なもので、本件審判台の本来の用法と異なることはもちろん、設置管理者の通常予測しえないものであった。

▼　大阪地判平22.7.9

事案：　大阪府が所有し、八尾市が管理する道路建設予定地の上に放置された可燃性廃棄物に放火され、被害を受けた原告が、大阪府及び八尾市に対し国家賠償法（以下「法」という。）２条１項及び法３条１項に基づき損害賠償請求をした事案。

判旨：「本件火災は、……土地に固定していたとは認められない廃棄物等を介して発生したものであり、本件土地自体に欠陥があったとはいえない。……本件土地に廃棄物等が置かれており、フェンス等の遮蔽措置がとられていなかったとしても、それが土地の安全性に関わる事実とはいえない。本件土地自体が崩落しやすいとか陥没しているなど、一般に通常有すべき安全性を欠いていたと認めることのできる証拠もない。よって、……被告らに対する法２条１項及び法３条１項に基づく請求は理由がない」。

(3)　判例の具体的判断

(a)　道路の場合

ア　三原則（最判昭45.8.20・百選230事件）

道路についてのリーディング・ケースである高知落石事件（最判昭45.8.20・百選230事件）において、最高裁は、道路の設置・管理に関する、①通常有すべき安全性、②無過失責任、③予算制約の抗弁の排斥、という三原則を指摘した。

もっとも、同判決のいう③予算制約の抗弁の排斥に関しては、社会的資源配分の見地から必要とされるような安全対策への投資が具体的な予算措置の不足のために十分行いえなかったとしても、それは免責理由にならないという意味にとどまるのか、それとも、危険が予見可能であり、一定の防災対策を講ずることによって結果回避が可能であったとすれば、社会的資源配分という観点からみて正当化しえないような巨額の投資を必要とするものであったとしても瑕疵が肯定されるという趣旨なのかは明らかでないという指摘がある。

▼ 高知落石事件（最判昭 45.8.20・百選 230 事件）司予

事案：　国道 56 号線の一部で、岩石の風化及び雨が誘因となり、岩石が落下し、自動車で通行中の X が死亡したため、X の両親が国と高知県を被告に損害賠償請求訴訟を提起した。

判旨：　国家賠償法２条１項の営造物の設置又は管理の瑕疵とは、営造物が通常有すべき安全性を欠いていることをいい、これに基づく国及び公共団体の賠償責任については、その過失の存在を必要としない。道路管理者は、予算措置に困却するとしても、それにより直ちに道路の管理の瑕疵によって生じた損害に対する賠償責任を免れうるものではない。

イ　不可抗力

道路が客観的には安全性を欠くといえる事情がある場合でも、安全策を講じる時間的余裕がなかった（不可抗力）といえるかという観点から、瑕疵の有無を判断するものがある。

▼ 奈良県道赤色灯標柱事件（最判昭 50.6.26）司

判旨：　道路工事箇所を表示する標識などが、夜間、通行車により倒され、その直後に事故が発生した場合、道路の安全性に欠如があったといわざるを得ないが、時間的に道路管理者において遅滞なく原状に復することは不可能であり、道路管理に瑕疵はなかったというべきである。

▼ 故障車放置（最判昭 50.7.25・百選 231 事件）司

判旨：　故障した大型貨物自動車が 87 時間にわたって放置され、道路の安全性が著しく欠如する状態であったにもかかわらず、道路管理者が道路の安全性を保持するために必要とされる措置を全く講じていなかった場合には、道路管理に瑕疵があったというべきである。

ウ　管理作用

上記判例は、道路の物的状態に着目したものであるが、より明確に、単なる物的状態のみならず管理作用の観念を入れる裁判例もある。たとえば、いわゆる飛騨川バス転落事件において、裁判所は、施設対策、避難対策の２点から考察を加え、前者については不可抗力を認めたが、後者について、集中豪雨による災害は予測しえたのに事前規制などの必要な措置を採らなかった点に管理の瑕疵を認めている（名古屋高判昭49.11.20）。

(b)　河川の場合

ア　未改修河川

判例は、未改修河川の安全性については、原則として過渡的な安全性で足りるとする。

▼　大東水害訴訟（最判昭 59.1.26・百選 232 事件）司予

事案：　大阪府大東市の低湿地帯において、集中豪雨による水害が発生したため、被害者であるＸらが、河川の一部を未改修のまま放置していたことなどが水害の原因であると主張して、国家賠償法２条１項に基づく損害賠償請求をした。

判旨：　未改修河川又は改修の不十分な河川の安全性としては、右諸制約のもとで一般に施行されてきた治水事業による河川の改修、整備の過程に対応するいわば過渡的な安全性をもって足りるものとせざるを得ないのであって、道路その他の営造物の管理の場合とは、その管理の瑕疵の有無についての判断の基準もおのずから異なったものとならざるを得ない。河川の管理についての瑕疵の有無は、諸般の事情を総合的に考慮し、諸制約のもとでの同種・同規模の河川の管理の一般水準及び社会通念に照らして是認しうる安全性を備えていると認められるかどうかを基準として判断する。

イ　改修済み河川

判例は、改修済み河川の安全性については、大東水害訴訟判決で用いられた「過渡的な安全性」でなく、「改修、整備の段階に対応する安全性」と表現を変えたうえで、「改修、整備の段階に対応する安全性」とは、工事実施基本計画に定める規模の洪水における流水の通常の作用から予測される災害の発生を防止するに足りる安全性をいうとしている。

▼　多摩川水害訴訟（最判平 2.12.13・百選 233 事件）司

事案：　昭和 49 年の豪雨により、多摩川は著しく増水し、家屋 19 棟が流失したため、水害の被災者が、河川を管理する国に対して、国家賠償法２条１項に基づく損害賠償を請求した。

国家賠償法

判旨：　河川の備えるべき安全性としては、一般に施行されてきた治水事業の過程における河川の改修、整備の段階に対応する安全性をもって足りる。工事実施基本計画による改修、整備が完了し、あるいは新規の改修、整備の必要がないものとされた河川の改修、整備の段階に対応する安全性とは、同計画に定める規模の洪水における流水の通常の作用から予測される災害の発生を防止するに足りる安全性をいう。改修完了河川は、その改修、整備がされた段階において想定された洪水から、当時の防災技術の水準に照らして通常予測し、かつ、回避し得る水害を未然に防止するに足りる安全性を備えるべきである。改修段階で予測できなかったが水害発生時点において通常予測可能となった危険を除去又は減殺する措置についても河川管理に関する諸制約が存在し、右措置を講ずるためには相応の期間を必要とするため、諸事情及び諸制約を当該事案に即して考慮した上、右危険の予測が可能となった時点から当該水害発生時までに、予測し得た危険に対する対策を講じなかったことが河川管理の瑕疵に該当するかどうかを判断すべきである。

(c)　機能的瑕疵（供用関連瑕疵）

ア　機能的瑕疵論（供用関連瑕疵論）〈司予

機能的瑕疵とは、公共施設の供用に伴い周辺住民に与える騒音・振動といった事業損失をいう。判例（最大判昭 56.12.16・百選 236 事件）は、空港騒音につき、営造物（空港）本来の用法としては瑕疵がない場合でも、営造物が供用目的に沿って利用されることにより、利用者以外の第三者に危害を生ぜしめる危険性がある場合には、当該営造物に瑕疵があるといえるとする（機能的瑕疵論）。道路騒音についても、これを認めている（最判平 7.7.7）。

イ　機能的瑕疵の有無の判断基準（受忍限度論）

判例（最大判昭 56.12.16・百選 236 事件）は、「侵害行為の態様と侵害の程度、被侵害利益の性質と内容、侵害行為のもつ公共性ないし公益上の必要性の内容と程度等を比較検討する他、侵害行為の開始とその後の継続の経過及び状況、その間に採られた被害の防止に関する措置の有無及びその内容、効果等の事情をも考慮し、これらを総合的に考察してこれを決すべきものである」と判示している。

▼　空港公害・大阪国際空港訴訟（最大判昭 56.12.16・百選 236 事件）〈司

事案：　大阪国際空港は、大型のジェット機が発着するようになり、周辺地域に深刻な騒音公害をもたらした。そこで、周辺住民は、空港の設置者である国に対し、国家賠償法２条１項に基づく損害賠償の支払などを求めて訴訟を提起した。

判旨：　国家賠償法２条１項の営造物の設置又は管理の瑕疵とは、当該営造物を構成する物的施設自体に存する物理的、外形的な欠陥ないし不備によって危害を生ぜしめる危険性がある場合のみならず、その営造物が供用目的に沿って利用されることとの関連において危害を生ぜしめる危険性がある場合をも含み、また、その危害は、営造物の利用者に対してのみならず、利用者以外の第三者に対するそれをも含む。

(d)　危険防止施設の瑕疵

判例（最判昭61.3.25・百選234事件）には、安全施設の欠如がもとで人身事故が起きた事件において、安全施設の欠如が営造物の瑕疵に当たるか否かの判断において、新たに開発された安全施設が普及するまでのタイム・ラグ等、諸般の事情を総合考慮すべきであるとしたものがある。

▼　点字ブロックの不存在（最判昭61.3.25・百選234事件）回

事案：　視力障害者であるＸは、（旧）国鉄駅ホームから線路上に転落し、電車に轢かれて重傷を負った。Ｘは、駅ホームに点字ブロックがなかったことから、「営造物の設置又は管理の瑕疵」があったとして、国鉄に対して国家賠償法２条１項に基づき損害賠償を請求した。

判旨：　新開発された安全設備を駅のホームに設置しなかったことをもって当該駅のホームが通常有すべき安全性を欠くといえるか、判断するに当たっては、その安全設備が、全国的ないし当該地域における道路及び駅のホーム等に普及しているかどうか、視力障害者の事故の発生の危険性の程度、安全設備を設置する必要性の程度及び安全設備の設置の困難性の有無等の諸般の事情を総合考慮することを要する。

3　設置又は管理の瑕疵と損害との間に因果関係が存在すること

三　効果

以上の要件が満たされると、国・公共団体に賠償義務が発生する。この場合、他に損害の原因について責めに任ずべき者（たとえば、工事請負人など）があるときは、国・公共団体は、これに対して求償権をもつ（２Ⅱ）。

なお、国賠法１条１項の場合と同様、被害者が直接加害公務員に対し損害賠償請求を行うことは許されないと解されている。

■第３節　費用負担者

第３条〔賠償責任の主体・求償〕

Ⅰ　前２条の規定によつて国又は公共団体が損害を賠償する責に任ずる場合において、公務員の選任若しくは監督又は公の営造物の設置若しくは管理に当る者と公務員の俸給、給与その他の費用又は公の営造物の設置若しくは管理の費用を負担する者とが異なるときは、費用を負担する者もまた、その損害を賠償する責に任ずる。

Ⅱ　前項の場合において、損害を賠償した者は、内部関係でその損害を賠償する責任ある者に対して求償権を有する。

[趣旨]原則として、国家賠償請求訴訟の被告は、公権力の行使・営造物の設置管理主体である国・公共団体である。しかし、請求をなすべき相手方が明らかでない場合に備え、国賠法は、被害者救済の便宜の観点から賠償請求の相手方に関する規定を設けている。

《注　釈》

一　賠償責任の主体

行政の行為につき責任をもつ団体と費用を負担すべき団体が異なる場合、そのいずれにも国賠請求できる。すなわち、①公務員の選任・監督と公務員の俸給、給与等を負担するもの、②営造物の設置・管理者と、費用負担者が異なる場合には、被害者はそのどちらに対しても賠償請求することができるとするのである（Ⅰ）。

二　求償

３条１項が適用され、事業の主体と費用負担者が異なる場合に、その賠償の負担を負った者は、もう一方の当事者へ求償権を有する。しかし、その内部的負担割合についての規定はない。この点、当該事務の費用を負担する者が損害賠償についても最終の責任者であると考えるのが通説である。

∵　損害賠償も行政の実施に伴う経費の１つである

▼　鬼ケ城事件（最判昭 50.11.28・百選 237 事件）〈共予〉

事案：　観光客Ｘは国立公園内の県設置の周回路を歩行中、途中のかけ橋から足を踏み出して転落し、重傷を負った。Ｘは、県と、補助金を支出した国に対して２条に基づく損害賠償請求訴訟を提起した。その際、国は、周回路の設置管理者は県であって、国ではないと主張した。

判旨：　国家賠償法３条１項所定の設置費用の負担者には、当該営造物の設置費用につき法律上負担義務を負う者のほか、この者と同等もしくはこれに近い設置費用を負担し、実質的にはこの者と当該営造物による事業を共同して執行していると認められる者であって、当該営造物の瑕疵による危険を効果的に防止しうる者も含まれると解すべきであるとして、補助金を交付した国の責任を認めた。

▼　公立学校教員が生徒に与えた損害につき費用負担者が賠償した場合における求償権の成否（最判平 21.10.23・百選 238 事件）

事案：　郡山市立中学校教諭Ａによる生徒Ｂへの体罰事件について、福島県がＢに対し和解金を支払った後、郡山市に対して求償権に基づき上記支払額を支払うよう催告した。しかし、納期限までに支払がなされなかったため、福島県は郡山市に対して国家賠償法３条２項に基づく求償権の行使として、支払を求めて訴訟を提起した。

判旨：　国又は公共団体がその事務を行うについて国家賠償法に基づき損害を賠償する責めに任ずる場合における損害を賠償するための費用も国又は公共団体の事務を行うために要する経費に含まれるというべきであるから、上記経費の負担について定める法令は、上記費用の負担についても定めていると解される。同法３条２項に基づく求償についても、上記経費の負担について定める法令の規定に従うべきであり、法令上、上記損害を賠償するための費用をその事務を行うための経費として負担すべきものとされている者が、同項にいう内部関係でその損害を賠償する責任ある者に当たると解するのが相当である。

■第４節　民法との関係

第４条〔民法との関係〕

国又は公共団体の損害賠償の責任については、前３条の規定によるの外、民法の規定による。

［趣旨］国賠法は、損害賠償に関する民法の特別法であることを宣言する。

《注　釈》

一　効果

国賠法に規定のない事項については、民法（民法の特則を含む）の規定が適用される。したがって、１条、２条に基づいて賠償請求できない場合（国公立病院の医療過誤の事件が多い）は、民法の規定（民 709 等）を根拠に賠償請求でき、また、１条、２条に基づいて賠償請求できる場合でも、たとえば、共同不法行為（民 719）、過失相殺（民 722Ⅱ）、消滅時効（民 724）などの民法の不法行為に関する規定が、補充的に適用される。

二　「民法の規定」の意味

民法典のみならず、民法付属法規（失火責任法、自動車損害賠償保障法など）も含む。

▼ **失火責任法（最判昭 53.7.17・百選 239 事件）**〈予

事案：Y市消防職員は、X宅2階在住のA宅から発生した火災に対し、消火作業を行い、鎮火したかと思い撤収した。しかし、翌日残り火が再燃し、X宅が焼失するなどの被害を生じた。Xは、消防職員が残り火の点検などを徹底的に行う義務を怠ったとして、消防事務を行う市Yに対して、国家賠償法1条1項に基づく損害賠償を請求した。その際、Yは、国家賠償の場合にも失火責任法の適用により消防職員に重過失がない限り責任を負わないなどと主張した。

判旨：「失火責任法は、失火者の責任条件について民法709条の特則を規定したものであるから、国家賠償法4条の『民法』に含まれる」。そして、「公権力の行使にあたる公務員の失火による国又は公共団体の損害賠償責任については、国家賠償法4条により失火責任法が適用され、当該公務員に重大な過失のあることを必要とするものといわなければならない」。

三　安全配慮義務違反に基づく損害賠償責任

また、不法行為の問題ではないが、国、地方公共団体にも民法上の類似の制度がはたらくものとして、安全配慮義務違反を理由とする損害賠償責任の制度（民415）がある。自衛隊職員に関する事件、国公立学校における学校事故などで主に問題となる。

▼ **安全配慮義務違反に基づく損害賠償と消滅時効（最判昭 50.2.25・百選 22 事件）** ⇒ p.11

■第5節　その他

第5条〔他の法律との関係〕

国又は公共団体の損害賠償の責任について民法以外の他の法律に別段の定があるときは、その定めるところによる。

《注　釈》

◆ 民法以外の他の法律の別段の定め

国又は公共団体の損害賠償責任について、民法の規定を適用するのが不適当である場合があるとして、民法以外の法律で別段の定めをしているものをいう。

国家賠償法1条、2条の責任を加重するものと軽減するものがある。

ex.　消防の際の破壊物に対する損失補償の無過失責任を認めた消防法6条3項

第6条〔相互保証主義〕

この法律は、外国人が被害者である場合には、相互の保証があるときに限り、これを適用する。

《注　釈》

◆ **相互保証主義**

外国人が被害者である場合には、国賠法は相互の保証があるときに限り適用される。すなわち、当該外国人の本国で日本国民が賠償を受けられる場合に限り、当該外国人に国賠法が適用される。これを相互保証主義という。

二重国籍であっても、日本国籍を有していれば「外国人」ではない。また、日本以外の国の重国籍である場合、いずれかの国に相互保証があれば足りる。

・第4章・【損失補償】

■第1節　総説

《概　説》

一　損失補償の意義・内容

1　意義・趣旨

(1)　意義

国・公共団体の適法な行政活動により加えられた財産上の特別な損失に対し、全体的な公平負担の見地からこれを調節するためにする財産的補填をいう。

(2)　趣旨

(a)　公共のために生じた損失を社会一般の負担に転嫁する平等原則（憲14Ⅰ）の徹底

(b)　個人の財産権の保障（憲29Ⅰ）の徹底

2　内容

(1)　公用収用：特定の公共事業に供するため、特定の財産を強制的に取得する場合

(2)　公用制限：特定の公共の利益をみたすため、特定の財産に制限を加える場合

▼　国内非居住者への原爆医療法の保護の有無（最判昭 53.3.30・百選〔第7版〕255 事件）

事案：　不法入国し服役中に原爆に被爆した韓国籍の X が、原爆医療法に基づき県知事 Y に被爆者健康手帳の交付を申請した。Y は外国人が原爆医療法の保護を受けるには国内への居住が必要だとして、X の申請を却下した。そこで、X は、Y に対して、上記申請却下処分の取消しを求めた。

判旨：　原爆医療法は社会保障法の側面もあるが、実質的に国家補償的配慮も制度の根底にある複合的性格をもつので、被爆者であり日本に現在する限り、不法入国で居住関係がなくとも適用対象となる、として X の請求を認めた。

二　憲法上の請求権〈司H24 司H27

損失補償が必要となるような行政活動に関しては、憲法 29 条 3 項を受けて個別的な法律に損失補償に関する規定が設けられていることが多いが、かかる規定を欠いても直接憲法 29 条 3 項に基づいて損失補償請求ができる。

▼　河川附近地制限令事件（最大判昭 43.11.27・百選 247 事件）〈司予

事案：　自己が賃借する土地が河川附近地に指定されたため、河川附近地制限令により、土地の形状変更に知事の許可を要することになったにもかかわらず、許可なくして砂利採取を続けたため罰金刑を受けた砂利の採取販売業者 Y が、同令には損失補償の規定がないため、憲法 29 条 3 項に反すると主張した。

判旨：　同令 4 条 2 号による制限について同条に損失補償に関する規定がないからといって、同条があらゆる場合について一切の損失補償を全く否定する趣旨とまでは解されず、その損失を具体的に主張立証して、別途、直接憲法 29 条 3 項を根拠にして、補償請求をする余地が全くないわけではないから、同令 4 条 2 号及びその罰則規定である同令 10 条の各規定を直ちに違憲無効の規定と解すべきではない。

損失補償

■第 2 節　補償の要否

《概　説》

◆「正当な補償」（憲 29Ⅲ）の要否の判断基準〈司H24 司H27

いかなる場合に「正当な補償」（憲 29Ⅲ）が必要か、判断基準が条文上明らかでなく問題となる。

1　通説

侵害が特定人を対象とするものであり、広く一般人を対象とするものでなく（形式的基準）、かつ侵害行為が財産権の本質的内容を侵すほど強度である場合（実質的基準）が、特別の犠牲に当たる。

2　有力説

財産権の剥奪又は当該財産権の本来の効用の発揮を妨げることとなるような侵害については、権利者の側にこれを受忍すべき理由がある場合でない限り当然に補償を要する。他方、右の程度に至らない財産行使の規制については、当該財産権の存在が、社会的共同生活との調和を保っていくために必要とされるものである場合には、財産権に内在する社会的拘束の現れとして補償を要しないが、他の特定の公益目的のために、当該財産権の本来の社会的効用とは無関係に偶然に課せられる制限であるときには、補償を要する。

3　判例

判例（最大判昭38.6.26・百選246事件）は、上記2説のように侵害行為の特殊性・強度を格別重視することなく、主として制限の目的が警察目的か公用目的か、それに対応して受忍限度の規制かどうかを考える立場に立っていると考えられる。そのうえで当該事案では、損失補償を行うことなくため池の堤とうの使用を全面的に禁止しても、それは災害を防止し公共の福祉を保持するため社会生活上やむを得ないものであり、許されるとする。

▼　公用制限と損失補償・奈良県ため池条例事件（最大判昭38.6.26・百選246事件） 同共

事案：　奈良県は、「ため池の保全に関する条例」を新たに制定し、ため池の堤とうに農作物を植える行為などを禁止したが、Yはため池の堤とうで耕作を続けたため、条例違反により起訴された。

判旨：　本条例は、財産上の権利の行使を著しく制限するものではあるが、災害を防止し公共の福祉を保持する上に社会生活上已むを得ないものであり、そのような制約は、ため池の堤とうを使用し得る財産権を有するものが当然受忍しなければならない責務というべきものであって、憲法29条3項の損失補償はこれを必要としない。

▼　戦争で外国に接収された財産の補償（最大判昭43.11.27・百選〔第7版〕254事件） 予

事案：　Xは、戦前カナダ政府によりカナダ内財産について接収された。戦後のサンフランシスコ平和条約によってカナダ政府に当該財産の処分権が移り、Xは財産の返還を請求することができなくなった。Xは、国が平和条約を承認したことは日本国民が連合国管轄下に所有していた財産を犠牲にして損害賠償義務を履行したことを意味しており、国民の財産を公用収用したことになるとして、憲法29条3項に基づく補償を請求した。

判旨：　平和条約は、敗戦国の立場上、憲法の枠外で解決を図ることも避けがたいことであり、戦争損害は国民のひとしく耐え忍ばねばならない犠牲であり、憲法29条3項を適用してその補償を求める前提を欠く。

▼ 破壊消防に対する補償の要否（最判昭47.5.30・百選241事件）予

事案：　Xは、隣家で火災が起こったとき、Y村の消防団長によって延焼防止のために自宅を破壊された。しかし結果的にはそこまで延焼は及ばなかった。XはYに損失補償を求めた。

判旨：「建物自体は必ずしも延焼のおそれがあったとはいえないが、……建物への延焼を防止するために……建物を破壊する緊急の必要があったものであることは明らかである。してみれば、……消防団長が右建物を破壊したことは消防法29条3項による適法な行為ではある」。損害を受けた建物の所有者Xは、「その損失の補償を請求することができる」。

▼ 鉱業法64条の定める制限と補償（最判昭57.2.5）共

判旨：　鉱業法64条［注：鉱業権者は、鉄道、……河川、……公園、……学校、病院、図書館等の地表地下とも50メートル以内の場所において鉱物を掘採するには、……管理庁又は管理人の承諾を得なければならない。］の定める制限は、公共施設及び建物の管理運営上支障ある事態の発生を未然に防止するため、これらの近傍において鉱物を掘採する場合には管理庁又は管理人の承諾を得ることが必要であることを定めたものにすぎず、この種の制限は、公共の福祉のためにする一般的な最小限度の制限であり、何人もこれをやむを得ないものとして当然受忍しなければならないものであって、特定の人に対し特別の財産上の犠牲を強いるものとはいえないから、同条の規定によって損失を被ったとしても、憲法29条3項を根拠にして補償請求をすることができない。

▼ 地下道新設に伴う石油貯蔵タンクの移転と補償（最判昭58.2.18・百選242事件）司共予 司H27

事案：　給油所を経営する者が、消防法に基づく許可を受けてガソリンタンクを設置し適法に維持・管理していたところ、国が地下横断歩道を新設したために、消防法及び危険物の規制に関する政令に違反する施設となりこれを移転せざるを得なくなったことから、道路法70条に基づく損失補償を請求した。

判旨：　道路工事の施行の結果、警察法規違反の状態を生じ、危険物保有者が工作物の移転等を余儀なくされ、これによって損失を被ったとしても、それは道路工事の施行によって警察規制に基づく損失がたまたま現実化するに至ったものにすぎず、このような損失は、道路法70条1項の定める補償の対象には属しない。

損失補償

▼ 放置された都市計画と補償（最判平 17.11.1・百選 248 事件）〈司共予

事案： 昭和 13 年に決定された都市計画における道路予定地として 60 年以上にわたり建築制限を受けてきたことによる損失について、土地所有者 X らが憲法 29 条 3 項に基づく損失補償の支払い等を求めた。

判旨： X らが受けた損失は、一般的に当然に受忍すべきものとされる制限の範囲を超えて特別の犠牲を課せられたものということがいまだ困難であるから、X らは憲法 29 条 3 項に基づく補償請求をすることはできない。

■第 3 節 補償の内容

《概 説》

一 「正当な補償」の意義

憲法は「私有財産は、正当な補償の下に、これを公共のために用ひることができる」（憲 29Ⅲ）としている。

では、かかる「正当な補償」とは、どの程度の補償を意味するのか、条文上明らかでなく問題となる。

1 相当補償説

社会的・経済的事情なども考慮して算出される、相当又は合理的な額について補償すれば足りる。

2 完全補償説

財産権の侵害・剥奪により生じた損失のすべてを補償しなければならないとする。

3 判例

判例には、農地改革における補償額が問題となった事件では、相当補償説を採用したものがある（最大判昭 28.12.23・百選 243 事件）。また、昭和 42 年改正後の土地収用法 71 条の憲法 29 条 3 項適合性が争われた事案で、最高裁は、「正当な補償」（憲 29Ⅲ）の意義につき最大判昭 28.12.23・百選 243 事件を引用した上で、土地収用法 71 条は憲法 29 条 3 項に違反するものではないとした（最判平 14.6.11）。他方、昭和 42 年改正前土地収用法の下において、土地収用における補償額が問題となった事件では、完全補償説を採用した（最判昭 48.10.18・百選 245 事件）。

▼ 憲法 29 条 3 項の「正当な補償」（最大判昭 28.12.23・百選 243 事件）〈予

判旨： 憲法 29 条 3 項にいう正当な補償とは、その当時の経済状態において成立することを考えられる価格に基づき、合理的に算出された相当な額をいう。

▼　**建築制限付土地の収用（最判昭 48.10.18・百選 245 事件）** 〈司予

判旨：　土地収用法における損失の補償は、完全な補償、すなわち、収用の前後を通じて被収用者の財産価値を等しくならしめるような補償をなすべきであり、被収用者に対し土地収用法 72 条によって補償すべき相当な価格とは、被収用地が、右のような建築制限を受けていないとすれば、裁決時において有するであろうと認められる価格をいうと解すべきである。

▼　**土地収用法 71 条の合憲性（最判平 14.6.11）** 〈共

判旨：　憲法 29 条 3 項にいう「正当な補償」とは、その当時の経済状態において成立すると考えられる価格に基づき合理的に算出された相当な額をいうのであって、必ずしも常に上記の価格と完全に一致することを要するものではないことは、当裁判所の判例（最大判昭 28.12.23・百選 243 事件）とするところである。

土地収用法 71 条の規定は憲法 29 条 3 項に違反するものではない。そのように解すべきことは、前記大法廷判決の趣旨に徴して明らかである。

二　補償の対象〈司

1　補償は、通常、収用（若しくは制限）される権利そのものを対象とする（これに対する補償を権利補償と呼ぶ)。しかし、それ以外の損失でも、収用により通常生ずべき損失については補償の対象とされる場合もある。

ex.1　土地の一部を収用した結果、残った部分の地価が低下した場合の補償（土地収用 74）〈共

営業休止による収益相当額、収用する土地にある物件を移転するための費用の補償（移転補償、土地収用 77）〈司

ex.2　消防の際の消防対象物（消防 29 Ⅰ）や延焼対象物（同 29 Ⅱ）以外の物を破壊した場合の補償（同 29 Ⅲ）

2　土地収用法 88 条にいう「通常受ける損失」の解釈につき、判例（福原輪中堤事件、最判昭 63.1.21）は、経済的価値でない特殊な価値（文化財的価値）は、原則として損失補償の対象とならないとする。

3　行政財産の使用許可を取り消す場合、使用権の喪失に伴う損失については原則として補償は不要とするのが判例（最判昭 49.2.5・百選 87 事件）である。

▼　**公有地の目的外使用許可の撤回と補償（最判昭 49.2.5・百選 87 事件）**

〈共　⇒ p.75

<補償の内容>

項目	内　容
「正当な補償」	完全補償：犠牲を受ける財産の客観的価値の全額 相当補償：公正な算出による合理的な金額
判例	・農地改革における農地賠償価格補償（相当補償：最大判昭 28.12.23・百選 243 事件） ・土地収用における損失補償（完全補償：最判昭 48.10.18・百選 245 事件）
補償の対象	金額：事業認定時における客観的取引価格等に、権利取得裁決時までの物価変動に応じる修正額を乗じて得た額〈共
	（認められる範囲） 収用される土地・建物、物権、離作料、営業上の損失等の通常受ける損失、残地補償、工事費用（みぞかき補償）、移転料 （否定される範囲） 生活再建補償　∵　憲 29 条は財産権補償（ただし、個別法に努力義務がある） 精神的損害 経済的価値でない特殊な価値（文化財的価値）（最判昭 63.1.21） 事業損失　∵　もっぱら国賠 2 条で対応

■第 4 節　補償の方法

《概　説》

一　損失補償の方法

1　原則：金銭補償

2　例外：個々の法律で現物補償の方法で行う旨定めている場合あり。

ex.　替地補償などの現物補償の方法（土地収用 82 I 等）

∵　土地収用が行われた場合、金銭補償では代替地取得などが困難な場合がある

二　損失補償の支払方法・時期

1　被侵害者が数人いる場合、個別的に支払うか、そのうちの 1 人に対して一括で支払うか。

原則：個別的に支払う（土地収用 69 本文）。

∵　被侵害者保護の見地

例外：一括払い（土地収用 69 ただし書）

∵　各人別に補償金を見積もることが困難な場合

2　補償の時期

判例（最大判昭 24.7.13・百選 244 事件）は、「憲法は、補償の同時履行までを保障したものと解することはできない」として、常に補償が財産の供与と交換的に同時に履行されることまでは必要ないとする。

▼ **補償金の支払時期（最大判昭 24.7.13・百選 244 事件）** 予

事案： 米の供出時期に遅れ、旧食糧管理法違反として有罪判決を受けた被告人が、政府からの代金支払は同時支払（民 573・533）であるべきだし、1か月以上も支払が遅れたのは正当な補償なくして米を収用したことになり、憲法 29 条 3 項に違反すると主張して再上告した。

判旨： 憲法は「正当な補償」と規定しているだけであって、補償の時期についてはすこしも言明していないのであるから、補償が財産の供与と交換的に同時に履行さるべきことについては、憲法の保障するところではない。憲法は補償の同時履行までをも保障したものと解することはできない。

■第５節 国家賠償と損失補償の谷間

《概　説》

◆ 問題の所在

公務員の違法・無過失の行為に基づく損害については、形式的には、過失責任主義を採る国家賠償制度の下では賠償請求することができず、また、適法侵害ではないため損失補償を求めることもできないはずである。しかし、このような損害は一定の割合で確実に発生するものであり、かかる被害者の犠牲の下で利益を受けている国民全体がその損害を負担すべきといえる。そこで、このような場合に私人をどのように救済するのかが問題となる。

このような問題に対する解決策としては、問題がまさに損害賠償制度と損失補償制度との谷間に生じているものである以上、損害賠償制度の側からアプローチしていく方法と、逆に、損失補償制度の側からアプローチしていく方法とがある。

1 損害賠償制度からのアプローチ（損害賠償的構成）

⑴ 国家賠償法１条に定める「過失」要件を解釈論的に緩和する方法

ex. 予防接種被害に関し、本来被害者である原告が負担すべき過失の立証責任を、被告側である国に転換することにより、国家賠償請求による救済を図った判例（最判平 3.4.19・百選 211 事件）

⑵ 国家賠償法２条の「営造物」又は「設置管理」の語を広義に解して、実質的には同１条の問題ともなるような事例を、２条の問題に引き直すことにより、無過失責任（ないし、少なくとも過失責任の緩和）を認める方法

2 損失補償制度からのアプローチ（損失補償的構成）

ex. 憲法 29 条 3 項を類推適用し、救済を図るべきとする説（東京地判昭 59.5.18・憲法百選 103 事件） 予

損失補償

▼ **予防接種禍（最判平 3.4.19・百選 211 事件）**〈同共〉

事案：　Xは、種痘の予防接種を受けた9日後に脊髄炎を発症し、重大な後遺症が残った。Xと両親は、Xが、接種当日も禁忌者に該当していたにもかかわらず、予診不足のため接種が実施されたことなどを主張して、国などに対して国家賠償法1条に基づく賠償請求をした。

判旨：　予防接種によって右後遺障害が発生した場合には、予診が尽くされたが禁忌者に該当すると認められる事由を発見することができなかったこと、被接種者が右個人的素因を有していたこと等の特段の事情が認められない限り、被接種者は禁忌者に該当していたと推定するのが相当である。

■第6節　国家賠償請求への損失補償請求の予備的・追加的併合

《概　説》

一　損失補償請求への国賠請求の追加

取消訴訟を最初に提起し、後に国家賠償請求を「関連請求」（行訴13）として追加的に併合することは、行訴法19条により可能である。そして、この規定は、行訴法41条により当事者訴訟にも準用されるため、実質的当事者訴訟（行訴4後段）とされる損失補償請求を最初に提起し、後に国家賠償請求を「関連請求」として追加的に併合することは可能である。

二　国賠請求への損失補償請求の追加

行訴法19条が規定する追加的併合の場合とは逆に、当初提起された国家賠償請求に、損失補償請求を予備的・追加的に併合することはできるかという問題がある。

この点、判例は、国家賠償請求に損失補償請求を予備的・追加的に併合することは、請求の基礎を同一にするものとして民訴法232条（現143条）の規定による訴えの追加的変更に準じて許されるが、控訴審においては相手方の同意を必要とするとする。

▼ **国家賠償請求への損失補償請求の予備的・追加的併合（最判平 5.7.20・百選 204 事件）**

事案：　被告Y（福岡県）が県立自然公園内でダム建設等を行ったところ、公園内で旅館業等を営むXが、周辺環境が破壊され、営業が衰退したとして、国家賠償法1条に基づいて損害賠償請求訴訟を提起し、控訴審で憲法29条3項に基づく損失補償請求を予備的・追加的に併合請求をした。

判旨：　両請求は、相互に密接な関連性を有するものであるから、請求の基礎を同一にするものとして民訴法232条（現143条）の規定による訴えの追加的変更に準じて国家賠償請求に損失補償請求を追加することができる。もっとも、相手方の審級の利益に配慮する必要があるから、控訴審における右訴えの変更には相手方の同意を要する。

第4編　行政手段論

・第1章・【行政組織法】

■第1節　行政主体と行政機関

《概　説》

一　行政主体〈司H25

行政上の法律関係から生じる権利義務の帰属主体となるもの。

ex.　国・地方公共団体、公共組合（健康保険組合など）、営造物法人（国民金融公庫など）

二　行政機関

1　意義

行政主体のために意思決定、意思表示、執行等を行う機関。

2　行政機関の分類

(1)　行政庁〈司

(a)　意義

国又は地方公共団体のためにその意思を決定し、これを外部に表示する権限を有する機関。

(b)　独任制の行政庁（各省大臣、地方公共団体の長、警察署長、税務署長など）と、合議制の行政庁（内閣、公正取引委員会など）がある〈司。

(2)　諮問機関

行政庁の諮問に応じ又は自ら進んでこれに意見を陳述することを主な任務とする機関。

→諮問機関の意見・勧告は、法律上は、行政庁を拘束するものではない

ex.　中央教育審議会、法制審議会、地方制度調査会

(3)　参与機関

諮問機関の中でも、行政庁が意思決定をするための前提要件として議決をし、これに基づいて国の意思が決定表示される意味において、国の意思決定に参与する機関。

→参与機関の議決は行政庁を拘束する〈司

ex.　総務大臣の電波の配分に関する処分に参与する電波監理審議会

(4)　監査機関〈司

行政機関の事務処理について監査を行う機関。

ex.　国の会計検査を行う会計検査院

(5)　執行機関

私人に対して直接実力を行使することを任務とする機関。

ex.　警察官、消防職員、徴税職員

(6)　補助機関

行政庁その他の行政機関の職務の遂行を補助することを任務とする機関。

ex.　各省庁の次官、局長、地方公共団体の副知事、一般職員

▼　国民健康保険事業の保険者としての市町村の法的地位（最判昭 49.5.30・百選 1 事件）

事案：　国民健康保険を実施する X 市が、私人 A の被保険者証の交付申請に応じなかったため、A が Y 国民健康保険審査会に対して審査請求をなしたところ、処分取消しの裁決がされた。そこで、X 市がその取消しを求めて訴訟を提起した。

判旨：　保険給付等に関する保険者の処分の審査に関する限り、国民健康保険審査会と保険者（市町村）とは、一般的な上級行政庁と下級行政庁の場合と同様の関係に立つので、保険者はそのような処分について同審査会のした裁決につき、その取消訴訟を提起する適格を有しない。

<行政機関の分類>

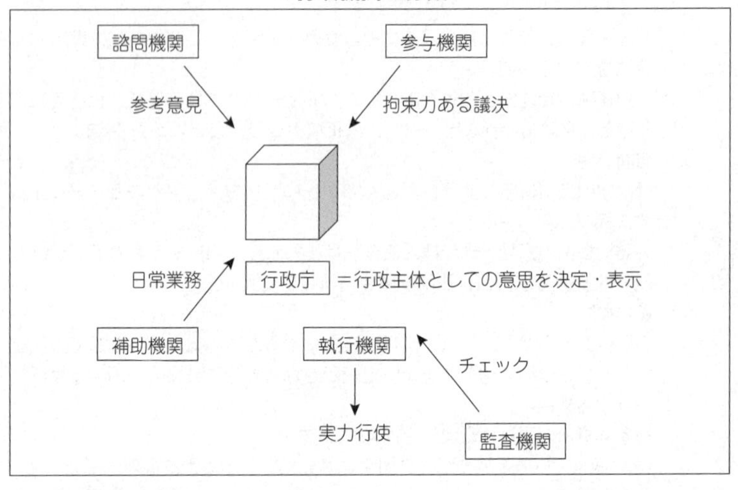

三　国家行政組織法上の行政機関

同法が国の行政機関としているのは、省、庁及び委員会（行組３Ⅱ）である。

→行組法上の行政機関概念は、行政法上の行政機関概念とは異なる

行政組織法

∵ 行政法上の行政機関概念が、ドイツ行政法理論の影響の下、機能・権限分配の見地から捉えられているのに対し、行組法上の行政機関概念が、アメリカ行政法理論の影響の下、事務分掌の単位としての見地から捉えられている

■第２節　行政機関相互の関係

《概　説》

一　権限の代行

1　権限の代理

(1)　権限の代理の概念〈予

行政庁の権限の全部又は一部を他の者（他の行政庁又は補助機関）が代理者として代理して行使し、しかも、それが本来の行政庁の行為として効力を生ずる場合をいう。

→権限の委任と異なり、権限は移譲されず、民法上の代理と基本的に異ならない。また、単に事実上その権限を代理行使する専決とも区別される

(2)　権限の代理の種類〈司

(a)　授権代理

本来の行政庁の授権に基づき代理権が与えられるもの。

→代理機関は、代理関係と被代理機関を明示して意思表示を行う

ただし、明示を欠いたからとして当然に代理が成立しないわけではない（最判平7.2.24）

(b)　法定代理

本来の行政庁の授権に基づかず、法定事実の発生により、法律上当然に代理関係が発生する場合をいう。

ア　狭義の法定代理

法定事実の発生により直ちに代理関係が発生する場合

ex.　人事院総裁が欠けたときに先任の人事官がその職務を代行する（国公11Ⅲ）

イ　指定代理

法定事実の発生に基づき、一定の者による代理権の指定によって代理権が発生する場合

ex.　内閣総理大臣が事故で欠けたときはあらかじめ指定した国務大臣が臨時代行する（内9、10）〈予

(3)　指揮監督権

(a)　授権代理の場合

代埋機関は、本来の行政庁の責任においてその権限を行使するものであり、本来の行政庁は代理機関に対しその権限の行使につき指揮監督権を有する。

(b) 法定代理の場合

代理機関は、本来の行政庁の権限全般にわたり、代理機関の責任においてその権限を行使するものである。よって、本来の行政庁は代理機関に対する指揮監督権を有しない。

(4) 権限の代理の要件と限界

(a) 法律の根拠の要否

法定代理の場合はそもそも法律の根拠が存在しているため問題とならないが、授権代理のときに問題となる。

→法律の根拠は必要でないとするのが通説である

∵ 権限の代理の場合、本来の行政庁がその権限を失うものではない

(b) 代理の範囲

ア 授権代理

授権の際にその範囲が明らかになる。

権限の全部を授権することができるかは争われるが、原則として許されず、権限の一部についてのみ代理が認められると考えられる。

∵ 権限の代理は、必要やむを得ない場合に、また、その範囲で認められる

イ 法定代理

被代理機関が全く権限を行使できないものであって、その機関が有するすべての権限について代理が行われることになる。法定代理の場合であっても、必要やむを得ない場合に権限行使が認められるにとどまる。また一身専属的な権限は代理の対象とできない。

2 権限の委任〈司

(1) 権限の委任の概念と性質

権限を有する行政庁が、その権限の一部を他の行政機関（補助機関である場合が多い）に移譲し、これをその行政機関の権限として行使させること。

→受任機関は、権限を自己の権限として、自己の名と責任において行使する〈予。旧法下で、抗告訴訟の被告は受任機関とすべきとした判例（最判昭54.7.20）はこれを明示したものとみる立場がある

(2) 指揮監督権〈予

(a) 原則（もともと上下の関係にはない行政機関相互の間で権限の委任が行われる場合）

別段の定めがない限り、委任機関は受任機関の権限の行使を指揮監督できない。

(b) 例外（受任機関が委任機関の下級機関である場合）

委任機関が、委任した権限の行使について、受任機関に対して指揮監督権を有する。

∵　一般的な授権監督指揮権

(3)　権限の委任の要件と限界〈同予

(a)　法律の根拠が必要（地自153ⅠⅡ、生活保護19Ⅳなど）

∵　権限の代理の場合と異なり、法律により定められた権限の所在が移動し、本来の行政庁はその権限を失うため

(b)　法律の根拠は告示等の法形式を用いて対外的に公示しなければならないとする説もある。

(c)　権限の全部又は固有の権限などの主要な部分を委任することは、本来の行政庁の存在意義を失わせることになり許されないとされる。

＜権限の代理と委任＞

		法令上の根拠	権限の移動	被代行機関の権限行使	表示の形式	責任の所在	被代行機関の指揮監督	権限の範囲	対外的公示	訴訟の被告
権限の代理	授権代理	不要	なし	可	被代理庁の代理を行う代理庁	被代理庁と代理庁	可	一部	不要	被代理庁
	法定代理	必要				代理庁（代理庁自らの責任）	不可	全部（一身専属的なものは除く）		代理庁
権限の委任		必要	あり	不可	受任機関	受任機関	不可（委任庁が上級行政庁の場合は可）	一部（主要な部分の委任は不可）	必要	受任機関

3　専決・代決〈同

(1)　専決

(a)　意義

権限を有する行政庁が、対外的には権限を委任したり代理権を付与することなく、実際上、補助機関に事務処理についての決裁権限を与えること〈予。

→最終的な決裁の権限が補助機関に与えられている点で、通常の内部的事務処理方式とは異なる

(b) 外部に対しては、本来の行政庁の名で処分等がされる〈予。
∵ 本来の行政庁が責任を負い、補助機関は責任主体ではない
(c) 専決は内部的事務処理方式である以上、法律の根拠を要しない〈予。

(2) 代決

緊急を要する場合に、内部的にあらかじめ指定した補助機関に案件の決裁を委ねることを特に代決といい、専決と区別されている。

▼ 専決（最判平3.12.20・百選18①②事件）

事案： 大阪府の住民であるXら7名が原告となり、地方公営企業たる大阪府水道企業の管理者、水道部長、同部次長、同部総務課長であった者を被告として、架空接待費の支出が違法な公金支出であるとして、住民訴訟（4号請求）を提起した。

判旨： 専決を任された補助職員が管理者の権限に属する当該財務会計上の行為を専決により処理した場合は、管理者は、右補助職員が財務会計上の違法行為をすることを阻止すべき指揮監督上の義務に違反し、故意又は過失により右補助職員が財務会計上の違法行為をすることを阻止しなかったときに限り、普通地方公共団体に対し、右補助職員がした財務会計上の違法行為により当該普通地方公共団体が被った損害につき賠償責任を負う。（地方自治法242条の2第1項4号の）「当該職員」には、当該普通地方公共団体の内部において、訓令等の事務処理上の明確な定めにより、当該財務会計上の行為につき法令上権限を有する者からあらかじめ専決することを任され、右権限行使についての意思決定を行うとされている者も含まれる。

二 権限の監督〈司

1 監視権

下級行政機関の書類の検閲や事務の視察を行い、下級行政機関からその業務状況の報告を受ける権限である。

2 許認可権

下級行政機関の権限遂行に際して、上級行政機関の許可・認可を受けさせることによって、権限の行使を事前に統制する権限である。行政組織の内部の行為であって、いわゆる行政行為とは区別される。

3 指揮命令権

下級行政機関に対して訓令・通達などを発することにより、行政活動の内容を指示する権限である。

(1) 訓令・通達と職務命令の違い

訓令・通達は、上級官庁が下級官庁に対しその所掌事務に関して発する命令であって、上司がその部下である公務員個人に対してその職務に関して発する命令である職務命令とは区別される。両者には具体的に、以下のような

違いがある。

(a)　訓令・通達は、下級行政庁の行政機関としての意思を拘束するのに対し、職務命令は、公務員の職務に関し公務員を個人として拘束するにすぎない。

(b)　訓令・通達は、下級行政庁の所掌事務について、その権限の行使を指揮するための命令であるのに対し、職務命令は、公務員の職務に関して発するもので、職務の遂行に必要な限り、公務員の生活行動をも規制することができる。

→上級行政庁の訓令・通達は、下級行政庁を拘束するだけではなく、それを構成する公務員をも拘束するものであるから、訓令・通達は、同時に職務命令としての性質をもつものといえる

(2)　瑕疵ある訓令

上級行政庁が下級行政庁に対し訓令を発した場合、それが形式的要件に違反しない限り、下級行政庁はそれに従ってその権限を行使することを要し、訓令の内容や効力を審査する権限を有しない。もっとも、行政行為論を行政機関間にも類推し、訓令が一見明白に無効と認められる場合には拘束力を有さないとする立場もある。

ただ、訓令は、原則として、法規の性質を有するものではない。

→下級行政庁が訓令に違反したとしても、下級行政庁の上級行政庁に対する職務上の義務違反であるにとどまり、訓令違反の行為の法律上の効力には直接影響を及ぼすものではない

4　取消権・停止権

上級行政機関が下級行政機関の行った違法又は不当な行為を取り消し、停止する権限（取消権・停止権）につき、法律の根拠なしに認めることができるか。

(1)　消極説

上級機関に対し、取消権・停止権を認めるには、法律の根拠が必要である。

∵①　代行に法律の根拠を要することとの均衡を図る

②　上級庁は訓令権に基づいて下級庁に対し不当な処分の取消し・停止を要求できるので、取消権・停止権が認められなくても、行政監督に別段支障はない

③　取消・停止によって、行政活動の相手方である市民に対し、多大な影響を及ぼす

(2)　積極説

取消権・停止権は、法律の根拠なしに認められる。

∵①　代行は、上級機関が下級機関に代わってその権限を行使するものであり、下級機関の活動を取り消すにとどまる取消権・停止権とは介入の度合いが異なる

②　訓令遵守については、不確実性があることも否定できず、取消権・停止権を認めなければ監督是正権が十分機能しない

5　代行権〈予

上級行政機関が下級行政機関に代わってその所掌事務を行う権限である。

→代行権については、これが認められるには、法律の特別の根拠が必要（通説）

∵　下級行政機関の権限は法律上の権限であり、仮に上級行政機関がこれを代行するとなると、下級行政機関の法律上の権限を奪うことになる

6　裁定権〈予

下級行政機関相互間で生じた権限争議を裁定する権限である。

→最終的には、国においては内閣総理大臣（内7）が裁定する

■第3節　国の行政組織

《概　説》

一　総説〈司

「国家行政組織は、内閣の統轄の下に、……明確な範囲の所掌事務を有する行政機関の全体によって、系統的に構成されなければならない」（行組2Ⅰ）とされる。この規定に従って、国の行政機関（行組法上の概念、すなわち事務分掌の単位としての官署を意味する）は、内閣を頂点として概ねピラミッド状に構成されている。なお、国家における行政組織のうち、少なくともその基本構造については、国会が定めるべきものと解されている。

二　内閣

1　意義（内2Ⅰ）

内閣総理大臣及び国務大臣によって組織される合議制の機関。

→内閣は憲法に直接根拠を有する憲法上の機関であって、行政権を担う（憲65）。内閣の組織及び職務は憲法及び内閣法に定められる

2　組織

内閣は首長たる内閣総理大臣及びその他の国務大臣によって構成される（憲66Ⅰ）。内閣総理大臣は、国会の議決による指名に基づき天皇が任命し（憲6Ⅰ）、国務大臣は、内閣総理大臣により任免される（憲68）。

国務大臣の数は原則として14人以内であるが、例外的に17人まで増やせる（内2Ⅱ）。

(1)　内閣総理大臣

(a)　権能

内閣総理大臣は、内閣の首長としての地位において、内閣の一体性を保障するために必要な様々な権能を有する。

ex.　国務大臣の任免権、行政各部の指揮監督権（憲72）等

(b)　地位

内閣には内閣府が設置される（内閣府2）ほか、内閣補助部局として、閣議事項の整理その他内閣の庶務等を行う内閣官房、法案、政令の審査・立案や条約の審査等を行う内閣法制局、国防等に関する重要事項を審議する安全保障会議等が設置される〈予。内閣総理大臣は主任の大臣として、内閣府や内閣補助部局の長の地位に立つ（内3、内閣府6Ⅰ、内23等）〈予。

なお、内閣総理大臣は、自ら各省大臣の職に就くこともできる（行組5Ⅲ）〈予。

(c) 内閣総理大臣が欠けた場合

内閣総理大臣が欠けたときは、内閣は総辞職しなければならない（憲70）。内閣は、新たに内閣総理大臣が任命されるまでは引き続きその職務を行わなければならない（憲71）。

→この場合のように、内閣総理大臣が欠けたとき、又は内閣総理大臣に事故のあるときは、そのあらかじめ指定する国務大臣が臨時に内閣総理大臣の職務を行う（内9）。これを内閣総理大臣の臨時代理という

(2) 国務大臣

内閣を構成する国務大臣は、法律の定めるところにより、主任の大臣として行政事務を分担管理する（内3Ⅰ）〈予。行政事務を分担管理しない大臣（無任所大臣）が置かれることもある（同Ⅱ）〈予。

主任の国務大臣に事故があるとき、又は主任の国務大臣が欠けたときは、内閣総理大臣又はその指定する国務大臣が、臨時に、その主任の国務大臣の職務を行う（内10）。これを主任の国務大臣の臨時代理という。

3　権能

(1) 憲法が定める権能

(a) 国会の臨時会の召集を決定すること（憲53、7②参照）

(b) 参議院の緊急集会を求めること（憲54Ⅱただし書）

(c) 最高裁判所の長たる裁判官を指名し、その他の裁判官及び下級裁判所の裁判官を任命すること（憲6Ⅱ、79Ⅰ、80Ⅰ）

(d) 自己の責任で予備費を支出し、事後に国会の承認を求めること（憲87）

(e) 国の収入支出の決算を会計検査院の検査報告とともに国会に提出すること（憲90Ⅰ）

(f) 国会及び国民に対し、定期に、少なくとも毎年1回、国の財政状況について報告すること（憲91）

(2) 内閣法が定める権能

(a) 内閣総理大臣による行政各部の指揮監督権（内6）、中止権（内8）

(b) 内閣総理大臣による権限疑義の裁定権（内7）〈予

(c) 重要事項の決定

各大臣は、案件のいかんを問わず、内閣総理大臣に提出して閣議を求め、閣議の決定を待つことができる（内４Ⅲ）。

▼ ロッキード事件（丸紅ルート）（最大判平 7.2.22・百選 15 事件）〈予

事案： 丸紅社長Ａがロッキード社社長Ｂとともに、内閣総理大臣Ｘに対して、Ｃ社の航空機納入についてロッキード社製機体を納入するよう指導することを求め、贈賄した。Ｘが収賄罪で起訴された。

判旨： 内閣総理大臣の職務権限について、内閣総理大臣の憲法上の地位の特殊性（憲 66、68、72）や内閣法上の地位（内４、６、８）といった内閣総理大臣の地位及び権限に照らし、流動的で多様な行政需要に遅滞なく対応するため、内閣総理大臣は、内閣の明示の意思に反しない限り、行政各部に対し随時、一定の方向で処理するよう指導・助言等の指示をする権限を有する。

(3) 個別法が定める権能

(a) 重要人事

副大臣・大臣政務官の任免（行組 16Ⅴ、17Ⅴ）、人事院の人事官の任免（国公５Ⅰ）、会計検査院の検査官の任免（会検４Ⅰ）

(b) 重要計画の決定

環境基本計画の決定（環境基 15Ⅲ）、国土利用計画法上の全国計画（国土利用５Ⅱ）

4 閣議（内４Ⅰ）

閣議の運営については特段の定めはなく、慣行に委ねられているが、決定は、全会一致を要するというのが実際の慣行である。

→通説も、内閣の連帯責任（憲 66Ⅲ）を根拠に、これを支持している

三 府・省

1 意義

内閣の統轄の下で具体的な行政事務を行う機関。

2 内閣府

(1) 内閣府は、内閣に置かれ（内閣府２）、他の省よりも一段上の組織という位置付けである。

→原則として国家行政組織法の適用を受けない（行組１）

(2) 内閣府の任務

内閣の重要政策に関する内閣の任務を助けること等を任務とする（内閣府３）。

内閣府の長である内閣総理大臣（同６Ⅰ）は、各省大臣と同様に「主任の大臣」（同６Ⅱ）として、「内閣の統轄の下」（同５Ⅱ）、各種行政事務を分担管理する（同６Ⅱ）〈予。

3　省〈同

(1)　意義

長、内部部局、附属機関（審議会等）、地方支分部局から構成される。省と、後述する委員会、庁をあわせて３条機関と総称される（行組３条で定められる行政機関であるから）。

→もっとも、省は内閣府とともに内閣の統括の下に置かれるが、委員会及び庁はその外局として置かれる（行組３Ⅲ）。また、省の長は各省大臣であるが（同５Ⅰ）、委員会及び庁の長は、それぞれ、委員長又は長官である（同６）

(2)　各省大臣の権限

事務の統括及び職員の服務の統督（行組10）、法律及び政令案の提出（同11）、省令の制定（同12）、告示・訓令・通達の発布（同14）、省間調整にかかる資料の提出要求（同15）。

四　外局

1　意義

内部部局（内局）に対する概念。内閣府の長としての内閣総理大臣か各省大臣の統括を受けながら、内部部局からは独立性を保つべき特殊な事務を処理するために府・省に置かれる行政機関。

→庁と委員会の２種類がある（行組３Ⅲ）

2　庁

主に、事務分量が膨大で、しかも、全体としてある程度独立性を認めるべきもので、内部部局で処理させることが困難な場合に設置される。

各庁の長である長官は、本省の大臣の統督下に置かれるが、独自の名と責任で所掌事務を遂行する。

3　委員会

行政事務の性質により、ある程度政治的中立性が要求される分野、専門的技術的な分野について設置される。公正取引委員会・国家公安委員会（以上、内閣府）、公害等調整委員会（総務省）、公安審査委員会（法務省）、中央労働委員会（厚労省）、運輸安全委員会（国土交通省）の６つがある。委員会は職務上の独立を享受し、主任の大臣の所管に属するとはいえ、その権限行使について大臣からの指揮には服しない〈予。

委員会のもつ独立性につき、内閣の責任体制を損なうおそれがあり、違憲ではないかとの主張もあるが、合憲であるとするのが通説である。

五　内部部局

1　意義

府・省及び庁に事務分担のために置かれる組織単位（又はその総称）。

2　内部部局として官房、局、部、課、室を設置することができ、それぞれの設置と所掌事務の範囲については政令又は省令で定められる（行組7ⅣⅤ）〈司〉。

六 地方支分部局・附属機関

1 地方支分部局

(1) 意義

府、省、庁、委員会の所掌事務を分掌させるために地方に置かれる国の行政機関（行組9）。

ex. 国税庁の国税局・税務署、法務省の法務局など

(2) 設置

地方支分部局は、一般に国の出先機関といわれるものであり、その設置は法で定められる（行組9）。さらに、国の地方行政機関の設置については国会の議決を経なければならず、その経費は国が負担しなければならない（地自156Ⅳ）。

これは、地方自治尊重の見地から、国の地方出先機関の設置に慎重を期し必要最小限に限定しようとする趣旨である。

2 附属機関〈共〉

(1) 意義

府、省、庁、委員会に付置される各種の機関（行組8、8の2、8の3）。

ex. 審議会、研究機関、矯正収容施設、その他特別の機関（警察庁（国家公安委員会）、検察庁（法務省）、国土地理院（国土交通省）、日本学士院（文部科学省）等）

(2) 審議会

附属機関たる審議会は、行政機関が意思決定を行うに当たって意見を求める合議制の機関である。その委員は当該行政体の外部に求められるのが通例であり、この点で、前述した行政委員会との共通性がみられるが、審議会は、行政庁に対して意見を提供する諮問機関にとどまる点で行政委員会とは異なる。

七 独立行政機関

1 意義

内閣から一定程度独立して権限を行使する行政機関。

ex. 会計検査院、人事院、公正取引委員会等

2 独立行政機関も国の行政機関であるが、職務の特殊性（中立性・専門性）から、内閣から一定程度独立して権限を行使することが認められる。ただし、職権行使の独立性の程度は各機関によって異なる。

八 独立行政法人〈司〉

1 意義

国民生活及び社会経済の安定等の公共上の見地から確実に実施されることが必要な事務及び事業であって、国が自ら主体となって直接に実施する必要の

ないもののうち、民間の主体に委ねた場合には必ずしも実施されないおそれがあるもの又は一の主体に独占して行わせることが必要であるものを効果的かつ効率的に行わせるため、中期目標管理法人、国立研究開発法人又は行政執行法人として、この法律及び個別法の定めるところにより設立される法人をいう（独立行政法人通則法２条１項）。

2　役職員の身分

独立行政法人のうち、行政執行法人の役職員には、国家公務員の身分が付与される（独立行政法人通則法51条）。行政執行法人以外の独立行政法人の役職員は、公務員法上の公務員ではない。

・第２章・【地方自治法】

■第１節　総論

《概　説》

一　地方自治の意義・重要性

地方における政治と行政を、地域住民の意思に基づいて、国から独立した地方公共団体がその権限と責任において自主的に処理すること。

→地方自治は、①民主主義の基盤の育成、②中央政府への権力集中を防止する手段として重要

二　地方自治の本旨（住民自治と団体自治）

1　本旨

憲法92条に定める「地方自治の本旨」の内容として、住民自治と団体自治がある。

(1)　住民自治

地方の事務処理を中央政府の指揮監督によるのではなく、当該地域の住民の意思と責任の下に実施するという原則。

ex.　地方公共団体の議会の議員の住民選挙、長の住民選挙（憲93Ⅱ）による間接民主制・代表民主制の確保

→この、議事機関としての議会とは独立に、執行機関の長が直接に住民の選挙で選ばれ、それぞれが住民に直接に責任を負う制度を首長主義という

(2)　団体自治

国家の中に国家から独立した団体が存在し、この団体がその事務を自己の意思と責任において処理する原則。

ex.　地方公共団体の財産管理・事務処理・行政執行・条例制定権

2　団体自治の根拠

(1)　固有権説

個人が国家に対して固有かつ不可侵の権利をもつのと同様に、地方公共団

体もまた固有の基本権を有する。

(2)　承認説

地方自治は国家が承認する限り認められるものである。よって、国は地方自治の廃止も含めて地方自治の保障の範囲を法律で定めることができる。

(3)　制度的保障説（大牟田市電気税訴訟・福岡地判昭 55.6.5）通

地方自治の保障は、地方自治という歴史的・伝統的・理念的な公法上の制度を保障したものであり、国の法律をもってしても、地方自治を廃止したり地方自治の本質的内容ないし核心部分を侵すことは許されない。

▼　教育に関する地方自治の原則と全国学力テスト（旭川学テ事件、最大判昭 51.5.21・憲法百選Ⅱ［第７版］136 事件）予

判旨：「教育に関する地方自治の原則が採用されているが、これは、戦前におけるような国の強い統制の下における全国的な画一的教育を排して、それぞれの地方の住民に直結した形で、各地方の実情に適応した教育を行わせるのが教育の目的及び本質に適合するとの観念に基づくものであって、このような地方自治の原則が現行教育法制における重要な基本原理の一つをなすものであることは、疑いをいれない。そして、右の教育に関する地方自治の原則からすれば、地教委［注：地方公共団体で設置される教育委員会］の有する教育に関する固有の権限に対する国の行政機関である（当時）文部大臣の介入、監督の権限に一定の制約が存する」。

三　地方特別法の住民投票

特定の地方公共団体のみに適用される特別法（地方特別法）を国会が制定するには、その地方公共団体の住民投票において過半数の同意を得ることが必要である（憲 95）。

■第２節　地方公共団体とその事務

《概　説》

一　地方公共団体の種類（地自１の３）

1　普通地方公共団体

(1)　都道府県及び市町村をいう。市とは、概ね人口５万人以上の都市部をいう（地自８Ⅰ①）。

(2)　憲法上の根拠

憲法上の地方公共団体であるといわれる。ただし、都道府県が憲法上の地方公共団体かどうかは、争いがある。

2　特別地方公共団体

(1)　意義

特別区（地自 281～283）、地方公共団体の組合（地自 284～293 の２）、財産区（地自294）、合併特例区（市町村合併特27）をいう。

(2) 憲法上の根拠

憲法上の「地方公共団体」ではない。

∵ 全国に遍く存在するものではないし、普通地方公共団体の存在を前提に特定事務を行う団体にすぎない

二　地方公共団体の事務

地方自治体は、概ね①地方自治体固有の事務（自治事務）と、②本来は国・都道府県が本来果たすべき役割を法律・政令で委託した事務（法定受託事務）を担う（地自2ⅡⅧⅨ）。なお、法定受託事務という名称ではあるが、この事務は国からの事務の委託ではなく地方自治体の事務である〈予〉。

<地方公共団体の事務の内容>

項　目	内　容
自治事務（地自2Ⅷ）〈司〉	・地方公共団体が処理する事務のうち、法定受託事務を除いたもの
法定受託事務（地自2Ⅸ）〈司予〉	・法律又は政令により、国等から地方公共団体に委託する事務 ・第1号法定受託事務：国から都道府県、市町村又は特別区に委託する事務 ・第2号法定受託事務：都道府県から市町村又は特別区に委託する事務

▼ 健康管理手当と国外移住（最判平18.6.13・平18重判5事件）

事案：　長崎市で被爆したX（終戦後韓国に帰国）は、被爆者健康手帳の交付と健康管理手当の支給を受けていたが、韓国に帰国したことを理由として支給を打ち切られた。その際、同手当の支給義務を負う主体が誰か争われた。

判旨：　健康管理手当の認定を受けた被爆者に対する手当支給義務は、原則として支給認定とした長の所属する都道府県がこれを負う。日本国外へ居住地を移転した場合には、従前支給義務を負っていた最後の居住地の都道府県が支給義務を負い、国はその義務を負わない。

三　財政

1　団体自治の下、地方公共団体は自主財源で運営を賄い、独立した財産管理をする（自主財政権）。もっとも、公金支出の健全化（憲89参照）の要請に基づく制約を受け（地財4Ⅰ参照）、公益上の必要がない場合の寄付・補助は禁止される（地自232の2）。そしてこれらの財政上の制約は、住民監査請求・住民訴訟で監視監督される（⇒p.483）。

▼ 補助金交付の公益性①（最判平 17.10.28・平 17 重判8①事件）

事案：　町が自然活用施設の運営を委託している団体に対して行った赤字補填のための補助金交付は、地方自治法 232 条の 2 に定める「公益上必要がある場合」の要件を満たさず違法であると主張して、損害賠償を求める住民訴訟が提起された。

判旨：　補助金交付に公益上の必要性があるとした町の判断は、一般的には不合理なものでなく、調理員の新規雇用による赤字の増大についても経営上の裁量を逸脱した放漫行為とはいえないことからすれば、本件補助金交付は公益上の必要を欠くとはいえない。

▼ 補助金交付の公益性②（最判平 17.11.10・平 17 重判8②事件）

事案：　いわゆる日韓高速船事業の破綻後にした第三セクターへの補助金交付は、地方自治法 232 条の 2 に定める「公益上必要がある場合」の要件を満たさず違法であるとして、損害賠償を求める住民訴訟が提起された。

判旨：　市長が本件補助金を支出したことにつき公益上の必要があると判断したことは、その裁量権を逸脱濫用したものと断ずべき程度に不合理なものであるということはできないから、本件補助金の支出は、地方自治法 232 条の 2 に違反し違法なものであるということはできない。

2　地方公共団体が公務員の職務専念義務を免除し、公務員の身分を残しつつ民間に派遣することが、公益目的に適うとはいえない場合には、給与支出が違法となる。

▼ 茅ヶ崎市職員派遣事件（最判平 10.4.24・百選〔第6版〕4事件）

事案：　茅ヶ崎市が、市職員（常勤職員）A を茅ヶ崎商工会議所に派遣し、その間 A に対して市条例に基づき、職務専念義務の免除及び給与支払をしたところ、茅ヶ崎市住民らが、職務専念義務を免除し派遣した後の給与支払は違法支出であると主張して、住民訴訟を提起した。

判旨：　市条例に基づく職務専念義務の免除及び給与支払は、処分権者が全く自由に行うことはできない。地方公共団体がその職員を商工会議所に派遣したうえで給与を支給する場合において、派遣職員に対する職務専念義務の免除が地方公務員法 30 条（服務の根本基準）や同法 5 条（職務専念義務）の趣旨に反したり、給与支払が同法 24 条 1 項（給与の根本基準）の趣旨に反する場合は違法となる。

■第３節　地方公共団体の機関

《概　説》

一　地方公共団体の機関の種類

1　議事機関

(1)　総論

議会である。必置機関である（憲93Ⅰ、地自89Ⅰ）。もっとも、町村は条例により議会を置かず、代わりに有権者の町村総会を設けることができる（地自94）が、現在これを設置する町村は存在しない。

(2)　議会の組織

一院制が採られている。住民によって直接選挙された議員で構成される。

(3)　議員の要件

議員定数は条例で定めることができる（地自90Ⅰ）。そして、地方公共団体の自由度の拡大を図り、地方自治を推進するため、議員定数の上限数に係る制限は廃止された。また、議員の任期は４年（地自93Ⅰ）だが、解散があるときはそれ以前に終了する。

(4)　議会の権限

(a)　議員の被選挙権の有無、選挙の投票の効力に関する異議についての決定権（地自127）

(b)　行政事務の監査権及び調査権（地自98Ⅰ、100Ⅰ）、意見書提出権（地自99）

(c)　長の不信任議決権（地自178）、出席要求権（地自121）、報告請求権（地自125）

(d)　条例の制定・改廃、予算・決算の決定、財産の取得・処分、権利の放棄等についての議決権（地自96Ⅰ）〈司〉

2　執行機関

(1)　意義

地方公共団体の行政的事務を管理執行する機関であって、自ら地方公共団体の意思を決定し外部に表示する機関をいう。行政庁と同様の意味である。

ex.　長（都道府県知事・市町村長）
　　補助機関（地自161以下）
　　長とは独立して特定の事務を処理する委員会及び委員（地自138の４Ⅰ）

(2)　執行機関組織の原則、執行機関の多元主義

地方自治法は、執行機関として、地方公共団体の長の他、長から独立した地位と権限を有する委員会及び委員の制度を設け、普通地方公共団体の長の所轄の下に、それぞれ明確な範囲の所掌事務と権限を有する執行機関によって系統的に構成する（地自138の３Ⅰ、執行機関組織の原則）〈司〉。この「所轄」とは職権行使の独立性を認められた機関が形式的に他の機関の下に

置かれることを意味するから、執行機関は行政事務ごとに分掌される（執行機関の多元主義）。

(3) 長の特徴

(a) 長自体は必置機関ではない。しかし、都道府県には知事、市町村には長が置かれることが法定されており（地自139）、地方公共団体を統括・代表し、事務を管理し、これを執行する（地自147、148）。

(b) 任期は4年（地自140）である。

(c) 国会議員・地方議会議員等（地自141）、関連企業（地自142）との兼職禁止がある。

(4) 出納長の廃止

かつて存在した出納長・収入役は廃止され、一般職としての会計管理者が置かれる（地自168Ⅰ）。

二　長と議会の関係

1　議会への出席

議事機関と執行機関との分立の原則により、相互の職務権限を尊重する建前。

→執行機関は必要な説明のために議会の要求があった場合に議会に出席義務（地自121）がある。その要求がないときは、逆に出席することはできず、説明書を議会に提出することができるにとどまる（地自122）

2　長の拒否権

(1) 任意的拒否権（一般的拒否権、地自176）

条例の制定改廃、予算に関する決議に対する異議。議会の3分の2以上の再議決を要する。

(2) 必要的拒否権（特別拒否権、地自176Ⅳ、177）

議会の議決・選挙に法令違反があるときに、長が必要的に再議に付さねばならない。なお、再議もさらに法令に違反した場合は、長は知事・総務大臣に審査を申し立てる。この審査請求に対する裁定に不服がある場合、機関訴訟が提起されることになる。

また収入又は支出に関し執行が不可能な決議が議会によってなされたときも、再議に付される。

3　議会の長に対する不信任決議と議会の解散（地自178Ⅲ）

(1) 不信任決議、議会の解散の手続

不信任決議に対し、長は、通知を受けた日から10日以内に議会を解散できる（地自178Ⅰ）。

この期間内に議会を解散しないときか、その解散後初めて招集された議会において、議員数の3分の2以上の者が出席し、その過半数の者の同意による不信任決議があった場合は、長は職を失う（地自178ⅡⅢ）。

(2)　国政との比較

国会と異なり長が解散できるのは、議会が不信任決議をした場合に限られる。一方、議会は自ら解散することが認められる。

4　副知事・副市町村長の選任に対する議会の同意（地自 161、162）

5　長の専決処分

本来、議会の議決を経るべき処分につき、それが間に合わないときに、一定の場合に長がその議決を経ずに処分を行うことである。事後的に報告・承認を要する（地自 179、180）。

三　**執行機関である委員会**

必ず置かなければならないものとして、教育委員会、選挙管理委員会、人事委員会、監査委員会等がある（地自 180 の 5 参照）。委員会は法律の定めるところにより置かなければならず、条例で設置することはできない（執行機関法定主義）。

■第 4 節　条例

《概　説》

一　条例

1　条例制定権（地自 14 Ⅰ）の範囲

地方公共団体は、団体自治の達成のために自治事務・法定受託事務のいずれについても、条例を制定しうる。逆に、性質上、国にのみ属する事項（国防や外交に関する事項など）や、全国的に画一的な規制が必要なもの（義務教育制度や裁判制度など）については条例で定めることができない。

2　条例制定権の限界

(1)　法令の範囲内〈司

地方公共団体は、「法律の範囲内」で条例を制定することができる（憲 94、地自 14 Ⅰ）。そして「法律の範囲内」について、徳島市公安条例事件（最大判昭 50.9.10・百選 40 事件）は、条例が国の法令に違反するかどうかは、両者の対象事項と規定文言を対比するのみでなく、それぞれの趣旨、目的、内容及び効果を比較し、両者の間に矛盾抵触があるかどうかによって決しなければならないとする。

▼　徳島市公安条例事件（最大判昭 50.9.10・百選 40 事件）

判旨：　条例が国の法令に違反するかどうかは、両者の対象事項と規定文言を対比するのみでなく、それぞれの趣旨、目的、内容及び効果を比較し、両者の間に矛盾抵触があるかどうかによってこれを決しなければならない。例えば、ある事項について国の法令中にこれを規律する明文の規定がない場合でも、当該法令全体からみて、右規定の欠如が特に当該事項についていかなる規制をも施すことなく放置する趣旨であると解されるときは、これについて規律を設ける条例の規定は国の法令に違反することとなりうるし、逆に、特定事項についてこれを規律する国の法令と条例とが併存する場合でも、後者が前者とは別の目的に基づく規律を意図するものであり、その適用によって前者の規定の意図する目的と効果を何ら阻害することがないときや、両者が同一の目的に出たものであっても、国の法令が必ずしもその規定によって全国的に一律に同一内容の規制を施す趣旨ではなく、それぞれの普通地方公共団体において、その地方の実情に応じて、別段の規制を施すことを容認する趣旨であると解されるときは、国の法令と条例との間には何らの矛盾抵触はなく、条例が国の法令に違反する問題は生じえない。

▼ 神奈川県臨時特例企業税条例事件（最判平 25.3.21・憲法百選 201 事件）

事案：　大幅な財源不足に陥ったY（神奈川県）は、特例企業税を課す神奈川県臨時特例企業税条例（以下「本件条例」という。）を制定した。本件条例が課す特例企業税によって、地方税法の定める欠損金の繰越控除（各事業年度の所得計算における欠損金を翌事業年度以降に繰り越し、その事業年度の所得から控除する制度であり、課税所得の対象となる所得金額が差し引かれるため、節税の効果を有する。）を実質的に一部排除する効果が発生する。そこで、Xは、本件条例が地方税法の趣旨に反し違法・無効であり、それに基づく課税処分も違法・無効であると主張して争った。

判旨：　「普通地方公共団体は、地方自治の不可欠の要素として、……国とは別途に課税権の主体となることが憲法上予定されている」。ただし、租税の賦課については、国民の税負担全体の程度や財源の配分等の観点からの調整が必要であることや、92条・94条の規定に照らせば、普通地方公共団体の課税権は、租税法律主義（84）の原則の下で、法律で定められた準則に従い、その範囲内で行使されなければならない。すなわち、条例において、地方税法の「強行規定に反する内容の定めを設けることによって当該規定の内容を実質的に変更すること」は、地方税法の「規定の趣旨、目的に反し、その効果を阻害する内容のものとして許されない」。

欠損金の繰越控除は、「法人の税負担をできるだけ均等化して公平な課税を行うという趣旨、目的から設けられた制度」であり、「条例等により欠損金の繰越控除の特例を設けることを許容するものと解される規定は存在しない」。よって、「欠損金の繰越控除を定める地方税法の規定は、……強行規定である」。他方、本件条例の実質は、「繰越控除欠損金額それ自体を課税標準とするものにほかならず、……各事業年度の所得の金額の計算につき欠損金の繰越控除を一部排除する効果を有する」。また、特例企業税の創設の経緯等にも鑑みると、本件条例は、欠損金の繰越控除のうち一部についてその適用を遮断することを意図して制定されたものというほかはない。

以上によれば、本件条例の規定は、地方税法の「趣旨、目的に反し、その効果を阻害する内容のものであって、法人事業税に関する同法の強行規定と矛盾抵触するものとしてこれに違反し、違法、無効である」。

<徳島市公安条例事件の整理>

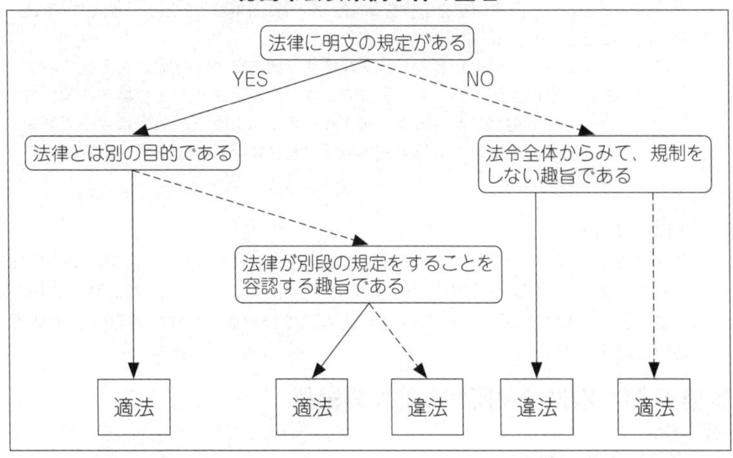

(2) 法律留保事項

財産権の規制（憲 29Ⅱ）、租税（憲 84）、罰則（憲 31）は憲法上、法律で定めるべきとされているが、条例が民主的基盤をもつ地方議会によって制定される法規範であることから、これらの事項についても条例で定めることができる（財産権の規制について、奈良県ため池条例事件、最大判昭 38.6.26・百選 246 事件参照）。

これを受けて地自法は、法令に特別の定めがない限り、地方公共団体が条例中に２年以下の懲役若しくは禁錮、100 万円以下の罰金、拘留、科料若しくは没収の刑、又は５万円以下の過料を科する旨を定めることができる（地自 14Ⅲ）としている〈司〉。

ただし、罰則について判例は、法律の委任が必要であることを前提として、条例が自治立法として法律に類するものであるから、法律の授権が相当程度に具体的で限定されたものであることを求める。

▼ 公用制限と損失補償・奈良県ため池条例事件（最大判昭 38.6.26・百選 246 事件） ⇒ p.452

地方自治法

▼ **条例と罰則（最大判昭 37.5.30・百選 41 事件）**

事案：　Xは、売春の目的で男性を誘った行為について、「街路等における売春勧誘行為等の取締条例」に違反したとして、第１審において罰金刑に処せられた。Xは、当該条例は地方自治法 14 条に基づいて制定されたものであるが、同法の定める委任事項はきわめて抽象的であり、憲法 31 条違反であると主張した。

判旨：　条例は、公選の議員をもって組織する地方公共団体の議決を経て制定される自治立法であって、国民の公選した議員をもって組織する国会の議決を経て制定される法律に類するものであるから、条例によって刑罰を定める場合には、法律の授権が相当程度に具体的であり、限定されていれば足りる。

二　規則（地自 15Ⅰ）

普通地方公共団体の長は、法令に違反しない限りでその権限に属する事務に関し、規則を制定できる。「その権限に属する事務に関し」とは、①条例の委任がある場合、②条例の実施に必要な特例を定める場合の他、③法定受託事務の処理に必要な場合を含む。

■第５節　地方公共団体の住民の権利

《概　説》

一　選挙権・被選挙権

議会の議員と長が住民の直接選挙で選ばれる（地自 17、憲 93Ⅱ）。

1　選挙権

日本国民である満 18 歳以上の者で、引き続き３か月以上市町村の区域内に住所を有するものである（地自 18、公選 9Ⅱ）。

2　被選挙権

(1)　都道府県知事については、満 30 歳以上の日本国民（地自 19Ⅱ、公選 10Ⅰ④）、市町村長については満 25 歳以上の日本国民（同Ⅲ、公選 10Ⅰ⑥）である。

(2)　都道府県・市町村議会議員については、満 25 歳以上で議会の議員の選挙権を有する者（地自 19Ⅰ、公選 10Ⅰ③⑤）、すなわち、引き続き３か月以上当該市町村及びその市町村を包括する都道府県の区域内に住所を有する者（公選 9Ⅱ、Ⅳ）である。

▼ **公職選挙法上の住所（最判昭 35.3.22・百選 26 事件）** ⇒ p.13

地方自治法

二　直接請求

1　総説

地自法上、住民による直接民主主義的な制度がある（直接請求）。地方議会の議員・長の選挙権を有する日本国民たる住民が、一定数以上の者の連署をもって、その代表者から一定の事項について請求することでなされる。

2　有権者数の50分の1以上の連署を要求するもの

(1)　条例の制定・改廃請求（地自12Ⅰ、74Ⅰ）

長が請求を受けたときは、この請求の要旨を公表し（地自74Ⅱ）、意見を付けて議会に付議し、その結果を代表者に通知するとともに、これを公表しなければならず（地自74Ⅲ）、議会の議決があったときに条例の制定・改廃の効果が生じる。

なお、税・手数料といった財政関係の条例は対象になっていない。

(2)　事務の監査請求（地自75ⅠⅢ）

(3)　合併協議会の設置（市町村合併特4）

3　有権者数の3分の1以上の連署を要求するもの

(1)　議会の解散請求（地自13Ⅰ、76Ⅰ）

解散請求が行われた場合、有権者による投票が行われ（地自76Ⅲ）、その過半数の同意があるときに、議会は解散される（地自78）。

(2)　議員、長、主要役職員の解職請求

(a)　議員及び長の解職請求（議員につき地自80Ⅰ、長につき81Ⅰ）

解職請求がされた場合、有権者による投票が行われ（議員につき地自80Ⅲ、長につき81Ⅱ）、その過半数の同意があるときにはその職を失う（地自83）。

(b)　主要役職員の解職請求（地自86Ⅰ）

副知事、副市町村長、選挙管理委員、監査委員、公安委員会の委員が対象となる。

請求がされたときは、議会に付議され、議員の3分の2以上が出席し、その4分の3以上の同意による議決があった場合に、役職員は解職される（地自87Ⅰ）。議会が否決した場合には解職されない。

＜直接請求権＞

<table>
<tr><th colspan="2">種類</th><th>要件</th><th>手続</th><th>提出先</th><th>制限等</th><th>通知先等</th></tr>
<tr><td colspan="2">条例制定改廃請求（74）</td><td rowspan="2">有権者総数の50分の１以上の連署</td><td>受理日より20日以内に議会が招集・付議され、過半数の同意で議決</td><td>長</td><td>地方税の賦課徴収、分担金・使用料・手数料の徴収に関するものを除く</td><td>代表者に通知、公表</td></tr>
<tr><td colspan="2">事務監査請求（75）</td><td>すぐに監査が実施される</td><td>監査委員</td><td>—</td><td>代表者に送付、公表、議会・長・関係ある委員会・委員に提出</td></tr>
<tr><td colspan="2">議会解散請求（76）</td><td rowspan="4">原則、有権者総数の３分の１以上の連署
（ただし、議員の解職については、所属の選挙区について）</td><td rowspan="3">選挙人による投票
↓
過半数の同意</td><td rowspan="3">選挙管理委員会</td><td>一般選挙の日又は解散請求に基づく投票の日から１年間はできない</td><td>代表者・議長に通知、公表、長に通知</td></tr>
<tr><td rowspan="3">解職請求</td><td>議員（80）</td><td rowspan="2">就職の日（無投票当選の場合を除く）又は解職請求に基づく投票のあった日から１年間はできない</td><td>代表者、関係議員・議長に通知、公表、長に報告</td></tr>
<tr><td>長（81）</td><td>代表者・長・議長に通知、公表</td></tr>
<tr><td>役員（86）</td><td>議会に付議し、３分の２以上の出席・その４分の３以上の同意</td><td>長</td><td>就職の日又は解職請求に基づく議決の日から１年間（委員は６か月間）はできない</td><td>代表者・関係者に通知、公表</td></tr>
</table>

※　なお、合併協議会の設置については、特殊かつ複雑であることから省略した。

三　住民監査請求と住民訴訟

1　総説

直接請求とは別に、地方自治体の財務会計上の行為を住民自ら監視・監督する制度が採られている。これは地方公共団体の財務会計行為の適正を正すという住民全体の利益のために、いわば公益の代表者として請求するものであるから、住民が単独で行うことができる。すなわち、国籍、年齢、自然人か法人か、個人的利益の有無等を問わない〈司〉。

2　住民監査請求（地自242）

⑴　要件〈司〉

① 普通地方公共団体の住民は
② 普通地方公共団体の長・委員会・委員又は当該普通地方公共団体の職員について
③ 違法・不当な公金支出、財産の取得、管理・処分、契約の締結・履行若しくは債務その他の義務の負担がある（当該行為がなされることが相当の確実さをもって予測される場合を含む）と認めるとき、又は、違法・不当に公金の賦課・徴収・財産の管理を怠る事実があると認めるとき
④ これらを証する書面を添え
⑤ 監査委員に対し
⑥ 監査を求め、当該行為を防止し、是正し、当該怠る事実を改め、又は、当該行為・怠る事実によって当該普通地方公共団体の被った損害を補填するために必要な措置を講ずべきことを請求する

⑵　手続〈司〉

(a) 監査請求は普通地方公共団体の住民が当該行為のあった日又は終わった日から１年を経過したときは請求することができない（地自242Ⅱ）。

(b)「正当な理由」があれば１年以内でなくともよい（地自242Ⅱただし書）。
「正当な理由」とは、住民が相当の注意力をもって注意すれば客観的に見て監査請求するに足りる程度に当該財務会計行為の存在及び内容を知ることができたと解されるときを基準に、相当な期間内に監査請求をした場合に認められる。

ex.　地方公共団体が不当に住民の情報公開請求を拒否し続けたために監査請求人が十分に情報把握できなかった場合は、その後の情報公開に対する不服申立て手続によって具体的内容が開示されたときが基準時とされる（最判平20.3.17・平20重判９事件）

(c)「怠る事実」
「怠る事実」とは、たとえば、弁済期の到来した債権が弁済されないまま存在しているような場合をいう。

もっとも、債権の除斥期間が経過した場合には「怠る事実」には当たらない。なぜなら、除斥期間経過により債権が消滅する結果、地方公共団体は債権の行使ができないため、債権の行使を怠っているとはいえないからである。

<住民監査請求>

項目	内容
行為の対象者	・長・委員会・委員・職員
行為の性質	・違法な行為、不当な行為〈同
対象となる行為（財務会計行為）〈予	・公金の支出 ・財産の取得・管理・処分 ・契約の締結・履行 ・債務その他の義務の負担 ・公金の賦課・徴収を怠る事実 ・財産の管理を怠る事実

▼ 住民監査請求の対象の特定（最判平 18.4.25・平 18 重判 4 事件）

事案：　東京都羽村市の住民であるＸらが、同市が施行する福生都市計画事業羽村駅西口土地区画整理事業（本件事業）が違法であるとして、地方自治法 242 条に基づき、羽村市長（Y）に対して、本件事業に関して違法に支出された公金の返還をすること、及び今後公金を支出しないことを求める住民監査請求をした。しかし、当該請求は財務会計上の違法性・不当性が個別、具体的に主張されておらず、住民監査請求はこれを理由に却下された。そこでＸらが住民訴訟を提起した。

判旨：　地方公共団体が特定の事業を実施する場合に、当該事業の実施が違法又は不当である場合として住民監査請求をするときは、通常、当該事業を特定することにより、これにかかわる複数の経費の支出を個別に摘示しなくても、これらを一体として違法性又は不当性を判断することは可能である。

▼ 住民監査請求における一事不再理原則（最判昭 62.2.20・百選 126 事件）

事案：　町有地の売却行為につき住民監査請求が行われたが、請求に理由がない旨の通知が監査委員からあったので、住民らは他の理由を追加して再度住民監査請求を行った。しかし、これに対しても理由がない旨の通知を受けたため、住民らは２度目の監査結果を不服として住民訴訟を提起した。ところが、この訴訟の提起は１度目の監査結果に対して住民訴訟を提起できる法定の期間を徒過したものであった。

地方自治法

判旨：　住民監査請求に対し、監査の結果が請求人に通知された場合、監査結果に不満のあるときは、住民訴訟を提起すべきであり、同一住民が、先に監査請求の対象とした財務会計上の行為又は怠る事実と同一の行為ないし怠る事実を対象とする監査請求を重ねて行うことは許されない。

▼　「怠る事実」と住民監査請求期間（最判平 19.4.24・平 19 重判 8 事件）

事案：　町が請負に出した工事に瑕疵があったが、町は請負人に損害賠償請求訴訟を提起せず、損害賠償請求権は特約により消滅した。住民は町長に対し、損害賠償請求権を消滅させたことが町に対する不法行為に当たるとして住民訴訟を提起した。その際、怠る事実への住民監査請求期間制限の適用の有無、期間起算点が争われた。

判旨：　怠る事実の終わった日から1年経過したときは、これに対する監査請求はできない。そして、損害賠償請求権の行使を怠ったこと（第1の怠る事実）が違法であることによって生じる実体法上の損害賠償請求権の行使を怠ったこと（第2の怠る事実）の監査請求がなされた場合、その監査期間は、監査請求期間を制限した趣旨を没却しないよう、第1の怠る事実の終わった時点を起算点とする。

▼　資金前渡交際費支出と4号請求（最判平 18.12.1・平 19 重判 9 事件）

事案：　市長から資金の前渡しを受けて市職員が支出した市長の交際費（会合出席費、祝い金支出、飲食店への債務負担）につき、住民Xが住民訴訟を提起した。

判旨：　資金の前渡しを受けた職員のする祝い金支出などの個別債務負担行為は旧地方自治法 242 条の2第1項の「公金の支出」に当たり住民訴訟の対象となる。そして、4号請求の対象となる「職員」は財務会計上の行為をする権限を有する者のみならずその委任を受けた者を含む。本件で市職員は長の委任を受けて財務会計上の行為をしており、長は前渡職員に対する指揮監督上の義務があるから、市職員・市長の両方が住民訴訟の対象となる。なお、交際費名目であっても社会通念上儀礼の範囲を逸脱した場合は違法な公金支出となる。

3　住民訴訟（地自 242 の２Ⅰ）司 司H22

(1)　意義、対象

住民訴訟とは、住民が、違法な財務会計行為に対する監査請求をし、その監査結果、監査委員の勧告、勧告に基づいて採られた措置に不服がある場合や、監査委員会が所定の期間内に監査・勧告を行わないとき、議会・長等が勧告に基づく措置を講じないときに是正を求める民衆訴訟である。客観訴訟なので訴額は算定不能と扱われる。

なお、対象となるのは違法な財務会計行為のみで、不当な財務会計行為は対象とならない〈司。

(2) 手続要件（監査請求前置主義）〈司〈司H22

住民訴訟の対象は監査請求の結果であるから、住民訴訟を起こすには監査請求をすることが必要である（監査請求前置主義、地自 242 の２Ｉ柱書）。すなわち、住民訴訟の原告になることができるのは監査請求をした住民だけである〈司。

なお、監査委員が適法な住民監査請求を不適法であるとして却下した場合には適法な審査請求を前置したとした判例がある（最判平 10.12.18）。

住民監査請求した者は、ほぼその結果が出た 30 日以内に住民訴訟を提起する必要がある（地自 242 の２Ⅱ）。

(3) 訴訟の類型（地自 242 の２Ｉ各号）

① 執行機関・職員に対する当該行為の全部又は一部差止め（１号請求）
② 当該行為の取消し又は無効確認（２号請求）
③ 執行機関・職員に対する当該怠る事実の違法確認（３号請求）〈司予
④ 職員又は違法行為の相手方に対し、損害賠償又は不当利得返還請求することを地方自治体に求める請求（４号請求）〈司予

１～３号請求は住民が地方自治体に代位して相手方に直接請求する代位訴訟であるが、４号請求は地方自治体に対して損害賠償請求等をするよう求める義務付け訴訟である。これは、住民訴訟でもっぱら４号請求が多用されたが、その際、被告を職員（長）個人にすると負担が大きいため、被告を地方自治体とすることを意図したものである〈司。

▼ 行政委員会委員の月額報酬を定める条例と公金支出の差止め（最判平 23.12.15・平 24 重判９事件）

事案： 行政委員会の委員を含む非常勤職員に月額制の報酬を支給すると定める条例の規定は、地方自治法 203 条の２第２項に違反し無効であるとして、住民らが、知事に対し、公金支出の差止めを求めた（１号請求）事案。

判旨： 普通地方公共団体の委員会の委員を含む非常勤職員について月額報酬制その他の日額報酬制以外の報酬制度を採る条例の規定が法 203 条の２第２項に違反し違法、無効となるか否かについては、議会の裁量権の性質に鑑みると、当該非常勤職員の職務の性質、内容、職責や勤務の態様、負担等の諸般の事情を総合考慮して、当該規定の内容が同項の趣旨に照らした合理性の観点から上記裁量権の範囲を超え又はこれを濫用するものであるか否かによって判断すべきである。

▼ 地方自治法に基づく怠る事実の違法確認請求控訴事件（東京高判平22.8.30）

事案：　市の行政財産の第３セクターＡへの賃貸は、地方自治法 238 条の４第１項に違反し無効であるとして、住民らが、市長に対し第３セクターＡに対する使用料相当額の不当利得返還を求め、同請求を怠ることの違法確認を求めた（３号請求）事案。

判旨：「本件施設に対するＡの使用は、……地方自治法 244 条の２第３項による公の施設の指定管理者として行われたもので、賃貸借契約に基づくものとは認められないというべきである。」「Ａは、地方自治法 244 条の２による指定管理者として本件施設を管理してきたものであり、その使用には法律上の原因があるといえるから、不当利得返還請求権が成立する要件を欠く。」

(4)　４号に基づく請求の対象

抽象的にいえば、地方公共団体が職員の財務会計行為により生じた損害賠償請求権を有する場合である。ここで先行行為が違法である場合、それに基づく財務会計行為に対する住民訴訟で先行行為の違法性を争うことができるか。判例は、先行行為と財務会計行為の主体が同じである場合にこれを肯定しているものもあったが（最判昭 60.9.12）、異なる場合にこれを否定しているものがある（最判平 4.12.15）。先行行為と財務会計行為の関係について、先行行為が有効であっても財務会計法上は違法となりうる（最判平 20.1.18・百選 92 事件）。

▼ 土地の先行取得契約の効力と売買契約の違法性（最判平 20.1.18・百選 92 事件）

事案：　Ｙ市が周辺自治体と共同して設立した土地開発公社との間で土地の先行取得の委託契約を締結し、土地開発公社がこの委託契約の履行として土地を先行取得した。その後、公社はＹに土地を売却する契約を締結した。Ｙ市住民Ｘは、Ｙ市長〔旧法下〕に対し、委託契約が極めて高額であることを理由に地方財政法違反を主張し、これに基づく売買契約も違法であるとして地方自治法 242 条の２第４号（改正前）に基づき損害賠償請求訴訟を提起した。

判旨：　委託契約が私法上無効かどうか判断させるために破棄差し戻した。すなわち、①委託契約が仮に地方財政法等に違反し、裁量権の逸脱濫用となり、私法上無効であるとき、または、②委託契約が私法上無効ではなくとも、委託契約締結に違法があって契約の取消・解除できるとき、予算執行の適正確保のため看過しがたい瑕疵があり、かつ、客観的に委託契約を解除できる事情があるときには、普通地方公共団体の契約締結者は売買契約も締結してはならないという財務会計上の義務を負い、売買契約締結も違法になる。

＊　地方財政法４条１項　地方公共団体の経費は、その目的を達成するための必要且つ最少の限度をこえて、これを支出してはならない。

▼　入札談合により市に生じた損害に係る市長の賠償請求権不行使の違法性（最判平 21.4.28・平 21 重判 9 事件）

事案：　A 市が発注したごみ焼却施設の建設工事の指名競争入札において、談合が行われたため不当に高い価格で落札され市が損害を被ったにもかかわらず、A 市長が損害賠償請求権の行使を怠ったとして、A 市の住民 X らが地方自治法 242 条の２第１項４号（改正前）に基づき市に代位して損害賠償を提起した。

判旨：　不法行為に基づく損害賠償請求権は、債権の存否自体が必ずしも明らかではない場合が多いことからすると、その不行使が違法な怠る事実に当たるというためには、少なくとも、客観的に見て不法行為の成立を認定するに足りる証拠資料を地方公共団体の長が入手し、又は入手し得たことを要するものというべきである。かかる証拠資料の有無を検討することなく、かつ損害賠償請求権の不行使を正当とする事情の存在につき説示することなく「違法な怠る事実」該当性を否定した原審の判断には判決に影響を及ぼすことが明らかな法令の違反がある。

▼　賃貸借契約を原因行為とする賃料支出行為の違法性（最判平 23.12.2・平 24 重判 11 事件）

事案：　A 市の住民らは、市が賃借人として締結した土地賃貸借契約につき、同賃貸借契約は当該土地の住民に対して賃料の名目で協力金を支払うことを目的とするものであって違法・無効であるから、上記契約に基づく賃料としての公金の支出も違法であると主張し、地方自治法 242 条の２第１項１号に基づき、上記契約に基づく賃料としての公金の支出の差止めを求めるとともに、同項４号に基づき、既に支払済みの賃料相当額計 4000 万円等の損害賠償請求をすることを求め、住民訴訟を提起した。

判旨：　本件賃貸借契約を締結した市の判断に裁量権の範囲の著しい逸脱又はその濫用があり、かつ、これを無効としなければ地方自治法２条 14 項、地方財政法４条１項の趣旨を没却する結果となる特段の事情が認められるという場合には、本件賃貸借契約は私法上無効になり、これに基づく賃料としての公金の支出をしてはならないという財務会計法規上の義務を負う。そして、開発事業に関する判断に当たっては、市に、政策的ないし技術的な見地からの裁量が認められる。したがって、本件賃貸借契約を締結した市の判断については、それが開発事業に関する諸般の事情を総合的に勘案した裁量権の行使として合理性を有するか否かを検討するのが相当である。

▼ 国立マンション訴訟賠償金求償住民訴訟（東京地判平 22.12.22）

事案：　国立市は、前市長Ｚが訴外会社に対し違法にその営業活動を妨害し、その信用を毀損して損害を与えたとして、訴外会社に対する損害賠償金の支払を命じる判決を受け、訴外会社に対し、損害賠償金を支払った。そこで、国立市の住民である原告らが、Ｚの上記営業活動妨害行為及び信用毀損行為は故意又は重大な過失によるものであって、国立市はＺに対して求償権（国賠１Ⅱ）を有すると主張し、地方自治法 242 条の２第１項４号の規定に基づき、被告（国立市長）に対し、Ｚに対して上記損害賠償金相当額の支払を請求することを求める住民訴訟を提起した。

判旨：　前市長Ｚの一連の行為が国家賠償法上違法であるとした上で、普通地方公共団体の長として要請される中立性・公平性を逸脱しているなどとして、Ｚの重大な過失を認めて国立市の求償権取得を認め、また、被告による求償権の不行使は違法な怠る事実に当たるとして、原告らの請求を認容した。

<住民訴訟のまとめ> 司H22

意義	・地方公共団体の住民の手によって地方自治運営の腐敗を防止又は矯正し、その公正を確保するための制度 ・原告となる住民の権利利益の保護を目的とするものではないため客観訴訟に当たり、地方自治法 242 条の２により特別に認められる ・住民訴訟は行訴法５条の「民衆訴訟」に当たる	
要件	適法な住民監査請求をしたこと	住民監査請求の要件は、住民であること及び監査請求期間内であること（地自 242 Ⅰ）
	監査の結果に不服があること等	監査請求により目的が達成された場合にまで訴訟を認める必要はない
	職員の違法な行為等があること	訴訟の対象となるのは違法な行為又は違法な怠る事実のみであり、不当な行為や不当な怠る事実に対しては、住民訴訟として出訴することができない
	出訴期間内であること	監査の結果等から 30 日以内（地自 242 の２Ⅱ）司

地方自治法

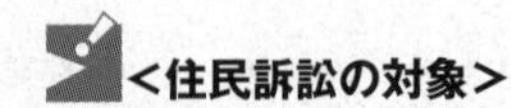

<住民訴訟の対象>

対象者	行為の内容	請求内容
監査委員	①　監査の結果に不服 ②　勧告に不服 ③　監査・勧告を60日以内に行わない	①　執行機関・職員に対する当該行為の全部又は一部差止め（1号請求） ②　当該行為の取消し又は無効確認（2号請求） ③　執行機関・職員に対する当該怠る事実の違法確認（3号請求） ④　職員又は違法行為の相手方に対し、損害賠償又は不当利得返還請求することを地方自治体に求める請求（4号請求）
議会 長 その他の執行機関職員	④　措置に不服 ⑤　勧告の措置を講じない	

▼　茅ヶ崎市職員派遣事件（最判平10.4.24・百選〔第6版〕4事件）

⇒ p.474

▼　補助金交付の公益性①（最判平17.10.28・平17重判8①事件）

⇒ p.474

▼　補助金交付の公益性②（最判平17.11.10・平17重判8②事件）

⇒ p.474

▼　住民訴訟と訴額（最判昭53.3.30・百選208事件）

事案：　A県の住民であるXらが、Yが知事在職中に公金を違法に支出し、県に損害を被らせたとして、Yに対し、地方自治法242条の2第1項4号（改正前）に基づき住民訴訟を提起した。

判旨：　訴額算定の基礎となる「訴を以て主張する利益」は、地方公共団体の損害が回復されることによって住民全体の受けるべき利益であるが、その価額を算定する客観的、合理的基準を見出すことは極めて困難であるから、民事訴訟費用等に関する法4条2項に準じて、その価額は35万円とすることが相当である。

▼　住民訴訟と請求権の放棄（①最判平24.4.20、②最判平24.4.23・平24重判10事件）

事案：　住民訴訟（地自242の2Ⅰ④）の対象とされている普通地方公共団体の損害賠償請求権などが、条例に基づき、または地方議会の議決に基づいて、放棄された事案。長による別途の意思表示の要否及び放棄の有効性が問題となった。

判旨：　上記判例①は、「条例による債権の放棄の場合には、条例という法規範それ自体によって債権の処分が決定され、その消滅という効果が生ずるものであるから、その長による公布を経た当該条例の施行により放棄の効力が生ずるものというべきであり、その長による別途の意思表示を要しないものと解される」とした。他方で、上記判例②は、「その長による債権の放棄の意思表示は、条例による場合を除き、その議会が債権の放棄の議決をしただけでは放棄の効力は生ぜず、その効力が生ずるには、その長による執行行為としての放棄の意思表示を要する」とした。

放棄の有効性については、いずれの判例も、「住民訴訟の対象とされている損害賠償請求権又は不当利得返還請求権を放棄する旨の議決がされた場合についてみると、このような請求権が認められる場合は様々であり、個々の事案ごとに、当該請求権の発生原因である財務会計行為等の性質、内容、原因、経緯及び影響、当該議決の趣旨及び経緯、当該請求権の放棄又は行使の影響、住民訴訟の係属の有無及び経緯、事後の状況その他の諸般の事情を総合考慮して、これを放棄することが普通地方公共団体の民主的かつ実効的な行政運営の確保を旨とする同法の趣旨等に照らして不合理であって上記の裁量権の範囲の逸脱又はその濫用に当たると認められるときは、その議決は違法となり、当該放棄は無効となるものと解するのが相当である。そして、当該公金の支出等の財務会計行為等の性質、内容等については、その違法事由の性格や当該職員又は当該支出等を受けた者の帰責性等が考慮の対象とされるべきものと解される」とした。

地方自治法

■第6節　国と地方公共団体との関係

《概　説》

一　地方公共団体に対する国の関与〈司予

1　関与の基本類型（地自245）、関与の法定主義（地自245の2）

普通地方公共団体の自主性を維持するため、地方自治体への関与は抑制的であることが求められる。具体的には、国（都道府県）が普通地方公共団体に対し、①助言・勧告・報告要求、同意、許可、認可、承認、指示、代執行、②協議、③その他個別具体的な地方公共団体に対する行為といった関与（地自245各号参照）をするには、法律の根拠を要する（地自245の2）。私人に対するものであったら行政指導に当たるような場合にも法律上の根拠を要することに注意が必要である。重ねて、③の関与は例外的な場合であるとし（地自245の3Ⅱ）、自治事務に関しては代執行も控えることを求められる（地自245の3Ⅱ）。

ただ、技術的な意味での助言・勧告・資料要求については地自法上に包括的な根拠規定があるので（地自245の4）、実質的にそれほど徹底したものではない。

2　関与の基本原則（地自245の3）

関与手段の一定の類型のものは、私人に対する公権力の行使に匹敵するので、必要最小限度でなければならない（比例原則）。

3　関与の要件・内容

(1)　自治事務

助言・勧告・報告請求（地自245の4）、同意、許可・認可・承認の他、是正・改善措置要求（地自245の5）が認められる〈同。

普通地方公共団体は、是正・改善措置要求を受けたときは、当該事務の処理について違反の是正又は改善のための必要な措置を講じなければならない（地自245の5Ⅴ）〈予。

(2)　法定受託事務

助言・勧告・報告請求（地自245の4）、同意、許可・認可・承認の他、是正・改善措置の指示（地自245の7）、代執行（地自245の8）が認められる。代執行については、勧告→指示→訴えの提起→裁判→代執行という手続が用意されている（地自245の8）〈予。

4　関与の手続

地方自治法の用意する新たな関与制度は、関与の実体的規定のみならず、その手続についても行政手続法に準じた手続を用意している。

二　裁定的関与

都道府県知事の処分に対する審査請求は、当該知事に対して行う（行審4①）のが原則であるが、当該処分が法定受託事務（地自2Ⅸ）に係る場合には、当該事務の所管大臣に対して行う（地自255の2Ⅰ①）。このように、地方公共団体の機関がした処分に対する不服申立てがなされた場合において、国がその裁定を通じて地方公共団体の判断に関与することを裁定的関与という。

裁定的関与は、「関与」から除外されている（地自245③かっこ書）。そのため、地方公共団体は、裁定的関与を関与取消訴訟（地自251の5Ⅰ）で争うことができない。

判例（最判令4.12.8・令5重判8事件）も、所管大臣がした「審査請求に対する裁決について、原処分をした執行機関の所属する行政主体である都道府県は、取消訴訟を提起する適格を有しない」としている。

∵①　法定受託事務に係る処分に対する審査請求を国の行政庁である各大臣に対してすべきものとすることにより、当該事務に係る判断の全国的な統一を図るとともに、より公正な判断がされることに対する処分の相手方の期待を保護する必要がある

②　処分の相手方と処分庁との紛争を簡易迅速に解決する審査請求の手続における最終的な判断である裁決について、更に訴訟の対象とすることは、

処分の相手方を不安定な状態に置き、当該紛争の迅速な解決が困難となる

③　行政不服審査法及び地方自治法に当該都道府県が審査庁の裁決の適法性を争うことができる旨の規定が置かれていない

三　関与に関する係争処理（国地方係争処理委員会、地自250の7Ⅰ）

1　委員会の処理する対象

国の関与のうち、是正の要求、許可の拒否、是正の指示その他の処分その他公権力の行使に当たるもの（地自250の13Ⅰ）及び国側の不作為（地自250の13Ⅱ）、協議（地自250の13Ⅲ）が対象になる。

2　委員会の審査、勧告・通知の手続

国の関与に対して不服のある地方公共団体の長等は関与の後、30日以内に委員会に文書で審査を申し出る（地自250の13ⅠⅣ）。そして以下の要領で自治事務については違法性・不当性を、法定受託事務については違法性を（地自250の14）審査する。

その結果、協議の不調以外の審査については、適法（妥当）であるときは、理由を付してその旨を当該地方公共団体の執行機関等及び国の行政庁に通知・公表する。一方、違法（不当）であるときは国の行政庁に対して、理由を付し、かつ、期間を示して、必要な措置を講ずべきことを勧告し、当該勧告の内容を地方公共団体の長その他執行機関に通知・公表する。委員会の勧告を受けた国の行政庁は、審査を申し立てた地方公共団体に対し、当該勧告に示された期間内に、勧告に沿った措置を講ずるとともに、その旨を委員会に通知しなければならない（地自250の18Ⅰ）。

また、協議の不調についての審査は、審査結果を通知・公表する（地自250の14Ⅳ）。

ex.　知事が担任する法定受託事務に対し大臣が是正の指示を行った場合において、当該知事は、国地方係争処理委員会に対して審査の申出をすることができ（地自250の13）、審査の結果（地自250の14）に不服があるときは、裁判所に提訴することができる（関与取消訴訟、地自251の5）〈司

*　なお、国地方係争処理委員会は、普通地方公共団体に対する国の関与の適正を確保するための制度であり、国の行政庁の側からかかる審査の申出をすることはできない〈予。

3　調停

委員会は、国の関与に関する申出があった場合において、相当と認めるときは、職権により調停の手続をとることもできる（地自250の19）。

・第3章・【公物法】

■第1節　総説

《概　説》

一　公物の意義

公物とは、国又は公共団体などの行政主体により、直接に公の目的に供用される個々の有体物をいう。

二　公物の特徴と行政財産

1　公物の特徴

⑴　その物が直接に公の用に供されていること

行政主体が所有権や使用権限を有していても、その物が実際に公の用に供されていない物（たとえば国有の未開墾地）は公物ではない。このような物は、普通財産と呼ばれる。

⑵　行政主体が当該物に対する権原を有していること

権原があれば、所有権を有する必要はない。地上権等でもよい。

⑶　公の用に供する主体が行政主体であること

公の用に供されている物であっても、私人が直接提供している物は公物ではない。

⑷　有体物であること

無体物（電波など）や無体財産（ノウハウなど）は、公物には当たらない。

2　行政財産

公物の中で、国有財産・公有財産であって、行政目的に供されているものをいう（国有財産３Ⅱ、地自238Ⅳ）。国・地方公共団体が所有権を有することが必要である。

■第2節　公物の分類

《概　説》

一　公用物と公共用物

公の目的に供されるという場合における、その目的の内容の差異による区分。

①　官公署の建物や国公立学校の建物のように、国又は公共団体の行政目的遂行のために供される公物が公用物

②　道路、河川、公園のように、直接、一般公衆の共同使用に供される公物が公共用物

→もっとも、両者の区別は相対的になりつつあるといわれる

二　自然公物と人工公物

公物としての実体の成立過程の差異による区分。

公物法

→①　河川や海浜のように、自然の状態において、すでに公の用に供することができる実体を備えるものが自然公物

②　道路や公園など、行政主体において、加工されかつ意図的にこれを公の用に供する処分（供用開始行為）によって、はじめて公物となるものが人工公物

三　国有公物・公有公物・私有公物

公物の所有権の帰属主体の差異による区分。

→公物の概念上に、私人が所有権をもっている物でも公物でありうるということを前提とする

四　自有公物と他有公物

公物の管理権の主体とその所有権の帰属主体との関係による区分。

→①　公物の管理権の主体が同時に所有権の主体である場合が自有公物

②　所有権の主体が管理権の主体以外のものである場合が他有公物

■第３節　公物の成立および消滅

《概　説》

一　公物の成立

1　公用物の成立

行政主体において一定の設備を整え、行政主体が事実上その使用を開始することで成立する。公用物は国又は地方公共団体が自分で使うものであるから、特に使用の開始を表示するなどの行為をする必要はない。

→もっとも、他人の土地・物件を公用に供するためには、その土地・物件について正当な権原を取得することが要件

2　公共用物の成立

(1)　自然公物の成立

自然公物には、成立の観念はない。

∵　自然公物は、自然の状態のままで公共の利用に供されうる形態を備え、公物としての性質を有する

(2)　人工公物の成立

(a)　特定物件が一般公衆の利用に供される形態的要素を備えていること及びこれをその目的に供する旨の行政主体の意思的行為が存することが必要である。この意思的行為を公用開始行為という（特定物件を公物として一般公衆の使用に供する旨の意思表示）。

(b)　なお、人工公物が有効に成立するためには当該物について行政主体が権原をもっていなければならない。仮に権原を有していない場合には、公用開始行為それ自体はその土地に何らの効果ももたないことから、所有権に基づく引渡請求に応じなければならない。

もっとも、行政主体が一応適法に権原を取得したものの、登記が欠けていたために第三者が元の所有者から所有権を取得して登記を経た場合でも、一般公衆の用に供される状況が継続していれば、第三取得者は利用制限付き土地を取得したにすぎないとして、利用制限を根拠とした損害賠償請求は認められないとの判例がある（最判昭 44.12.4・百選 62 事件）。

▼　道路供用の開始（最判昭 44.12.4・百選 62 事件）

事案：　本件土地は、もと訴外Ａの所有するものであったが、市道用地として国に贈与された。市長は国の機関として「路線の認定」をし、その後、「供用開始」の公示がなされ、道路としての使用が開始されたが、国への所有権移転登記はなされなかった。その後、売買によりＸへの本件土地の所有権移転登記がなされ、Ｘは、市Ｙが不法に市道として供用しているとして、不法行為に基づく損害賠償を求めた。

判旨：　道路敷地の権原を取得することなくなされた道路供用開始行為は無効であるが、道路敷地の権原を取得してから道路供用開始がなされた場合、後に権原を敷地所有権の取得者に対抗できなくなっても、当該道路の廃止がなされない限り、敷地所有権に課される道路法所定の制限は消滅しない。その後に当該敷地の所有権を取得した右第三者は、上記の制限の加わった状態における土地所有権を取得するにすぎない。

二　公物の消滅

1　公用物の消滅

単にその使用を廃止することで消滅する。公用物は国又は地方公共団体が自分で使うものであるから、特に意思表示や特別の行為をする必要はない。

2　公共用物の消滅

その形態的要素が永久的に変化し、その原状回復が社会通念上もはや不能若しくは著しく困難な場合、又は行政主体の意思的行為、すなわち公用廃止行為がなされた場合には、公物たる性質を失う。

なお、この意思表示につき、明示の意思表示が必要かが問題となる。判例（最判昭 51.12.24・百選 28 事件）は、黙示的な意思表示によっても公用が廃止され得るとする。

■第４節　公物管理権

《概　説》

一　公物管理権の意義、効力

1　意義

行政主体が公物について公物本来の機能である公共用又は公用に供するという目的を達成させるために有する特殊の包括的な権能をいう。

2　効力

⑴　公物の範囲の決定（ex. 河川区域や道路区域の指定）、新設・改良

⑵　公物の修繕・復旧

⑶　障害の予防、除去

公物に対する行為規制（ex. 道路上に土砂を堆積させることの禁止、道43②）、公物隣接地域に対する規制（ex. 沿道区域における道路の損害予防、道44）、他人の土地への立入り・一時使用等

⑷　公物の使用関係の規制（ex. 公物の使用・占有の特許及びこれに伴う使用料・占有料の徴収）

二　公物管理権の法的根拠

1　従来の有力説（公所有権説、私所有権説）

公物管理権について、行政主体が公物に対して有する権原（もっぱら所有権）から生じるということを前提に、その権原の性質について、以下の争いがあった。

⑴　公所有権説

所有権としての排他的支配権のみならず、行政主体に特有の公の目的のために支配するものであり、通常の所有権と異なる効力、規制に服する。公法・私法二元論と整合的である。

⑵　私所有権説

行政主体が公物に対して有する所有権は、自然公物の所有権も含め、通常の所有権と同様の効果があるのが原則である。もっとも、行政目的の性質上、必要な限度で所有権が制限される。

2　近年の有力説

公物管理権とは、権原から発生するものではなく、行政主体が行政目的達成のため有する特殊の包括的な権能であるとする。その根拠として、実定法や条理（公物が本来有する公共性）を挙げる。

三　公物警察

1　意義

一般警察権の発動として、公物の安全を保持し、公物の公共使用の秩序を維持するためにする作用をいう。

2　公物の一般使用が、社会公共の秩序に影響を及ぼす場合においては、その限度において公物も警察権の対象となる。

3　１つの公物について、公物管理権と公物警察権とが競合し、時には衝突することもある。

ex.　道路に対する信号の設置（公物警察）と電柱設置許可（公物管理権）

→このような場合には、双方の作用は、それぞれ独立に効力を有するものとみるべきで、相互にその権限の行使を尊重する必要がある

第５節　公物の使用関係

《概　説》

一　公物の使用関係の分類

1　公物の使用関係

公物の使用によって生ずる国民と公物管理者の間の関係をいう。

→一般に、自由使用・許可使用・特許使用の３種類に分類される

2　自由使用（一般使用）

⑴　意義

一般公衆が許可その他何らかの行為を要せず、自由にこれを使用することができる場合。

⑵　論点

自由使用が第三者によって妨げられたときに、自由使用の権利性を争うことができるか。

→この点、判例（最判昭39.1.16・百選13事件）は、道路の通行の自由権は公法関係から由来するものであるけれども、各自が日常生活上諸般の権利を行使するについて欠くことのできない要具であるから、これに対しては民法上の保護を与うべきは当然の筋合であるとし、ゆえにこの権利を妨害されたときは民法上不法行為の問題の生ずるのは当然であり、この妨害が継続するときは、これが排除を求める権利を有するとしている

▼　道路の自由使用妨害と不法行為の成否（最判昭39.1.16・百選13事件）

事案：　公道を事実上私的使用を続けてきたＸが、道路上に納屋を建築する等の妨害行為をしたＹに対し、通行妨害の排除を求めた。

判旨：　私人が道路上で生活上必須の行動を自由に行いうべき使用の自由権は、公法由来のものではあるが、生活に不可欠のものであるから、民法上の保護をも与えられ、妨害排除請求もなしうる。

3　許可使用

公物の使用が公共の安全と秩序に障害を及ぼすことを防止し、又は多数人の使用関係を調整するために、本来は自由に使用できるものを制限し、特定の場合に、一定の出願に基づき、その制限を解除し、その使用を許容する場合。

ex.　公園・道路を集会のために利用する場合

▼ 皇居外苑の使用許可（最大判昭 28.12.23・百選 63 事件）

事案： Xは、メーデーに使用するため、Y厚生大臣（当時）に対し、同公園の使用許可を申請したが、Yは、不許可処分を行った。そこで、Xは、右不許可処分は、「国民公園管理規則」4条の趣旨を誤解し、かつ、憲法21条及び28条に違反した違法・違憲の処分であるとして、その取消しを求めて出訴した。

判旨： 公共福祉財産の利用の許否は、管理権者の単なる自由裁量に属するものではなく、管理権者は、当該公共福祉用財産の種類に応じ、また、その規模、施設を勘案し、その公共福祉用財産としての使命を十分達成せしめるよう適正にその管理権を行使すべきであり、もしその行使を誤り、国民の利用を妨げた場合には違法となる。

4　特許使用

特定人のために、一般人には許されない特別の使用をする権利を設定する場合。

ex.　道路に電柱を建てる、河川にダムを建設する場合

▼ 公水使用権の性質（最判昭 37.4.10・百選〔第7版〕18 事件） 予

事案： 流域住民Xが古くから流水を使用してきたにもかかわらず、Xの承諾なしに知事YがAに対し流水の使用を許可した点について、X等は慣習法によって成立した水利権を侵害するとして、右行政命令の取消しを求めて訴訟を提起した。

判旨： 公水使用権は、それが慣習によるものであると行政庁の許可によるものであるとを問わず、公共用物たる公水の上に存する権利であることにかんがみ、河川の全水量を独占排他的に利用しうる絶対不可侵の権利ではなく、使用目的を充たすに必要な限度の流水を使用しうるに過ぎないものと解するのを相当とする。

二　公物の目的外使用許可

公共の便宜のために、公物を本来の目的以外の使用に供する場合。

ex.　市役所の庁舎内に売店を設置する場合

→行政庁の許可が、国有財産法に基づく行政財産の使用許可か、公物管理権に基づく許可制かが争われる例がある

▼ 庁舎掲示板使用許可（最判昭 57.10.7）

事案： 全逓労組S支部は、庁舎掲示板を郵政省庁舎管理規程に基づく一括許可により使用してきたが、S郵便局長は、一階掲示板のみ許可するとし、二階食堂掲示板を撤去した。組合は、掲示板の使用貸借契約等あるいは行政財産の許可使用等を根拠に、解約あるいは撤回事由を欠くとして、

原状回復請求等をした。

判旨：　庁舎管理規程６条（「庁舎管理者は、法令等に定めのある場合のほか、庁舎等において……広告物等……の掲示……をさせてはならない。ただし、庁舎等における秩序維持等に支障がないと認める場合に限り、場所を指定してこれを許可することができる」）の許可は、専ら庁舎等における広告物等の掲示等の方法によってする情報、意見等の伝達、表明等の一般的禁止を特定の場合について解除するという意味及び効果を有する処分であって、許可を受けた者に対し、右行為のために当該場所を使用するなんらかの公法上又は私法上の権利を設定、付与する意味ないし効果を帯有するものではなく、行政財産の目的外使用の許可にもあたらない。

▼　公の施設の目的外使用拒否処分における裁量（最判平 18.2.7・百選 70 事件） ⇒ p.56

付　録

行政不服審査法（別表）

＜別表第一（第９条関係）＞

第 11 条２項	第９条第１項の規定により指名された者（以下「審理員」という。）	審査庁
第 13 条第１項及び第２項	審理員	審査庁
第 25 条第７項	執行停止の申立てがあったとき、又は審理員から第 40 条に規定する執行停止をすべき旨の意見書が提出されたとき	執行停止の申立てがあったとき
第 28 条	審理員	審査庁
第 29 条第１項	審理員は、審査庁から指名されたときは、直ちに	審査庁は、審査請求がされたときは、第 24 条の規定により当該審査請求を却下する場合を除き、速やかに
第 29 条第２項	審理員は	審査庁は、審査庁が処分庁等以外である場合にあっては
	提出を求める	提出を求め、審査庁が処分庁等である場合にあっては、相当の期間内に、弁明書を作成する
第 29 条第５項	審理員は	審査庁は、第２項の規定により
	提出があったとき	提出があったとき、又は弁明書を作成したとき
第 30 条第１項及び第２項	審理員	審査庁
第 30 条第３項	審理員	審査庁
	参加人及び処分庁等	参加人及び処分庁等（処分庁等が審査庁である場合にあっては、参加人）
	審査請求人及び処分庁等	審査請求人及び処分庁等（処分庁等が審査庁である場合にあっては、審査請求人）

第31条第1項	審理員	審査庁
第31条第2項	審理員	審査庁
	審理関係人	審理関係人（処分庁等が審査庁である場合にあっては、審査請求人及び参加人。以下この節及び第50条第1項第3号において同じ。）
第31条3項から第5項まで、第32条第3項、第33条から第37条まで、第38条第1項から第3項まで及び第5項、第39条並びに第41条第1項及び第2項	審理員	審査庁
第41条第3項	審理員が	審査庁が
	終結した旨並びに次条第1項に規定する審理員意見書及び事件記録（審査請求書、弁明書その他審査請求に係る事件に関する書類その他の物件のうち政令で定めるものをいう。同条第2項及び第43条第2項において同じ。）を審査庁に提出する予定時期を通知するものとする。当該予定時期を変更したときも、同様とする	終結した旨を通知するものとする
第44条	行政不服審査会等から諮問に対する答申を受けたとき（前条第1項の規定による諮問を要しない場合（同項第2号又は第3号に該当する場合を除く。）にあっては審理員意見書が提出されたとき、同項第2号又は第3号に該当する場合にあっては同項第2号又は第3号に規定する議を経たとき）	審理手続を終結したとき

第50条第1項第4号	理由（第1号の主文が審理員意見書又は行政不服審査会等若しくは審議会等の答申書と異なる内容である場合には、異なることとなった理由を含む。）	理由

<別表第二（第61条関係）>

第9条4項	前項に規定する場合において、審査庁	処分庁
	（第2項各号（第1項各号に掲げる機関の構成員にあっては、第1号を除く。）に掲げる者以外の者に限る。）に、前項において読み替えて適用する	に、第61条において読み替えて準用する
	若しくは第13条第4項	又は第61条において準用する第13条第4項
	聴かせ、前項において読み替えて適用する第34条の規定による参考人の陳述を聴かせ、同項において読み替えて適用する第35条第1項の規定による検証をさせ、前項において読み替えて適用する第36条の規定による第28条に規定する審理関係人に対する質問をさせ、又は同項において読み替えて適用する第37条第1項若しくは第2項の規定による意見の聴取を行わせる	聴かせる
第11条第2項	第9条第1項の規定により指名された者（以下「審理員」という。）	処分庁
第13条第1項	処分又は不作為に係る処分	処分
	審理員	処分庁
第13条第2項	審理員	処分庁
第14条	第19条に規定する審査請求書	第61条において読み替えて準用する第19条に規定する再調査の請求書
	第21条第2項に規定する審査請求録取書	第22条第3項に規定する再調査の請求録取書

第16条	第４条又は他の法律若しくは条例の規定により審査庁となるべき行政庁（以下「審査庁となるべき行政庁」という。）	再調査の請求の対象となるべき処分の権限を有する行政庁
	当該審査庁となるべき行政庁及び関係処分庁（当該審査請求の対象となるべき処分の権限を有する行政庁であって当該審査庁となるべき行政庁以外のものをいう。次条において同じ。）	当該行政庁
第18条第３項	次条に規定する審査請求書	第61条において読み替えて準用する次条に規定する再調査の請求書
	前２項に規定する期間（以下「審査請求期間」という。）	第54条に規定する期間
第19条の見出し及び同条第１項	審査請求書	再調査の請求書
第19条第２項	処分についての審査請求書	再調査の請求書
	処分（当該処分について再調査の請求についての決定を経たときは、当該決定）	処分
第19条第４項	審査請求書	再調査の請求書
	第２項各号又は前項各号	第２項各号
第19条第５項	処分についての審査請求書	再調査の請求書
	審査請求期間	第54条に規定する期間
	前条第１項ただし書又は第２項ただし書	同条第１項ただし書又は第２項ただし書
第20条	前条第２項から第５項まで	第61条において読み替えて準用する前条第２項、第４項及び第５項
第23条（見出しを含む。）	審査請求書	再調査の請求書
第24条第１項	次節に規定する審理手続を経ないで、第45条第１項又は第49条第１項	審理手続を経ないで、第58条第１項

付録

第25条第2項	処分庁の上級行政庁又は処分庁である審査庁	処分庁
第25条第4項	前2項	第2項
第25条第6項	第2項から第4項まで	第2項及び第4項
第25条第7項	執行停止の申立てがあったとき、又は審理員から第40条に規定する執行停止をすべき旨の意見書が提出されたとき	執行停止の申立てがあったとき
第31条第1項	審理員	処分庁
	この条及び第41条第2項第2号	この条
第31条第2項	審理員	処分庁
	全ての審理関係人	再調査の請求人及び参加人
第31条第3項及び第4項	審理員	処分庁
第32条第3項	前2項	第1項
	審理員	処分庁
第39条	審理員	処分庁
第51条第1項	第46条第1項及び第47条	第59条第1項及び第2項
第51条第4項	参加人及び処分庁等（審査庁以外の処分庁等に限る。）	参加人
第53条	第32条第1項又は第2項の規定により提出された証拠書類若しくは証拠物又は書類その他の物件及び第33条の規定による提出要求に応じて提出された書類その他の物件	第61条において準用する第32条第1項の規定により提出された証拠書類又は証拠物

＜別表第三（第 66 条関係）＞

第 9 条第 1 項	第 4 条又は他の法律若しくは条例の規定により審査請求がされた行政庁（第 14 条の規定により引継ぎを受けた行政庁を含む。以下「審査庁」という。）	第 63 条に規定する再審査庁（以下この章において「再審査庁」という。）
	この節	この節及び第 63 条
	処分庁等（審査庁以外の処分庁等に限る。）	裁決庁等（原裁決をした行政庁（以下この章において「裁決庁」という。）又は処分庁をいう。以下この章において同じ。）
	若しくは条例に基づく処分について条例に特別の定めがある場合又は第 24 条	又は第 66 条第 1 項において読み替えて準用する第 24 条
第 9 条第 2 項第 1 号	審査請求に係る処分若しくは	原裁決に係る審査請求に係る処分、
	に関与した者又は審査請求に係る不作為に係る処分に関与し、若しくは関与することとなる者	又は原裁決に関与した者
第 9 条第 4 項	前項に規定する場合において、審査庁	第 1 項各号に掲げる機関である再審査庁（以下「委員会等である再審査庁」という。）
	前項において	第 66 条第 1 項において
	適用する	準用する
	第 13 条第 4 項	第 66 条第 1 項において準用する第 13 条第 4 項
	第 28 条	同項において読み替えて準用する第 28 条
第 11 条第 2 項	第 9 条第 1 項の規定により指名された者（以下「審理員」という。）	第 66 条第 1 項において読み替えて準用する第 9 条第 1 項の規定により指名された者（以下「審理員」という。）又は委員会等である再審査庁
第 13 条第 1 項	処分又は不作為に係る処分の根拠となる法令に照らし当該処分	原裁決等の根拠となる法令に照らし当該原裁決等
	審理員	審理員又は委員会等である再審査庁

第 13 条第 2 項	審理員	審理員又は委員会等である再審査庁
第 14 条	第 19 条に規定する審査請求書	第 66 条第 1 項において読み替えて準用する第 19 条に規定する再審査請求書
	第 21 条第 2 項に規定する審査請求録取書	同項において読み替えて準用する第 21 条第 2 項に規定する再審査請求録取書
第 15 条第 1 項、第 2 項及び第 6 項	審査請求の	原裁決に係る審査請求の
第 16 条	第 4 条又は他の法律若しくは条例	他の法律
	関係処分庁（当該審査請求の対象となるべき処分の権限を有する行政庁であって当該審査庁となるべき行政庁以外のものをいう。次条において同じ。）	当該再審査請求の対象となるべき裁決又は処分の権限を有する行政庁
第 17 条	関係処分庁	当該再審査請求の対象となるべき裁決又は処分の権限を有する行政庁
第 18 条第 3 項	次条に規定する審査請求書	第 66 条第 1 項において読み替えて準用する次条に規定する再審査請求書
	前 2 項に規定する期間（以下「審査請求期間」という。）	第 50 条第 3 項に規定する再審査請求期間（以下この章において「再審査請求期間」という。）
第 19 条の見出し及び同条第 1 項	審査請求書	再審査請求書
第 19 条第 2 項	処分についての審査請求書	再審査請求書
	処分の内容	原裁決等の内容
	審査請求に係る処分（当該処分について再調査の請求についての決定を経たときは、当該決定）	原裁決
	処分庁	裁決庁

付録

第 19 条第４項	審査請求書	再審査請求書
	第２項各号又は前項各号	第２項各号
第 19 条第５項	処分についての審査請求書	再審査請求書
	審査請求期間	再審査請求期間
	前条第１項ただし書又は第２項ただし書	第 62 条第１項ただし書又は第２項ただし書
第 20 条	前条第２項から第５項まで	第 66 条第１項において読み替えて準用する前条第２項、第４項及び第５項
第 21 条の見出し	処分庁等	処分庁又は裁決庁
第 21 条第１項	審査請求をすべき行政庁が処分庁等と異なる場合における審査請求は、処分庁等	再審査請求は、処分庁又は裁決庁
	処分庁等に	処分庁若しくは裁決庁に
	審査請求書	再審査請求書
	第 19 条第２項から第５項まで	第 66 条第１項において読み替えて準用する第 19 条第２項、第４項及び第５項
第 21 条第２項	処分庁等	処分庁又は裁決庁
	審査請求書又は審査請求録取書（前条後段	再審査請求書又は再審査請求録取書（第 66 条第１項において準用する前条後段
	第 29 条第１項及び第 55 条	第 66 条第１項において読み替えて準用する第 29 条第１項
第 21 条第３項	審査請求期間	再審査請求期間
	処分庁に	処分庁若しくは裁決庁に
	審査請求書	再審査請求書
	処分についての審査請求	再審査請求
第 23 条（見出しを含む。）	審査請求書	再審査請求書

第24条第1項	審理手続を経ないで、第45条第1項又は第49条第1項	審理手続（第63条に規定する手続きを含む。）を経ないで、第64条第1項
第25条第1項	処分	原裁決等
第25条第3項	処分庁の上級行政庁又は処分庁のいずれでもない審査庁	再審査庁
	処分庁の意見	裁決庁等の意見
	執行停止をすることができる。ただし、処分の効力、処分の執行又は手続の続行の全部又は一部の停止以外の措置をとることはできない	原裁決等の効力、原裁決等の執行又は手続の続行の全部又は一部の停止（以下「執行停止」という。）をすることができる
第25条第4項	前2項	前項
	処分	原裁決等
第25条第6項	第2項から第4項まで	第3項及び第4項
	処分	原裁決等
第25条第7項	第40条に規定する執行停止をすべき旨の意見書が提出されたとき	第66条第1項において準用する第40条に規定する執行停止をすべき旨の意見書が提出されたとき（再審査庁が委員会等である再審査庁である場合にあっては、執行停止の申立てがあったとき）
第28条	処分庁等	裁決庁等
	審理員	審理員又は委員会等である再審査庁
第29条第1項	審理員は	審理員又は委員会等である再審査庁は、審理員にあっては
	審査請求書又は審査請求録取書の写しを処分庁等に送付しなければならない。ただし、処分庁等が審査庁である場合には、この限りでない	委員会等である再審査庁にあっては、再審査請求がされたときは第66条第1項において読み替えて準用する第24条の規定により当該再審査請求を却下する場合を除き、速やかに、それぞれ、再審査請求書又は再審査請求録取書の写しを裁決庁等に送付しなければならない
第30条の見出し	反論書等	意見書

付録

第 30 条第 2 項	審理員	審理員又は委員会等である再審査庁
第 30 条第 3 項	審理員は、審査請求人から反論書の提出があったときはこれを参加人及び処分庁等に	審理員又は委員会等である再審査庁は
	これを審査請求人及び処分庁等に、それぞれ	、これを再審査請求人及び裁決庁等に
第 31 条第 1 項から第 4 項まで	審理員	審理員又は委員会等である再審査庁
第 31 条第 5 項	審理員	審理員又は委員会等である再審査庁
	処分庁等	裁決庁等
第 32 条第 2 項	処分庁等は、当該処分	裁決庁等は、当該原裁決等
第 32 条第 3 項及び第 33 条から第 37 条まで	審理員	審理員又は委員会等である再審査庁
第 38 条第 1 項	審理員	審理員又は委員会等である再審査庁
	第 29 条第 4 項各号に掲げる書面又は第 32 条第 1 項若しくは第 2 項若しくは	第 66 条第 1 項において準用する第 32 条第 1 項若しくは第 2 項又は
第 38 条第 2 項、第 3 項及び第 5 項、第 39 条並びに第 41 条第 1 項	審理員	審理員又は委員会等である再審査庁
第 41 条第 2 項	審理員	審理員又は委員会等である再審査庁
	イからホまで	ハからホまで

第41条第3項	審理員が	審理員又は委員会等である再審査庁が
	審理手続を終結した旨並びに次条第1項	審理員にあっては審理手続を終結した旨並びに第66条第1項において準用する次条第1項
	審査請求書、弁明書	再審査請求書、原裁決に係る裁決書
	同条第2項及び第43条第2項	第66条第1項において準用する次条第2項
	を通知する	を、委員会等である再審査庁にあっては審理手続を終結した旨を、それぞれ通知する
	当該予定時期	審理員が当該予定時期
第44条	行政不服審査会等から諮問に対する答申を受けたとき（前条第1項の規定による諮問を要しない場合（同項第2号又は第3号に該当する場合を除く。）にあっては審理員意見書が提出されたとき、同項第2号又は第3号に該当する場合にあっては同項第2号又は第3号に規定する議を経たとき）	審理員意見書が提出されたとき（委員会等である再審査庁にあっては、審理手続を終結したとき）
第50条第1項第4号	第1号の主文が審理員意見書又は行政不服審査会等若しくは審議会等の答申書と異なる内容である場合には	再審査庁が委員会等である再審査庁以外の行政庁である場合において、第1号の主文が審理員意見書と異なる内容であるときは
第50条第2項	第43条第1項の規定による行政不服審査会等への諮問を要しない場合	再審査庁が委員会等である再審査庁以外の行政庁である場合
第51条第1項	処分	原裁決等
	第46条第1項及び第47条	第65条
第51条第4項	及び処分庁等（審査庁以外の処分庁等に限る。）	並びに処分庁及び裁決庁（処分庁以外の裁決庁に限る。）

付録

第 52 条第 2 項	申請を	申請若しくは審査請求を
	棄却した処分	棄却した原裁決等
	処分庁	裁決庁等
	申請に対する処分	申請に対する処分又は審査請求に対する裁決
第 52 条第 3 項	処分が	原裁決等が
	処分庁	裁決庁等
第 52 条第 4 項	処分の	原裁決等の
	処分が	原裁決等が
	処分庁	裁決庁等

国家行政組織法

第1条(目的)

この法律は、内閣の統轄の下における行政機関で内閣府以外のもの(以下「国の行政機関」という。)の組織の基準を定め、もつて国の行政事務の能率的な遂行のために必要な国家行政組織を整えることを目的とする。

第2条(組織の構成)

Ⅰ 国家行政組織は、内閣の統轄の下に、内閣府の組織とともに、任務及びこれを達成するため必要となる明確な範囲の所掌事務を有する行政機関の全体によつて、系統的に構成されなければならない。

Ⅱ 国の行政機関は、内閣の統轄の下に、その政策について、自ら評価し、企画及び立案を行い、並びに国の行政機関相互の調整を図るとともに、その相互の連絡を図り、すべて、一体として、行政機能を発揮するようにしなければならない。内閣府との政策についての調整及び連絡についても、同様とする。

第3条(行政機関の設置、廃止、任務及び所掌事務)

Ⅰ 国の行政機関の組織は、この法律でこれを定めるものとする。

Ⅱ 行政組織のため置かれる国の行政機関は、省、委員会及び庁とし、その設置及び廃止は、別に法律の定めるところによる。

Ⅲ 省は、内閣の統轄の下に第5条第1項の規定により各省大臣の分担管理する行政事務及び同条第2項の規定により当該大臣が掌理する行政事務をつかさどる機関として置かれるものとし、委員会及び庁は、省に、その外局として置かれるものとする。

Ⅳ 第2項の国の行政機関として置かれるものは、別表第一にこれを掲げる。

第4条

前条の国の行政機関の任務及びこれを達成するため必要となる所掌事務の範囲は、別に法律でこれを定める。

第5条(行政機関の長)

Ⅰ 各省の長は、それぞれ各省大臣とし、内閣法(昭和22年法律第5号)にいう主任の大臣として、それぞれ行政事務を分担管理する。

Ⅱ 各省大臣は、前項の規定により行政事務を分担管理するほか、それぞれ、その分担管理する行政事務に係る各省の任務に関連する特定の内閣の重要政策について、当該重要政策に関して閣議において決定された基本的な方針に基づいて、行政各部の施策の統一を図るために必要となる企画及び立案並びに総合調整に関する事務を掌理する。

Ⅲ 各省大臣は、国務大臣のうちから、内閣総理大臣が命ずる。ただし、内閣総理大臣が自ら当たることを妨げない。

第６条

委員会の長は、委員長とし、庁の長は、長官とする。

第７条（内部部局）

Ⅰ　省には、その所掌事務を遂行するため、官房及び局を置く。

Ⅱ　前項の官房又は局には、特に必要がある場合においては、部を置くことができる。

Ⅲ　庁には、その所掌事務を遂行するため、官房及び部を置くことができる。

Ⅳ　官房、局及び部の設置及び所掌事務の範囲は、政令でこれを定める。

Ⅴ　庁、官房、局及び部（その所掌事務が主として政策の実施に係るものである庁として別表第二に掲げるもの（以下「実施庁」という。）並びにこれに置かれる官房及び部を除く。）には、課及びこれに準ずる室を置くことができるものとし、これらの設置及び所掌事務の範囲は、政令でこれを定める。

Ⅵ　実施庁並びにこれに置かれる官房及び部には、政令の定める数の範囲内において、課及びこれに準ずる室を置くことができるものとし、これらの設置及び所掌事務の範囲は、省令でこれを定める。

Ⅶ　委員会には、法律の定めるところにより、事務局を置くことができる。第３項から第５項までの規定は、事務局の内部組織について、これを準用する。

Ⅷ　委員会には、特に必要がある場合においては、法律の定めるところにより、事務総局を置くことができる。

第８条（審議会等）

第３条の国の行政機関には、法律の定める所掌事務の範囲内で、法律又は政令の定めるところにより、重要事項に関する調査審議、不服審査その他学識経験を有する者等の合議により処理することが適当な事務をつかさどらせるための合議制の機関を置くことができる。

第８条の２（施設等機関）

第３条の国の行政機関には、法律の定める所掌事務の範囲内で、法律又は政令の定めるところにより、試験研究機関、検査検定機関、文教研修施設（これらに類する機関及び施設を含む。）、医療更生施設、矯正収容施設及び作業施設を置くことができる。

第８条の３（特別の機関）

第３条の国の行政機関には、特に必要がある場合においては、前２条に規定するもののほか、法律の定める所掌事務の範囲内で、法律の定めるところにより、特別の機関を置くことができる。

第９条（地方支分部局）

第３条の国の行政機関には、その所掌事務を分掌させる必要がある場合においては、法律の定めるところにより、地方支分部局を置くことができる。

第10条（行政機関の長の権限）

各省大臣、各委員会の委員長及び各庁の長官は、その機関の事務を統括し、職員の服務について、これを統督する。

第11条

各省大臣は、主任の行政事務について、法律又は政令の制定、改正又は廃止を必要と認めるときは、案をそなえて、内閣総理大臣に提出して、閣議を求めなければならない。

第12条

Ⅰ　各省大臣は、主任の行政事務について、法律若しくは政令を施行するため、又は法律若しくは政令の特別の委任に基づいて、それぞれその機関の命令として省令を発することができる。
Ⅱ　各外局の長は、その機関の所掌事務について、それぞれ主任の各省大臣に対し、案をそなえて、省令を発することを求めることができる。
Ⅲ　省令には、法律の委任がなければ、罰則を設け、又は義務を課し、若しくは国民の権利を制限する規定を設けることができない。

第13条

Ⅰ　各委員会及び各庁の長官は、別に法律の定めるところにより、政令及び省令以外の規則その他の特別の命令を自ら発することができる。
Ⅱ　前条第３項の規定は、前項の命令に、これを準用する。

第14条

Ⅰ　各省大臣、各委員会及び各庁の長官は、その機関の所掌事務について、公示を必要とする場合においては、告示を発することができる。
Ⅱ　各省大臣、各委員会及び各庁の長官は、その機関の所掌事務について、命令又は示達をするため、所管の諸機関及び職員に対し、訓令又は通達を発することができる。

第15条

各省大臣、各委員会及び各庁の長官は、その機関の任務（各省にあっては、各省大臣が主任の大臣として分担管理する行政事務に係るものに限る。）を遂行するため政策について行政機関相互の調整を図る必要があると認めるときは、その必要性を明らかにした上で、関係行政機関の長に対し、必要な資料の提出及び説明を求め、並びに当該関係行政機関の政策に関し意見を述べることができる。

第15条の2

Ⅰ　各省大臣は、第５条第２項に規定する事務の遂行のため必要があると認めるときは、関係行政機関の長に対し、必要な資料の提出及び説明を求めることができる。
Ⅱ　各省大臣は、第５条第２項に規定する事務の遂行のため特に必要があると認めるときは、関係行政機関の長に対し、勧告することができる。
Ⅲ　各省大臣は、前項の規定により関係行政機関の長に対し勧告したときは、当該関係行政機関の長に対し、その勧告に基づいてとった措置について報告を求めることができる。

Ⅳ　各省大臣は、第2項の規定により勧告した事項に関し特に必要があると認めるときは、内閣総理大臣に対し、当該事項について内閣法第6条の規定による措置がとられるよう意見を具申することができる。

第16条（副大臣）

Ⅰ　各省に副大臣を置く。

Ⅱ　副大臣の定数は、それぞれ別表第三の副大臣の定数の欄に定めるところによる。

Ⅲ　副大臣は、その省の長である大臣の命を受け、政策及び企画をつかさどり、政務を処理し、並びにあらかじめその省の長である大臣の命を受けて大臣不在の場合その職務を代行する。

Ⅳ　副大臣が2人置かれた省においては、各副大臣の行う前項の職務の範囲及び職務代行の順序については、その省の長である大臣の定めるところによる。

Ⅴ　副大臣の任免は、その省の長である大臣の申出により内閣が行い、天皇がこれを認証する。

Ⅵ　副大臣は、内閣総辞職の場合においては、内閣総理大臣その他の国務大臣がすべてその地位を失つたときに、これと同時にその地位を失う。

第17条（大臣政務官）

Ⅰ　各省に大臣政務官を置く。

Ⅱ　大臣政務官の定数は、それぞれ別表第三の大臣政務官の定数の欄に定めるところによる。

Ⅲ　大臣政務官は、その省の長である大臣を助け、特定の政策及び企画に参画し、政務を処理する。

Ⅳ　各大臣政務官の行う前項の職務の範囲については、その省の長である大臣の定めるところによる。

Ⅴ　大臣政務官の任免は、その省の長である大臣の申出により、内閣がこれを行う。

Ⅵ　前条第6項の規定は、大臣政務官について、これを準用する。

第17条の2（大臣補佐官）

Ⅰ　各省に、特に必要がある場合においては、大臣補佐官1人を置くことができる。

Ⅱ　大臣補佐官は、その省の長である大臣の命を受け、特定の政策に係るその省の長である大臣の行う企画及び立案並びに政務に関し、その省の長である大臣を補佐する。

Ⅲ　大臣補佐官の任免は、その省の長である大臣の申出により、内閣がこれを行う。

Ⅳ　大臣補佐官は、非常勤とすることができる。

Ⅴ　国家公務員法（昭和22年法律第120号）第96条第1項、第98条第1項、第99条並びに第100条第1項及び第2項の規定は、大臣補佐官の服務について準用する。

Ⅵ　常勤の大臣補佐官は、在任中、その省の長である大臣の許可がある場合を除き、報酬を得て他の職務に従事し、又は営利事業を営み、その他金銭上の利益を目的と

付録

する業務を行つてはならない。

第18条（事務次官及び庁の次長等）

Ⅰ　各省には、事務次官1人を置く。

Ⅱ　事務次官は、その省の長である大臣を助け、省務を整理し、各部局及び機関の事務を監督する。

Ⅲ　各庁には、特に必要がある場合においては、長官を助け、庁務を整理する職として次長を置くことができるものとし、その設置及び定数は、政令でこれを定める。

Ⅳ　各省及び各庁には、特に必要がある場合においては、その所掌事務の一部を総括整理する職を置くことができるものとし、その設置、職務及び定数は、法律（庁にあつては、政令）でこれを定める。

第19条（秘書官）

Ⅰ　各省に秘書官を置く。

Ⅱ　秘書官の定数は、政令でこれを定める。

Ⅲ　秘書官は、それぞれ各省大臣の命を受け、機密に関する事務を掌り、又は臨時命を受け各部局の事務を助ける。

第20条（官房及び局の所掌に属しない事務をつかさどる職等）

Ⅰ　各省には、特に必要がある場合においては、官房及び局の所掌に属しない事務の能率的な遂行のためこれを所掌する職で局長に準ずるものを置くことができるものとし、その設置、職務及び定数は、政令でこれを定める。

Ⅱ　各庁には、特に必要がある場合においては、官房及び部の所掌に属しない事務の能率的な遂行のためこれを所掌する職で部長に準ずるものを置くことができるものとし、その設置、職務及び定数は、政令でこれを定める。

Ⅲ　各省及び各庁（実施庁を除く。）には、特に必要がある場合においては、前2項の職のつかさどる職務の全部又は一部を助ける職で課長に準ずるものを置くことができるものとし、その設置、職務及び定数は、政令でこれを定める。

Ⅳ　実施庁には、特に必要がある場合においては、政令の定める数の範囲内において、第2項の職のつかさどる職務の全部又は一部を助ける職で課長に準ずるものを置くことができるものとし、その設置、職務及び定数は、省令でこれを定める。

第21条（内部部局の職）

Ⅰ　委員会の事務局並びに局、部、課及び課に準ずる室に、それぞれ事務局長並びに局長、部長、課長及び室長を置く。

Ⅱ　官房には、長を置くことができるものとし、その設置及び職務は、政令でこれを定める。

Ⅲ　局、部又は委員会の事務局には、次長を置くことができるものとし、その設置、職務及び定数は、政令でこれを定める。

Ⅳ　官房、局若しくは部（実施庁に置かれる官房及び部を除く。）又は委員会の事務局には、その所掌事務の一部を総括整理する職又は課（課に準ずる室を含む。）の所掌に属しない事務の能率的な遂行のためこれを所掌する職で課長に準ずるものを置くことができるものとし、これらの設置、職務及び定数は、政令でこれを定める。官房又は部を置かない庁（実施庁を除く。）にこれらの職に相当する職を置くときも、同様とする。

Ⅴ　実施庁に置かれる官房又は部には、政令の定める数の範囲内において、その所掌事務の一部を総括整理する職又は課（課に準ずる室を含む。）の所掌に属しない事務の能率的な遂行のためこれを所掌する職で課長に準ずるものを置くことができるものとし、これらの設置、職務及び定数は、省令でこれを定める。官房又は部を置かない実施庁にこれらの職に相当する職を置くときも、同様とする。

第22条　削除

第23条（官房及び局の数）

第７条第１項の規定に基づき置かれる官房及び局の数は、内閣府設置法（平成11年法律第89号）第17条第１項の規定に基づき置かれる官房及び局の数と合わせて、97以内とする。

第24条　削除

第25条（国会への報告等）

Ⅰ　政府は、第７条第４項（同条第７項において準用する場合を含む。）、第８条、第８条の２、第18条第３項若しくは第４項、第20条第１項若しくは第２項又は第21条第２項若しくは第３項の規定により政令で設置される組織その他これらに準ずる主要な組織につき、その新設、改正及び廃止をしたときは、その状況を次の国会に報告しなければならない。

Ⅱ　政府は、少なくとも毎年１回国の行政機関の組織の一覧表を官報で公示するものとする。

別表第一（第三条関係）

省	委員会	庁
総務省	公害等調整委員会	消防庁
法務省	公安審査委員会	出入国在留管理庁 公安調査庁
外務省		
財務省		国税庁
文部科学省		スポーツ庁 文化庁
厚生労働省	中央労働委員会	
農林水産省		林野庁 水産庁
経済産業省		資源エネルギー庁 特許庁 中小企業庁
国土交通省	運輸安全委員会	観光庁 気象庁 海上保安庁
環境省	原子力規制委員会	
防衛省		防衛装備庁

別表第二（第七条関係）

公安調査庁 国税庁 特許庁 気象庁 海上保安庁

別表第三（第十六条、第十七条関係）

省	副大臣の定数	大臣政務官の定数
総務省	二人	三人
法務省	一人	一人
外務省	二人	三人
財務省	二人	二人
文部科学省	二人	二人
厚生労働省	二人	二人
農林水産省	二人	二人
経済産業省	二人	二人
国土交通省	二人	三人
環境省	二人	二人
防衛省	一人	二人

地方自治法（抜粋）

第１条（目的）

　この法律は、地方自治の本旨に基いて、地方公共団体の区分並びに地方公共団体の組織及び運営に関する事項の大綱を定め、併せて国と地方公共団体との間の基本的関係を確立することにより、地方公共団体における民主的にして能率的な行政の確保を図るとともに、地方公共団体の健全な発達を保障することを目的とする。

第１条の２（地方公共団体の役割及び国との関係）

Ⅰ　地方公共団体は、住民の福祉の増進を図ることを基本として、地域における行政を自主的かつ総合的に実施する役割を広く担うものとする。

Ⅱ　国は、前項の規定の趣旨を達成するため、国においては国際社会における国家としての存立にかかわる事務、全国的に統一して定めることが望ましい国民の諸活動若しくは地方自治に関する基本的な準則に関する事務又は全国的な規模で若しくは全国的な視点に立つて行わなければならない施策及び事業の実施その他の国が本来果たすべき役割を重点的に担い、住民に身近な行政はできる限り地方公共団体にゆだねることを基本として、地方公共団体との間で適切に役割を分担するとともに、地方公共団体に関する制度の策定及び施策の実施に当たつて、地方公共団体の自主性及び自立性が十分に発揮されるようにしなければならない。

第１条の３（地方公共団体の種類）

Ⅰ　地方公共団体は、普通地方公共団体及び特別地方公共団体とする。

Ⅱ　普通地方公共団体は、都道府県及び市町村とする。

Ⅲ　特別地方公共団体は、特別区、地方公共団体の組合及び財産区とする。

第２条（地方公共団体の法人格及び事務）

Ⅰ　地方公共団体は、法人とする。

Ⅱ　普通地方公共団体は、地域における事務及びその他の事務で法律又はこれに基づく政令により処理することとされるものを処理する。

Ⅲ　市町村は、基礎的な地方公共団体として、第５項において都道府県が処理するものとされているものを除き、一般的に、前項の事務を処理するものとする。

Ⅳ　市町村は、前項の規定にかかわらず、次項に規定する事務のうち、その規模又は性質において一般の市町村が処理することが適当でないと認められるものについては、当該市町村の規模及び能力に応じて、これを処理することができる。

Ⅴ　都道府県は、市町村を包括する広域の地方公共団体として、第２項の事務で、広域にわたるもの、市町村に関する連絡調整に関するもの及びその規模又は性質において一般の市町村が処理することが適当でないと認められるものを処理するものとする。

Ⅵ　都道府県及び市町村は、その事務を処理するに当つては、相互に競合しないようにしなければならない。

Ⅶ　特別地方公共団体は、この法律の定めるところにより、その事務を処理する。

Ⅷ　この法律において「自治事務」とは、地方公共団体が処理する事務のうち、法定受託事務以外のものをいう。

Ⅸ　この法律において「法定受託事務」とは、次に掲げる事務をいう〈圓。

①　法律又はこれに基づく政令により都道府県、市町村又は特別区が処理することとされる事務のうち、国が本来果たすべき役割に係るものであつて、国においてその適正な処理を特に確保する必要があるものとして法律又はこれに基づく政令に特に定めるもの（以下「第１号法定受託事務」という。）

②　法律又はこれに基づく政令により市町村又は特別区が処理することとされる事務のうち、都道府県が本来果たすべき役割に係るものであつて、都道府県においてその適正な処理を特に確保する必要があるものとして法律又はこれに基づく政令に特に定めるもの（以下「第２号法定受託事務」という。）

Ｘ　この法律又はこれに基づく政令に規定するもののほか、法律に定める法定受託事務は第１号法定受託事務にあつては別表第１の上欄に掲げる法律についてそれぞれ同表の下欄に、第２号法定受託事務にあつては別表第２の上欄に掲げる法律についてそれぞれ同表の下欄に掲げるとおりであり、政令に定める法定受託事務はこの法律に基づく政令に示すとおりである。

ＸⅠ　地方公共団体に関する法令の規定は、地方自治の本旨に基づき、かつ、国と地方公共団体との適切な役割分担を踏まえたものでなければならない。

ＸⅡ　地方公共団体に関する法令の規定は、地方自治の本旨に基づいて、かつ、国と地方公共団体との適切な役割分担を踏まえて、これを解釈し、及び運用するようにしなければならない。この場合において、特別地方公共団体に関する法令の規定は、この法律に定める特別地方公共団体の特性にも照応するように、これを解釈し、及び運用しなければならない。

ＸⅢ　法律又はこれに基づく政令により地方公共団体が処理することとされる事務が自治事務である場合においては、国は、地方公共団体が地域の特性に応じて当該事務を処理することができるよう特に配慮しなければならない。

ＸⅣ　地方公共団体は、その事務を処理するに当つては、住民の福祉の増進に努めるとともに、最少の経費で最大の効果を挙げるようにしなければならない。

ＸⅤ　地方公共団体は、常にその組織及び運営の合理化に努めるとともに、他の地方公共団体に協力を求めてその規模の適正化を図らなければならない。

ＸⅥ　地方公共団体は、法令に違反してその事務を処理してはならない。なお、市町村及び特別区は、当該都道府県の条例に違反してその事務を処理してはならない。

ＸⅦ　前項の規定に違反して行つた地方公共団体の行為は、これを無効とする。

第３条～第７条の２　略

第８条（市及び町の要件、市町村相互間の関係）

Ⅰ　市となるべき普通地方公共団体は、左に掲げる要件を具えていなければならない。

①　人口５万以上を有すること。

②　当該普通地方公共団体の中心の市街地を形成している区域内に在る戸数が、全戸数の６割以上であること。
③　商工業その他の都市的業態に従事する者及びその者と同一世帯に属する者の数が、全人口の６割以上であること。
④　前各号に定めるものの外、当該都道府県の条例で定める都市的施設その他の都市としての要件を具えていること。

Ⅱ　町となるべき普通地方公共団体は、当該都道府県の条例で定める町としての要件を具えていなければならない。

Ⅲ　町村を市とし又は市を町村とする処分は第７条第１項、第２項及び第６項から第８項までの例により、村を町とし又は町を村とする処分は同条第１項及び第６項から第８項までの例により、これを行うものとする。

第８条の２　略

第９条（市町村の境界の争論の調停・裁定・確定の訴）

Ⅰ　市町村の境界に関し争論があるときは、都道府県知事は、関係市町村の申請に基づき、これを第251条の２の規定による調停に付することができる。

Ⅱ　前項の規定によりすべての関係市町村の申請に基いてなされた調停により市町村の境界が確定しないとき、又は市町村の境界に関し争論がある場合においてすべての関係市町村から裁定を求める旨の申請があるときは、都道府県知事は、関係市町村の境界について裁定することができる。

Ⅲ　前項の規定による裁定は、文書を以てこれをし、その理由を附けてこれを関係市町村に交付しなければならない。

Ⅳ　第１項又は第２項の申請については、関係市町村の議会の議決を経なければならない。

Ⅴ　第１項の規定による調停又は第２項の規定による裁定により市町村の境界が確定したときは、都道府県知事は、直ちにその旨を総務大臣に届け出なければならない。

Ⅵ　前項の規定による届出を受理したとき、又は第10項の規定による通知があつたときは、総務大臣は、直ちにその旨を告示するとともに、これを国の関係行政機関の長に通知しなければならない。

Ⅶ　前項の規定による告示があつたときは、関係市町村の境界について第７条第１項又は第３項及び第７項の規定による処分があつたものとみなし、これらの処分の効力は、当該告示により生ずる。

Ⅷ　第２項の規定による都道府県知事の裁定に不服があるときは、関係市町村は、裁定書の交付を受けた日から30日以内に裁判所に出訴することができる。

Ⅸ　市町村の境界に関し争論がある場合において、都道府県知事が第１項の規定による調停又は第２項の規定による裁定に適しないと認めてその旨を通知したときは、関係市町村は、裁判所に市町村の境界の確定の訴を提起することができる。第１項又は第２項の規定による申請をした日から90日以内に、第１項の規定による調停に付されないとき、若しくは同項の規定による調停により市町村の境界が確定しないとき、又は第２項の規定による裁定がないときも、また、同様とする。

Ⅹ　前項の規定による訴訟の判決が確定したときは、当該裁判所は、直ちに判決書の写を添えてその旨を総務大臣及び関係のある都道府県知事に通知しなければならない。

XI　前10項の規定は、政令の定めるところにより、市町村の境界の変更に関し争論がある場合にこれを準用する。

第9条の2（判明でない市町村の境界の決定）

Ⅰ　市町村の境界が判明でない場合において、その境界に関し争論がないときは、都道府県知事は、関係市町村の意見を聴いてこれを決定することができる。

Ⅱ　前項の規定による決定は、文書を以てこれをし、その理由を附けてこれを関係市町村に交付しなければならない。

Ⅲ　第1項の意見については、関係市町村の議会の議決を経なければならない。

Ⅳ　第1項の規定による都道府県知事の決定に不服があるときは、関係市町村は、決定書の交付を受けた日から30日以内に裁判所に出訴することができる。

Ⅴ　第1項の規定による決定が確定したときは、都道府県知事は、直ちにその旨を総務大臣に届け出なければならない。

Ⅵ　前条第6項及び第7項の規定は、前項の規定による届出があつた市町村の境界の決定にこれを準用する。

第9条の3～第9条の5　略

第10条（住民の意義及び権利義務）

Ⅰ　市町村の区域内に住所を有する者は、当該市町村及びこれを包括する都道府県の住民とする。

Ⅱ　住民は、法律の定めるところにより、その属する普通地方公共団体の役務の提供をひとしく受ける権利を有し、その負担を分任する義務を負う。

第11条（住民の選挙権）

日本国民たる普通地方公共団体の住民は、この法律の定めるところにより、その属する普通地方公共団体の選挙に参与する権利を有する。

第12条（条例の制定改廃請求権及び事務の監査請求権）

Ⅰ　日本国民たる普通地方公共団体の住民は、この法律の定めるところにより、その属する普通地方公共団体の条例（地方税の賦課徴収並びに分担金、使用料及び手数料の徴収に関するものを除く。）の制定又は改廃を請求する権利を有する。

Ⅱ　日本国民たる普通地方公共団体の住民は、この法律の定めるところにより、その属する普通地方公共団体の事務の監査を請求する権利を有する。

第13条（議会の解散請求権及び主要公職の解職請求権）

Ⅰ　日本国民たる普通地方公共団体の住民は、この法律の定めるところにより、その属する普通地方公共団体の議会の解散を請求する権利を有する。

Ⅱ　日本国民たる普通地方公共団体の住民は、この法律の定めるところにより、その属する普通地方公共団体の議会の議員、長、副知事若しくは副市町村長、第252条の19第1項に規定する指定都市の総合区長、選挙管理委員若しくは監査委員又は公安委員会の委員の解職を請求する権利を有する。

Ⅲ　日本国民たる普通地方公共団体の住民は、法律の定めるところにより、その属する普通地方公共団体の教育委員会の教育長又は委員の解職を請求する権利を有する。

第13条の2　略

第14条（条例）

Ⅰ　普通地方公共団体は、法令に違反しない限りにおいて第2条第2項の事務に関し、条例を制定することができる。

Ⅱ　普通地方公共団体は、義務を課し、又は権利を制限するには、法令に特別の定めがある場合を除くほか、条例によらなければならない。

Ⅲ　普通地方公共団体は、法令に特別の定めがあるものを除くほか、その条例中に、条例に違反した者に対し、2年以下の懲役若しくは禁錮、100万円以下の罰金、拘留、科料若しくは没収の刑又は5万円以下の過料を科する旨の規定を設けることができる。

第15条（規則）

Ⅰ　普通地方公共団体の長は、法令に違反しない限りにおいて、その権限に属する事務に関し、規則を制定することができる。

Ⅱ　普通地方公共団体の長は、法令に特別の定めがあるものを除くほか、普通地方公共団体の規則中に、規則に違反した者に対し、5万円以下の過料を科する旨の規定を設けることができる。

第16条（条例及び規則の公告式）

Ⅰ　普通地方公共団体の議会の議長は、条例の制定又は改廃の議決があつたときは、その日から3日以内にこれを当該普通地方公共団体の長に送付しなければならない。

Ⅱ　普通地方公共団体の長は、前項の規定により条例の送付を受けた場合は、その日から20日以内にこれを公布しなければならない。ただし、再議その他の措置を講じた場合は、この限りでない。

Ⅲ～Ⅴ　略

第17条（普通地方公共団体の議会の議員及び長の選挙）

普通地方公共団体の議会の議員及び長は、別に法律の定めるところにより、選挙人が投票によりこれを選挙する。

第18条（選挙権）

日本国民たる年齢満18年以上の者で引き続き3箇月以上市町村の区域内に住所を有するものは、別に法律の定めるところにより、その属する普通地方公共団体の議会の議員及び長の選挙権を有する。

第19条（被選挙権）

Ⅰ　普通地方公共団体の議会の議員の選挙権を有する者で年齢満25年以上のものは、別に法律の定めるところにより、普通地方公共団体の議会の議員の被選挙権を有する。

Ⅱ　日本国民で年齢満30年以上のものは、別に法律の定めるところにより、都道府県知事の被選挙権を有する。

Ⅲ　日本国民で年齢満25年以上のものは、別に法律の定めるところにより、市町村長の被選挙権を有する。

第20条～第73条　削除

第74条（条例の制定又は改廃の請求とその処置）

Ⅰ　普通地方公共団体の議会の議員及び長の選挙権を有する者（以下本編において「選挙権を有する者」という。）は、政令の定めるところにより、その総数の50分の1以上の者の連署をもつて、その代表者から、普通地方公共団体の長に対し、条例（地方税の賦課徴収並びに分担金、使用料及び手数料の徴収に関するものを除く。）の制定又は改廃の請求をすることができる。

Ⅱ　前項の請求があつたときは、当該普通地方公共団体の長は、直ちに請求の要旨を公表しなければならない。

Ⅲ　普通地方公共団体の長は、第1項の請求を受理した日から20日以内に議会を招集し、意見を付けてこれを議会に付議し、その結果を同項の代表者（以下この条において「代表者」という。）に通知するとともに、これを公表しなければならない。

Ⅳ　議会は、前項の規定により付議された事件の審議を行うに当たつては、政令の定めるところにより、代表者に意見を述べる機会を与えなければならない。

Ⅴ　第1項の選挙権を有する者とは、公職選挙法（昭和25年法律第100号）第22条第1項又は第3項の規定による選挙人名簿の登録が行われた日において選挙人名簿に登録されている者とし、その総数の50分の1の数は、当該普通地方公共団体の選挙管理委員会において、その登録が行われた日後直ちに告示しなければならない。

Ⅵ　選挙権を有する者のうち次に掲げるものは、代表者となり、又は代表者であることができない。

① 公職選挙法第27条第1項又は第2項の規定により選挙人名簿にこれらの項の表示をされている者（都道府県に係る請求にあつては、同法第9条第3項の規定により当該都道府県の議会の議員及び長の選挙権を有するものとされた者（同法第11条第1項若しくは第252条又は政治資金規正法（昭和23年法律第194号）第28条の規定により選挙権を有しなくなつた旨の表示をされている者を除く。）を除く。）

② 前項の選挙人名簿の登録が行われた日以後に公職選挙法第28条の規定により選挙人名簿から抹消された者

③ 第1項の請求に係る普通地方公共団体（当該普通地方公共団体が、都道府県である場合には当該都道府県の区域内の市町村並びに第252条の19第1項に規定する指定都市（以下この号において「指定都市」という。）の区及び総合区を

含み、指定都市である場合には当該市の区及び総合区を含む。）の選挙管理委員会の委員又は職員である者

Ⅶ　第1項の場合において、当該地方公共団体の区域内で衆議院議員、参議院議員又は地方公共団体の議会の議員若しくは長の選挙が行なわれることとなるときは、政令で定める期間、当該選挙が行なわれる区域内においては請求のための署名を求めることができない。

Ⅷ　選挙権を有する者は、心身の故障その他の事由により条例の制定又は改廃の請求者の署名簿に署名することができないときは、その者の属する市町村の選挙権を有する者（代表者及び代表者の委任を受けて当該市町村の選挙権を有する者に対し当該署名簿に署名することを求める者を除く。）に委任して、自己の氏名（以下「請求者の氏名」という。）を当該署名簿に記載させることができる。この場合において、委任を受けた者による当該請求者の氏名の記載は、第1項の規定による請求者の署名とみなす。

Ⅸ　前項の規定により委任を受けた者（以下「氏名代筆者」という。）が請求者の氏名を条例の制定又は改廃の請求者の署名簿に記載する場合においては、氏名代筆者は、当該署名簿に氏名代筆者としての署名をしなければならない。

第74条の2～第74条の4　略

第75条（監査の請求とその処置）

Ⅰ　選挙権を有する者（道の方面公安委員会については、当該方面公安委員会の管理する方面本部の管轄区域内において選挙権を有する者）は、政令で定めるところにより、その総数の50分の1以上の者の連署をもつて、その代表者から、普通地方公共団体の監査委員に対し、当該普通地方公共団体の事務の執行に関し、監査の請求をすることができる。

Ⅱ　前項の請求があつたときは、監査委員は、直ちに当該請求の要旨を公表しなければならない。

Ⅲ　監査委員は、第1項の請求に係る事項につき監査し、監査の結果に関する報告を決定し、これを同項の代表者（第5項及び第6項において「代表者」という。）に送付し、かつ、公表するとともに、これを当該普通地方公共団体の議会及び長並びに関係のある教育委員会、選挙管理委員会、人事委員会若しくは公平委員会、公安委員会、労働委員会、農業委員会その他法律に基づく委員会又は委員に提出しなければならない。

Ⅳ　前項の規定による監査の結果に関する報告の決定は、監査委員の合議によるものとする。

Ⅴ　監査委員は、第3項の規定による監査の結果に関する報告の決定について、各監査委員の意見が一致しないことにより、前項の合議により決定することができない事項がある場合には、その旨及び当該事項についての各監査委員の意見を代表者に送付し、かつ、公表するとともに、これらを当該普通地方公共団体の議会及び長並びに関係のある教育委員会、選挙管理委員会、人事委員会若しくは公平委員会、公安委員会、労働委員会、農業委員会その他法律に基づく委員会又は委員に提出しなければならない。

Ⅵ　第74条第5項の規定は第1項の選挙権を有する者及びその総数の50分の1の数について、同条第6項の規定は代表者について、同条第7項から第9項まで及び第74条の2から前条までの規定は第1項の規定による請求者の署名について、それぞれ準用する。この場合において、第74条第6項第3号中「区域内」とあるのは、「区域内（道の方面公安委員会に係る請求については、当該方面公安委員会の管理する方面本部の管轄区域内）」と読み替えるものとする。

第76条（議会の解散の請求とその処置）

Ⅰ　選挙権を有する者は、政令の定めるところにより、その総数の3分の1（その総数が40万を超え80万以下の場合にあつてはその40万を超える数に6分の1を乗じて得た数と40万に3分の1を乗じて得た数とを合算して得た数、その総数が80万を超える場合にあつてはその80万を超える数に8分の1を乗じて得た数と40万に6分の1を乗じて得た数と40万に3分の1を乗じて得た数とを合算して得た数）以上の者の連署をもつて、その代表者から、普通地方公共団体の選挙管理委員会に対し、当該普通地方公共団体の議会の解散の請求をすることができる。

Ⅱ　前項の請求があつたときは、委員会は、直ちに請求の要旨を公表しなければならない。

Ⅲ　第1項の請求があつたとき、委員会は、これを選挙人の投票に付さなければならない。

Ⅳ　第74条第5項の規定は第1項の選挙権を有する者及びその総数の3分の1の数（その総数が40万を超え80万以下の場合にあつてはその40万を超える数に6分の1を乗じて得た数と40万に3分の1を乗じて得た数とを合算して得た数、その総数が80万を超える場合にあつてはその80万を超える数に8分の1を乗じて得た数と40万に6分の1を乗じて得た数と40万に3分の1を乗じて得た数とを合算して得た数）について、同条第6項の規定は第1項の代表者について、同条第7項から第9項まで及び第74条の2から第74条の4までの規定は第1項の規定による請求者の署名について準用する。

第77条　略

第78条（請求に基づく議会の解散）

普通地方公共団体の議会は、第76条第3項の規定による解散の投票において過半数の同意があつたときは、解散するものとする。

第79条（解散請求期間の制限）

第76条第1項の規定による普通地方公共団体の議会の解散の請求は、その議会の議員の一般選挙のあつた日から1年間及び同条第3項の規定による解散の投票のあつた日から1年間は、これをすることができない。

第80条（議員の解職の請求とその処置）

Ⅰ　選挙権を有する者は、政令の定めるところにより、所属の選挙区におけるその総数の3分の1（その総数が40万を超え80万以下の場合にあつてはその40万を超える数に6分の1を乗じて得た数と40万に3分の1を乗じて得た数とを合算して得た数、その総数が80万を超える場合にあつてはその80万を超える数に8分の1を乗じて得た数と40万に6分の1を乗じて得た数と40万に3分の1を乗じて得た数とを合算して得た数）以上の者の連署をもつて、その代表者から、普通地方公共団体の選挙管理委員会に対し、当該選挙区に属する普通地方公共団体の議会の議員の解職の請求をすることができる。この場合において選挙区がないときは、選挙権を有する者の総数の3分の1（その総数が40万を超え80万以下の場合にあつてはその40万を超える数に6分の1を乗じて得た数と40万に3分の1を乗じて得た数とを合算して得た数、その総数が80万を超える場合にあつてはその80万を超える数に8分の1を乗じて得た数と40万に6分の1を乗じて得た数と40万に3分の1を乗じて得た数とを合算して得た数）以上の者の連署をもつて、議員の解職の請求をすることができる。

Ⅱ　前項の請求があつたときは、委員会は、直ちに請求の要旨を関係区域内に公表しなければならない。

Ⅲ　第1項の請求があつたときは、委員会は、これを当該選挙区の選挙人の投票に付さなければならない。この場合において選挙区がないときは、すべての選挙人の投票に付さなければならない。

Ⅳ　第74条第5項の規定は第1項の選挙権を有する者及びその総数3分の1の数（その総数が40万を超え80万以下の場合にあつてはその40万を超える数に6分の1を乗じて得た数と40万に3分の1を乗じて得た数とを合算して得た数、その総数が80万を超える場合にあつてはその80万を超える数に8分の1を乗じて得た数と40万に6分の1を乗じて得た数と40万に3分の1を乗じて得た数とを合算して得た数）について、同条第6項の規定は第1項の代表者について、同条第7項から第9項まで及び第74条の2から第74条の4までの規定は第1項の規定による請求者の署名について準用する。この場合において、第74条第6項第3号中「都道府県の区域内の」とあり、及び「市の」とあるのは、「選挙区の区域の全部又は一部が含まれる」と読み替えるものとする。

第81条（長の解職の請求とその処置）

Ⅰ　選挙権を有する者は、政令の定めるところにより、その総数の3分の1（その総数が40万を超え80万以下の場合にあつてはその40万を超える数に6分の1を乗じて得た数と40万に3分の1を乗じて得た数とを合算して得た数、その総数が80万を超える場合にあつてはその80万を超える数に8分の1を乗じて得た数と40万に6分の1を乗じて得た数と40万に3分の1を乗じて得た数とを合算して得た数）以上の者の連署をもつて、その代表者から、普通地方公共団体の選挙管理委員会に対し、当該普通地方公共団体の長の解職の請求をすることができる。

Ⅱ　第74条第5項の規定は前項の選挙権を有する者及びその総数の3分の1の数（その総数が40万を超え80万以下の場合にあつてはその40万を超える数に6分の1を乗じて得た数と40万に3分の1を乗じて得た数とを合算して得た数、その総数が80万を超える場合にあつてはその80万を超える数に8分の1を乗じて得た数と40万に6分の1を乗じて得た数と40万に3分の1を乗じて得た数とを合算して得た数）について、同条第６項の規定は前項の代表者について、同条第７項から第９項まで及び第74条の２から第74条の４までの規定は前項の規定による請求者の署名について、第76条第２項及び第３項の規定は前項の請求について準用する。

第82条（議員又は長の解職の投票の結果とその処置）

Ⅰ　第80条第３項の規定による解職の投票の結果が判明したときは、普通地方公共団体の選挙管理委員会は、直ちにこれを同条第１項の代表者並びに当該普通地方公共団体の議会の関係議員及び議長に通知し、かつ、これを公表するとともに、都道府県にあつては都道府県知事に、市町村にあつては市町村長に報告しなければならない。その投票の結果が確定したときも、また、同様とする。

Ⅱ　前条第２項の規定による解職の投票の結果が判明したときは、委員会は、直ちにこれを同条第１項の代表者並びに当該普通地方公共団体の長及び議会の議長に通知し、かつ、これを公表しなければならない。その投票の結果が確定したときも、また、同様とする。

第83条（請求に基づく議員又は長の失職）

普通地方公共団体の議会の議員又は長は、第80条第３項又は第81条第２項の規定による解職の投票において、過半数の同意があつたときは、その職を失う。

第84条（議員又は長の解職請求期間の制限）

第80条第１項又は第81条第１項の規定による普通地方公共団体の議会の議員又は長の解職の請求は、その就職の日から１年間及び第80条第３項又は第81条第２項の規定による解職の投票の日から１年間は、これをすることができない。ただし、公職選挙法第100条第６項の規定により当選人と定められ普通地方公共団体の議会の議員又は長となつた者に対する解職の請求は、その就職の日から１年以内においても、これをすることができる。

第85条（解散及び解職投票の手続）

Ⅰ　政令で特別の定をするものを除く外、公職選挙法中普通地方公共団体の選挙に関する規定は、第７６条第３項の規定による解散の投票並びに第８０条第３項及び第８１条第２項の規定による解職の投票にこれを準用する。

Ⅱ　前項の投票は、政令の定めるところにより、普通地方公共団体の選挙と同時にこれを行うことができる。

第86条（長以外の主要公職の解職請求とその処置）

Ⅰ　選挙権を有する者（第252条の19第１項に規定する指定都市（以下この項において「指定都市」という。）の総合区長については当該総合区の区域内において選挙権を有する者、指定都市の区又は総合区の選挙管理委員については当該区又は総合区の区域内において選挙権を有する者、道の方面公安委員会の委員については当該方面公安委員会の管理する方面本部の管轄区域内において選挙権を有する者）は、政令の定めるところにより、その総数の３分の１（その総数が40万を超え80万以下の場合にあつてはその40万を超える数に６分の１を乗じて得た数と

40万に3分の1を乗じて得た数とを合算して得た数、その総数が80万を超える場合にあつてはその80万を超える数に8分の1を乗じて得た数と40万に6分の1を乗じて得た数と40万に3分の1を乗じて得た数とを合算して得た数）以上の者の連署をもつて、その代表者から、普通地方公共団体の長に対し、副知事若しくは副市町村長、指定都市の総合区長、選挙管理委員若しくは監査委員又は公安委員会の委員の解職の請求をすることができる。

Ⅱ　前項の請求があつたときは、当該普通地方公共団体の長は、直ちに請求の要旨を公表しなければならない。

Ⅲ　第1項の請求があつたときは、当該普通地方公共団体の長は、これを議会に付議し、その結果を同項の代表者及び関係者に通知し、かつ、これを公表しなければならない。

Ⅳ　第74条第5項の規定は第1項の選挙権を有する者及びその総数の3分の1の数（その総数が40万を超え80万以下の場合にあつてはその40万を超える数に6分の1を乗じて得た数と40万に3分の1を乗じて得た数とを合算して得た数、その総数が80万を超える場合にあつてはその80万を超える数に8分の1を乗じて得た数と40万に6分の1を乗じて得た数と40万に3分の1を乗じて得た数とを合算して得た数）について、同条第6項の規定は第1項の代表者について、同条第7項から第9項まで及び第74条の2から第74条の4までの規定は第1項の規定による請求者の署名について準用する。この場合において、第74条第6項第3号中「区域内」とあるのは「区域内（道の方面公安委員会の委員に係る請求については、当該方面公安委員会の管理する方面本部の管轄区域内）」と、「市の区及び総合区」とあるのは「市の区及び総合区（総合区長に係る請求については当該総合区、区又は総合区の選挙管理委員に係る請求については当該区又は総合区に限る。）」と読み替えるものとする。

第87条（請求に基づく主要公職の失職）

Ⅰ　前条第1項に掲げる職に在る者は、同条第3項の場合において、当該普通地方公共団体の議会の議員の3分の2以上の者が出席し、その4分の3以上の者の同意があつたときは、その職を失う。

Ⅱ　第118条第5項の規定は、前条第3項の規定による議決についてこれを準用する。

第88条（主要公職の解職請求期間の制限）

Ⅰ　第86条第1項の規定による副知事若しくは副市町村長又は第252条の19第1項に規定する指定都市の総合区長の解職の請求は、その就職の日から1年間及び第86条第3項の規定による議会の議決の日から1年間は、これをすることができない。

Ⅱ　第86条第1項の規定による選挙管理委員若しくは監査委員又は公安委員会の委員の解職の請求は、その就職の日から6箇月間及び同条第3項の規定による議会の議決の日から6箇月間は、これをすることができない。

第89条（議会の設置）

Ⅰ　普通地方公共団体に、その議事機関として、当該普通地方公共団体の住民が選挙した議員をもつて組織される議会を置く。

Ⅱ　普通地方公共団体の議会は、この法律の定めるところにより当該普通地方公共団体の重要な意思決定に関する事件を議決し、並びにこの法律に定める検査及び調査その他の権限を行使する。

Ⅲ　前項に規定する議会の権限の適切な行使に資するため、普通地方公共団体の議会の議員は、住民の負託を受け、誠実にその職務を行わなければならない。

第90条（都道府県議会の議員の定数）

Ⅰ　都道府県の議会の議員の定数は、条例で定める。

Ⅱ～Ⅶ　略

第91条　略

第92条（兼職の禁止）

Ⅰ　普通地方公共団体の議会の議員は、衆議院議員又は参議院議員と兼ねることができない。

Ⅱ　普通地方公共団体の議会の議員は、地方公共団体の議会の議員並びに常勤の職員及び地方公務員法（昭和25年法律第261号）第28条の5第1項に規定する短時間勤務の職を占める職員（以下「短時間勤務職員」という。）と兼ねることができない。

第92条の2（兼業の禁止）

普通地方公共団体の議会の議員は、当該普通地方公共団体に対し請負をする者及びその支配人又は主として同一の行為をする法人の無限責任社員、取締役、執行役若しくは監査役若しくはこれらに準ずべき者、支配人及び清算人たることができない。

第93条（任期）

Ⅰ　普通地方公共団体の議会の議員の任期は、4年とする。

Ⅱ　前項の任期の起算、補欠議員の在任期間及び議員の定数に異動を生じたためあらたに選挙された議員の在任期間については、公職選挙法第258条及び第260条の定めるところによる。

第94条（町村総会）

町村は、条例で、第89条第1項の規定にかかわらず、議会を置かず、選挙権を有する者の総会を設けることができる。

第95条　略

第96条（議決事件）

Ⅰ　普通地方公共団体の議会は、次に掲げる事件を議決しなければならない。

①　条例を設け又は改廃すること。

②　予算を定めること。

③　決算を認定すること。

④　法律又はこれに基づく政令に規定するものを除くほか、地方税の賦課徴収又は分担金、使用料、加入金若しくは手数料の徴収に関すること。
⑤　その種類及び金額について政令で定める基準に従い条例で定める契約を締結すること。
⑥　条例で定める場合を除くほか、財産を交換し、出資の目的とし、若しくは支払手段として使用し、又は適正な対価なくしてこれを譲渡し、若しくは貸し付けること。
⑦　不動産を信託すること。
⑧　前2号に定めるものを除くほか、その種類及び金額について政令で定める基準に従い条例で定める財産の取得又は処分をすること。
⑨　負担付きの寄附又は贈与を受けること。
⑩　法律若しくはこれに基づく政令又は条例に特別の定めがある場合を除くほか、権利を放棄すること。
⑪　条例で定める重要な公の施設につき条例で定める長期かつ独占的な利用をさせること。
⑫　普通地方公共団体がその当事者である審査請求その他の不服申立て、訴えの提起（普通地方公共団体の行政庁の処分又は裁決（行政事件訴訟法第3条第2項に規定する処分又は同条第3項に規定する裁決をいう。以下この号、第105条の2、第192条及び第199条の3第3項において同じ。）に係る同法第11条第1項（同法第38条第1項（同法第43条第2項において準用する場合を含む。）又は同法第43条第1項において準用する場合を含む。）の規定による普通地方公共団体を被告とする訴訟（以下この号、第105条の2、第192条及び第199条の3第3項において「普通地方公共団体を被告とする訴訟」という。）に係るものを除く。）、和解（普通地方公共団体の行政庁の処分又は裁決に係る普通地方公共団体を被告とする訴訟に係るものを除く。）、あつせん、調停及び仲裁に関すること。
⑬　法律上その義務に属する損害賠償の額を定めること。
⑭　普通地方公共団体の区域内の公共的団体等の活動の総合調整に関すること。
⑮　その他法律又はこれに基づく政令（これらに基づく条例を含む。）により議会の権限に属する事項。

Ⅱ　前項に定めるものを除くほか、普通地方公共団体は、条例で普通地方公共団体に関する事件（法定受託事務に係るものにあつては、国の安全に関することその他の事由により議会の議決すべきものとすることが適当でないものとして政令で定めるものを除く。）につき議会の議決すべきものを定めることができる。

第97条　略

第98条（検閲・検査及び監査の請求）

Ⅰ　普通地方公共団体の議会は、当該普通地方公共団体の事務（自治事務にあつては労働委員会及び収用委員会の権限に属する事務で政令で定めるものを除き、法定受託事務にあつては国の安全を害するおそれがあることその他の事由により議会の検査の対象とすることが適当でないものとして政令で定めるものを除く。）に関する書類及び計算書を検閲し、当該普通地方公共団体の長、教育委員会、選挙管理委員会、人事委員会若しくは公平委員会、公安委員会、労働委員会、農業委員会又は監査委員その他法律に基づく委員会又は委員の報告を請求して、当該事務の管理、議決の執行及び出納を検査することができる。

Ⅱ　議会は、監査委員に対し、当該普通地方公共団体の事務（自治事務にあつては労働委員会及び収用委員会の権限に属する事務で政令で定めるものを除き、法定受託事務にあつては国の安全を害するおそれがあることその他の事由により本項の監査の対象とすることが適当でないものとして政令で定めるものを除く。）に関する監査を求め、監査の結果に関する報告を請求することができる。この場合における監査の実施については、第199条第2項後段の規定を準用する。

第99条（意見書の提出）

普通地方公共団体の議会は、当該普通地方公共団体の公益に関する事件につき意見書を国会又は関係行政庁に提出することができる。

第100条（調査・出頭証言及び記録の提出請求等）

Ⅰ　普通地方公共団体の議会は、当該普通地方公共団体の事務（自治事務にあつては労働委員会及び収用委員会の権限に属する事務で政令で定めるものを除き、法定受託事務にあつては国の安全を害するおそれがあることその他の事由により議会の調査の対象とすることが適当でないものとして政令で定めるものを除く。次項において同じ。）に関する調査を行うことができる。この場合において、当該調査を行うため特に必要があると認めるときは、選挙人その他の関係人の出頭及び証言並びに記録の提出を請求することができる。

Ⅱ　略

Ⅲ　略

Ⅳ　議会は、選挙人その他の関係人が公務員たる地位において知り得た事実については、その者から職務上の秘密に属するものである旨の申立を受けたときは、当該官公署の承認がなければ、当該事実に関する証言又は記録の提出を請求することができない。この場合において当該官公署が承認を拒むときは、その理由を疏明しなければならない。

Ⅴ　議会が前項の規定による疏明を理由がないと認めるときは、当該官公署に対し、当該証言又は記録の提出が公の利益を害する旨の声明を要求することができる。

Ⅵ　当該官公署が前項の規定による要求を受けた日から20日以内に声明をしないときは、選挙人その他の関係人は、証言又は記録の提出をしなければならない。

Ⅶ　略

Ⅷ　略

Ⅸ　議会は、選挙人その他の関係人が、第3項又は第7項の罪を犯したものと認めるときは、告発しなければならない。但し、虚偽の陳述をした選挙人その他の関係人が、議会の調査が終了した旨の議決がある前に自白したときは、告発しないことができる。

Ⅹ　議会が第1項の規定による調査を行うため当該普通地方公共団体の区域内の団体等に対し照会をし又は記録の送付を求めたときは、当該団体等は、その求めに応じなければならない。

XⅠ　議会は、第1項の規定による調査を行う場合においては、予め、予算の定額の範囲内において、当該調査のため要する経費の額を定めて置かなければならない。その額を超えて経費の支出を必要とするときは、更に議決を経なければならない。

XⅡ　議会は、会議規則の定めるところにより、議案の審査又は議会の運営に関し協議又は調整を行うための場を設けることができる。

XⅢ　議会は、議案の審査又は当該普通地方公共団体の事務に関する調査のためその他議会において必要があると認めるときは、会議規則の定めるところにより、議員を派遣することができる。

XⅣ　普通地方公共団体は、条例の定めるところにより、その議会の議員の調査研究その他の活動に資するため必要な経費の一部として、その議会における会派又は議員に対し、政務活動費を交付することができる。この場合において、当該政務活動費の交付の対象、額及び交付の方法並びに当該政務活動費を充てることができる経費の範囲は、条例で定めなければならない。

XⅤ　前項の政務活動費の交付を受けた会派又は議員は、条例の定めるところにより、当該政務活動費に係る収入及び支出の状況を書面又は電磁的記録（電子的方式、磁気的方式その他人の知覚によつては認識することができない方式で作られる記録であつて、電子計算機による情報処理の用に供されるものをいう。以下同じ。）をもつて議長に報告するものとする。

XⅥ　議長は、第14項の政務活動費については、その使途の透明性の確保に努めるものとする。

XⅦ　政府は、都道府県の議会に官報及び政府の刊行物を、市町村の議会に官報及び市町村に特に関係があると認める政府の刊行物を送付しなければならない。

XⅧ　都道府県は、当該都道府県の区域内の市町村の議会及び他の都道府県の議会に、公報及び適当と認める刊行物を送付しなければならない。

XⅨ　議会は、議員の調査研究に資するため、図書室を附置し前2項の規定により送付を受けた官報、公報及び刊行物を保管して置かなければならない。

XX　前項の図書室は、一般にこれを利用させることができる。

第100条の2～第118条　略

第119条（会期不継続の原則）

会期中に議決に至らなかつた事件は、後会に継続しない。

第120条（会議規則）

普通地方公共団体の議会は、会議規則を設けなければならない。

第121条（長その他の出席義務）

Ⅰ　普通地方公共団体の長、教育委員会の教育長、選挙管理委員会の委員長、人事委員会の委員長又は公平委員会の委員長、公安委員会の委員長、労働委員会の委員、農業委員会の会長及び監査委員その他法律に基づく委員会の代表者又は委員並びにその委任又は嘱託を受けた者は、議会の審議に必要な説明のため議長から出席を求められたときは、議場に出席しなければならない。ただし、出席すべき日時に議場に出席できないことについて正当な理由がある場合において、その旨を議長に届け出たときは、この限りでない。

Ⅱ　第102条の２第１項の議会の議長は、前項本文の規定により議場への出席を求めるに当たつては、普通地方公共団体の執行機関の事務に支障を及ぼすことのないよう配慮しなければならない。

第122条（長の説明書提出義務）

普通地方公共団体の長は、議会に、第211条第２項に規定する予算に関する説明書その他当該普通地方公共団体の事務に関する説明書を提出しなければならない。

第123条～第124条　略

第125条（採択請願の送付及び報告の請求）

普通地方公共団体の議会は、その採択した請願で当該普通地方公共団体の長、教育委員会、選挙管理委員会、人事委員会若しくは公平委員会、公安委員会、労働委員会、農業委員会又は監査委員その他法律に基づく委員会又は委員において措置することが適当と認めるものは、これらの者にこれを送付し、かつ、その請願の処理の経過及び結果の報告を請求することができる。

第126条（辞職）

普通地方公共団体の議会の議員は、議会の許可を得て辞職することができる。但し、閉会中においては、議長の許可を得て辞職することができる。

第127条（失職及び資格決定）

Ⅰ　普通地方公共団体の議会の議員が被選挙権を有しない者であるとき、又は第92条の２（第287条の２第７項において準用する場合を含む。以下この項において同じ。）の規定に該当するときは、その職を失う。その被選挙権の有無又は第92条の２の規定に該当するかどうかは、議員が公職選挙法第11条、第11条の２若しくは第252条又は政治資金規正法第28条の規定に該当するため被選挙権を有しない場合を除くほか、議会がこれを決定する。この場合においては、出席議員の３分の２以上の多数によりこれを決定しなければならない。

Ⅱ　前項の場合においては、議員は、第117条の規定にかかわらず、その会議に出席して自己の資格に関し弁明することはできるが決定に加わることはできない。

Ⅲ　第118条第５項及び第６項の規定は、第１項の場合について準用する。

第128条～第138条の２　略

第138条の２の２（執行機関の責任）

普通地方公共団体の執行機関は、当該普通地方公共団体の条例、予算その他の議会の議決に基づく事務及び法令、規則その他の規程に基づく当該普通地方公共団体の事務を、自らの判断と責任において、誠実に管理し及び執行する義務を負う。

第 138 条の 3（執行機関の組織）

Ⅰ　普通地方公共団体の執行機関の組織は、普通地方公共団体の長の所轄の下に、それぞれ明確な範囲の所掌事務と権限を有する執行機関によつて、系統的にこれを構成しなければならない。

Ⅱ　普通地方公共団体の執行機関は、普通地方公共団体の長の所轄の下に、執行機関相互の連絡を図り、すべて、一体として、行政機能を発揮するようにしなければならない。

Ⅲ　普通地方公共団体の長は、当該普通地方公共団体の執行機関相互の間にその権限につき疑義が生じたときは、これを調整するように努めなければならない。

第 138 条の 4（委員会・委員、附属機関）

Ⅰ　普通地方公共団体にその執行機関として普通地方公共団体の長の外、法律の定めるところにより、委員会又は委員を置く。

Ⅱ　普通地方公共団体の委員会は、法律の定めるところにより、法令又は普通地方公共団体の条例若しくは規則に違反しない限りにおいて、その権限に属する事務に関し、規則その他の規程を定めることができる。

Ⅲ　普通地方公共団体は、法律又は条例の定めるところにより、執行機関の附属機関として自治紛争処理委員、審査会、審議会、調査会その他の調停、審査、諮問又は調査のための機関を置くことができる。ただし、政令で定める執行機関については、この限りでない。

第 139 条（知事及び市町村長）

Ⅰ　都道府県に知事を置く。

Ⅱ　市町村に市町村長を置く。

第 140 条（任期）

Ⅰ　普通地方公共団体の長の任期は、四年とする。

Ⅱ　前項の任期の起算については、公職選挙法第 259 条及び第 259 条の 2 の定めるところによる。

第 141 条（兼職の禁止）

Ⅰ　普通地方公共団体の長は、衆議院議員又は参議院議員と兼ねることができない。

Ⅱ　普通地方公共団体の長は、地方公共団体の議会の議員並びに常勤の職員及び短時間勤務職員と兼ねることができない。

第 142 条（兼業の禁止）

普通地方公共団体の長は、当該普通地方公共団体に対し請負をする者及びその支配人又は主として同一の行為をする法人（当該普通地方公共団体が出資している法人で政令で定めるものを除く。）の無限責任社員、取締役、執行役若しくは監査役若しくはこれらに準ずべき者、支配人及び清算人たることができない。

第 143 条～第 146 条　略

第147条（地方公共団体の統轄及び代表）

普通地方公共団体の長は、当該普通地方公共団体を統轄し、これを代表する。

第148条（長の事務の管理・執行権）

普通地方公共団体の長は、当該普通地方公共団体の事務を管理し及びこれを執行する。

第149条～第152条　略

第153条（長の事務の委任・臨時代理）

Ⅰ　普通地方公共団体の長は、その権限に属する事務の一部をその補助機関である職員に委任し、又はこれに臨時に代理させることができる。
Ⅱ　普通地方公共団体の長は、その権限に属する事務の一部をその管理に属する行政庁に委任することができる。

第154条（職員の指揮監督）

普通地方公共団体の長は、その補助機関である職員を指揮監督する。

第154条の2（所管庁の処分の取消し及び停止）

普通地方公共団体の長は、その管理に属する行政庁の処分が法令、条例又は規則に違反すると認めるときは、その処分を取り消し、又は停止することができる。

第155条　略

第156条（行政機関の設置権及び国の地方行政機関設置の条件）

Ⅰ　普通地方公共団体の長は、前条第1項に定めるものを除くほか、法律又は条例で定めるところにより、保健所、警察署その他の行政機関を設けるものとする。
Ⅱ　前項の行政機関の位置、名称及び所管区域は、条例で定める。
Ⅲ　第4条第2項の規定は、第1項の行政機関の位置及び所管区域について準用する。
Ⅳ　国の地方行政機関（駐在機関を含む。以下この項において同じ。）は、国会の承認を経なければ、設けてはならない。国の地方行政機関の設置及び運営に要する経費は、国において負担しなければならない。
Ⅴ　前項前段の規定は、司法行政及び懲戒機関、地方出入国在留管理局の支局及び出張所並びに支局の出張所、警察機関、官民人材交流センターの支所、検疫機関、防衛省の機関、税関の出張所及び監視署、税関支署並びにその出張所及び監視署、税務署及びその支署、国税不服審判所の支部、地方航空局の事務所その他の航空現業官署、総合通信局の出張所、電波観測所、文教施設、国立の病院及び療養施設、気象官署、海上警備救難機関、航路標識及び水路官署、森林管理署並びに専ら国費をもつて行う工事の施行機関については、適用しない。

第157条～第160条　略

付録

第161条（副知事及び副市町村長の設置）

Ⅰ　都道府県に副知事を、市町村に副市町村長を置く。ただし、条例で置かないことができる。

Ⅱ　副知事及び副市町村長の定数は、条例で定める。

第162条（副知事及び副市町村長の選任）

副知事及び副市町村長は、普通地方公共団体の長が議会の同意を得てこれを選任する。

第163条～第167条　略

第168条（会計管理者）

Ⅰ　普通地方公共団体に会計管理者1人を置く。

Ⅱ　会計管理者は、普通地方公共団体の長の補助機関である職員のうちから、普通地方公共団体の長が命ずる。

第169条～第174条　略

第175条（支庁・地方事務所等の長）

Ⅰ　都道府県の支庁若しくは地方事務所又は市町村の支所の長は、当該普通地方公共団体の長の補助機関である職員をもつて充てる。

Ⅱ　前項に規定する機関の長は、普通地方公共団体の長の定めるところにより、上司の指揮を受け、その主管の事務を掌理し部下の職員を指揮監督する。

第176条（拒否権及び議会の違法・越権の議決等に対する長の処置）

Ⅰ　普通地方公共団体の議会の議決について異議があるときは、当該普通地方公共団体の長は、この法律に特別の定めがあるものを除くほか、その議決の日（条例の制定若しくは改廃又は予算に関する議決については、その送付を受けた日）から10日以内に理由を示してこれを再議に付することができる。

Ⅱ　前項の規定による議会の議決が再議に付された議決と同じ議決であるときは、その議決は、確定する。

Ⅲ　前項の規定による議決のうち条例の制定若しくは改廃又は予算に関するものについては、出席議員の3分の2以上の者の同意がなければならない。

Ⅳ　普通地方公共団体の議会の議決又は選挙がその権限を超え又は法令若しくは会議規則に違反すると認めるときは、当該普通地方公共団体の長は、理由を示してこれを再議に付し又は再選挙を行わせなければならない。

Ⅴ　前項の規定による議会の議決又は選挙がなおその権限を超え又は法令若しくは会議規則に違反すると認めるときは、都道府県知事にあつては総務大臣、市町村長にあつては都道府県知事に対し、当該議決又は選挙があつた日から21日以内に、審査を申し立てることができる。

Ⅵ　前項の規定による申立てがあつた場合において、総務大臣又は都道府県知事は、審査の結果、議会の議決又は選挙がその権限を超え又は法令若しくは会議規則に違反すると認めるときは、当該議決又は選挙を取り消す旨の裁定をすることができる。

Ⅶ　前項の裁定に不服があるときは、普通地方公共団体の議会又は長は、裁定のあつた日から60日以内に、裁判所に出訴することができる。

Ⅷ　前項の訴えのうち第4項の規定による議会の議決又は選挙の取消しを求めるものは、当該議会を被告として提起しなければならない。

第177条（収入又は支出に関する議決に対する長の処置）

Ⅰ　普通地方公共団体の議会において次に掲げる経費を削除し又は減額する議決をしたときは、その経費及びこれに伴う収入について、当該普通地方公共団体の長は、理由を示してこれを再議に付さなければならない。

①　法令により負担する経費、法律の規定に基づき当該行政庁の職権により命ずる経費その他の普通地方公共団体の義務に属する経費

②　非常の災害による応急若しくは復旧の施設のために必要な経費又は感染症予防のために必要な経費

Ⅱ　前項第1号の場合において、議会の議決がなお同号に掲げる経費を削除し又は減額したときは、当該普通地方公共団体の長は、その経費及びこれに伴う収入を予算に計上してその経費を支出することができる。

Ⅲ　第1項第2号の場合において、議会の議決がなお同号に掲げる経費を削除し又は減額したときは、当該普通地方公共団体の長は、その議決を不信任の議決とみなすことができる。

第178条（長の不信任議決と長の処置）

Ⅰ　普通地方公共団体の議会において、当該普通地方公共団体の長の不信任の議決をしたときは、直ちに議長からその旨を当該普通地方公共団体の長に通知しなければならない。この場合においては、普通地方公共団体の長は、その通知を受けた日から10日以内に議会を解散することができる。

Ⅱ　議会において当該普通地方公共団体の長の不信任の議決をした場合において、前項の期間内に議会を解散しないとき、又はその解散後初めて招集された議会において再び不信任の議決があり、議長から当該普通地方公共団体の長に対しその旨の通知があつたときは、普通地方公共団体の長は、同項の期間が経過した日又は議長から通知があつた日においてその職を失う。

Ⅲ　前2項の規定による不信任の議決については、議員数の3分の2以上の者が出席し、第1項の場合においてはその4分の3以上の者の、前項の場合においてはその過半数の者の同意がなければならない。

第179条（専決処分）

Ⅰ　普通地方公共団体の議会が成立しないとき、第113条ただし書の場合においてなお会議を開くことができないとき、普通地方公共団体の長において議会の議決すべき事件について特に緊急を要するため議会を招集する時間的余裕がないことが明らかであると認めるとき、又は議会において議決すべき事件を議決しないときは、当該普通地方公共団体の長は、その議決すべき事件を処分することができる。ただし、第162条の規定による副知事又は副市町村長の選任の同意及び第252条の20の2第4項の規定による第252条の19第1項に規定する指定都市の総合区長

の選任の同意については、この限りでない。

Ⅱ　議会の決定すべき事件に関しては、前項の例による。

Ⅲ　前２項の規定による処置については、普通地方公共団体の長は、次の会議においてこれを議会に報告し、その承認を求めなければならない。

Ⅳ　前項の場合において、条例の制定若しくは改廃又は予算に関する処置について承認を求める議案が否決されたときは、普通地方公共団体の長は、速やかに、当該処置に関して必要と認める措置を講ずるとともに、その旨を議会に報告しなければならない。

第180条（議会の指定事項の専決処分）

Ⅰ　普通地方公共団体の議会の権限に属する軽易な事項で、その議決により特に指定したものは、普通地方公共団体の長において、これを専決処分にすることができる。

Ⅱ　前項の規定により専決処分をしたときは、普通地方公共団体の長は、これを議会に報告しなければならない。

第180条の2〜第180条の4　略

第180条の5（委員会及び委員の設置）

Ⅰ　執行機関として法律の定めるところにより普通地方公共団体に置かなければならない委員会及び委員は、左の通りである。

①　教育委員会
②　選挙管理委員会
③　人事委員会又は人事委員会を置かない普通地方公共団体にあつては公平委員会
④　監査委員

Ⅱ　前項に掲げるもののほか、執行機関として法律の定めるところにより都道府県に置かなければならない委員会は、次のとおりである。

①　公安委員会
②　労働委員会
③　収用委員会
④　海区漁業調整委員会
⑤　内水面漁場管理委員会

Ⅲ　第１項に掲げるものの外、執行機関として法律の定めるところにより市町村に置かなければならない委員会は、左の通りである。

①　農業委員会
②　固定資産評価審査委員会

Ⅳ　前３項の委員会若しくは委員の事務局又は委員会の管理に属する事務を掌る機関で法律により設けられなければならないものとされているものの組織を定めるに当たつては、当該普通地方公共団体の長が第158条第１項の規定により設けるその内部組織との間に権衡を失しないようにしなければならない。

Ⅴ　普通地方公共団体の委員会の委員又は委員は、法律に特別の定があるものを除く外、非常勤とする。

Ⅵ　普通地方公共団体の委員会の委員（教育委員会にあっては、教育長及び委員）又は委員は、当該普通地方公共団体に対しその職務に関し請負をする者及びその支配人又は主として同一の行為をする法人（当該普通地方公共団体が出資している法人で政令で定めるものを除く。）の無限責任社員、取締役、執行役若しくは監査役若しくはこれらに準ずべき者、支配人及び清算人たることができない。

Ⅶ　法律に特別の定めがあるものを除くほか、普通地方公共団体の委員会の委員（教育委員会にあっては、教育長及び委員）又は委員が前項の規定に該当するときは、その職を失う。その同項の規定に該当するかどうかは、その選任権者がこれを決定しなければならない。

Ⅷ　第143条第2項から第4項までの規定は、前項の場合にこれを準用する。

第180条の6～第202条の9　略

第203条（議員の報酬、費用弁償等）

Ⅰ　普通地方公共団体は、その議会の議員に対し、議員報酬を支給しなければならない。

Ⅱ　普通地方公共団体の議会の議員は、職務を行うため要する費用の弁償を受けることができる。

Ⅲ　普通地方公共団体は、条例で、その議会の議員に対し、期末手当を支給することができる。

Ⅳ　議員報酬、費用弁償及び期末手当の額並びにその支給方法は、条例でこれを定めなければならない。

第203条の2（報酬、費用弁償及び期末手当）

Ⅰ　普通地方公共団体は、その委員会の非常勤の委員、非常勤の監査委員、自治紛争処理委員、審査会、審議会及び調査会等の委員その他の構成員、専門委員、監査専門委員、投票管理者、開票管理者、選挙長、投票立会人、開票立会人及び選挙立会人その他普通地方公共団体の非常勤の職員（短時間勤務職員及び地方公務員法第22条の2第1項第2号に掲げる職員を除く。）に対し、報酬を支給しなければならない。

Ⅱ　前項の者に対する報酬は、その勤務日数に応じてこれを支給する。ただし、条例で特別の定めをした場合は、この限りでない。

Ⅲ　第1項の者は、職務を行うため要する費用の弁償を受けることができる。

Ⅳ　普通地方公共団体は、条例で、第1項の者のうち地方公務員法第22条の2第1項第1号に掲げる職員に対し、期末手当又は勤勉手当を支給することができる。

Ⅴ　報酬、費用弁償、期末手当及び勤勉手当の額並びにその支給方法は、条例でこれを定めなければならない。

第204条～第231条の4　略

第232条（経費の支弁等）

Ⅰ　普通地方公共団体は、当該普通地方公共団体の事務を処理するために必要な経費その他法律又はこれに基づく政令により当該普通地方公共団体の負担に属する経費を支弁するものとする。

Ⅱ　法律又はこれに基づく政令により普通地方公共団体に対し事務の処理を義務付ける場合においては、国は、そのために要する経費の財源につき必要な措置を講じなければならない。

第232条の2（寄附又は補助）

普通地方公共団体は、その公益上必要がある場合においては、寄附又は補助をすることができる。

第232条の3（支出負担行為）

普通地方公共団体の支出の原因となるべき契約その他の行為（これを支出負担行為という。）は、法令又は予算の定めるところに従い、これをしなければならない。

第232条の4～第233条の2　略

第234条（契約の締結）

Ⅰ　売買、貸借、請負その他の契約は、一般競争入札、指名競争入札、随意契約又はせり売りの方法により締結するものとする。

Ⅱ　前項の指名競争入札、随意契約又はせり売りは、政令で定める場合に該当するときに限り、これによることができる。

Ⅲ　普通地方公共団体は、一般競争入札又は指名競争入札（以下この条において「競争入札」という。）に付する場合においては、政令の定めるところにより、契約の目的に応じ、予定価格の制限の範囲内で最高又は最低の価格をもつて申込みをした者を契約の相手方とするものとする。ただし、普通地方公共団体の支出の原因となる契約については、政令の定めるところにより、予定価格の制限の範囲内の価格をもつて申込みをした者のうち最低の価格をもつて申込みをした者以外の者を契約の相手方とすることができる。

Ⅳ　普通地方公共団体が競争入札につき入札保証金を納付させた場合において、落札者が契約を締結しないときは、その者の納付に係る入札保証金（政令の定めるところによりその納付に代えて提供された担保を含む。）は、当該普通地方公共団体に帰属するものとする。

Ⅴ　普通地方公共団体が契約につき契約書又は契約内容を記録した電磁的記録を作成する場合においては、当該普通地方公共団体の長又はその委任を受けた者が契約の相手方とともに、契約書に記名押印し、又は契約内容を記録した電磁的記録に当該普通地方公共団体の長若しくはその委任を受けた者及び契約の相手方の作成に係るものであることを示すために講ずる措置であつて、当該電磁的記録が改変されているかどうかを確認することができる等これらの者の作成に係るものであることを確実に示すことができるものとして総務省令で定めるものを講じなければ、当該契約は、確定しないものとする。

Ⅵ　競争入札に加わろうとする者に必要な資格、競争入札における公告又は指名の方法、随意契約及びせり売りの手続その他契約の締結の方法に関し必要な事項は、政令でこれを定める。

第234条の2（契約の履行の確保）

Ⅰ　普通地方公共団体が工事若しくは製造その他についての請負契約又は物件の買入れその他の契約を締結した場合においては、当該普通地方公共団体の職員は、政令の定めるところにより、契約の適正な履行を確保するため又はその受ける給付の完了の確認（給付の完了前に代価の一部を支払う必要がある場合において行なう工事若しくは製造の既済部分又は物件の既納部分の確認を含む。）をするため必要な監督又は検査をしなければならない。

Ⅱ　普通地方公共団体が契約の相手方をして契約保証金を納付させた場合において、契約の相手方が契約上の義務を履行しないときは、その契約保証金（政令の定めるところによりその納付に代えて提供された担保を含む。）は、当該普通地方公共団体に帰属するものとする。ただし、損害の賠償又は違約金について契約で別段の定めをしたときは、その定めたところによるものとする。

第234条の3（長期継続契約）

普通地方公共団体は、第214条の規定にかかわらず、翌年度以降にわたり、電気、ガス若しくは水の供給若しくは電気通信役務の提供を受ける契約又は不動産を借りる契約その他政令で定める契約を締結することができる。この場合においては、各年度におけるこれらの経費の予算の範囲内においてその給付を受けなければならない。

第235条～第235条の5　略

第236条（金銭債権の消滅時効）

Ⅰ　金銭の給付を目的とする普通地方公共団体の権利は、時効に関し他の法律に定めがあるものを除くほか、これを行使することができる時から5年間行使しないときは、時効によつて消滅する。普通地方公共団体に対する権利で、金銭の給付を目的とするものについても、また同様とする。

Ⅱ　金銭の給付を目的とする普通地方公共団体の権利の時効による消滅については、法律に特別の定めがある場合を除くほか、時効の援用を要せず、また、その利益を放棄することができないものとする。普通地方公共団体に対する権利で、金銭の給付を目的とするものについても、また同様とする。

Ⅲ　金銭の給付を目的とする普通地方公共団体の権利について、消滅時効の完成猶予、更新その他の事項（前項に規定する事項を除く。）に関し、適用すべき法律の規定がないときは、民法（明治29年法律第89号）の規定を準用する。普通地方公共団体に対する権利で、金銭の給付を目的とするものについても、また同様とする。

Ⅳ　法令の規定により普通地方公共団体がする納入の通知及び督促は、時効の更新の効力を有する。

第237条　略

第238条（公有財産の範囲及び分類）

Ⅰ　この法律において「公有財産」とは、普通地方公共団体の所有に属する財産のうち次に掲げるもの（基金に属するものを除く。）をいう。
① 不動産
② 船舶、浮標、浮桟橋及び浮ドック並びに航空機
③ 前２号に掲げる不動産及び動産の従物
④ 地上権、地役権、鉱業権その他これらに準ずる権利
⑤ 特許権、著作権、商標権、実用新案権その他これらに準ずる権利
⑥ 株式、社債（特別の法律により設立された法人の発行する債券に表示されるべき権利を含み、短期社債等を除く。）、地方債及び国債その他これらに準ずる権利
⑦ 出資による権利
⑧ 財産の信託の受益権

Ⅱ 前項第６号の「短期社債等」とは、次に掲げるものをいう。
① 社債、株式等の振替に関する法律（平成13年法律第75号）第66条第１号に規定する短期社債
② 投資信託及び投資法人に関する法律（昭和26年法律第198号）第139条の12第１項に規定する短期投資法人債
③ 信用金庫法（昭和26年法律第238号）第54条の４第１項に規定する短期債
④ 保険業法（平成７年法律第105号）第61条の10第１項に規定する短期社債
⑤ 資産の流動化に関する法律（平成10年法律第105号）第２条第８項に規定する特定短期社債
⑥ 農林中央金庫法（平成13年法律第93号）第62条の２第１項に規定する短期農林債

Ⅲ 公有財産は、これを行政財産と普通財産とに分類する。

Ⅳ 行政財産とは、普通地方公共団体において公用又は公共用に供し、又は供することと決定した財産をいい、普通財産とは、行政財産以外の一切の公有財産をいう。

第238条の2～第241条 略

第242条（住民監査請求）

Ⅰ 普通地方公共団体の住民は、当該普通地方公共団体の長若しくは委員会若しくは委員又は当該普通地方公共団体の職員について、違法若しくは不当な公金の支出、財産の取得、管理若しくは処分、契約の締結若しくは履行若しくは債務その他の義務の負担がある（当該行為がなされることが相当の確実さをもつて予測される場合を含む。）と認めるとき、又は違法若しくは不当に公金の賦課若しくは徴収若しくは財産の管理を怠る事実（以下「怠る事実」という。）があると認めるときは、これらを証する書面を添え、監査委員に対し、監査を求め、当該行為を防止し、若しくは是正し、若しくは当該怠る事実を改め、又は当該行為若しくは怠る事実によつて当該普通地方公共団体の被つた損害を補塡するために必要な措置を講ずべきことを請求することができる。

Ⅱ 前項の規定による請求は、当該行為のあつた日又は終わつた日から１年を経過したときは、これをすることができない。ただし、正当な理由があるときは、この限りでない。

Ⅲ　第1項の規定による請求があつたときは、監査委員は、直ちに当該請求の要旨を当該普通地方公共団体の議会及び長に通知しなければならない。

Ⅳ　第1項の規定による請求があつた場合において、当該行為が違法であると思料するに足りる相当な理由があり、当該行為により当該普通地方公共団体に生ずる回復の困難な損害を避けるため緊急の必要があり、かつ、当該行為を停止することによつて人の生命又は身体に対する重大な危害の発生の防止その他公共の福祉を著しく阻害するおそれがないと認めるときは、監査委員は、当該普通地方公共団体の長その他の執行機関又は職員に対し、理由を付して次項の手続が終了するまでの間当該行為を停止すべきことを勧告することができる。この場合において、監査委員は、当該勧告の内容を第1項の規定による請求人（以下この条において「請求人」という。）に通知するとともに、これを公表しなければならない。

Ⅴ　第1項の規定による請求があつた場合には、監査委員は、監査を行い、当該請求に理由がないと認めるときは、理由を付してその旨を書面により請求人に通知するとともに、これを公表し、当該請求に理由があると認めるときは、当該普通地方公共団体の議会、長その他の執行機関又は職員に対し期間を示して必要な措置を講ずべきことを勧告するとともに、当該勧告の内容を請求人に通知し、かつ、これを公表しなければならない。

Ⅵ　前項の規定による監査委員の監査及び勧告は、第1項の規定による請求があつた日から60日以内に行わなければならない。

Ⅶ　監査委員は、第5項の規定による監査を行うに当たつては、請求人に証拠の提出及び陳述の機会を与えなければならない。

Ⅷ　監査委員は、前項の規定による陳述の聴取を行う場合又は関係のある当該普通地方公共団体の長その他の執行機関若しくは職員の陳述の聴取を行う場合において、必要があると認めるときは、関係のある当該普通地方公共団体の長その他の執行機関若しくは職員又は請求人を立ち会わせることができる。

Ⅸ　第5項の規定による監査委員の勧告があつたときは、当該勧告を受けた議会、長その他の執行機関又は職員は、当該勧告に示された期間内に必要な措置を講ずるとともに、その旨を監査委員に通知しなければならない。この場合において、監査委員は、当該通知に係る事項を請求人に通知するとともに、これを公表しなければならない。

Ⅹ　普通地方公共団体の議会は、第1項の規定による請求があつた後に、当該請求に係る行為又は怠る事実に関する損害賠償又は不当利得返還の請求権その他の権利の放棄に関する議決をしようとするときは、あらかじめ監査委員の意見を聴かなければならない。

Ⅺ　第4項の規定による勧告、第5項の規定による監査及び勧告並びに前項の規定による意見についての決定は、監査委員の合議によるものとする。

第242条の2（住民訴訟）〈回

Ⅰ　普通地方公共団体の住民は、前条第1項の規定による請求をした場合において、同条第5項の規定による監査委員の監査の結果若しくは勧告若しくは同条第9項の規定による普通地方公共団体の議会、長その他の執行機関若しくは職員の措置に不服があるとき、又は監査委員が同条第5項の規定による監査若しくは勧告を同

付録

条第6項の期間内に行わないとき、若しくは議会、長その他の執行機関若しくは職員が同条第9項の規定による措置を講じないときは、裁判所に対し、同条第1項の請求に係る違法な行為又は怠る事実につき、訴えをもつて次に掲げる請求をすることができる。

① 当該執行機関又は職員に対する当該行為の全部又は一部の差止めの請求〈同

② 行政処分たる当該行為の取消し又は無効確認の請求〈同

③ 当該執行機関又は職員に対する当該怠る事実の違法確認の請求

④ 当該職員又は当該行為若しくは怠る事実に係る相手方に損害賠償又は不当利得返還の請求をすることを当該普通地方公共団体の執行機関又は職員に対して求める請求。ただし、当該職員又は当該行為若しくは怠る事実に係る相手方が第243条の2の8第3項の規定による賠償の命令の対象となる者である場合には、当該賠償の命令をすることを求める請求〈同

Ⅱ 前項の規定による訴訟は、次の各号に掲げる場合の区分に応じ、当該各号に定める期間内に提起しなければならない。

① 監査委員の監査の結果又は勧告に不服がある場合　当該監査の結果又は当該勧告の内容の通知があつた日から30日以内

② 監査委員の勧告を受けた議会、長その他の執行機関又は職員の措置に不服がある場合　当該措置に係る監査委員の通知があつた日から30日以内

③ 監査委員が請求をした日から60日を経過しても監査又は勧告を行わない場合　当該60日を経過した日から30日以内

④ 監査委員の勧告を受けた議会、長その他の執行機関又は職員が措置を講じない場合　当該勧告に示された期間を経過した日から30日以内

Ⅲ 前項の期間は、不変期間とする。

Ⅳ 第1項の規定による訴訟が係属しているときは、当該普通地方公共団体の他の住民は、別訴をもつて同一の請求をすることができない。

Ⅴ 第1項の規定による訴訟は、当該普通地方公共団体の事務所の所在地を管轄する地方裁判所の管轄に専属する。

Ⅵ 第1項第1号の規定による請求に基づく差止めは、当該行為を差し止めることによつて人の生命又は身体に対する重大な危害の発生の防止その他公共の福祉を著しく阻害するおそれがあるときは、することができない。

Ⅶ 第1項第4号の規定による訴訟が提起された場合には、当該職員又は当該行為若しくは怠る事実の相手方に対して、当該普通地方公共団体の執行機関又は職員は、遅滞なく、その訴訟の告知をしなければならない。

Ⅷ 前項の訴訟告知があつたときは、第1項第4号の規定による訴訟が終了した日から6月を経過するまでの間は、当該訴訟に係る損害賠償又は不当利得返還の請求権の時効は、完成しない。

Ⅸ 民法第153条第2項の規定は、前項の規定による時効の完成猶予について準用する。

Ⅹ 第1項に規定する違法な行為又は怠る事実については、民事保全法（平成元年法律第91号）に規定する仮処分をすることができない。

ⅩⅠ 第2項から前項までに定めるもののほか、第1項の規定による訴訟については、行政事件訴訟法第43条の規定の適用があるものとする〈同。

XⅡ　第1項の規定による訴訟を提起した者が勝訴（一部勝訴を含む。）した場合において、弁護士、弁護士法人又は弁護士・外国法事務弁護士共同法人に報酬を支払うべきときは、当該普通地方公共団体に対し、その報酬額の範囲内で相当と認められる額の支払を請求することができる。

第242条の3（訴訟の提起）

Ⅰ　前条第1項第4号本文の規定による訴訟について、損害賠償又は不当利得返還の請求を命ずる判決が確定した場合においては、普通地方公共団体の長は、当該判決が確定した日から60日以内の日を期限として、当該請求に係る損害賠償金又は不当利得の返還金の支払を請求しなければならない。

Ⅱ　前項に規定する場合において、当該判決が確定した日から60日以内に当該請求に係る損害賠償金又は不当利得による返還金が支払われないときは、当該普通地方公共団体は、当該損害賠償又は不当利得返還の請求を目的とする訴訟を提起しなければならない。

Ⅲ　前項の訴訟の提起については、第96条第1項第12号の規定にかかわらず、当該普通地方公共団体の議会の議決を要しない。

Ⅳ　前条第1項第4号本文の規定による訴訟の裁判が同条第七項の訴訟告知を受けた者に対してもその効力を有するときは、当該訴訟の裁判は、当該普通地方公共団体と当該訴訟告知を受けた者との間においてもその効力を有する。

Ⅴ　前条第1項第4号本文の規定による訴訟について、普通地方公共団体の執行機関又は職員に損害賠償又は不当利得返還の請求を命ずる判決が確定した場合において、当該普通地方公共団体がその長に対し当該損害賠償又は不当利得返還の請求を目的とする訴訟を提起するときは、当該訴訟については、代表監査委員が当該普通地方公共団体を代表する。

第243条～第243条の2の6　略

第243条の2の7（普通地方公共団体の長等の損害賠償責任の一部免責）

Ⅰ　普通地方公共団体は、条例で、当該普通地方公共団体の長若しくは委員会の委員若しくは委員又は当該普通地方公共団体の職員（次条第3項の規定による賠償の命令の対象となる者を除く。以下この項において「普通地方公共団体の長等」という。）の当該普通地方公共団体に対する損害を賠償する責任を、普通地方公共団体の長等が職務を行うにつき善意でかつ重大な過失がないときは、普通地方公共団体の長等が賠償の責任を負う額から、普通地方公共団体の長等の職責その他の事情を考慮して政令で定める基準を参酌して、政令で定める額以上で当該条例で定める額を控除して得た額について免れさせる旨を定めることができる。

Ⅱ　普通地方公共団体の議会は、前項の条例の制定又は改廃に関する議決をしようとするときは、あらかじめ監査委員の意見を聴かなければならない。

Ⅲ　前項の規定による意見の決定は、監査委員の合議によるものとする。

第243条の2の8（職員の賠償責任）

Ⅰ　会計管理者若しくは会計管理者の事務を補助する職員、資金前渡を受けた職員、占有動産を保管している職員又は物品を使用している職員が故意又は重大な過失

（現金については、故意又は過失）により、その保管に係る現金、有価証券、物品（基金に属する動産を含む。）若しくは占有動産又はその使用に係る物品を亡失し、又は損傷したときは、これによつて生じた損害を賠償しなければならない。次に掲げる行為をする権限を有する職員又はその権限に属する事務を直接補助する職員で普通地方公共団体の規則で指定したものが故意又は重大な過失により法令の規定に違反して当該行為をしたこと又は怠つたことにより普通地方公共団体に損害を与えたときも、同様とする。

① 支出負担行為
② 第232条の4第1項の命令又は同条第2項の確認
③ 支出又は支払
④ 第234条の2第1項の監督又は検査

Ⅱ 前項の場合において、その損害が2人以上の職員の行為により生じたものであるときは、当該職員は、それぞれの職分に応じ、かつ、当該行為が当該損害の発生の原因となつた程度に応じて賠償の責めに任ずるものとする。

Ⅲ 普通地方公共団体の長は、第1項の職員が同項に規定する行為により当該普通地方公共団体に損害を与えたと認めるときは、監査委員に対し、その事実があるかどうかを監査し、賠償責任の有無及び賠償額を決定することを求め、その決定に基づき、期限を定めて賠償を命じなければならない。

Ⅳ 第242条の2第1項第4号ただし書の規定による訴訟について、賠償の命令を命ずる判決が確定した場合には、普通地方公共団体の長は、当該判決が確定した日から60日以内の日を期限として、賠償を命じなければならない。この場合においては、前項の規定による監査委員の監査及び決定を求めることを要しない。

Ⅴ 前項の規定により賠償を命じた場合において、当該判決が確定した日から60日以内に当該賠償の命令に係る損害賠償金が支払われないときは、当該普通地方公共団体は、当該損害賠償の請求を目的とする訴訟を提起しなければならない。

Ⅵ 前項の訴訟の提起については、第96条第1項第12号の規定にかかわらず、当該普通地方公共団体の議会の議決を要しない。

Ⅶ 第242条の2第1項第4号ただし書の規定による訴訟の判決に従いなされた賠償の命令について取消訴訟が提起されているときは、裁判所は、当該取消訴訟の判決が確定するまで、当該賠償の命令に係る損害賠償の請求を目的とする訴訟の訴訟手続を中止しなければならない。

Ⅷ 第3項の規定により監査委員が賠償責任があると決定した場合において、普通地方公共団体の長は、当該職員からなされた当該損害が避けることのできない事故その他やむを得ない事情によるものであることの証明を相当と認めるときは、議会の同意を得て、賠償責任の全部又は一部を免除することができる。この場合においては、あらかじめ監査委員の意見を聴き、その意見を付けて議会に付議しなければならない。

Ⅸ 第3項の規定による決定又は前項後段の規定による意見の決定は、監査委員の合議によるものとする。

Ⅹ 第242条の2第1項第4号ただし書の規定による訴訟の判決に従い第3項の規定による処分がなされた場合には、当該処分については、審査請求をすることができない。

XⅠ　普通地方公共団体の長は、第3項の規定による処分についての審査請求がされた場合には、当該審査請求が不適法であり、却下するときを除き、議会に諮問した上、当該審査請求に対する裁決をしなければならない。
XⅡ　議会は、前項の規定による諮問を受けた日から20日以内に意見を述べなければならない。
XⅢ　普通地方公共団体の長は、第11項の規定による諮問をしないで同項の審査請求を却下したときは、その旨を議会に報告しなければならない。
XⅣ　第1項の規定により損害を賠償しなければならない場合には、同項の職員の賠償責任については、賠償責任に関する民法の規定は、適用しない。

第243条の3～第243条の5　略

第244条（公の施設）
Ⅰ　普通地方公共団体は、住民の福祉を増進する目的をもつてその利用に供するための施設（これを公の施設という。）を設けるものとする。
Ⅱ　普通地方公共団体（次条第3項に規定する指定管理者を含む。次項において同じ。）は、正当な理由がない限り、住民が公の施設を利用することを拒んではならない。
Ⅲ　普通地方公共団体は、住民が公の施設を利用することについて、不当な差別的取扱いをしてはならない。

第244条の2（公の施設の設置、管理及び廃止）
Ⅰ　普通地方公共団体は、法律又はこれに基づく政令に特別の定めがあるものを除くほか、公の施設の設置及びその管理に関する事項は、条例でこれを定めなければならない〈同。
Ⅱ　普通地方公共団体は、条例で定める重要な公の施設のうち条例で定める特に重要なものについて、これを廃止し、又は条例で定める長期かつ独占的な利用をさせようとするときは、議会において出席議員の3分の2以上の者の同意を得なければならない。
Ⅲ　普通地方公共団体は、公の施設の設置の目的を効果的に達成するため必要があると認めるときは、条例の定めるところにより、法人その他の団体であつて当該普通地方公共団体が指定するもの（以下本条及び第244条の4において「指定管理者」という。）に、当該公の施設の管理を行わせることができる〈予。
Ⅳ～XⅠ　略

第244条の3　略

第244条の4（公の施設を利用する権利に関する処分についての審査請求）
Ⅰ　普通地方公共団体の長以外の機関（指定管理者を含む。）がした公の施設を利用する権利に関する処分についての審査請求は、普通地方公共団体の長が当該機関の最上級行政庁でない場合においても、当該普通地方公共団体の長に対してするものとする。
Ⅱ　普通地方公共団体の長は、公の施設を利用する権利に関する処分についての審査

付録

請求がされた場合には、当該審査請求が不適法であり、却下するときを除き、議会に諮問した上、当該審査請求に対する裁決をしなければならない。

Ⅲ　議会は、前項の規定による諮問を受けた日から20日以内に意見を述べなければならない。

Ⅳ　普通地方公共団体の長は、第2項の規定による諮問をしないで同項の審査請求を却下したときは、その旨を議会に報告しなければならない。

第244条の5　略

第245条（関与の意義）

この章並びに第252条の26の3第1項及び第2項において「普通地方公共団体に対する国又は都道府県の関与」とは、普通地方公共団体の事務の処理に関し、国の行政機関（内閣府設置法（平成11年法律第89号）第4条第3項に規定する事務をつかさどる機関たる内閣府、宮内庁、同法第49条第1項若しくは第2項に規定する機関、国家行政組織法（昭和23年法律第120号）第3条第2項に規定する機関、法律の規定に基づき内閣の所轄の下に置かれる機関又はこれらに置かれる機関をいう。以下この章において同じ。）又は都道府県の機関が行う次に掲げる行為（普通地方公共団体がその固有の資格において当該行為の名宛人となるものに限り、国又は都道府県の普通地方公共団体に対する支出金の交付及び返還に係るものを除く。）をいう。

①　普通地方公共団体に対する次に掲げる行為

イ　助言又は勧告

ロ　資料の提出の要求

ハ　是正の要求（普通地方公共団体の事務の処理が法令の規定に違反しているとき又は著しく適正を欠き、かつ、明らかに公益を害しているときに当該普通地方公共団体に対して行われる当該違反の是正又は改善のため必要な措置を講ずべきことの求めであつて、当該求めを受けた普通地方公共団体がその違反の是正又は改善のため必要な措置を講じなければならないものをいう。）

ニ　同意

ホ　許可、認可又は承認

ヘ　指示

ト　代執行（普通地方公共団体の事務の処理が法令の規定に違反しているとき又は当該普通地方公共団体がその事務の処理を怠つているときに、その是正のための措置を当該普通地方公共団体に代わつて行うことをいう。）

②　普通地方公共団体との協議

③　前2号に掲げる行為のほか、一定の行政目的を実現するため普通地方公共団体に対して具体的かつ個別的に関わる行為（相反する利害を有する者の間の利害の調整を目的としてされる裁定その他の行為（その双方を名宛人とするものに限る。）及び審査請求その他の不服申立てに対する裁決、決定その他の行為を除く。）

第245条の2（関与の法定主義）

普通地方公共団体は、その事務の処理に関し、法律又はこれに基づく政令によらなければ、普通地方公共団体に対する国又は都道府県の関与を受け、又は要することとされることはない。

第245条の3（関与の基本原則）

Ⅰ　国は、普通地方公共団体が、その事務の処理に関し、普通地方公共団体に対する国又は都道府県の関与を受け、又は要することとする場合には、その目的を達成するために必要な最小限度のものとするとともに、普通地方公共団体の自主性及び自立性に配慮しなければならない。

Ⅱ　国は、できる限り、普通地方公共団体が、自治事務の処理に関しては普通地方公共団体に対する国又は都道府県の関与のうち第245条第1号ト及び第3号に規定する行為を、法定受託事務の処理に関しては普通地方公共団体に対する国又は都道府県の関与のうち同号に規定する行為を受け、又は要することとすることのないようにしなければならない。

Ⅲ　国は、国又は都道府県の計画と普通地方公共団体の計画との調和を保つ必要がある場合等国又は都道府県の施策と普通地方公共団体の施策との間の調整が必要な場合を除き、普通地方公共団体の事務の処理に関し、普通地方公共団体が、普通地方公共団体に対する国又は都道府県の関与のうち第245条第2号に規定する行為を要することとすることのないようにしなければならない。

Ⅳ　国は、法令に基づき国がその内容について財政上又は税制上の特例措置を講ずるものとされている計画を普通地方公共団体が作成する場合等国又は都道府県の施策と普通地方公共団体の施策との整合性を確保しなければこれらの施策の実施に著しく支障が生ずると認められる場合を除き、自治事務の処理に関し、普通地方公共団体が、普通地方公共団体に対する国又は都道府県の関与のうち第245条第1号ニに規定する行為を要することとすることのないようにしなければならない。

Ⅴ　国は、普通地方公共団体が特別の法律により法人を設立する場合等自治事務の処理について国の行政機関又は都道府県の機関の許可、認可又は承認を要することとすること以外の方法によつてその処理の適正を確保することが困難であると認められる場合を除き、自治事務の処理に関し、普通地方公共団体が、普通地方公共団体に対する国又は都道府県の関与のうち第245条第1号ホに規定する行為を要することとすることのないようにしなければならない。

Ⅵ　国は、国民の生命、身体又は財産の保護のため緊急に自治事務の的確な処理を確保する必要がある場合等特に必要と認められる場合を除き、自治事務の処理に関し、普通地方公共団体が、普通地方公共団体に対する国又は都道府県の関与のうち第245条第1号へに規定する行為に従わなければならないこととすることのないようにしなければならない。

第245条の4（技術的な助言及び勧告並びに資料の提出の要求）

Ⅰ　各大臣（内閣府設置法第4条第3項に規定する事務を分担管理する大臣たる内閣総理大臣又は国家行政組織法第5条第1項に規定する各省大臣をいう。以下この章から第14章まで及び第16章において同じ。）又は都道府県知事その他の都道府県の執行機関は、その担任する事務に関し、普通地方公共団体に対し、普通地方公共団体の事務の運営その他の事項について適切と認める技術的な助言若しくは勧告をし、又は当該助言若しくは勧告をするため若しくは普通地方公共団体の事務の適正な処理に関する情報を提供するため必要な資料の提出を求めることができる。

Ⅱ　各大臣は、その担任する事務に関し、都道府県知事その他の都道府県の執行機関に対し、前項の規定による市町村に対する助言若しくは勧告又は資料の提出の求めに関し、必要な指示をすることができる。
Ⅲ　普通地方公共団体の長その他の執行機関は、各大臣又は都道府県知事その他の都道府県の執行機関に対し、その担任する事務の管理及び執行について技術的な助言若しくは勧告又は必要な情報の提供を求めることができる。

第245条の5（是正の要求）

Ⅰ　各大臣は、その担任する事務に関し、都道府県の自治事務の処理が法令の規定に違反していると認めるとき、又は著しく適正を欠き、かつ、明らかに公益を害していると認めるときは、当該都道府県に対し、当該自治事務の処理について違反の是正又は改善のため必要な措置を講ずべきことを求めることができる。
Ⅱ　各大臣は、その担任する事務に関し、市町村の次の各号に掲げる事務の処理が法令の規定に違反していると認めるとき、又は著しく適正を欠き、かつ、明らかに公益を害していると認めるときは、当該各号に定める都道府県の執行機関に対し、当該事務の処理について違反の是正又は改善のため必要な措置を講ずべきことを当該市町村に求めるよう指示をすることができる。
①　市町村長その他の市町村の執行機関（教育委員会及び選挙管理委員会を除く。）の担任する事務（第1号法定受託事務を除く。次号及び第3号において同じ。）　都道府県知事
②　市町村教育委員会の担任する事務　都道府県教育委員会
③　市町村選挙管理委員会の担任する事務　都道府県選挙管理委員会
Ⅲ　前項の指示を受けた都道府県の執行機関は、当該市町村に対し、当該事務の処理について違反の是正又は改善のため必要な措置を講ずべきことを求めなければならない。
Ⅳ　各大臣は、第2項の規定によるほか、その担任する事務に関し、市町村の事務（第1号法定受託事務を除く。）の処理が法令の規定に違反していると認める場合、又は著しく適正を欠き、かつ、明らかに公益を害していると認める場合において、緊急を要するときその他特に必要があると認めるときは、自ら当該市町村に対し、当該事務の処理について違反の是正又は改善のため必要な措置を講ずべきことを求めることができる。
Ⅴ　普通地方公共団体は、第1項、第3項又は前項の規定による求めを受けたときは、当該事務の処理について違反の是正又は改善のための必要な措置を講じなければならない。

第245条の6（是正の勧告）

次の各号に掲げる都道府県の執行機関は、市町村の当該各号に定める自治事務の処理が法令の規定に違反していると認めるとき、又は著しく適正を欠き、かつ、明らかに公益を害していると認めるときは、当該市町村に対し、当該自治事務の処理について違反の是正又は改善のため必要な措置を講ずべきことを勧告することができる。
①　都道府県知事　市町村長その他の市町村の執行機関（教育委員会及び選挙管理委員会を除く。）の担任する自治事務
②　都道府県教育委員会　市町村教育委員会の担任する自治事務

③　都道府県選挙管理委員会　市町村選挙管理委員会の担任する自治事務

第245条の7（是正の指示）

Ⅰ　各大臣は、その所管する法律又はこれに基づく政令に係る都道府県の法定受託事務の処理が法令の規定に違反していると認めるとき、又は著しく適正を欠き、かつ、明らかに公益を害していると認めるときは、当該都道府県に対し、当該法定受託事務の処理について違反の是正又は改善のため講ずべき措置に関し、必要な指示をすることができる。

Ⅱ　次の各号に掲げる都道府県の執行機関は、市町村の当該各号に定める法定受託事務の処理が法令の規定に違反していると認めるとき、又は著しく適正を欠き、かつ、明らかに公益を害していると認めるときは、当該市町村に対し、当該法定受託事務の処理について違反の是正又は改善のため講ずべき措置に関し、必要な指示をすることができる。

①　都道府県知事　市町村長その他の市町村の執行機関（教育委員会及び選挙管理委員会を除く。）の担任する法定受託事務

②　都道府県教育委員会　市町村教育委員会の担任する法定受託事務

③　都道府県選挙管理委員会　市町村選挙管理委員会の担任する法定受託事務

Ⅲ　各大臣は、その所管する法律又はこれに基づく政令に係る市町村の第1号法定受託事務の処理について、前項各号に掲げる都道府県の執行機関に対し、同項の規定による市町村に対する指示に関し、必要な指示をすることができる。

Ⅳ　各大臣は、前項の規定によるほか、その所管する法律又はこれに基づく政令に係る市町村の第1号法定受託事務の処理が法令の規定に違反していると認める場合、又は著しく適正を欠き、かつ、明らかに公益を害していると認める場合において、緊急を要するときその他特に必要があると認めるときは、自ら当該市町村に対し、当該第1号法定受託事務の処理について違反の是正又は改善のため講ずべき措置に関し、必要な指示をすることができる。

第245条の8（代執行等）

Ⅰ　各大臣は、その所管する法律若しくはこれに基づく政令に係る都道府県知事の法定受託事務の管理若しくは執行が法令の規定若しくは当該各大臣の処分に違反するものがある場合又は当該法定受託事務の管理若しくは執行を怠るものがある場合において、本項から第8項までに規定する措置以外の方法によつてその是正を図ることが困難であり、かつ、それを放置することにより著しく公益を害することが明らかであるときは、文書により、当該都道府県知事に対して、その旨を指摘し、期限を定めて、当該違反を是正し、又は当該怠る法定受託事務の管理若しくは執行を改めるべきことを勧告することができる。

Ⅱ～XⅤ　略

第245条の9～第250条の6　略

第250条の7（設置及び権限）

Ⅰ　総務省に、国地方係争処理委員会（以下本節において「委員会」という。）を置く。

Ⅱ　委員会は、普通地方公共団体に対する国又は都道府県の関与のうち国の行政機関が行うもの（以下本節において「国の関与」という。）に関する審査の申出につき、この法律の規定によりその権限に属させられた事項を処理する。

第 250 条の 8〜第 250 条の 12　略

第 250 条の 13（国の関与に関する審査の申出）

Ⅰ　普通地方公共団体の長その他の執行機関は、その担任する事務に関する国の関与のうち是正の要求、許可の拒否その他の処分その他公権力の行使に当たるもの（次に掲げるものを除く。）に不服があるときは、委員会に対し、当該国の関与を行つた国の行政庁を相手方として、文書で、審査の申出をすることができる。

①　第 245 条の 8 第 2 項及び第 13 項の規定による指示

②　第 245 条の 8 第 8 項の規定に基づき都道府県知事に代わつて同条第二項の規定による指示に係る事項を行うこと。

③　第 252 条の 17 の 4 第 2 項の規定により読み替えて適用する第 245 条の 8 第 12 項において準用する同条第 2 項の規定による指示

④　第 252 条の 17 の 4 第 2 項の規定により読み替えて適用する第 245 条の 8 第 12 項において準用する同条第 8 項の規定に基づき市町村長に代わつて前号の指示に係る事項を行うこと。

Ⅱ　普通地方公共団体の長その他の執行機関は、その担任する事務に関する国の不作為（国の行政庁が、申請等が行われた場合において、相当の期間内に何らかの国の関与のうち許可その他の処分その他公権力の行使に当たるものをすべきにかかわらず、これをしないことをいう。以下本節において同じ。）に不服があるときは、委員会に対し、当該国の不作為に係る国の行政庁を相手方として、文書で、審査の申出をすることができる。

Ⅲ　普通地方公共団体の長その他の執行機関は、その担任する事務に関する当該普通地方公共団体の法令に基づく協議の申出が国の行政庁に対して行われた場合において、当該協議に係る当該普通地方公共団体の義務を果たしたと認めるにもかかわらず当該協議が調わないときは、委員会に対し、当該協議の相手方である国の行政庁を相手方として、文書で、審査の申出をすることができる。

Ⅳ　第 1 項の規定による審査の申出は、当該国の関与があつた日から 30 日以内にしなければならない。ただし、天災その他同項の規定による審査の申出をしなかつたことについてやむを得ない理由があるときは、この限りでない。

Ⅴ　前項ただし書の場合における第 1 項の規定による審査の申出は、その理由がやんだ日から 1 週間以内にしなければならない。

Ⅵ　第 1 項の規定による審査の申出に係る文書を郵便又は民間事業者による信書の送達に関する法律（平成 14 年法律第 99 号）第 2 条第 6 項に規定する一般信書便事業者若しくは同条第 9 項に規定する特定信書便事業者による同条第 2 項に規定する信書便（第 260 条の 2 第 12 項において「信書便」という。）で提出した場合における前 2 項の期間の計算については、送付に要した日数は、算入しない。

Ⅶ　普通地方公共団体の長その他の執行機関は、第 1 項から第 3 項までの規定による審査の申出（以下本款において「国の関与に関する審査の申出」という。）をしようとするときは、相手方となるべき国の行政庁に対し、その旨をあらかじめ通知しなければならない。

第250条の14（審査及び勧告）

Ⅰ 委員会は、自治事務に関する国の関与について前条第1項の規定による審査の申出があつた場合においては、審査を行い、相手方である国の行政庁の行つた国の関与が違法でなく、かつ、普通地方公共団体の自主性及び自立性を尊重する観点から不当でないと認めるときは、理由を付してその旨を当該審査の申出をした普通地方公共団体の長その他の執行機関及び当該国の行政庁に通知するとともに、これを公表し、当該国の行政庁の行つた国の関与が違法又は普通地方公共団体の自主性及び自立性を尊重する観点から不当であると認めるときは、当該国の行政庁に対し、理由を付し、かつ、期間を示して、必要な措置を講ずべきことを勧告するとともに、当該勧告の内容を当該普通地方公共団体の長その他の執行機関に通知し、かつ、これを公表しなければならない。

Ⅱ 委員会は、法定受託事務に関する国の関与について前条第1項の規定による審査の申出があつた場合においては、審査を行い、相手方である国の行政庁の行つた国の関与が違法でないと認めるときは、理由を付してその旨を当該審査の申出をした普通地方公共団体の長その他の執行機関及び当該国の行政庁に通知するとともに、これを公表し、当該国の行政庁の行つた国の関与が違法であると認めるときは、当該国の行政庁に対し、理由を付し、かつ、期間を示して、必要な措置を講ずべきことを勧告するとともに、当該勧告の内容を当該普通地方公共団体の長その他の執行機関に通知し、かつ、これを公表しなければならない。

Ⅲ 委員会は、前条第2項の規定による審査の申出があつた場合においては、審査を行い、当該審査の申出に理由がないと認めるときは、理由を付してその旨を当該審査の申出をした普通地方公共団体の長その他の執行機関及び相手方である国の行政庁に通知するとともに、これを公表し、当該審査の申出に理由があると認めるときは、当該国の行政庁に対し、理由を付し、かつ、期間を示して、必要な措置を講ずべきことを勧告するとともに、当該勧告の内容を当該普通地方公共団体の長その他の執行機関に通知し、かつ、これを公表しなければならない。

Ⅳ 委員会は、前条第3項の規定による審査の申出があつたときは、当該審査の申出に係る協議について当該協議に係る普通地方公共団体がその義務を果たしているかどうかを審査し、理由を付してその結果を当該審査の申出をした普通地方公共団体の長その他の執行機関及び相手方である国の行政庁に通知するとともに、これを公表しなければならない。

Ⅴ 前各項の規定による審査及び勧告は、審査の申出があつた日から90日以内に行わなければならない。

第250条の15～第250条の17 略

第250条の18（国の行政庁の措置等）

Ⅰ 第250条の14第1項から第3項までの規定による委員会の勧告があつたときは、当該勧告を受けた国の行政庁は、当該勧告に示された期間内に、当該勧告に即して必要な措置を講ずるとともに、その旨を委員会に通知しなければならない。この場合においては、委員会は、当該通知に係る事項を当該勧告に係る審査の申出をした普通地方公共団体の長その他の執行機関に通知し、かつ、これを公表しなければならない。

Ⅱ　委員会は、前項の勧告を受けた国の行政庁に対し、同項の規定により講じた措置についての説明を求めることができる。

第250条の19（調停）

Ⅰ　委員会は、国の関与に関する審査の申出があつた場合において、相当であると認めるときは、職権により、調停案を作成して、これを当該国の関与に関する審査の申出をした普通地方公共団体の長その他の執行機関及び相手方である国の行政庁に示し、その受諾を勧告するとともに、理由を付してその要旨を公表することができる。

Ⅱ　前項の調停案に係る調停は、調停案を示された普通地方公共団体の長その他の執行機関及び国の行政庁から、これを受諾した旨を記載した文書が委員会に提出されたときに成立するものとする。この場合においては、委員会は、直ちにその旨及び調停の要旨を公表するとともに、当該普通地方公共団体の長その他の執行機関及び国の行政庁にその旨を通知しなければならない。

第250条の20～第251条の4　略

第251条の5（国の関与に関する訴えの提起）

Ⅰ　第250条の13第1項又は第2項の規定による審査の申出をした普通地方公共団体の長その他の執行機関は、次の各号のいずれかに該当するときは、高等裁判所に対し、当該審査の申出の相手方となつた国の行政庁（国の関与があつた後又は申請等が行われた後に当該行政庁の権限が他の行政庁に承継されたときは、当該他の行政庁）を被告として、訴えをもつて当該審査の申出に係る違法な国の関与の取消し又は当該審査の申出に係る国の不作為の違法の確認を求めることができる。ただし、違法な国の関与の取消しを求める訴えを提起する場合において、被告とすべき行政庁がないときは、当該訴えは、国を被告として提起しなければならない。

①　第250条の14第1項から第3項までの規定による委員会の審査の結果又は勧告に不服があるとき。

②　第250条の18第1項の規定による国の行政庁の措置に不服があるとき。

③　当該審査の申出をした日から90日を経過しても、委員会が第250条の14第1項から第3項までの規定による審査又は勧告を行わないとき。

④　国の行政庁が第250条の18第1項の規定による措置を講じないとき。

Ⅱ　前項の訴えは、次に掲げる期間内に提起しなければならない。

①　前項第1号の場合は、第250条の14第1項から第3項までの規定による委員会の審査の結果又は勧告の内容の通知があつた日から30日以内

②　前項第2号の場合は、第250条の18第1項の規定による委員会の通知があつた日から30日以内

③　前項第3号の場合は、当該審査の申出をした日から90日を経過した日から30日以内

④　前項第４号の場合は、第250条の14第１項から第３項までの規定による委員会の勧告に示された期間を経過した日から30日以内

Ⅲ　第１項の訴えは、当該普通地方公共団体の区域を管轄する高等裁判所の管轄に専属する。

Ⅳ　原告は、第１項の訴えを提起したときは、直ちに、文書により、その旨を被告に通知するとともに、当該高等裁判所に対し、その通知をした日時、場所及び方法を通知しなければならない。

Ⅴ　当該高等裁判所は、第１項の訴えが提起されたときは、速やかに口頭弁論の期日を指定し、当事者を呼び出さなければならない。その期日は、同項の訴えの提起があつた日から15日以内の日とする。

Ⅵ　第１項の訴えに係る高等裁判所の判決に対する上告の期間は、１週間とする。

Ⅶ　国の関与を取り消す判決は、関係行政機関に対しても効力を有する。

Ⅷ　第１項の訴えのうち違法な国の関与の取消しを求めるものについては、行政事件訴訟法第43条第１項の規定にかかわらず、同法第８条第２項、第11条から第22条まで、第25条から第29条まで、第31条、第32条及び第34条の規定は、準用しない。

Ⅸ　第１項の訴えのうち国の不作為の違法の確認を求めるものについては、行政事件訴訟法第43条第３項の規定にかかわらず、同法第40条第２項及び第41条第２項の規定は、準用しない。

Ⅹ　前各項に定めるもののほか、第１項の訴えについては、主張及び証拠の申出の時期の制限その他審理の促進に関し必要な事項は、最高裁判所規則で定める。

第251条の６　略

第251条の７（普通地方公共団体の不作為に関する国の訴えの提起）

Ⅰ　第245条の５第１項若しくは第４項の規定による是正の要求又は第245条の７第１項若しくは第４項の規定による指示を行つた各大臣は、次の各号のいずれかに該当するときは、高等裁判所に対し、当該是正の要求又は指示を受けた普通地方公共団体の不作為（是正の要求又は指示を受けた普通地方公共団体の行政庁が、相当の期間内に是正の要求に応じた措置又は指示に係る措置を講じなければならないにもかかわらず、これを講じないことをいう。以下この項、次条及び第252条の17の４第３項において同じ。）に係る普通地方公共団体の行政庁（当該是正の要求又は指示があつた後に当該行政庁の権限が他の行政庁に承継されたときは、当該他の行政庁）を被告として、訴えをもつて当該普通地方公共団体の不作為の違法の確認を求めることができる。

①　普通地方公共団体の長その他の執行機関が当該是正の要求又は指示に関する第250条の13第１項の規定による審査の申出をせず（審査の申出後に第250条の17第１項の規定により当該審査の申出が取り下げられた場合を含む。）、かつ、当該是正の要求に応じた措置又は指示に係る措置を講じないとき。

②　普通地方公共団体の長その他の執行機関が当該是正の要求又は指示に関する第250条の13第１項の規定による審査の申出をした場合において、次に掲げるとき。

イ　委員会が第250条の14第１項又は第２項の規定による審査の結果又は勧

付録

告の内容の通知をした場合において、当該普通地方公共団体の長その他の執行機関が第251条の5第1項の規定による当該是正の要求又は指示の取消しを求める訴えの提起をせず（訴えの提起後に当該訴えが取り下げられた場合を含む。ロにおいて同じ。）、かつ、当該是正の要求に応じた措置又は指示に係る措置を講じないとき。

ロ　委員会が当該審査の申出をした日から90日を経過しても第250条の14第1項又は第2項の規定による審査又は勧告を行わない場合において、当該普通地方公共団体の長その他の執行機関が第251条の5第1項の規定による当該是正の要求又は指示の取消しを求める訴えの提起をせず、かつ、当該是正の要求に応じた措置又は指示に係る措置を講じないとき。

Ⅱ　前項の訴えは、次に掲げる期間が経過するまでは、提起することができない。

①　前項第1号の場合は、第250条の13第4項本文の期間

②　前項第2号イの場合は、第251条の5第2項第1号、第2号又は第4号に掲げる期間

③　前項第2号ロの場合は、第251条の5第2項第3号に掲げる期間

Ⅲ　第251条の5第3項から第6項までの規定は、第1項の訴えについて準用する。

Ⅳ　第1項の訴えについては、行政事件訴訟法第43条第3項の規定にかかわらず、同法第40条第2項及び第41条第2項の規定は、準用しない。

Ⅴ　前各項に定めるもののほか、第1項の訴えについては、主張及び証拠の申出の時期の制限その他審理の促進に関し必要な事項は、最高裁判所規則で定める。

第252条～第255条　略

第255条の2（法定受託事務に係る審査請求）

Ⅰ　法定受託事務に係る次の各号に掲げる処分及びその不作為についての審査請求は、他の法律に特別の定めがある場合を除くほか、当該各号に定める者に対してするものとする。この場合において、不作為についての審査請求は、他の法律に特別の定めがある場合を除くほか、当該各号に定める者に代えて、当該不作為に係る執行機関に対してすることもできる。

①　都道府県知事その他の都道府県の執行機関の処分　当該処分に係る事務を規定する法律又はこれに基づく政令を所管する各大臣

②　市町村長その他の市町村の執行機関（教育委員会及び選挙管理委員会を除く。）の処分　都道府県知事

③　市町村教育委員会の処分　都道府県教育委員会

④　市町村選挙管理委員会の処分　都道府県選挙管理委員会

Ⅱ　普通地方公共団体の長その他の執行機関が法定受託事務に係る処分をする権限を当該執行機関の事務を補助する職員若しくは当該執行機関の管理に属する機関の職員又は当該執行機関の管理に属する行政機関の長に委任した場合において、委任を受けた職員又は行政機関の長がその委任に基づいてした処分に係る審査請求につき、当該委任をした執行機関が裁決をしたときは、他の法律に特別の定めがある場合を除くほか、当該裁決に不服がある者は、再審査請求をすることができる。この場合において、当該再審査請求は、当該委任をした執行機関が自ら当該処分をしたものとした場合におけるその処分に係る審査請求をすべき者に対してするものとす

る。

第255条の3〜第260条　略

第260条の2（地縁による団体）

Ⅰ　町又は字の区域その他市町村内の一定の区域に住所を有する者の地縁に基づいて形成された団体（以下この条及び第260条の49第2項において「地縁による団体」という。）は、地域的な共同活動のための不動産又は不動産に関する権利等を保有するため市町村長の認可を受けたときは、その規約に定める目的の範囲内において、権利を有し、義務を負う。

Ⅱ　前項の認可は、地縁による団体のうち次に掲げる要件に該当するものについて、その団体の代表者が総務省令で定めるところにより行う申請に基づいて行う。

① その区域の住民相互の連絡、環境の整備、集会施設の維持管理等良好な地域社会の維持及び形成に資する地域的な共同活動を行うことを目的とし、現にその活動を行つていると認められること。

② その区域が、住民にとつて客観的に明らかなものとして定められていること。

③ その区域に住所を有するすべての個人は、構成員となることができるものとし、その相当数の者が現に構成員となつていること。

④ 規約を定めていること。

Ⅲ　規約には、次に掲げる事項が定められていなければならない。

① 目的

② 名称

③ 区域

④ 主たる事務所の所在地

⑤ 構成員の資格に関する事項

⑥ 代表者に関する事項

⑦ 会議に関する事項

⑧ 資産に関する事項

Ⅳ　第2項第2号の区域は、当該地縁による団体が相当の期間にわたつて存続している区域の現況によらなければならない。

Ⅴ　市町村長は、地縁による団体が第2項各号に掲げる要件に該当していると認めるときは、第1項の認可をしなければならない。

Ⅵ　第1項の認可は、当該認可を受けた地縁による団体を、公共団体その他の行政組織の一部とすることを意味するものと解釈してはならない。

Ⅶ　第1項の認可を受けた地縁による団体（以下「認可地縁団体」という。）は、正当な理由がない限り、その区域に住所を有する個人の加入を拒んではならない。

Ⅷ　認可地縁団体は、民主的な運営の下に、自主的に活動するものとし、構成員に対し不当な差別的取扱いをしてはならない。

Ⅸ　認可地縁団体は、特定の政党のために利用してはならない。

Ⅹ〜ⅩⅦ　略

第260条の3〜第260条の49　略

第 261 条（特別法の住民投票）

Ⅰ　一の普通地方公共団体のみに適用される特別法が国会又は参議院の緊急集会において議決されたときは、最後に議決した議院の議長（衆議院の議決が国会の議決となつた場合には衆議院議長とし、参議院の緊急集会において議決した場合には参議院議長とする。）は、当該法律を添えてその旨を内閣総理大臣に通知しなければならない。

Ⅱ　前項の規定による通知があつたときは、内閣総理大臣は、直ちに当該法律を添えてその旨を総務大臣に通知し、総務大臣は、その通知を受けた日から５日以内に、関係普通地方公共団体の長にその旨を通知するとともに、当該法律その他関係書類を移送しなければならない。

Ⅲ　前項の規定による通知があつたときは、関係普通地方公共団体の長は、その日から 31 日以後 60 日以内に、選挙管理委員会をして当該法律について賛否の投票を行わしめなければならない。

Ⅳ　前項の投票の結果が判明したときは、関係普通地方公共団体の長は、その日から５日以内に関係書類を添えてその結果を総務大臣に報告し、総務大臣は、直ちにその旨を内閣総理大臣に報告しなければならない。その投票の結果が確定したことを知つたときも、また、同様とする。

Ⅴ　前項の規定により第３項の投票の結果が確定した旨の報告があつたときは、内閣総理大臣は、直ちに当該法律の公布の手続をとるとともに衆議院議長及び参議院議長に通知しなければならない。

第 262 条～第 263 条の３　略

第 264 条～第 280 条　削除

第 281 条（特別区）

Ⅰ　都の区は、これを特別区という。

Ⅱ　特別区は、法律又はこれに基づく政令により都が処理することとされているものを除き、地域における事務並びにその他の事務で法律又はこれに基づく政令により市が処理することとされるもの及び法律又はこれに基づく政令により特別区が処理することとされるものを処理する。

第 281 条の２（都と特別区との役割分担の原則）

Ⅰ　都は、特別区の存する区域において、特別区を包括する広域の地方公共団体として、第２条第５項において都道府県が処理するものとされている事務及び特別区に関する連絡調整に関する事務のほか、同条第３項において市町村が処理するものとされている事務のうち、人口が高度に集中する大都市地域における行政の一体性及び統一性の確保の観点から当該区域を通じて都が一体的に処理することが必要であると認められる事務を処理するものとする。

Ⅱ　特別区は、基礎的な地方公共団体として、前項において特別区の存する区域を通じて都が一体的に処理するものとされているものを除き、一般的に、第２条第３項において市町村が処理するものとされている事務を処理するものとする。

Ⅲ　都及び特別区は、その事務を処理するに当たつては、相互に競合しないようにしなければならない。

第281条の3〜第283条　略

第284条（組合の種類及び設置）

Ⅰ　地方公共団体の組合は、一部事務組合及び広域連合とする。

Ⅱ　普通地方公共団体及び特別区は、その事務の一部を共同処理するため、その協議により規約を定め、都道府県の加入するものにあつては総務大臣、その他のものにあつては都道府県知事の許可を得て、一部事務組合を設けることができる。この場合において、一部事務組合内の地方公共団体につきその執行機関の権限に属する事項がなくなつたときは、その執行機関は、一部事務組合の成立と同時に消滅する。

Ⅲ　普通地方公共団体及び特別区は、その事務で広域にわたり処理することが適当であると認めるものに関し、広域にわたる総合的な計画（以下「広域計画」という。）を作成し、その事務の管理及び執行について広域計画の実施のために必要な連絡調整を図り、並びにその事務の一部を広域にわたり総合的かつ計画的に処理するため、その協議により規約を定め、前項の例により、総務大臣又は都道府県知事の許可を得て、広域連合を設けることができる。この場合においては、同項後段の規定を準用する。

Ⅳ　総務大臣は、前項の許可をしようとするときは、国の関係行政機関の長に協議しなければならない。

第285条〜第293条の2　略

第294条（財産区の意義及びその財産又は公の施設）

Ⅰ　法律又はこれに基く政令に特別の定があるものを除く外、市町村及び特別区の一部で財産を有し若しくは公の施設を設けているもの又は市町村及び特別区の廃置分合若しくは境界変更の場合におけるこの法律若しくはこれに基く政令の定める財産処分に関する協議に基き市町村及び特別区の一部が財産を有し若しくは公の施設を設けるものとなるもの（これらを財産区という。）があるときは、その財産又は公の施設の管理及び処分又は廃止については、この法律中地方公共団体の財産又は公の施設の管理及び処分又は廃止に関する規定による。

Ⅱ　前項の財産又は公の施設に関し特に要する経費は、財産区の負担とする。

Ⅲ　前2項の場合においては、地方公共団体は、財産区の収入及び支出については会計を分別しなければならない。

第295条〜第299条　略

判例索引

大正

昭和

平成

令和

事項索引

ア行

カ行

平成

サ行

タ行

ナ行

ハ行

マ行

ヤ行

ラ行

司法試験＆予備試験対策シリーズ
2025年版 司法試験＆予備試験 完全整理択一六法　行政法

2009年９月15日　第１版　第１刷発行
2024年11月25日　第16版　第１刷発行
編著者●株式会社　東京リーガルマインド
LEC総合研究所　司法試験部

発行所●株式会社　東京リーガルマインド
〒164-0001　東京都中野区中野4-11-10
アーバンネット中野ビル
LECコールセンター　0570-064-464
受付時間　平日9：30～19：30/土・日・祝10：00～18：00
※このナビダイヤルは通話料お客様ご負担となります。
書店様専用受注センター　TEL 048-999-7581 / FAX 048-999-7591
受付時間　平日9：00～17：00/土・日・祝休み
www.lec-jp.com/

カバーデザイン●桂川 潤
本文デザイン●グレート・ローク・アソシエイツ
印刷・製本●株式会社 シナノパブリッシングプレス

ISBN978-4-8449-7477-2

を短期間で修得する　通学　通信

速修インプット講座　➡ Inpu

講座概要

本講座（略称：矢島の【速修】）は、既に学習経験がある受験生や、ほとんど学習経験がなても短期間で試験対策をしたいという受験生が、**合格するために修得が必須となる事項を率よくインプット学習**するための講座です。**合格に必要な重要論点や判例の分かりやすい説により科目全体の本質的な理解を深める講義**と、覚えるべき規範が過不足なく記載され然と法的三段論法を身に付けながら知識を修得できるテキスト**が両輪となって、**本試験に応できる実力を養成**できます。忙しい毎日の通勤通学などの隙間時間で講義を聴いたり、復の際にテキストだけ繰り返し読んだり、自分のペースで無理なく合格に必要な全ての重要識を身に付けられるようになっています。また、本講座は**直近の試験の質に沿った学習**がでるよう、**テキストや講義の内容を毎年改訂**しているので、本講座を受講することで**直近の試考査委員が受験生に求めている知識の質と広さ**を理解することができ、試験対策上、誤った向に行くことなく、**常に正しい方向に進んで確実に合格する**力を修得することができます。

講座の特長

1 重要事項の本質を短期間で理解するメリハリある講義

最大の特長は、**分かりやすい講義**です。全身全霊を受験指導に傾け、寝ても覚めても法律ことを考えている矢島講師の講義は、思わず惹き込まれるほど面白く分かりやすいので、忙い方でも途中で挫折することなく受講できると好評を博しています。講義中は、日頃から過問研究をしっかりとしている矢島講師が、**試験で出題されやすい事項を、試験で出題されるを踏まえて解説**するため、講義を聴いているだけで**確実に合格に近づく**ことができます。

2 司法試験の合格レベルに導く質の高いテキスト

使用する**テキストは、全て矢島講師が責任をもって作成**しており、合格に必要な重要知識体系ごとに整理されています。**受験生に定評のある基本書、判例百選、重要判例集、論証集の容がコンパクト**にまとめられており、試験で出題されそうな事項を「矢島の体系整理テキスだけで学べます。矢島講師が**過去問をしっかりと分析した上で、合格に必要な知識をインプトできるようにテキストを作成**しているので、**試験に不必要な情報は一切なく、合格に直結る知識を短時間で効率よく吸収**できるテキストとなっています。すべての知識に**重要度のラク付け**をしているため一目で覚えるべき知識が分かり、受験生が講義を**復習しやすい工夫も**れています。また、テキストの改訂を毎年行い、**法改正や最新判例に完全に対応**しています。

25
でご注意ください。

あり

矢島 純一
LEC 専任講師

受講制度
受講制度をお申込みいただ
一部を無料でご受講いただ

形態	科目	回数	講義形態	一般価格 税込（10%）	大学生協・書籍部価格 税込（10%）	代理店書店価格 税込（10%）	講座コード
通学・通信	一括	54	Web※1	112,200円	106,590円	109,956円	通学：LA24587 通信：LB24597
			DVD	145,750円	138,462円	142,835円	
	憲法	8	Web※1	19,250円	18,287円	18,865円	
			DVD	25,300円	24,035円	24,794円	
	民法	12	Web※1	30,800円	29,260円	30,184円	
			DVD	40,150円	38,142円	39,347円	
	刑法	10	Web※1	26,950円	25,602円	26,411円	
			DVD	35,200円	33,440円	34,496円	
	会社法/民訴法/刑訴法/行政法※2	各6	Web※1	15,400円	14,630円	15,092円	
			DVD	19,800円	18,810円	19,404円	

※1音声DL＋スマホ視聴付き　※2いずれか1科目あたりの受講料となります

■一般価格とは、LEC各本校・LEC提携校・LEC通信事業本部・LECオンライン本校にてお申込される場合の受付価格です。■大学生協・書籍部価格とは、LECと代理店契約を結んでいる大学内の生協、購買会、書店にてお申込される場合の受付価格です。■代理店書店価格とは、LECと代理店契約を結んでいる一般書店（大学内の書店は除く）にてお申込される場合の受付価格です。■上記大学生協・書籍部価格、代理店書店価格を利用される場合は、必ず本冊子を代理店窓口までご持参ください。

【解約・返品について】　1.弊社所定書面をご提出下さい。実施済受講料、手数料等を清算の上返金します。教材等の返送料はご負担頂きます（LEC申込規定第3条参照）。
2.詳細はLEC申込規定（http://www.lec-jp.com/kouzamoushikomi.html）をご覧下さい。

教材のお届けについて　通信教材発送日が複数回に分けて設定されている講座について、通信教材発送日を過ぎてお申込みいただいた場合、それまでの教材をまとめてお送りするのに10日程度のお時間を頂いております。また、そのお待ちいただいている間に、次回の教材発送日が到来した場合、その教材は発送日通り送られるため、学習順序と、通信教材の到着順序が前後する場合がございます。予めご了承下さい。＊詳細はこちらをご確認ください。→ https://online.lec-jp.com/statics/guide_send.html

司法試験＆予備試験対策テキストの決定版

4

「短答式試験の過去問を解いてみよう」では実際に出題された**本試験問題を掲載。**
該当箇所とリンクしているので、効率良く学んだ知識を確認できます。

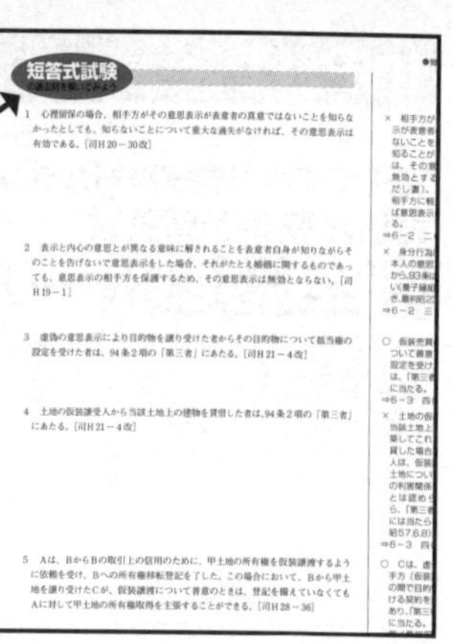
短答式試験

1　心裡留保の場合、相手方がその意思表示が表意者の真意ではないことを知らなかったとしても、知らないことについて重大な過失がなければ、その意思表示は有効である。［司H20−30改］

2　表示と内心の意思とが異なる意味に解されることを表意者自身が知りながらそのことを告げないで意思表示をした場合、それがたとえ婚姻に関するものであっても、意思表示の相手方を保護するため、その意思表示は無効とならない。［司H19−1］

3　虚偽の意思表示により目的物を譲り受けた者からその目的物について抵当権の設定を受けた者は、94条2項の「第三者」にあたる。［司H21−4改］

4　土地の仮装譲受人から当該土地上の建物を賃借した者は、94条2項の「第三者」にあたる。［司H21−4改］

5　Aは、BからBの取引上の信用のために、甲土地の所有権を仮装譲渡するように依頼を受け、Bへの所有権移転登記をした。この場合において、Bから甲土地を譲り受けたCが、仮装譲渡について善意であれば、登記を備えていなくても、Aに対して甲土地の所有権取得を主張することができる。［司H28−36］

論点一覧表

●「問題の所在」が記載されている箇所やその他重要な論点が掲載されている箇所を一覧化しました。「考え方のすじ道」が掲載されている論点には「○」マークを付けています。

	論点名	考え方のすじ道	該当頁
	民法序説		
	私権の主体		
1	「既に生まれたものとみなす」（721、886、965）の意味	○	55
2	「善意」（32 I 後段）は両当事者に必要か		74
3	婚姻と失踪宣告の取消し		74
4	32条2項ただし書と704条の関係		75
5	目的による制限（34）	○	82
6	代表権の制限を知っていた第三者の保護		86
7	「職務を行うについて」（一般法人78・197）の解釈	○	88
8	権利能力なき社団①−財産の帰属形態		91
9	権利能力なき社団②−不動産の登記名義	○	92
	私権の客体（物）		
10	他人の所有物でも従物といえるか		105
11	従たる権利	○	105
	法律行為総説		
12	狭義の契約解釈（当事者が定めた事項の解釈）		115

5

巻末には**「論点一覧表」**が付いているので、**知識の確認、総復習**に役立ちます。

C-Bookラインナップ

1 憲法Ⅰ〈総論・人権〉　本体3,600円+税
2 憲法Ⅱ〈統治〉　本体3,200円+税
3 民法Ⅰ〈総則〉　本体3,200円+税
4 民法Ⅱ〈物権〉　本体3,500円+税
5 民法Ⅲ〈債権総論〉　本体3,200円+税
6 民法Ⅳ〈債権各論〉　本体3,800円+税
7 民法Ⅴ〈親族・相続〉　本体3,500円+税
8 刑法Ⅰ〈総論〉　本体3,800円+税
9 刑法Ⅱ〈各論〉　本体3,800円+税
10 会社法［2025年5月発刊予定］

今後の発刊予定は
こちらでご覧になれます（随時更新）
https://www.lec-jp.com/shihou/book/

※上記の内容は事前の告知なしに変更する場合があります。

【新傾向に対応！】過去問を徹底的に分析

通学　通信

【論完】矢島の論文完成講座

講義時間数

120時間

憲法 16時間　民訴法 16時間
民法 20時間　刑訴法 16時間
刑法 20時間　行政法 16時間
商法 16時間

通信教材発送／Web・音声DL配信開始日

2025/1/14（火）以降、順次

Web・音声DL配信終了日

2025/9/30（火）

使用教材

矢島の論文メイン問題集2025
矢島の論文補強問題集2025
※レジュメのPDFデータはWebup致しませんのでご注意ください。

タイムテーブル

講義4時間　途中休憩あり ※2回（合計15分程度）

担当講師

矢島純一
LEC専任講師

講座概要

本講座（略称：矢島の【論完】）は、論文試験に合格するための**事例分析能力、法的思考力、本番の試験で合格点を採る答案作成のコツを、短期間で修得**するための講座です。講義で使用する**教材は解答例を含め全て矢島講師が責任を持って作成**しており、問題文中の**事実**に対してどのように**評価**をすれば**試験考査委員に高評価**を受けられるかなど、**合格するためには是非とも修得しておきたいことを分かりやすく講義**していきます。論文試験の答案の書き方が分からないという受験生はもちろん、答案の書き方はある程度修得しているのに本試験で良い評価を受けることができないという受験生が、**確実に合格答案を作成する能力を修得**できるように**矢島講師が分かりやすい講義**をします。なお、教材及び講義の内容は、**令和７年度**試験の出題範囲とされている**法改正**や**最新の判例に全て対応**しているので、情報収集の時間を省略して、全ての時間をこの講座の受講と復習にかけて効率よく受験対策をすることができます。

講座の特長

1 論文対策はこの講座だけで完璧にできる

限られた時間で論文対策をするには**検討すべき問題を次年度の試験の合格に必要なものに限定**する必要があります。そこで、本講座は、**次年度の論文試験の合格に必要な知識や法的思考能力を効率よく修得するのに必須の司法試験の過去問、近年の試験の形式に合わせた司法試験の改問やオリジナル問題、知識の隙間を埋めることができる予備試験の過去問**を、試験対策上必要な数に絞り込んで取り扱っていきます。**取り扱う問題を合格に真に必要な数に絞り込んでいるので、途中で挫折せずに合格に必要な論文作成能力を確実に修得**できます。

2 矢島講師が責任をもって作成した解答例

合格者の再現答案には不正確な部分があり、こうした解答例を元に学習をすると、悪いところを良いところだと勘違いして、**誤った思考方法を身につけてしまうおそれ**があります。**本講座で使用する解答例は、出題趣旨や採点実感を踏まえて試験考査委員が要求する合格答案となるよう、矢島講師が責任をもって作成**しています。矢島講師作成の解答例は法的な正確性が高く、**解答例中の法的な規範のところは、そのまま論証例**として使うことができ、**あてはめのところは、規範に事実を当てはめる際の事実の評価の仕方を学ぶ教材**として用いることができるため、**論文試験用の最強のインプット教材**になること間違いなしです。矢島講師の解答例なら繰り返し復習して**正しい法的思考能力を修得**することができるので、余計なことを考えずに安心して受験勉強に専念できます。なお、矢島講師作成の解答例は、**前年度以前の過去問**について以前作成したものであっても、**直近の試験で試験考査委員が受験生に求める能力**を踏まえて**毎年調整**し直しています。

受講料

受講形態	科目	回数	講義形態	一般価格	大学生協･書籍部価格	代理店書店価格	講座コード
				税込（10%）			
通学・通信	一括	30	Web※1	112,200円	106,590円	109,956円	通学：LA24514 通信：LB24504
			DVD	145,750円	138,462円	142,835円	
	民法/刑法※2	各5	Web※1	28,600円	27,170円	28,028円	
			DVD	36,850円	35,007円	36,113円	
	憲法/商法/民訴法 刑訴法/行政法※2	各4	Web※1	20,350円	19,332円	19,943円	
			DVD	26,400円	25,080円	25,872円	

※1 音声DL＋スマホ視聴付き
※2 いずれか1科目あたりの受講料となります

■一般価格とは、LEC各本校・LEC提携校・LEC通信事業本部・LECオンライン本校にてお申込される場合の受付価格です。 ■大学生協・書籍部価格とは、LECと代理店契約を結んでいる大学内の生協、購買会、書店にてお申込される場合の受付価格です。■代理店書店価格とは、LECと代理店契約を結んでいる一般書店（大学内の書店は除く）にてお申込される場合の受付価格です。 ■上記大学生協・書籍部価格、代理店書店価格を利用される場合は、必ず本冊子を代理店窓口までご持参ください。

【解約・返品について】 1.弊社所定書面をご提出下さい。実施済受講料、手数料等を清算の上返金します。教材等の返送料はご負担頂きます（LEC申込規定第3条参照）。
2.詳細はLEC申込規定（http://www.lec-jp.com/kouzamoushikomi.html）をご覧下さい。

スマートフォン・タブレットから簡単アクセス！ ▷▷▷

自慢の メールマガジン 配信中！（登録無料）

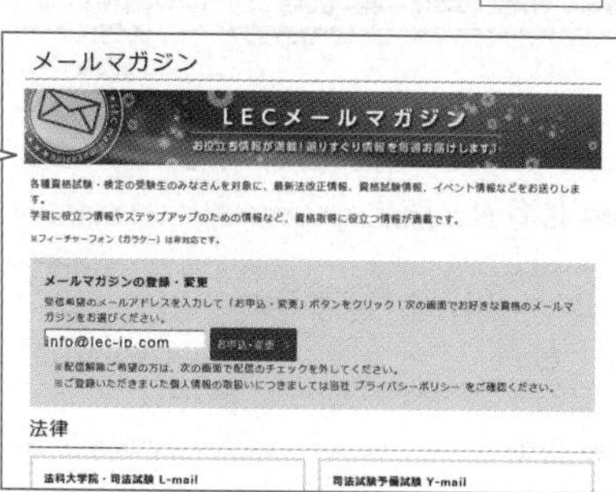

LEC講師陣が毎週配信！　最新情報やワンポイントアドバイス，改正ポイントなど合格に必要な知識をメールにて毎週配信。

www.lec-jp.com/mailmaga/

LEC オンラインショップ

充実のラインナップ！　LECの書籍・問題集や講座などのご注文がいつでも可能です。また，割引クーポンや各種お支払い方法をご用意しております。

online.lec-jp.com/

LEC 電子書籍シリーズ

LECの書籍が電子書籍に！　お使いのスマートフォンやタブレットで，いつでもどこでも学習できます。

※動作環境・機能につきましては，各電子書籍ストアにてご確認ください。

www.lec-jp.com/ebook/

LEC書籍･問題集･レジュメの紹介サイト **LEC書籍部** www.lec-jp.com/system/book/

- LECが出版している書籍･問題集･レジュメをご紹介
- 当サイトから書籍などの直接購入が可能(＊)
- 書籍の内容を確認できる「チラ読み」サービス
- 発行後に判明した誤字等の訂正情報を公開

＊商品をご購入いただく際は，事前に会員登録(無料)が必要です。
＊購入金額の合計・発送する地域によって，別途送料がかかる場合がございます。

※資格試験によっては実施していないサービスがありますので，ご了承ください。

司法試験＆予備試験対策テキストの決定版

4

「短答式試験の過去問を解いてみよう」
では実際に出題された**本試験問題を掲載。**
該当箇所とリンクしているので、効率良く学んだ知識を確認できます。

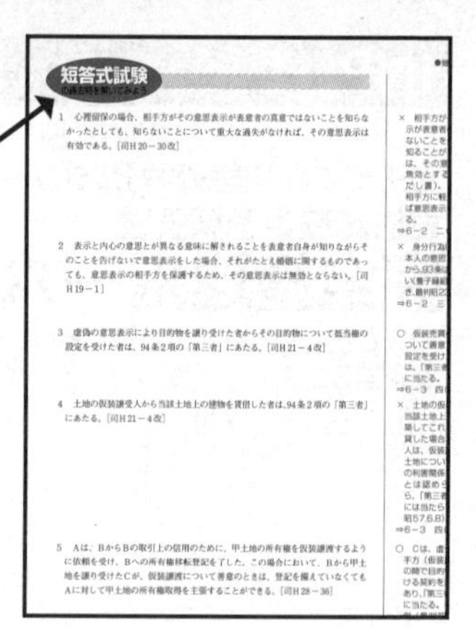

短答式試験
の過去問を解いてみよう

1　心裡留保の場合、相手方がその意思表示が表意者の真意ではないことを知らなかったとしても、知らないことについて重大な過失がなければ、その意思表示は有効である。[司H20－30改]

2　表示と内心の意思とが異なる意味に解されることを表意者自身が知りながらそのことを告げないで意思表示をした場合、それがたとえ婚姻に関するものであっても、意思表示の相手方を保護するため、その意思表示は無効とならない。[司H19－1]

3　虚偽の意思表示により目的物を譲り受けた者からその目的物について抵当権の設定を受けた者は、94条2項の「第三者」にあたる。[司H21－4改]

4　土地の仮装譲受人から当該土地上の建物を賃借した者は、94条2項の「第三者」にあたる。[司H21－4改]

5　Aは、BからBの取引上の信用のために、甲土地の所有権を仮装譲渡するように依頼を受け、Bへの所有権移転登記を了した。この場合において、Bから甲土地を譲り受けたCが、仮装譲渡について善意のときは、登記を備えていなくてもAに対して甲土地の所有権取得を主張することができる。[司H28－36]

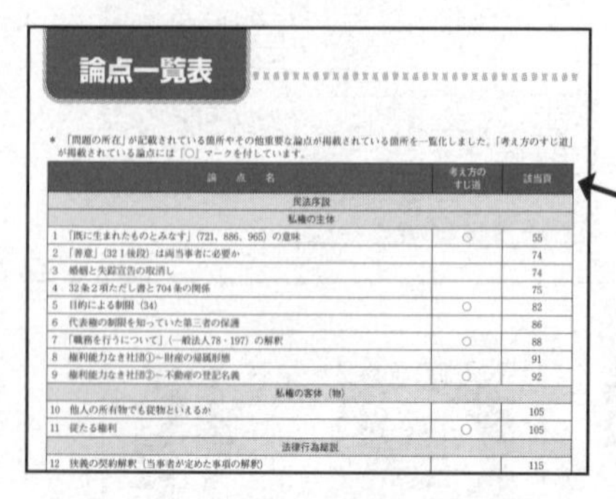

論点一覧表

＊「問題の所在」が記載されている箇所やその他重要な論点が掲載されている箇所を一覧化しました。「考え方のすじ道」が掲載されている論点には「○」マークを付しています。

論点名	考え方のすじ道	該当頁
民法序説		
私権の主体		
1「既に生まれたものとみなす」(721、886、965）の意味	○	55
2「善意」(32 I 後段）は両当事者に必要か		74
3 婚姻と失踪宣告の取消し		74
4 32条2項ただし書と704条の関係		75
5 目的による制限（34）	○	82
6 代表権の制限を知っていた第三者の保護		86
7「職務を行うについて」(一般法人78・197）の解釈	○	88
8 権利能力なき社団①～財産の帰属形態		91
9 権利能力なき社団②～不動産の登記名義	○	92
私権の客体（物）		
10 他人の所有物でも従物といえるか		105
11 従たる権利	○	105
法律行為総説		
12 狭義の契約解釈（当事者が定めた事項の解釈）		115

5

巻末には**「論点一覧表」**が付いているので、**知識の確認、総復習**に役立ちます。

C-Bookラインナップ

1　憲法Ⅰ〈総論・人権〉　本体3,600円+税
2　憲法Ⅱ〈統治〉　本体3,200円+税
3　民法Ⅰ〈総則〉　本体3,200円+税
4　民法Ⅱ〈物権〉　本体3,500円+税
5　民法Ⅲ〈債権総論〉　本体3,200円+税
6　民法Ⅳ〈債権各論〉　本体3,800円+税
7　民法Ⅴ〈親族・相続〉　本体3,500円+税
8　刑法Ⅰ〈総論〉　本体3,800円+税
9　刑法Ⅱ〈各論〉　本体3,800円+税
10　会社法［2025年5月発刊予定］

今後の発刊予定は
こちらでご覧になれます（随時更新）
https://www.lec-jp.com/shihou/book/

※上記の内容は事前の告知なしに変更する場合があります。

LEC提携校

＊提携校はLECとは別の経営母体が運営をしております。
＊提携校は実施講座およびサービスにおいてLECと異なる部分がございます。

北海道・東北

八戸中央校【提携校】 ☎0178(47)5011
〒031-0035　青森県八戸市寺横町13　第1朋友ビル
新教育センター内

弘前校【提携校】 ☎0172(55)8831
〒036-8093　青森県弘前市城東中央1-5-2
まなびの森　弘前城東予備校内

秋田校【提携校】 ☎018(863)9341
〒010-0964　秋田県秋田市八橋鯲沼町1-60
株式会社アキタシステムマネジメント内

関東

水戸校【提携校】 ☎029(297)6611
〒310-0912　茨城県水戸市見川2-3079-5

所沢校【提携校】 ☎050(6865)6996
〒359-0037　埼玉県所沢市くすのき台3-18-4　所沢K・Sビル
合同会社LPエデュケーション内

日本橋校【提携校】 ☎03(6661)1188
〒103-0025　東京都中央区日本橋茅場町2-5-6　日本橋大江戸ビル
株式会社大江戸コンサルタント内

北陸

新潟校【提携校】 ☎025(240)7781
〒950-0901　新潟県新潟市中央区弁天3-2-20　弁天501ビル
株式会社大江戸コンサルタント内

金沢校【提携校】 ☎076(237)3925
〒920-8217　石川県金沢市近岡町845-1
株式会社アイ・アイ・ピー金沢内

福井南校【提携校】 ☎0776(35)8230
〒918-8114　福井県福井市羽水2-701
株式会社ヒューマン・デザイン内

中国・四国

松江殿町校【提携校】 ☎0852(31)1661
〒690-0887　島根県松江市殿町517　アルファステイツ殿町
山路イングリッシュスクール内

岩国駅前校【提携校】 ☎0827(23)7424
〒740-0018　山口県岩国市麻里布町1-3-3　岡村ビル　英光学院内

新居浜駅前校【提携校】 ☎0897(32)5356
〒792-0812　愛媛県新居浜市坂井町2-3-8
パルティフジ新居浜駅前店内

九州・沖縄

佐世保駅前校【提携校】 ☎0956(22)8623
〒857-0862　長崎県佐世保市白南風町5-15　智翔館内

日野校【提携校】 ☎0956(48)2239
〒858-0925　長崎県佐世保市椎木町336-1　智翔館日野校内

長崎駅前校【提携校】 ☎095(895)5917
〒850-0057 長崎県長崎市大黒町10-10　KoKoRoビル
minatoコワーキングスペース内

高原校【提携校】 ☎098(989)8009
〒904-2163　沖縄県沖縄市大里2-24-1
有限会社スキップヒューマンワーク内

※上記は2024年10月1日現在のものです。

書籍の訂正情報について

このたびは，弊社発行書籍をご購入いただき，誠にありがとうございます。
万が一誤りの箇所がございましたら，以下の方法にてご確認ください。

1 訂正情報の確認方法

書籍発行後に判明した訂正情報を順次掲載しております。
下記Webサイトよりご確認ください。

www.lec-jp.com/system/correct/

2 ご連絡方法

上記Webサイトに訂正情報の掲載がない場合は，下記Webサイトの
入力フォームよりご連絡ください。

lec.jp/system/soudan/web.html

フォームのご入力にあたりましては，「Web教材・サービスのご利用について」の
最下部の「ご質問内容」に下記事項をご記載ください。

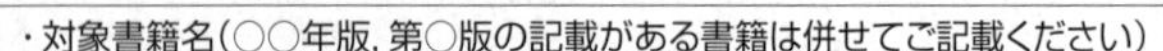

・対象書籍名（○○年版，第○版の記載がある書籍は併せてご記載ください）
・ご指摘箇所（具体的にページ数と内容の記載をお願いいたします）

ご連絡期限は，次の改訂版の発行日までとさせていただきます。
また，改訂版を発行しない書籍は，販売終了日までとさせていただきます。

※上記「2ご連絡方法」のフォームをご利用になれない場合は，①書籍名，②発行年月日，③ご指摘箇所，を記載の上，郵送にて下記送付先にご送付ください。確認した上で，内容理解の妨げとなる誤りについては，訂正情報として掲載させていただきます。なお，郵送でご連絡いただいた場合は個別に返信しておりません。

送付先：〒164-0001 東京都中野区中野4-11-10 アーバンネット中野ビル
株式会社東京リーガルマインド 出版部 訂正情報係

・誤りの箇所のご連絡以外の書籍の内容に関する質問は受け付けておりません。
また，書籍の内容に関する解説，受験指導等は一切行っておりませんので，あらかじめご了承ください。
・お電話でのお問合せは受け付けておりません。